Frederick Forsyth

NEGOCJATOR

Pracownikom
Służb Specjalnych
całego świata

Frederick Forsyth

NEGOCJATOR

Przekład:
LIDIA MONIKA SZAŁAPSKA

C&T
TORUŃ

Tytuł oryginału:
THE NEGOTIATOR

Published 1989 by Bantam Press a division of Transworld Publishers Ltd
Copyright © Frederick Forsyth 1989
Copyright © for the Polish edition by „C&T", Toruń 1999
Copyright © for the Polish translation by „C&T", Toruń 1997

Opracowanie graficzne:
MARCIN LUŚCIŃSKI
Redaktor wydania:
PAWEŁ MARSZAŁEK
Korekta:
MAGDALENA MARSZAŁEK
Opracowanie typograficzne, skład i łamanie:
fio & flo, tel./fax (0-56) 65-11-413

ISBN 83-87498-23-8

Wydawnictwo „C&T" ul. Św. Józefa 79, 87-100 Toruń, tel./fax (0-56) 652-90-17

Toruń 1999. Wydanie III. Ark. wyd. 24,5; ark. druk. 25.
Druk i oprawa: Prasowe Zakłady Graficzne, Bydgoszcz, ul. Wojska Polskiego 1

OSOBY

AMERYKANIE

John J. Cormack — prezydent Stanów Zjednoczonych
Michael Odell — wiceprezydent Stanów Zjednoczonych
James Donaldson — sekretarz stanu
Morton Stannard — minister obrony
Bill Walters — prokurator generalny
Hubert Reed — minister skarbu
Brad Johnson — doradca ds. bezpieczeństwa narodowego
Donald Edmonds — dyrektor Federalnego Biura Śledczego (FBI)
Philip Kelly — asystent dyrektora FBI, szef wydziału śledczego
Kevin Brown — zastępca asystenta dyrektora FBI, wydział śledczy
Lee Alexander — dyrektor Centralnej Agencji Wywiadowczej (CIA)
David Weintraub — zastępca dyrektora CIA ds. operacyjnych
Quinn — negocjator
Duncan McCrea — młodszy agent ds. operacyjnych CIA
Irving Moss — agent wyrzucony z CIA
Sam Somerville — agent ds. operacyjnych FBI
Charles Fairweather — ambasador USA w Londynie
Patrick Seymour — radca prawny ambasady USA w Londynie
Lou Collins — oficer łącznikowy CIA w Londynie
Cyrus Miller — magnat naftowy
Melville Scanlon — armator
Peter Cobb — przemysłowiec, producent broni
Ben Salkind — przemysłowiec, producent broni
Lionel Moir — przemysłowiec, producent broni
Creighton Burbank — dyrektor Secret Service
Robert Easterhouse — kontraktowy doradca w sprawach bezpieczeństwa
  w Arabii Saudyjskiej
Steve Pyle — dyrektor generalny Investment Bank w Arabii Saudyjskiej

Andy Laing — urzędnik bankowy Investment Bank w Arabii Saudyjskiej
Simon — amerykański student w Balliol College w Oksfordzie

BRYTYJCZYCY

Margaret Thatcher — premier Wielkiej Brytanii
Sir Harry Marriott — minister spraw wewnętrznych
Sir Peter Imbert — nadkomisarz Scotland Yardu
Nigel Cramer — zastępca nadkomisarza, departament służb specjalnych Scotland Yardu
Peter Williams — głównodowodzący oficer śledczy, departament służb specjalnych Scotland Yardu
Julian Hayman — szef firmy ochroniarskiej

ROSJANIE

Michaił Gorbaczow — sekretarz generalny KC Komunistycznej Partii Związku Radzieckiego
Władimir Kriuczkow — generał, szef KGB
Major Kerkorian — rezydent KGB w Belgradzie
Wadim Kirpiczenko — generał, pierwszy zastępca szefa Zarządu Pierwszego KGB
Iwan Kozłow — marszałek ZSRR
Generał major Ziemskow — szef zarządu planowania Sztabu Generalnego
Andriej — agent ds. operacyjnych KGB

EUROPEJCZYCY

De Kuyper — belgijski opryszek
Van Eyck — dyrektor Walibi Theme Park w Belgii
Dieter Lutz — dziennikarz z Hamburga
Hans Moritz — właściciel browaru w Dortmundzie
Horst Lenzlinger — handlarz bronią z Oldenburga
Werner Bernhardt — były najemnik z Kongo
Papa De Groot — prowincjonalny naczelnik policji w Holandii
Nadinspektor Dykstra — prowincjonalny detektyw holenderski

PROLOG

Krótko przed deszczem znowu przyszedł ten sen. I tak go pochłonął, że nie słyszał nawet deszczu.

To była znów ta polana w lesie na Sycylii, wysoko nad Taorminą. On wychodził spomiędzy drzew i zgodnie z ustaleniami kierował się na środek tej polany. W prawej ręce trzymał aktówkę. Dotarł na wyznaczone miejsce, postawił aktówkę na ziemi, cofnął się parę kroków i upadł na kolana. Zgodnie z ustaleniami. Aktówka zawierała miliard lirów.

Sześć tygodni trwały pertraktacje nad wypuszczeniem dziecka, co było naprawdę wyczynem. Takie sprawy ciągnęły się i miesiącami. Przez sześć tygodni siedział obok eksperta z oddziału *carabinieri* w Rzymie — także Sycylijczykiem, ale stojącym po stronie prawa — i uzgadniał z nim taktykę. A oficer *carabinieri* załatwiał resztę. Po burzliwych pertraktacjach dogadali się w końcu w sprawie uwolnienia córki jubilera z Mediolanu porwanej z jego letniej willi nieopodal plaży Cefalu. Okup miał wynosić blisko milion dolarów, mimo iż pierwotne żądania mafii były pięciokrotnie wyższe.

Z drugiej strony polany wyszedł mężczyzna, nie ogolony, o wyglądzie zbira, zamaskowany, z dubeltówką lupara zawieszoną na ramieniu. Za rękę trzymał dziesięcioletnią dziewczynkę. Była boso, miała bladą wystraszoną twarz, ale wydawało się, że nie wyrządzono jej żadnej krzywdy. Przynajmniej na ciele. Podchodzili razem; widział oczy zbira wlepione w niego zza maski, a potem przesuwające się na las, za jego plecami.

Mafioso zatrzymał się obok aktówki i burknął na dziewczynkę, że ma zrobić to samo. Mała posłuchała go. Tylko swoimi wielkimi oczami wpatrywała się w wybawiciela. Już niedługo, dziecino. Wytrzymaj, kochanie...

Zbir przekładał szybko paczki banknotów w aktówce, dopóki nie przekonał się, że nie oszukano go. A wysoki mężczyzna i dziewczynka patrzyli na siebie. Mrugnął do niej i przez jej twarz przemknął uśmiech. Zbir zamknął aktówkę i cofając się ruszył na swoją stronę polany. Był już przy drzewach, gdy to się stało...

To nie byli *carabinieri* z Rzymu, ale miejscowy dureń. Rozległy się strzały. Zbir z aktówką potknął się i upadł. Jego kumple stali, rzecz jasna, rozstawieni pośród sosen za jego plecami. Odpowiedzieli ogniem. W jednej sekundzie grad kul przeciął polanę.

Krzyknął wtedy po włosku: „Padnij!", ale ona nie usłyszała go albo wpadła w panikę, bo zaczęła biec w jego stronę. Zerwał się pokonując te kilka metrów, jakie ich dzieliło.

Prawie mu się udało. Widział ją tam, już niemal czuł pod palcami, o włos od jego wyciągniętej mocnej prawej ręki, która miała przycisnąć ją do wysokiej trawy dającej bezpieczeństwo; widział strach w jej dużych oczach, białe ząbki w otwartych do krzyku ustach... i wtedy szkarłatna róża rozkwitła z przodu jej cienkiej bawełnianej sukienki.

Dziewczynka upadła, jakby pchnięta od tyłu, na ziemię, a on pamiętał, że położył się na nią i osłaniał swym ciałem, aż strzelanina ucichła i *mafioso* skrył się w las. Pamiętał, jak siedząc na ziemi kołysał małe bezwładne ciało w ramionach, płakał i wrzeszczał na zdumionego miejscowego policjanta, wyjąkującego jakieś spóźnione przeprosiny: „Nie, nie, słodki Jezu, nie tym razem..."

ROZDZIAŁ PIERWSZY

Listopad 1989

Zima tego roku przyszła wcześnie. Już w końcu miesiąca jej pierwsze zwiastuny, niesione z przenikliwym zimnym wiatrem z północno-wschodnich stepów, hulały po dachach, jakby sprawdzając odporność Moskwy.

Kwatera główna radzieckiego Sztabu Generalnego mieściła się przy ulicy Frunzego 19 — poszarzały już gmach wybudowany w latach trzydziestych i na wprost drugi, o wiele bardziej nowoczesny ośmiopiętrowy blok. Na najwyższym piętrze starego budynku, przy oknie stał właśnie szef sztabu generalnego wpatrując się w lodowatą śnieżycę, a jego nastrój był tak ponury, jak zbliżająca się zima.

Marszałek Iwan K. Kozłow miał sześćdziesiąt siedem lat i od dwóch lat powinien być ustawowym emerytem, ale w Związku Radzieckim, jak i gdzie indziej, ustanawiający przepisy nie uważali, by te miały odnosić się do nich samych. Na początku roku, ku ogólnemu zaskoczeniu kadry wojskowej, zajął miejsce po przeniesionym w stan spoczynku marszałku Achromiejewie. Obaj mężczyźni pasowali do siebie jak pięść do nosa. Achromiejew był małym, chudym jak patyk i drobnej postury intelektualistą, podczas gdy Kozłow wysokim, rubasznym, siwowłosym już, ale krzepkim żołnierzem z krwi i kości, synem, wnukiem i bratankiem wojskowych. Choć przed awansem był jednym z trzech zastępców dowódcy Sztabu Generalnego, przeskoczył obu wyższych rangą kandydatów, którzy cicho odeszli na emeryturę. Nikt nie miał najmniejszych wątpliwości, dlaczego on dotarł na szczyt. W latach 1987–89 bez hałasu i fachowo kierował odwrotem wojsk radzieckich z Afganistanu, dzięki czemu operacja obyła się bez skandali, większych porażek i przede wszystkim bez narodowej utraty twarzy, choć wilki Allaha przez całą drogę aż do przełęczy Salang deptały Rosjanom po piętach. Ta operacja przyniosła mu wielkie uznanie w Moskwie i zwróciła nań osobistą uwagę samego sekretarza generalnego.

Jeszcze w czasie wykonywania tych zadań, co przyniosło mu marszałkowską buławę, poprzysiągł sobie w skrytości ducha nigdy więcej nie doprowadzić ukochanej radzieckiej armii do odwrotu — mimo wielkich nakładów propagandy Afganistan był przecież oczywistą porażką... A widmo kolejnej tego rodzaju porażki psuło mu właśnie nastrój, kiedy tak wpatrywał się przez podwójną szybę na przemykający ruch drobnych lodowych płatków za oknem.

Powodem złego humoru był raport leżący na biurku, opracowany specjalnie na jego zlecenie przez jednego z najzdolniejszych protegowanych — młodego generała-majora, którego przywiózł ze sobą z Kabulu i zabrał do Sztabu Generalnego. Kaminski był typem akademika, myśliciela, a przy tym doskonałego organizatora i marszałek zdecydował się przydzielić mu drugie co do ważności zadanie na polu logistyki. Jak każdy oficer z doświadczeniem frontowym Kozłow wiedział dobrze, że bitwy nie wygrywa się odwagą ani poświęceniem, ani też dzięki inteligencji generałów; decyduje o tym właściwe wyposażenie we właściwym czasie i na właściwym miejscu, i do tego jeszcze w wystarczającej ilości.

Z goryczą przypominał sobie czasy, kiedy jako osiemnastoletni kawalerzysta miał okazję widzieć wspaniale wyposażone wojska niemieckie równające z ziemią zapory obronne jego ojczyzny, podczas gdy Czerwona Armia — wykrwawiona przez stalinowskie czystki i wyposażona w przestarzałą broń — próbowała zatrzymać ten napór. Jego ojciec zginął podczas próby obrony niemożliwej do utrzymania pozycji w okolicach Smoleńska, gdzie zwykłymi karabinami chciano zatrzymać nacierające z rykiem pancerne oddziały Guderiana. Od wtedy poprzysiągł sobie, że jego armia będzie dysponować właściwym wyposażeniem i w wystarczającej ilości. Poświęcił temu większą część kariery i teraz miał pod sobą pięć rodzajów wojsk ZSRR: wojska lądowe, marynarkę wojenną, lotnictwo wojskowe, strategiczne siły rakietowe i obronę powietrzną kraju. I wszystkie stały teraz w obliczu zagrożenia, jak wynikało z trzystustronicowego raportu leżącego na jego biurku.

Przeczytał go już dwa razy — w nocy, w swym spartańsko urządzonym mieszkaniu przy Prospekcie Kutuzowskim, i potem w służbowym gabinecie, gdzie zjawił się o siódmej rano i od razu odłożył na bok słuchawkę telefonu, by mu nie przeszkadzano. Odszedł teraz od okna, wrócił do wielkiego biurka wieńczącego stół konferencyjny w kształcie litery T i znowu wpatrzył się w ostatnie strony raportu.

PODSUMOWANIE. Problem nie w tym, że według przewidywań zasoby ropy naftowej na naszej planecie zmniejszą się w ciągu kolejnych dwudziestu czy trzydziestu lat, lecz że zasoby Związku Radzieckiego wyczerpią się w ciągu lat siedmiu lub ośmiu. Dowodzi tego tabela wykazanych rezerw na poprzednich stronach raportu, a w szczególności zestawienie w liczbach R-P — stosunek rezerw do produkcji. Wynika on z relacji produkcji rocznej kraju wydobywającego ropę do sumy znanych zasobów tego kraju i z reguły wyrażany jest w miliardach baryłek.

Dane z końca roku 1985 — dane z Zachodu, muszę niestety przyznać, bo mimo moich bliskich kontaktów z naszym przemysłem naftowym tylko na tych danych liczbowych możemy polegać, jeśli chcemy mieć jasny obraz sytuacji na Syberii — pokazują, że wydobyliśmy wtedy 4,4 miliarda baryłek ropy, co oznacza eksploatację jeszcze przez najbliższe czternaście lat, zakładając produkcję na tym samym poziomie. Jest to jednak założenie zbyt optymistyczne, gdyż wykorzystanie zasobów ropy naftowej musiało wzrosnąć, ponieważ od tamtej pory produkcja także wzrosła. Tym samym obecnie dysponujemy rezerwami na siedem do ośmiu lat.

Przyczyna wzrostu popytu wynika z dwóch powodów. Pierwszy tkwi we wzroście produkcji przemysłowej, zwłaszcza w sferze dóbr konsumpcyjnych, jak wymogło to Biuro Polityczne od czasu wprowadzenia nowych reform gospodarczych. Drugi to nieudolność tychże gałęzi przemysłu, i to nie tylko tradycyjnych, ale i nowych. Nasz przemysł wytwórczy jest, w skrócie ujmując, wysoce energochłonny, a do tego dochodzi jeszcze przestarzały park maszynowy. Przykładowo: rosyjskie auto ma trzy razy większą masę własną niż jego amerykański odpowiednik. I to nie z powodu naszych srogich zim, jak się oficjalnie podaje, ale dlatego, że nasze huty nie potrafią wyprodukować odpowiednio cienkich arkuszy blach. Stąd też wykonanie jednego auta pochłania procentowo więcej prądu, uzyskiwanego z ropy naftowej, a do tego pojazd ten spala potem więcej paliwa.

PERSPEKTYWY. Reaktory jądrowe produkują 11% energii elektrycznej Związku Radzieckiego. A nasi planiści zakładali, że do roku 2000 będą one produkować 20%, a może i więcej. Tak było do Czernobyla... Niestety, 40% naszej energii jądrowej wytwarzały elektrownie tego typu co w Czernobylu. Od tamtej pory większość z nich została zamknięta z powodu „zmian technicznych" — w rzeczywistości jest mało prawdopodobne, by eksploatowano je jeszcze w przyszłości — a plany budowy dalszych wstrzymano. Skutek jest taki, że nasza produkcja energii przez elektrownie jądrowe nie tylko nie osiągnęła dwucyfrowego udziału procentowego, ale obniżyła się do siedmiu procent i spada nadal.

Dysponujemy największymi na świecie zasobami gazu ziemnego, ale znajdują się one na Syberii, gdzie panują ekstremalne warunki atmosferyczne i samo wydobycie go nie wystarczy. Potrzebna jest rozległa infrastruktura gazociągów i sieci wysokiego napięcia, by przetransportować ten gaz do naszych miast, fabryk i elektrowni.

Jak pamiętacie, na początku lat siedemdziesiątych, gdy ceny ropy naftowej po wojnie Yom Kippur osiągnęły zawrotne wysokości, zaoferowaliśmy zaopatrzenie Europy Zachodniej w gaz ziemny. Dzięki sfinansowaniu budowy rurociągów, jak obie-

cali Europejczycy, możliwe byłoby wtedy stworzenie sieci dystrybucji. Jednak USA nie miało z tego żadnych korzyści i storpedowało inicjatywę pod groźbą różnego rodzaju sankcji gospodarczych wobec każdego kraju, który podjąłby z nami współpracę. Tym samym projekt upadł. Obecnie, od czasu tak zwanej „odwilży", dałoby się taki zamiar politycznie przeforsować. Teraz jednak ceny ropy naftowej na Zachodzie są niskie i nikomu nasz gaz ziemny nie jest tam potrzebny. Gdy światowy niedostatek ropy znowu wywinduje ceny do poziomu, który sprawi, iż nasz gaz ziemny stanie się interesującą ofertą, dla Związku Radzieckiego będzie już za późno.

Tym samym żadna z alternatyw nie ma znaczenia praktycznego. Ani gaz ziemny, ani energia jądrowa nie rozwiążą problemów. Nasz przemysł, jak i przemysł partnerów zależnych od naszych dostaw energii, jest nierozerwalnie związany z paliwami i materiałami przemysłowymi na bazie ropy naftowej.

SOJUSZNICY. Krótka dygresja na temat państw Europy Środkowej — państw, które zachodnia propaganda określa mianem naszych „satelitów". Mimo iż ich łączna produkcja wydobycia ropy naftowej, głównie z małego rumuńskiego zagłębia Ploeszti, wynosi 2 miliardy baryłek rocznie, to w porównaniu do ich potrzeb jest to kropla w morzu. Reszta pokrywana jest przez nas, co stanowi jeden z czynników podtrzymujących cały obóz. Aby złagodzić trochę obciążenie, zezwoliliśmy na kilka operacji wymiennych między nimi a państwami Bliskiego Wschodu. Gdyby jednak mieli oni stać się kiedykolwiek w przyszłości zupełnie niezależni od naszej ropy, a tym samym zależni od Zachodu, byłoby tylko kwestią czasu, i to bardzo krótkiego, aby Niemiecka Republika Demokratyczna, Polska, Czechosłowacja, Węgry, a nawet Rumunia przeszły do obozu kapitalistycznego, nie mówiąc już o Kubie.

WNIOSKI...

Marszałek Kozłow spojrzał na zegar ścienny. Jedenasta. Ceremonia na lotnisku rozpocznie się za chwilę. Uznał, że nie pojawi się na niej; nie miał ochoty podlizywać się Amerykanom. Przeciągnął się, wstał i podszedł znowu do okna, ściskając w ręku raport Kaminskiego. Aż do tej pory był to dokument oznaczony klauzulą „Ściśle tajne" i Kozłow wiedział już, że takim musi pozostać. Zawierał zbyt piorunujące informacje, aby pozwolić na jego krążenie po gmachu Sztabu Generalnego.

Do niedawna jeszcze oficer sztabowy piszący tak odważnie jak Kaminski mógł mierzyć swoją dalszą karierę w mikronach. Jednak Iwan Kozłow, choć pod każdym względem zatwardziały tradycjonalista, nigdy jeszcze nie karał za otwartość. Była to także jedyna cecha, jaką cenił u sekretarza generalnego. Niezbyt zachwycały go nowatorskie pomysły, by dać chłopom telewizory, a gospodyniom domowym pralki, ale musiał przyznać, iż Michaiłowi Gorbaczowowi można mówić otwarcie o wszystkim, nie zarabiając tym samym na bilet do Jakucji w jedną stronę.

Ten raport był dla niego szokujący. Wiedział już, że mimo wprowadzenia *pierestrojki* w sytuacji ekonomicznej kraju niewiele się zmieniło; jako żołnierz spędzał całe życie w zamkniętej wspólnocie wojskowej hierarchii, a wojsko miało zawsze pierwszeństwo w dostępie do zasobów, surowców i technologii i tym samym było jedyną sferą w kraju, gdzie działała kontrola jakości. Tym, że suszarki do włosów dla cywilów zagrażały ich życiu, a ich buty przemakały, on sam nie musiał się przejmować. Teraz jednak nastąpił kryzys, od którego nawet wojsko nie mogło być wolne. Wiedział, że najbardziej bolesna część raportu znajdowała się we wnioskach. Stojąc przy oknie wrócił do lektury.

WNIOSKI. Perspektywy mamy przed sobą tylko cztery i to nader mroczne.

1. Naszą produkcję ropy możemy utrzymać na obecnym poziomie, mając pewność, iż najpóźniej za osiem lat źródła się wyczerpią, a my będziemy zmuszeni zaistnieć na rynku światowym jako kupcy. Stałoby się to w najgorszym z możliwych momencie, gdyż globalne ceny ropy zaczną wtedy rosnąć niebotycznie. Zakupy mogące pokryć tylko pewną część naszych potrzeb sprawią, że naruszymy rezerwy twardej waluty, złota i diamentów syberyjskich. Tym samym nie zostałoby nic na konieczny import zboża i wyższych technologii, które stanowią podstawę obsesyjnie wręcz uprawianej polityki Biura Politycznego modernizowania przemysłu za wszelką cenę.

Naszej sytuacji nie poprawią też transakcje wymienne. Ponad 55% światowych zasobów ropy naftowej znajduje się w pięciu krajach Bliskiego Wschodu, których własne potrzeby są znikome w porównaniu do możliwości, i państwa te już wkrótce będą dyktowały warunki. Do tego, pomijając broń i surowce naturalne, na produkty radzieckie nie ma popytu na Bliskim Wschodzie i tym samym nie możemy liczyć na transakcje wymienne w celu pokrycia naszego zapotrzebowania na ropę. Będziemy musieli płacić twardą walutą, a tego nie jesteśmy w stanie przeskoczyć.

Pod rozwagę należy też brać strategiczne ryzyko uzależnienia się od obcych dostaw ropy; przede wszystkim w obliczu reżimu panującego w tych pięciu bliskowschodnich państwach i ich dotychczasowej polityki.

2. Możemy technicznie ulepszyć naszą istniejącą już produkcję ropy i wprowadzić nowe technologie, by osiągnąć wyższą wydajność, a tym samym obniżyć zużycie bez utraty zysków. Nasze urządzenia są przestarzałe, w stanie ogólnego rozkładu, a potencjał eksploatacji pól naftowych jest zbytnio naruszany przez zwiększanie norm wydobycia dziennego. Aby przedłużyć wydobycie ropy o dalsze dziesięć lat, musielibyśmy zmodernizować wszystkie pola wydobywcze, rafinerie i infrastrukturę rurociągów. I już dzisiaj musielibyśmy zacząć ten proces, a jego koszty byłyby astronomiczne.

3. Moglibyśmy skierować wszelkie wysiłki na polepszenie technologii wiercenia na morzu. Arktyka jest obszarem, gdzie najszybciej można trafić na nowe złoża.

Problemy związane z wydobyciem są tam jednak dużo większe niż na Syberii. Nie istnieje żadna infrastruktura dla transportu od odwiertu do konsumenta, a plany badań są opóźnione już o pięć lat. Także w tym przypadku nakłady finansowe musiałyby być ogromne.

4. Moglibyśmy wrócić do gazu ziemnego. Jak już wspominałem, w tym przypadku dysponujemy największymi rezerwami na świecie, prawie nie do wyczerpania. Ale i na tym polu musielibyśmy uruchomić olbrzymie środki na wydobycie, technologię, wykwalifikowane kadry, infrastrukturę rurociągów i przestawienie setek tysięcy fabryk na ten nośnik energii.

Na koniec nasuwa się pytanie: Skąd miałyby pochodzić środki wymienione w punktach 2, 3 i 4? W obliczu konieczności zastosowania naszych rezerw dewizowych na import zboża, by wyżywić naród, i zdecydowanych decyzji Biura Politycznego przeznaczenia reszty na import wysokich technologii, oczywistym staje się fakt, iż środki takie mogą znaleźć się tylko dzięki oszczędnościom. Ponieważ Biuro Polityczne zdecydowanie opowiada się za modernizacją przemysłu, nie możemy wykluczyć, że weźmie ono pod lupę budżet wojskowy.

Towarzyszu Marszałku, pozostaję z należytym szacunkiem
Piotr W. Kaminski (generał major)

Marszałek Kozłow zaklął pod nosem, zamknął akta i spojrzał w dół na ulicę. Lodowa śnieżyca wprawdzie ustała, ale wiatr był nadal przenikliwie zimny; obserwował malutkich przechodniów osiem pięter niżej, jak przytrzymywali swe papachy i z opuszczonymi głowami pospiesznie przemykali wzdłuż ulicy Frunzego.

Minęło prawie czterdzieści pięć lat od czasu, gdy jako dwudziestodwuletni wtedy porucznik zmotoryzowanych strzelców pod dowództwem Czujkowa zdobywał Berlin i wspinał się na dach kancelarii Hitlera, by zrzucić ostatnią flagę ze swastyką, która tam jeszcze powiewała. Zdjęcie tej akcji powielane było potem w historycznych książkach. Od tamtej pory wspinał się mozolnie, krok po kroku po szczeblach kariery, obecny podczas powstania na Węgrzech w 1956 roku, w czasie konfliktu granicznego z Chinami nad Ussuri, służąc w garnizonie na terenie NRD, a potem w Dowództwie Dalekiego Wschodu w Chabarowsku, skąd przeniesiono go do Naczelnego Dowództwa Okręgu Południe w Baku, a stamtąd trafił już do Sztabu Generalnego. Odsłużył swoje, znosząc lodowato zimne noce na dalekich rubieżach imperium; rozwiódł się z pierwszą żoną, bo ta nie chciała mu towarzyszyć w rozjazdach, a drugą pogrzebał na Dalekim Wschodzie. Przeżył ślub córki z inżynierem górnictwa, a nie wojskowym, jak miał nadzieję, a także odmowę syna wstąpienia do armii. W ciągu tych czterdziestu pięciu lat był świadkiem, jak armia radziecka rosła, stając się w jego mniemaniu największą potęgą na tej planecie, gotową bronić *rodiny*, ojczyzny, i zmiażdżyć wszystkich wrogów.

Podobnie jak wielu tradycjonalistów wierzył, że ta broń, dla której masy pracowały w pocie czoła i którą on i jego żołnierze dysponowali, zostanie użyta, i nie dopuszał nawet myśli, że jakakolwiek konstelacja okoliczności czy ludzi mogłaby osłabić jego armię, tak długo, jak on nią dowodził. Był wprawdzie głęboko oddany partii — w przeciwnym razie nigdy nie zaszedłby tam, gdzie teraz był — ale jeśli ktokolwiek, nawet człowiek przewodzący aktualnie partii, sądzi, iż skreśli miliardy rubli z budżetu wojskowego, to on sam będzie wtedy zmuszony przemyśleć kwestie lojalności wobec niego.

Im więcej rozmyślał nad ostatnimi stronami raportu, tym bardziej uporczywa stawała się myśl, że Kaminski, mimo swej inteligencji, przeoczył jednak piątą możliwość. Gdyby Związek Radziecki przejął pod swoją polityczną kontrolę tryskające w nadmiarze źródła surowej ropy naftowej, jakiś obszar obecnie znajdujący się poza jego granicami... gdyby na zasadzie wyłączności importował tę ropę po rozsądnej cenie, na jaką tylko mógłby sobie pozwolić, czyli innymi słowy: dyktować warunki... i to nim własne zasoby się wyczerpią...

Położył raport na stole konferencyjnym i przeszedł przez pokój do mapy świata, która zajmowała połowę ściany naprzeciwko okien. Zgłębiał ją uważnie, podczas gdy zegar odmierzał kolejne minuty do południa. Jego spojrzenie padało ciągle na określony obszar. W końcu podszedł do biurka, załączył na powrót telefon i przywołał adiutanta.

— Poproście generała majora Ziemskowa, żeby się stawił u mnie, natychmiast — powiedział.

Usiadł za biurkiem w fotelu z wysokim oparciem i pilotem włączył znajdujący się po jego lewej stronie telewizor. Ukazał się obraz kanału pierwszego: zapowiadana transmisja na żywo z VIP-owskiego lotniska Wnukowo pod Moskwą.

Prezydencki samolot Air Force One stał tam, zatankowany do pełna i gotowy do kołowania na pas startowy. Był to nowy Boeing 747, którym w tym roku zastąpiono starego i wysłużonego 707 i który mógł bez międzylądowania lecieć do Moskwy i z powrotem, co dla 707 było niemożliwe. Żołnierze z 89 Wojskowego Oddziału Lotniczego odpowiadający za samolot prezydencki stacjonujący w Bazie Sił Powietrznych Andrews, stali wokół niego na wypadek, gdyby jakiś nazbyt entuzjastycznie nastawiony Rosjanin próbował zbyt blisko podejść i coś umocować lub rzucić ukradkowe spojrzenie do wnętrza. Rosjanie jednak zachowywali się jak prawdziwi dżentelmeni, i to w czasie całej trzydniowej wizyty.

Parę metrów od końca skrzydła samolotu znajdowało się podium z pulpitem. Stał teraz za nim sekretarz generalny KC Komunistycznej Partii Związku Radzieckiego, Michaił Siergiejewicz Gorbaczow, kończąc swoją mowę pożegnalną. Obok niego siedział z gołą głową o stalowoszarych włosach rozwiewanych przez przenikliwie zimny wiatr jego gość, John F. Cormack, prezydent Stanów Zjednoczonych Ameryki Północnej. A z obu stron tych mężów stanu znalazło się dwunastu członków Biura Politycznego. Przed podium stała na baczność kompania honorowa milicji, podlegająca Ministerstwu Spraw Wewnętrznych, MWD, i druga z Zarządu Ochrony Pogranicza KGB. Aby nadać całości narodowy charakter, na czwartej stronie pustego placu zgromadzono dwustuosobową widownię, składającą się z inżynierów, techników i członków personelu lotniska. Dla mówcy jednak najważniejsze były baterie kamer telewizyjnych, fotoreporterzy i dziennikarze stojący między obiema kompaniami honorowymi. Było to bowiem znaczące wydarzenie.

Krótko po objęciu urzędu w styczniu John Cormack, niespodziewany zwycięzca listopadowych wyborów, dał do zrozumienia, iż chętnie poznałby bliżej sekretarza generalnego i gotów jest polecieć w tym celu do Moskwy. Michaił Gorbaczow nie zwlekał z wyrażeniem zgody i teraz, po trzydniowej wizycie, stwierdził z zadowoleniem, że ten wysoki, surowo spoglądający amerykański akademik jest w gruncie rzeczy bardzo ludzki i wydaje się, że — używając określenia pani Thatcher — można było z nim „robić interesy".

Tym samym, wbrew radom doradców od bezpieczeństwa i ideologii, podjął to ryzyko i wyraził zgodę na osobiste życzenie prezydenta, by mógł na żywo przez telewizję zwrócić się do obywateli narodu radzieckiego, nie przedkładając uprzednio tekstu swej mowy do akceptacji. W Związku Radzieckim nie ma praktycznie żadnych audycji na żywo; prawie wszystko jest dokładnie redagowane, przygotowywane i sprawdzane przed oddaniem do obejrzenia publiczności.

Nim Michaił Gorbaczow przystał na szczególną prośbę Cormacka, skonsultował się z fachowcami z telewizji państwowej. Byli tak samo zaskoczeni jak on, ale uznali, że po pierwsze tylko niewielu obywateli radzieckich zrozumie Amerykanina bez tłumaczenia jego słów (a te dałoby się w ostateczności stonować, jeśli Cormack posunie się zbyt daleko), i po drugie przekaz mowy można opóźnić o osiem do dziesięciu sekund. W przypadku gdyby mówca rzeczywiście posunął się za daleko, dałoby się zaimprowizować nieoczekiwaną usterkę w przekazie. Ostatecznie uzgodniono, że gdyby sekretarz generalny życzył sobie takiej przerwy, miał podrapać się palcem wskazującym w podbródek. Resztę załatwiliby technicy. Nie mogło to się odnosić do trzech amerykańskich ekip telewizyjnych ani BBC, ale to było bez znaczenia, ponieważ te nagrania i tak nigdy nie dotrą do radzieckich obywateli.

Kończąc swą mowę pozdrowieniem dla narodu amerykańskiego i wyrażając nadzieję na trwały pokój między Stanami Zjednoczonymi i Związkiem Radzieckim, Michaił Gorbaczow spojrzał na gościa. John F. Cormack wstał. Rosjanin wskazał ręką na pulpit i mikrofon, po czym ustąpił mu miejsca, siadając z boku. Prezydent podszedł do mikrofonu. Nie miał przed sobą żadnych notatek. Podniósł tylko głowę, spojrzał prosto w oko radzieckiej kamery i zaczął przemowę: „Mówię do was, mężczyzn, kobiet i dzieci Związku Radzieckiego..."

W swoim gabinecie marszałek Kozłow aż poderwał się z fotela, wpatrzony intensywnie w ekran. Brwi Michaiła Gorbaczowa na podium zadrgały, nim odzyskał on znowu równowagę. W budce za kamerą radzieckiej telewizji, skąd odbywała się transmisja, młody człowiek, mogący uchodzić za absolwenta Harvardu, położył rękę na mikrofon i szeptem zadał pytanie wysoko postawionemu funkcjonariuszowi stojącemu obok, który potrząsnął tylko głową. John Cormack nie mówił bowiem po angielsku; mówił płynnie po rosyjsku.

Nie znał tego języka, ale przed przyjazdem do Związku Radzieckiego, za zamkniętymi drzwiami swej sypialni w Białym Domu uczył się na pamięć mowy zawierającej pięćset słów po rosyjsku i ćwiczył ją z pomocą taśm i przy wsparciu nauczyciela tak długo, aż mógł ją wygłosić bez zająknięcia i z perfekcyjnym wręcz akcentem, nie rozumiejąc tak naprawdę ani jednego słowa. Nawet dla byłego profesora jednego z elitarnych uniwersytetów amerykańskich był to błyskotliwy wyczyn.

— Przed pięćdziesięciu laty przez wasz kraj, waszą ukochaną ojczyznę, przetoczyła się wojna. Wasi mężczyźni walczyli i umierali na polu bitwy bądź żyli jak wilki w swych własnych lasach. Wasze kobiety i dzieci musiały mieszkać w piwnicach i żywić się odpadkami. Miliony wtedy zginęły. Kraj został spustoszony. Choć nic takiego nigdy się nie przydarzyło mojemu krajowi, daję wam słowo, że mogę zrozumieć, jak bardzo wy musicie nienawidzić i obawiać się wojny. Od czterdziestu pięciu lat wznosimy, tak Rosjanie jak i Amerykanie, mury między nami, wmawiamy sobie, że ten drugi będzie kolejnym najeźdźcą. Stworzyliśmy góry — góry ze stali, broni, czołgów, statków, samolotów i bomb. Mury kłamstw budowane były jeszcze wyżej, aby usprawiedliwić te góry stali. Są tacy, którzy sądzą, że potrzebujemy tej całej broni, bo pewnego dnia będzie ona konieczna, by móc się nawzajem wyniszczyć... *Nu, ja skażu: my pojdiom drugim putiom.*

Niemal dało się słyszeć, jak zgromadzeni na lotnisku wstrzymali oddech. To zdanie: „Ale ja powiem: my pójdziemy inną drogą" zapożyczył prezydent Cormack z Lenina i każde dziecko w tym kraju je znało. Rosyjskie *put* oznacza „drogę", ale także „kurs, kierunek". Dalej prezydent używał tego słowa w jego różnych znaczeniach:

— Myślę tu o drodze stopniowego rozbrojenia i pokoju. Mamy tylko tę jedną planetę dla siebie i jest to wspaniała planeta. Możemy na niej albo razem żyć, albo razem umrzeć...

Drzwi do gabinetu marszałka Kozłowa otworzyły się cicho i po chwili zamknęły. Oficer po pięćdziesiątce, kolejny protegowany Kozłowa i as jego sztabu planowania, wszedł i niemo obserwował obraz z telewizora w kącie. Amerykański prezydent kończył swoją mowę:

— Nie będzie to prosta droga. Raczej kamienista i pełna wybojów. Jednak na jej końcu czeka pokój i bezpieczeństwo dla was i dla nas. Jeżeli każda ze stron ma wystarczająco dużo broni, by się bronić, ale niewystarczająco, aby nawzajem móc się zaatakować, i jeśli obie strony to wiedzą i mogą zweryfikować, naszym dzieciom i wnukom możemy przekazać świat wolny od koszmarnego strachu, jaki cechował minione półwiecze. Jeśli wy chcecie iść ze mną tą drogą, to ja pójdę nią z wami w imieniu narodu amerykańskiego. I z tymi słowami, Michaile Siergiejewiczu, podaję panu moją rękę.

Prezydent Cormack odwrócił się do sekretarza generalnego Gorbaczowa i wyciągnął w jego stronę prawą rękę. Rosjanin, mimo iż sam był ekspertem w sprawach propagandy, nie miał innego wyboru, jak wstać i także wyciągnąć rękę. A chwilę później z uśmiechem na twarzy objął Amerykanina w niedźwiedzim uścisku.

Rosjanie to naród zdolny do wielkiej paranoi i ksenofobii, ale i wielkich emocji. To pracownicy lotniska przerwali milczenie. Rozległy się burzliwe oklaski, potem wiwaty, a chwilę później pierwsze futrzane papachy pofrunęły w powietrze, gdy wszyscy ci cywile, zwykle zdyscyplinowani wręcz do perfekcji, zupełnie stracili panowanie nad sobą. Do nich dołączyli milicjanci, którzy w pozycji „spocznij" ściskali lewą ręką karabiny, wymachując szarymi czapkami z czerwonymi otokami i wiwatowali głosami pełnymi oczarowania. Oddziały KGB zerkały na swego przełożonego stojącego za podium. A generał Władimir Kriuczkow — niepewny jak ma się zachować, gdy całe Biuro Polityczne podniosło się — wstał również i dołączył do oklasków. Żołnierze ochrony pogranicza przyjęli to za znak — popełniając błąd, jak się później miało okazać — i zaczęli wiwatować razem z milicjantami. Wszędzie w obszarze pięciu stref czasowych 80 milionów radzieckich mężczyzn i kobiet uczyniło to samo.

— *Czort wozmi...* — Marszałek Kozłow sięgnął po pilota i wyłączył telewizor.

— Kochany nasz sekretarz generalny — mruknął przymilnie generał major Ziemskow.

Marszałek markotnie pokiwał głową. Najpierw nie wróżące nic dobrego na przyszłość wnioski z raportu Kaminskiego, a teraz jeszcze to. Podniósł się z fotela, przeszedł dookoła biurka i wziął do ręki raport.

— Weźcie to i przeczytajcie — powiedział. — Dokument jest ściśle tajny i takim ma pozostać. Są tylko dwa jego egzemplarze, drugi zostaje u mnie. Przede wszystkim zwróćcie uwagę na to, co Kaminski podaje we wnioskach.

Ziemskow skinął głową. Z posępnej miny marszałka domyślił się, że chodzi tu o coś więcej niż lekturę raportu. Był tylko zwykłym pułkownikiem, gdy dwa lata temu marszałek Kozłow zwrócił na niego uwagę podczas wizytowania manewrów w NRD. Brały w nich udział Radzieckie Siły Zbrojne w NRD po jednej stronie i wschodnioniemiecka Armia Ludowa po drugiej. W poprzednich tego rodzaju ćwiczeniach żołnierze NRD przyjęli rolę atakujących wojsk amerykańskich i zdruzgotali radzieckich towarzyszy broni. Tym razem Rosjanie, dzięki planom stworzonym przez Ziemskowa, odnieśli miażdżące zwycięstwo. Gdy tylko marszałek Kozłow objął najwyższe stanowisko na Frunzego, posłał po błyskotliwego planistę i przyjął go do własnego sztabu.

Teraz podprowadził młodszego od siebie żołnierza do mapy wiszącej na ścianie.

— Gdy skończycie lekturę, opracujecie taki niby plan przypominający Awaryjny Plan Specjalny. A faktycznie ten APS ma być drobiazgowo opracowanym, do ostatniego żołnierza, sztuki broni i naboju planem na wypadek inwazji i okupacji innego kraju. Daję wam na to dwanaście miesięcy.

Generał major Ziemskow podniósł brwi. — To nawet za długo, towarzyszu marszałku. Mam do dyspozycji...

— Macie do dyspozycji tylko własne oczy, uszy, ręce i mózg. Nikogo nie będziecie się radzić, z nikim omawiać. Wszelkie potrzebne dane musicie zdobywać podstępem. Będziecie pracować bez jakiejkolwiek pomocy. Zabierze to wam wiele miesięcy, a na koniec opracujecie plan w jednym tylko egzemplarzu.

— Rozumiem. A ten kraj?...

Marszałek postukał palcem w mapę.

— Tutaj. Ta ziemia pewnego dnia musi należeć do nas.

*

Houston, stolica amerykańskiego, a zdaniem niektórych światowego, przemysłu naftowego, to ciekawe miasto, ma bowiem nie jedno, ale dwa centra. Na wschodzie jest Śródmieście, centrum handlowe, bankowe, korporacyjne i przemysłowe, oglądane z daleka tworzy nagromadzenie połyskujących wieżowców wznoszących się nad płaską południowo-zachodnią równiną teksaską ku bladoniebieskiemu niebu. Na zachodzie leży tzw. Galleria, centrum zakupowe, restauracyjne i rozrywkowe, nad którym wznoszą się wieżowce Post Oak, Westin i Transco — największe skupisko sklepów pod jednym dachem.

Te dwa serca miasta spoglądają na siebie przez długi ciąg jednopiętrowych domków mieszkalnych i połaci zieleni niczym bohaterowie z rewolwerami stale gotowi do pojedynku o palmę pierwszeństwa.

Pod względem architektonicznym nad Śródmieściem góruje najwyższy drapacz chmur Texas Commerce, 75 pięter płyt z szarego marmuru i ciemnoszarego szkła. Licząca 310 metrów wysokości, najwyższa budowla na zachód od Missisipi. Drugim co do wielkości jest Allied Bank, 65 pięter do góry spiczasto zakończonych wieżą z zielonego lustrzanego szkła. Dookoła stoją dalsze drapacze chmur o różnych konstrukcjach: nowogotyckie torty weselne, lustrzane ołówki i inne ekstrawaganckie pomysły architektów. Tylko trochę mniejszy od Allied Bank jest gmach Pan-Global, którego ostatnie dziesięć pięter zajmują jego budowniczowie i właściciele: korporacja Pan-Global Oil, znajdująca się na 28 miejscu pośród spółek naftowych Stanów Zjednoczonych i dziewiąta co do wielkości w Houston. Z łącznym majątkiem szacowanym na 3,25 miliarda dolarów Pan-Global prześcigały tylko koncerny: Shell, Tenneco, Conoco, Enron, Coastal, Texas Eastern, Transco i Pennzoil. Jednak pod pewnym względem różniła się ona od wszystkich innych firm: Pan-Global była ciągle w posiadaniu swego leciwego już założyciela. Miał on wprawdzie akcjonariuszy i członków zarządu obok siebie, ale trzymał nad nimi kontrolę i nikt nie mógł kwestionować jego władzy w obrębie spółki.

Dwanaście godzin po tym, jak Kozłow wydał polecenia swemu oficerowi planowania, i osiem stref czasowych na zachód od Moskwy, Cyrus V. Miller stał przy sięgającym od sufitu do podłogi oknie z lustrzanego szkła w apartamencie własnego drapacza chmur i spoglądał na zachodnią stronę. Z daleka, poprzez mgłę późnego listopadowego popołudnia, odwzajemniał to spojrzenie wieżowiec Transco. Po chwili jednak Cyrus Miller depcząc po puszystym dywanie wrócił do biurka i zagłębił się w lekturze leżącego przed nim raportu.

Przed czterdziestu laty, gdy zaczął odnosić sukcesy, nauczył się, że informacja oznacza władzę. Wiedza o tym, co się dzieje, a jeszcze ważniejsze: co może stać się wkrótce, stwarza człowiekowi więcej władzy niż polityczny urząd czy pieniądze. Wtedy to założył w swej rozwijającej się firmie Dział Badań i Statystyki. Obsadził go najbardziej bystrymi i inteligentnymi analitykami po najlepszych uniwersytetach w kraju. Gdy nastała era komputerów, naszpikował go najnowszymi bankami informacji, gdzie zebrano rozległe dane o branży naftowej i innych gałęziach przemysłu, ekonomicznych osiągnięciach USA, trendach rynkowych, osiągnięciach naukowych i ludziach — setkach tysięcy ludzi z każdej dziedziny życia, którzy pewnego dnia mogli mu się do czegoś przydać.

Raport leżący przed nim pochodził od Dixona, młodego absolwenta Uniwersytetu Stanowego w Teksasie, człowieka o bystrym i przenikliwym umyśle, zatrudnionego w firmie od dziesięciu lat i rozwijającego się wraz z koncernem. Mimo wysokich zarobków, jak zauważył Miller, ten analityk nie przedłożył mu tekstu, który miałby go uspokoić. I to właśnie doceniał, gdy piąty raz czytał wnioski Dixona.

Wszystko sprowadza się do tego, że wolnemu światu po prostu kończy się ropa. Wskutek zdecydowanej polityki kolejnych rządów utrzymujących fikcję, że sytuacja „taniej ropy" trwać będzie w nieskończoność, szerokie rzesze Amerykanów nie dostrzegają tego faktu.

Dowód dla „teorii wyczerpywania się" znajdziemy w tabeli globalnych rezerw ropy, zamieszczonej wyżej. Z 41 wydobywających obecnie ropę państw, tylko 10 dysponuje znacznymi rezerwami, które wystarczą na dłużej niż 30 lat. I nawet ten obraz jest bardzo optymistyczny, bo u podstaw tego okresu leży warunek produkcji na obecnym poziomie, a zużycie ropy, a tym samym wydobycie, przecież wzrasta. Tym samym u producentów z małymi rezerwami ropa skończy się wcześniej, a pozostali będą zmuszeni zwiększyć wydobycie, aby zaspokoić popyt. Pewniejsze więc wydaje się założenie, iż we wszystkich roponośnych państwach zasoby wyczerpią się w ciągu dwudziestu lat. Poza dziesięcioma państwami.

Nie jest możliwe, by w tym czasie dostępne już były alternatywne źródła energii. Następne trzy dekady oznaczają więc dla wolnego świata posiadanie ropy lub ekonomiczny upadek.

Pozycja Ameryki jest katastrofalna, a będzie jeszcze gorsza. Kiedy silne kraje OPEC wywindowały cenę za baryłkę z 2 do 40 dolarów, rząd amerykański rozsądnie zagwarantował ojczystemu przemysłowi naftowemu wszelkie wsparcie w zakresie eksploatowania i możliwie największego wydobycia ropy i jej rafinowania z własnych rezerw. Od czasu rozpadu OPEC i drastycznego wzrostu produkcji w Arabii Saudyjskiej w roku 1985, Waszyngton kąpie się po prostu w taniej ropie z Bliskiego Wschodu doprowadzając do tego, że krajowy przemysł naftowy wysycha. Ta krótkowzroczność wiedzie do gorzkiego rozczarowania w niedalekiej przyszłości.

Amerykańską reakcją na tanią ropę był i jest: zwiększony popyt, rosnący import surowej ropy i produktów naftowych, a także kurcząca się produkcja krajowa, ostre cięcia badań, masowe zamykanie rafinerii i bezrobocie gorsze niż w 1932 roku. Nawet gdyby Ameryka uruchomiła teraz program masowych inwestycji i bodźców produkcyjnych na szeroką skalę, trzeba dziesięciu lat, aby wypełnić lukę w wyszkoleniu kadry, odnowieniu lub wdrożeniu urządzeń wydobywczych, aby sprowadzić do znośnego wymiaru proporcje naszej obecnej zależności od bliskowschodniej ropy. Jak dotąd nic nie wskazuje na to, by Waszyngton zamierzał wspierać taki ponowny wzrost produkcji amerykańskiej ropy naftowej.

Składają się na to trzy powody — wszystkie błędne:

a) Koszt odkrycia nowej ropy w USA wyniósłby 20 dolarów za baryłkę, podczas gdy koszt produkcji ropy w Arabii Saudyjskiej i Kuwejcie wynosi 10 – 15 centów za baryłkę, a my płacimy za nią po 16 dolarów. Przyjmuje się, że taki układ trwał będzie w nieskończoność. Nic bardziej mylnego.

b) Przyjmuje się, że Arabowie, a zwłaszcza Saudyjczycy, kupować będą dalej ogromne ilości amerykańskiej technologii, broni, towarów i usług dla swej socjalnej i militarnej infrastruktury i tym samym wymieniać je na petrodolary. To się jednak już kończy. Ich infrastruktura jest praktycznie zaspokojona. Nie wiedzą, na co jeszcze wydać dolary, a ich niedawne (z roku 1986 i 1988) transakcje zakupu myśliwców Tornado od Anglików zepchnęły nas na drugie miejsce jako dostawców broni.

c) Przyjmuje się, że bliskowschodnie królestwa i sułtanaty będą dobrymi i lojalnymi sojusznikami i nigdy nie zwrócą się przeciwko nam. Nie będą windować cen, a ich reżimy na wieczne czasy trzymać się będą u władzy. Ich brutalna polityka szantażu wobec USA w okresie 1973 – 1985 pokazuje jednak, jak mają się przyjazne zamiary do rzeczywistości i że w tak niestabilnym zakątku świata, jakim jest Bliski Wschód, każdy reżim może stracić władzę w ciągu tygodnia.

Cyrus Miller wpatrywał się w kartki i choć nie podobało mu się to, co czytał, wiedział, że to prawda. Jako amerykański producent ropy i właściciel rafinerii cierpiał okropnie, jego zdaniem, w minionych latach i mimo starań lobby przemysłu naftowego, Kongres nie ugiął się przed propozycją wydzierżawienia im roponośnych pól w Arktycznym Parku Narodowym na Alasce, gdzie były duże szanse na odkrycie nowych złóż. Nienawidził za to Waszyngtonu i wszelkich jego poczynań.

Rzucił okiem na zegarek. Wpół do piątej. Przycisnął guzik na konsoli biurka. Na przeciwnej ścianie pokoju bezszelestnie rozsunęła się ścianka z drewna tekowego, odsłaniając 26-calowy ekran. Wybrał kanał CNN i złapał akurat główną informację dnia.

Samolot prezydencki wisiał nad pasem do lądowania w Bazie Andrews pod Waszyngtonem, jakby był zawieszony w powietrzu, nim koła delikatnie trafiły na pas i znowu połączyły się się z amerykańską ziemią. Kiedy hamował i zwrócił swe masywne cielsko z pasa do lądowania na długi tor do kołowania prowadzący ku budynkom lotniska, obraz maszyny zniknął, a na jego miejsce pojawił się trajkoczący spiker, który raz jeszcze zrelacjonował mowę prezydenta, wygłoszoną dwanaście godzin wcześniej, tuż przed jego odlotem z Moskwy.

Jakby w dowód prawdomówności spikera ekipa telewizyjna CNN, mając dziesięć minut czasu nim Boeing się zatrzyma, przedstawiła kolejny raz wygłoszoną po rosyjsku mowę prezydenta z angielskimi napisami, a potem owacje pracowników lotniska i milicjantów oraz Gorbaczowa wylewnie obejmującego Amerykanina. Cyrus Miller nawet nie mrugnął swymi mglistoszarymi oczami. I samotny w gabinecie wolał skrywać nienawiść do tego patrycjusza z Nowej Anglii, który rok temu nieoczekiwanie dostał się na szczyt i objął prezydenturę, a teraz zmierzał do odprężenia w stosunkach z Rosją. Posunął się dalej, niż Reagan się odważył... Kiedy prezydent Cormack ukazał się w drzwiach samolotu i zaintonowany został hymn „Witaj nam, wodzu", Miller z odrażającą miną wyłączył telewizor.

— Komunistyczny lizus — orzekł i wrócił do raportu Dixona.

Faktyczny okres dwudziestu lat na wyczerpanie się zasobów ropy u wszystkich producentów na świecie, z wyjątkiem pierwszej dziesiątki, nie ma większego znaczenia. Windowanie cen zacznie się za 10 lat albo i wcześniej. Ostatni raport Uniwersytetu Harvarda przewiduje wzrost cen o 50 dolarów za baryłkę jeszcze przed rokiem 1999, w porównaniu z dzisiejszą ceną 16. dolarów. Raport utajniono, ale i tak brzmi on nazbyt optymistycznie. Wyobrażenie sobie skutków takiej ceny dla USA jest koszmarem. Co zrobi nasza społeczność na wieść, że trzeba płacić po 2 dolary za galon benzyny? Jak zareaguje farmer, gdy dowie się, że nie może paść swych świń, zbierać plonów ani nawet ogrzewać domu w czasie surowych zim? Przeżyjemy w naszym kraju socjalną rewolucję.

Nawet jeśli Waszyngton dałby zielone światło na ożywienie amerykańskiego przemysłu petrochemicznego, to przy obecnym poziomie zużycia rezerwy wystarczą na pięć lat. Europa jest w jeszcze gorszej sytuacji. Pomijając małą Norwegię (jeden z krajów z rezerwami na przeszło 30 lat, bazującymi na małym wydobyciu morskim), Europa dysponuje rezerwami na trzy lata. Kraje basenu Pacyfiku są całkowicie zależne od importowanej ropy i posiadają olbrzymie nadwyżki twardej waluty. Wynik? Z wyjątkiem Wenezueli, Meksyku i Libii wszyscy skierujemy nasze nadzieje na to samo źródło zaopatrzenia: sześć obszarów produkcyjnych na Bliskim Wschodzie.

Iran, Irak, Abu Dhabi i Strefa Neutralna mają ropę, ale dwa państwa posiadają jej więcej niż pozostałe razem wzięte — Arabia Saudyjska i sąsiadujący

Kuwejt; i to Arabia będzie mieć w OPEC słowo decydujące. Że 170 miliardami baryłek produkcji rocznej dzisiaj i 25% udziałem w produkcji światowej, który musi wzrosnąć do 50%, gdy udział 31 producentów ropy spadnie, z rezerwami na ponad 100 lat Arabia Saudyjska będzie dyktowała światową cenę ropy, a tym samym decydowała i o USA.

W obliczu przewidywalnego wzrostu cen ropy, rachunek, jaki nam zostanie wystawiony, wynosić będzie 450 mln dolarów dziennie za import tego surowca — płatnych Arabii Saudyjskiej i ościennemu Kuwejtowi. Oznacza to, iż dostawcy ropy z Bliskiego Wschodu staną się najprawdopodobniej udziałowcami tych amerykańskich gałęzi przemysłu, jakich potrzeby będą pokrywać. Mimo nowoczesnych technologii, potęgi militarnej i wysokiego standardu życiowego Stany Zjednoczone będą ekonomicznie, finansowo, strategicznie i tym samym politycznie zależne od muzułmańskiego, zacofanego, na wpół nomadycznego, skorumpowanego i nieobliczalnego kraju, na który nie będą mieć żadnego wpływu.

Cyrus Miller zamknął raport, odchylił się do tyłu i spojrzał na sufit. Jeśli ktokolwiek miałby czelność powiedzieć mu prosto w twarz, że należy do ultraprawicowego odłamu amerykańskiej myśli politycznej, zaprzeczyłby gwałtownie. Wybierał wprawdzie zawsze republikanów, ale polityka interesowała go tylko w części dotyczącej przemysłu naftowego. Polityczną partią, do której naprawdę należał, był patriotyzm. Miller kochał swą ojczyznę, jak i stan z wyboru, Teksas, z takim oddaniem, że czasem aż go to dławiło.

Mając siedemdziesiąt siedem lat na karku nie zauważał, by ta Ameryka pod wieloma względami odbiegała od jego własnego wyobrażenia: białej anglosaskiej protestanckiej Ameryki tradycyjnych wartości i surowego szowinizmu. Nie miał, jak zapewniał Wszechmogącego po wiele razy w swych codziennych modlitwach, nic przeciwko Żydom, katolikom, Latynosom czy czarnym — zatrudniał przecież na swym rancho w Hill Country pod Austin osiem pokojówek mówiących po hiszpańsku, nie wspominając o czarnych pracujących w ogrodach — jeśli tylko wiedzieli, gdzie jest ich miejsce i nie przekraczali go.

Wbił wzrok w sufit i próbował przypomnieć sobie nazwisko mężczyzny, którego poznał jakieś dwa lata temu na konferencji w Dallas, a który mówił mu, że mieszka i pracuje w Arabii Saudyjskiej. Rozmowa była wprawdzie krótka, ale ten człowiek zrobił na nim wrażenie. Miał go teraz przed oczyma: metr osiemdziesiąt, odrobinę niższy od Millera, atletyczny, wyprostowany jak napięta sprężyna, opanowany, bystry, z ogromnym doświadczeniem na Bliskim Wschodzie. Utykał lekko i przy chodzeniu opierał się na lasce ze srebrną główką. I miał do czynienia z komputerami. Im dłużej Miller o nim myślał, tym więcej przychodziło mu do głowy. Rozmawiali wtedy o komputerach, o zaletach jego Honeywell, choć tamten opowiadał się za produktami IBM. Chwilę poźniej Miller wykręcił numer do Działu Badań i podyktował im to, co zapamiętał.

— Macie go znaleźć — zażądał.

Na hiszpańskim wybrzeżu południowym zwanym Costa del Sol zapadał już zmierzch. Mimo iż sezon turystyczny minął jakiś czas temu, całe wybrzeże od Malagi po Gibraltar rozjaśnione były łańcuchem świateł, które z położonych za wybrzeżem gór wyglądały jak wąż ognisty wijący się przez Torremolinos, Mijas, Fuengirola, Marbella, Estepona, Puerto Duquesa i dalej aż do La Linea i Skały. Na autostradzie Malaga-Kadyks, prowadzącej przez pas równiny między plażami i górami, mrugały bez przerwy reflektory samochodów osobowych i ciężarówek.

W górach za wybrzeżem, blisko jego zachodniego krańca, między Estepona a Puerto Duquesa rozciąga się obszar winnic południowej Andaluzji, gdzie nie produkuje się sherry, jak na terenach położonego na zachód Jerezo, ale aromatyczne mocne wino czerwone. Stolicą tego okręgu jest małe miasto Manilva, oddalone parę mil od wybrzeża, ale mające wspaniały widok na morze z południa. Manilva jest otoczona kilkoma małymi wioskami, a raczej osadami, gdzie zamieszkują chłopi uprawiający ziemię na zboczach i doglądający winnic.

W jednej z tych wiosek, Alcantara del Rio, mężczyźni wracali właśnie z pól po długim dniu pracy. Winobranie skończyło się już dawno, ale winorośla należało przyciąć jeszcze przed nadchodzącą zimą. Była to ciężka praca, którą czuło się w plecach i ramionach. Dlatego też nim powrócili do swych rozrzuconych w okolicy domów, większość wpadała na lampkę i pogawędkę do jedynej *cantiny* we wsi.

Alcantara del Rio nie miała zbyt wiele do zaoferowania poza spokojem i ciszą. Był tam mały pobielony kościółek, o który troszczył się leciwy ksiądz dożywający kresu swych ziemskich dni na odprawianiu nabożeństw w niedzielne poranki dla dzieci i kobiet, podczas gdy męska część jego trzódki preferowała wtedy knajpę. Dzieci chodziły do szkoły w Manilvie. Poza czterema tuzinami pobielonych domków był tu bar „U Antonia", gdzie tłoczyli się robotnicy z winnic. Niektórzy z nich pracowali w pobliskich rolniczych spółdzielniach, inni uprawiali własne poletka, na których pracowali ciężko i żyli skromnie, stosownie do zebranych plonów i cen, jakie gotowi byli im zapłacić kupcy w mieście.

Wysoki mężczyzna ostatni wszedł do środka, skinieniem głowy pozdrowił obecnych i usiadł na stałym miejscu w kącie. Przewyższał wzrostem pozostałych, był smukły, dobrze po czterdziestce z jowialną twarzą i oczyma, z których aż tryskał życiowy optymizm. Niektórzy chłopi zwracali się do niego *señor*, ale Antonio używał bardziej poufałego zwrotu, gdy z karafką wina i szklanką krzątał się przy nim.

— *Muy buenos, amigo. Va bien?*

— *Ola, Tonio* — odparł swobodnie wysoki mężczyzna — *si, va bien.*

Obrócił się, bo z telewizora nad barem rozległ się głośny dźwięk. Był to sygnał wiadomości wieczornych stacji TVE i zebrani w knajpie mężczyźni zamilkli, aby posłuchać najważniejszych wiadomości dnia. Najpierw spiker zrelacjonował odlot Cormacka z Moskwy, a potem pojawił się obraz z Wnukowa, gdy prezydent podchodził do mikrofonu. Pod obrazem nie było napisów, spiker sam tłumaczył na hiszpański. Mężczyźni w knajpie słuchali go uważnie. Kiedy John F. Cormack skończył i wyciągnął rękę do Gorbaczowa, kamera (ekipy BBC, która przygotowała relację dla wszystkich zachodnioeuropejskich stacji) przeniosła się na wiwatujących pracowników lotniska, milicjantów i agentów KGB. Po chwili hiszpański spiker znowu ukazał się na ekranie. Antonio zwrócił się wtedy do wysokiego mężczyzny.

— *Es un buen hombre, Señor Cormack* — rzucił z szerokim uśmiechem i klepnął go po plecach, jakby gratulował co najmniej jakiemuś wspólnikowi człowieka z Białego Domu.

— *Si* — przytaknął ten w zamyśleniu — *es un buen hombre.*

Cyrus V. Miller nie urodził się ze złotą łyżeczką w ustach. Pochodził z rodziny biednych farmerów z Colorado i jako chłopiec widział, jak małe gospodarstwo ojca wykupiła spółka górnicza i zniszczyła je swymi urządzeniami. Działając według zasady, że trzeba przyłączać się do silniejszego, jeżeli nie można go pokonać, ukończył Szkołę Górniczą w Denver w roku 1933. Opuścił ją z dyplomem i tym, co miał na grzbiecie. A że podczas studiów bardziej interesowała go ropa niż kamienie kopalniane, udał się na południe, do Teksasu. Był to jeszcze czas dzikich użytkowników wiercących na wydzierżawionych gruntach, których nie obciążały nakłady planistów ani ekologiczne troski.

W roku 1936 odkrył tani kawałek gruntu wystawiany na sprzedaż przez Texaco, wyliczając, że spółka wierciła w błędnym miejscu. Przekonał wiertniczego z własną wieżą do współpracy i łapówkami nakłonił bank do udzielenia mu kredytu pod zastaw tych ziem. Trzy miesiące później trysnęła ropa. Spłacił wtedy wspólnika, sam wypożyczył wieże wiertnicze i wydzierżawił kolejne grunty. Po przystąpieniu USA do wojny wieże działały pełną parą, a on sam stał się bogatym człowiekiem z dnia na dzień. Chciał jednak sięgnąć jeszcze wyżej i tak jak w 1939 roku przewidział nadejście wojny, tak w 1944 coś innego wzbudziło jego zainteresowanie. Anglik Frank Whittle wynalazł silnik lotniczy bez śmigła o ogromnej mocy. Millera intrygowało, jakim paliwem był on napędzany.

W roku 1945 dowiedział się, że spółka Boeing/Lockheed nabyła prawa do silnika odrzutowego Whittle'a, który nie musiał być napędzany wysokooktanową benzyną, ale niskogatunkową ropą. Lwią część swych finansów zainwestował wtedy w rafinerię w Kalifornii opartą na niskiej technologii i zwrócił się z ofertą do właścicieli Boeinga/Lockheeda mających akurat dosyć arogancji wielkich spółek naftowych. Miller zaproponował im swój wkład i razem stworzyli nowe paliwo samolotowo-turbinowe SAMTUR. Tania rafineria Millera stanowiła odpowiedni wkład dla tej produkcji. Kiedy pierwsze próbki zeszły z taśmy, wybuchła wojna w Korei. Gdy myśliwce odrzutowe Sabre pokonały chińskie Migi, rozpoczęła się era odrzutowców. Firma Pan-Global weszła na orbitę, a Miller wrócił do Teksasu.

Wtedy też się ożenił. Maybelle była drobna jak laleczka w porównaniu z nim, ale to ona przez kolejne 30 lat małżeństwa rządziła domem i mężem, który kochał ją jak jakąś boginię. Nie mieli dzieci — Maybelle uważała, że jest zbyt delikatnej budowy na rodzenie potomstwa — on jednak pogodził się z tym, szczęśliwy, iż może spełnić każde jej życzenie. Kiedy zmarła w roku 1980, nic nie mogło go pocieszyć. Aż odkrył Boga. Nie przystał do żadnej wspólnoty religijnej, tylko zwrócił się wprost do Niego. Zaczął mówić do Wszechmogącego i stwierdził, że Pan mu odpowiada, udzielając rad, jak może najlepiej powiększyć swe bogactwo i służyć Teksasowi i Stanom Zjednoczonym. Przypuszczalnie umknęło jego uwadze, że boskie rady zawsze wypadały tak jak on chciał je usłyszeć i że Stwórca radośnie podzielał jego sposób myślenia, jego uprzedzenia czy fanatyzm. Zwracał jednak uwagę, aby nie stać się karykaturalnym stereotypem Teksańczyka, nie palił, pił umiarkowanie, żył w cnocie, był człowiekiem konserwatywnym odnośnie stroju i wyrażania się, uprzejmym w każdej sytuacji i nie znosił wulgaryzmów.

Interkom cicho zabrzęczał na jego biurku.

— Mamy nazwisko człowieka, którego pan szukał, panie Miller. Gdy pan go poznał, pracował dla IBM w Arabii Saudyjskiej. Potwierdzili nam, że chodzi o tego samego mężczyznę. Odszedł od nich i teraz pracuje jako wolny doradca do spraw bezpieczeństwa. Nazywa się Easterhouse. Pułkownik Robert Easterhouse.

— Odnajdźcie go — powiedział Miller. — I ściągnijcie tu. Bez względu na koszty. Proszę mi go sprowadzić.

ROZDZIAŁ DRUGI

Listopad 1990

Marszałek Kozłow siedział niewzruszony za biurkiem i obserwował czterech mężczyzn zajmujących dłuższą część stołu konferencyjnego w kształcie litery T. Wszyscy czterej czytali ściśle tajne akta leżące przed nimi; wszyscy czterej byli ludźmi, którym musiał ufać, gdyż groziło to jego karierze — a może i czemuś więcej.

Bezpośrednio po lewej stronie od niego siedział zastępca szefa sztabu Okręgu Południe, który pracował dla niego w Moskwie, ale sprawował ogólny nadzór nad południową częścią Związku Radzieckiego z jego ludnymi republikami muzułmańskimi, które graniczyły z Rumunią, Turcją, Iranem i Afganistanem. Obok siedział szef Naczelnego Dowództwa Okręgu Południe w Baku, który przyleciał do Moskwy z przekonaniem, że chodzi o rutynową konferencję sztabu. Ta konferencja nie była jednak zwykłym posiedzeniem. Przed siedmiu laty, nim przybył do Moskwy na stanowisko pierwszego zastępcy, to Kozłow dowodził w Baku, a mężczyzna siedzący właśnie przy stole i zatopiony w lekturze Planu Suworowa swój awans zawdzięczał jego protekcji.

Naprzeciw obu tych mężczyzn siedziało dwóch innych, również pochłoniętych lekturą. Bliżej marszałka znajdował się ten, którego lojalność i zaangażowanie miały być najmocniejszą stroną, gdyby Plan Suworowa się powiódł — zastępca szefa GRU, komórki wywiadu radzieckich sił zbrojnych. GRU, które ciągle wojowało ze swym największym rywalem, KGB, było odpowiedzialne za wszelkie działania wywiadowcze wojska w kraju i za granicą, za kontrwywiad i za wewnętrzne bezpieczeństwo sił zbrojnych. Ponadto, co dla Planu Suworowa było bardziej istotne, GRU podlegały oddziały specjalnego przeznaczenia, Specnaz, których akcje byłyby decydujące w początkowej fazie Planu Suworowa, gdyby miał on stać się kiedykolwiek rzeczywistością. To właśnie oddziały Specnazu w roku 1979 wylądowały na lotnisku w Kabulu, szturmowały na pałac prezydencki, mordując prezydenta Afganistanu i umieszczając na jego miejscu radziecką marionetkę, Babraka Kamala, który natychmiast wydał wstecznie datowaną odezwę do radzieckich sił zbrojnych, aby wkroczyły do kraju i zaprowadziły „porządek".

Kozłow zdecydował się na zastępcę, ponieważ szef GRU był byłym człowiekiem KGB, którego narzucono Sztabowi Generalnemu, i nikt nie miał najmniejszych wątpliwości, że nieustannie biegał do swych kolesiów w KGB i donosił im o wszystkim, co dotyczyło Naczelnego Dowództwa. Człowiek z GRU przyjechał samochodem z drugiego końca Moskwy, z gmachu GRU na północ od głównego lotniska.

Obok tego przedstawiciela GRU siedział też inny, przybyły z kwatery głównej na północnych przedmieściach, którego ludzie mieli być niezbędni dla Kozłowa — zastępca dowódcy Powietrznych Sił Desantowych, spadochroniarzy. Według Planu Suworowa mieli oni być zrzuceni nad kilkunastoma określonymi miastami, aby zabezpieczyć je w oczekiwaniu na most powietrzny.

Nie było w tym momencie powodu, by wprowadzać do gry Wojska Obrony Powietrznej kraju, ponieważ nie groziła inwazja na ZSRR, ani też Strategiczne Siły Rakietowe, gdyż rakiety nie będą potrzebne. Odnośnie użycia strzelców zmotoryzowanych, artylerii i wojsk pancernych dowództwo Okręgu Południe dysponowało odpowiednimi oddziałami i siłą ognia.

Człowiek z GRU zakończył lekturę i podniósł wzrok. Już miał się odezwać, ale marszałek podniósł rękę i siedzieli tak obaj w milczeniu, dopóki pozostali nie byli gotowi do rozmowy. Posiedzenie rozpoczęło się przed trzema godzinami i wszyscy czterej zapoznali się najpierw ze skróconą wersją raportu Kaminskiego o rezerwach ropy naftowej. Jego wnioski i prognozy przyjęli do wiadomości z przygnębionymi minami, tym bardziej, że w ostatnich dwunastu miesiącach wiele z tych prognoz stało się rzeczywistością.

Już dokonano cięć w kontyngentach paliwowych. Niektóre manewry zostały z powodu braku paliwa „przełożone" (odwołane). Elektrownie atomowe nie zostały ponownie uruchomione, jak obiecano. Na syberyjskich polach naftowych ilość wydobywanej ropy nie wzrosła, a badania odkrywkowe na Arktyce nie posuwały się naprzód z braku finansów, fachowców i technologii. *Głasnost'*, *pierestrojka*, konferencje prasowe i apele Biura Politycznego wyglądały kolorowo, ale aby ten kraj wyprowadzić na prostą, należało zrobić dużo więcej.

Po krótkiej dyskusji nad raportem o ropie Kozłow wręczył każdemu z czterech mężczyzn egzemplarz Planu Suworowa, przygotowany w ciągu dziewięciu miesięcy od ubiegłego listopada przez generała majora Ziemskowa. Marszałek przetrzymał plany kolejne trzy miesiące, aż według jego oceny sytuacja na południe od granic kraju zaostrzyła się tak, by mógł liczyć na większe zrozumienie dla tych śmiałych planów u swoich oficerów. Teraz znali je już wszyscy i spoglądali wyczekująco. Żaden nie chciał zabrać głosu jako pierwszy.

— No dobrze — ostrożnie zaczął Kozłow. — Jakieś uwagi?

— Cóż — nieśmiało odezwał się zastępca szefa sztabu — zabezpieczyłoby to nam naturalne zasoby ropy, której wystarczy do pierwszej połowy kolejnego stulecia.

— To końcowa sprawa — zauważył Kozłow. — Ale czy to wykonalne? — Zerknął na człowieka z Naczelnego Dowództwa Okręgu Południe.

— Inwazja i opanowanie tych ziem nie stanowią problemu — odparł czterogwiazdkowy generał z Baku. — Z tego punktu widzenia plan jest genialny. Początkowy opór łatwo złamać. Jak jednak ustawić tych bękartów później... To szaleńcy. Trzeba będzie sięgnąć po naprawdę drastyczne środki...

— To się da załatwić — zapewnił go łagodnie Kozłow.

— Musimy tylko użyć oddziałów, które rekrutują się z Rosjan — odezwał się generał spadochroniarzy. — I Ukraińców. Jest chyba jasne, że przy tym przedsięwzięciu nie możemy polegać na naszych dywizjach z muzułmańskich republik.

Odpowiedział mu pomruk zgody. Człowiek z GRU podniósł głowę.

— Zastanawiam się nieraz, czy gdziekolwiek możemy jeszcze zastosować muzułmańskie dywizje. Jest to także powód, dla którego podoba mi się Plan Suworowa. To wspaniała okazja do powstrzymania szerzącego się fundamentalizmu islamskiego w naszych południowych republikach. Tamtejsi moi ludzie mówią, że na wypadek wojny nie ma co liczyć na muzułmańskie dywizje.

Generał z Baku nie kwestionował tego nawet słowem.

— Zawszeni poganiacze wielbłądów! — zagrzmiał. — Stają się coraz gorsi. Zamiast bronić południa, mam pełne ręce roboty z tłumieniem religijnych zamieszek w Taszkiencie, Samarakandzie i Aszchabadzie. Marzę wprost o pokonaniu tej przeklętej Partii Allaha na jego ziemi.

— Mamy więc trzy plusy — podsumował marszałek Kozłow. — Plan jest wykonalny dzięki długiej i nie chronionej granicy oraz chaosowi wewnętrznemu. To daje nam ropę na pół stulecia i raz na zawsze załatwia sprawę fundamentalistycznych gorliwców. Co mogłoby przemawiać przeciw?

— A reakcje Zachodu? — spytał generał spadochroniarz. — Dla Amerykanów mógłby to być powód do wywołania trzeciej wojny światowej.

— Uważam to za mało prawdopodobne — orzekł człowiek z GRU, który znał Zachód lepiej niż pozostali. — Amerykańscy politycy są niewolnikami opinii publicznej, a większość Amerykanów życzy Irańczykom wszystkiego co najgorsze. Takie tam dzisiaj panują nastroje...

Wszyscy czterej znali dobrze nową historię Iranu. Po śmierci Ajatollaha Chomeiniego jego miejsce, po okresie bezkrólewia wypełnionym zaciętymi walkami wewnętrznymi w Teheranie, zajął splamiony krwią islamski sędzia Chalchali, którego pamiętano jeszcze, jak napawał się widokiem trupów amerykańskich żołnierzy — ofiar nieudanej próby uwolnienia zakładników z ambasady amerykańskiej.

Aby wzmocnić swoją pozycję, Chalchali na nowo wprowadził panowanie terroru i strachu w Iranie i odwoływał się do budzących lęk Gaszt-e-Sarallach („Krwawych Patroli").

Wreszcie gdy najbardziej groźni ze Strażników Rewolucji wymykali mu się spod kontroli, wysyłał ich za granicę, gdzie dokonywali serii aktów terrorystycznych na Środkowym Wschodzie i w Europie, i trwało tak już od sześciu miesięcy.

W czasie gdy pięciu radzieckich wojskowych spotkało się, by omówić inwazję na Iran, Chalchali był już znienawidzony na całym Zachodzie i we własnym kraju, gdzie ludność miała dosyć Świętego Terroru.

— Sądzę — kontynuował człowiek z GRU — że gdybyśmy chcieli powiesić Chalchaliego, amerykańska opinia publiczna zasponsorowałaby nam stryczek. Waszyngton najpierw by zareagował sprzeciwem, ale kongresmeni i senatorowie szybko by sprawdzili nastroje w swych kołach wyborczych i wpłynęliby na zmianę polityki prezydenta. A nie należy zapominać, że na nowo my jesteśmy najlepszymi kumplami jankesów!

Wokół stołu skwitowano to gromkim śmiechem, któremu zawtórował i Kozłow.

— A z której strony należy oczekiwać oporu? — zapytał.

— Myślę, że nie z Waszyngtonu — odezwał się generał z GRU — jeśli postawimy Amerykę przed faktem dokonanym. Szybciej z Nowoj Płoszczadi, ale nasz przybysz ze Stawropola rozładuje napięcie.

(Nowaja Płoszczad, Nowy Plac, to siedziba Komitetu Centralnego w Moskwie, a wzmianka o Stawropolu była niezbyt pochlebną aluzją do pochodzącego stamtąd pierwszego sekretarza, Michaiła Gorbaczowa.)

Czterech wojskowych przytaknęło ponuro. A człowiek z GRU kontynuował swoją argumentację: — Wiemy wszyscy, że przez ostatni rok, czyli odkąd ten cholerny Cormack stał się rosyjską gwiazdą pop na Wnukowie, gremia z obu Ministerstw Obrony dopracowały szczegóły wielkiej umowy o ograniczeniu zbrojeń. Gorbaczow za dwa tygodnie leci do Ameryki, aby tę umowę sfinalizować i przez to zyskać wystarczająco dużo środków dla naszego przemysłu naftowego. Dopóki sądzi, iż tą drogą może zapewnić ropę, dlaczego miałby naruszać swój układ z Cormackiem i nam dawać zielone światło do inwazji na Iran?

— A gdy podpisze ten układ, czy Komitet Centralny zatwierdzi go? — spytał generał z Baku.

— Komitet Centralny ma teraz za sobą — rzucił Kozłow. — Przez ostatnie dwa lata wyeliminował przecież całą opozycję...

I tym pesymistycznym, choć zgodnym w swej rezygnacji, stwierdzeniem zakończono konferencję. Kopie planu Suworowa zostały zebrane i zamknięte w sejfie marszałka, a generałowie wrócili do swych zadań, gotowi w milczeniu obserwować i czekać.

Dwa tygodnie później Cyrus Miller także odbył konferencję, choć z jednym tylko rozmówcą, przyjacielem i kolegą od wielu lat. Z Melvillem Scanlonem znali się od wojny w Korei, gdzie Scanlon, świeżo upieczony przedsiębiorca z Galveston, ulokował swój niewielki jeszcze kapitał w kilku małych tankowcach. (Trzeba dodać, że wszystkie tankowce były w tamtych czasach małe.)

Miller miał wtedy kontrakt na dostawę swojego nowego paliwa do odrzutowców Sił Powietrznych Stanów Zjednoczonych — jej miejscem było nadbrzeże w Japonii, skąd tankowce marynarki wojennej miały je dostarczyć do oblężonej Korei Południowej. Miller przekazał ten kontrakt Scanlonowi, który cudem wręcz przeciskał swe pordzewiałe stateczki Kanałem Panamskim, ładował paliwo w Kalifornii i tak transportował je przez Pacyfik. Używając tych samych statków do przewozu surowca z Teksasu przed zmianą ładunku i kursem na Japonię, Scanlon nie miał pustych przebiegów, a Miller miał wystarczającą ilość surowca do przetworzenia go w paliwo SAMTUR. Trzy załogi tankowców zatonęły na Pacyfiku, ale nikt nie robił z tego sprawy i obaj ludzie interesu zarobili sporo, nim Miller zmuszony został przekazać swoją technologię w licencję „wielkim".

Scanlon wszedł w hurtowy interes z ropą i zajął się skupem i rozwożeniem jej po całym świecie, głównie z Zatoki Perskiej do Ameryki. Po roku 1981 dostał cięgi, kiedy to Saudyjczycy orzekli, iż wszelkie ich ładunki mają być wywożone z Zatoki Perskiej na statkach pod „arabską banderą", choć przeforsowali to w końcu tylko dla surowej ropy, czyli tej należącej do kraju wydobywającego, a nie do koncernu naftowego.

Scanlon przewoził tę właśnie ropę z Arabii do Ameryki i przyciśnięty do muru zmuszony był sprzedać lub wydzierżawić swoje tankowce Arabii Saudyjskiej i Kuwejtowi za śmieszne pieniądze. Przeżył to jakoś, ale nie żywił miłości do Saudyjczyków. Pozostało mu kilka tankowców, które kursowały między Zatoką a Stanami, przewożąc ropę Aramco, nie podlegającą przepisowi o „arabskiej banderze".

Miller stał przy swym ulubionym oknie widokowym zapatrzony na rozrastające się pod nim Houston. Czuł się wręcz bosko stojąc tak wysoko nad resztą ludzkości. A w drugim końcu pokoju Scanlon rozparł się w skórzanym fotelu klubowym i pukał palcami po raporcie Dixona o ropie, z którym dopiero co się zapoznał. Tak jak i Miller wiedział, że ropa z Zatoki Perskiej doszła już do dwudziestu dolarów za baryłkę.

— Przyznaję ci rację, stary. Stany nie powinny w żadnym wypadku popaść w tak totalną zależność od tego motłochu. Co oni tam w Waszyngtonie sobie myślą?! Oślepli, czy co?

— Z Waszyngtonu nie należy oczekiwać pomocy, Mel — odparł spokojnie Miller. — Jeśli chcesz, by coś się zmieniło, zatroszcz się o to sam. Chyba dostatecznie odczuliśmy to na własnej skórze...

Mel Scanlon wyciągnął chusteczkę i otarł czoło. Mimo klimatyzacji w biurze, łatwo się pocił. W przeciwieństwie do Millera poważał klasyczny strój Teksańczyka — kapelusze Stetsona, krawaty z rzemyka, spinki do krawata i klamry do pasów w stylu Nawaho, i buty z wysokimi obcasami. Nie miał tylko figury mieszkańca pogranicza, był mały i korpulentny, ale za tą posturą poczciwego chłopa krył się bystry umysł.

— Nie bardzo widzę, jak można zmienić położenie tych rozległych złóż — przyznał. — Pola naftowe Hasa leżą przecież w Arabii Saudyjskiej...

— Nie, nie chodzi tu o ich geograficzne położenie, ale o polityczną kontrolę nad nimi — zaznaczył Miller. — I przez to możliwość dyktowania cen ropy saudyjskiej, a tym samym cen światowych.

— Polityczną kontrolę? Sprawowaną może przez klikę innych Arabów?

— Nie, przez nas — wyjaśnił Miller. — Przez Stany. Jeśli nasz kraj ma przetrwać, musimy dyktować światową cenę rynkową ropy, ustawiając ją tak, by była dla nas przystępna, a to oznacza kontrolę nad rządem w Rijadzie. Ten koszmar bycia gotowym na każde zawołanie bandy pastuchów trwa już dostatecznie długo. Należy coś zmienić, a Waszyngton, mimo ważności sprawy, tego nie dokona.

Wziął z biurka plik kartek spiętych razem w sztywnym, eleganckim kartonie bez opisu. Scanlon skrzywił się na ten widok.

— Tylko nie kolejny raport, Cy — zaprotestował.

— Przeczytaj to — nalegał Miller. — Poprawi ci intelekt.

Scanlon westchnął i otworzył teczkę. Na pierwszej stronie widniało zwyczajnie: *ZNISZCZENIE I UPADEK DYNASTII SAUD.*

— Święty Boże! — westchnął Scanlon.

— No nie — spokojnie zaznaczył Miller. — Raczej: Święty Terrorze. Czytaj dalej.

ISLAM. Religia islamu (co oznacza „poddanie się" woli Boga) pochodzi od nauk proroka Mahometa, około 622 n.e., i obejmuje dzisiaj od 800 milionów do miliarda wiernych. W odróżnieniu od chrześcijaństwa nie ma wyświęconych kapłanów; religijnymi przywódcami są tu ludzie świeccy poważani za swoje postawy moralne i intelektualne zdolności. Doktryny Mahometa zostały wyłożone w Koranie.

SEKTY. 90% muzułmanów należy do sunnickiego (prawowiernego) odłamu. Najważniejsza mniejszość to (stronniczy) odłam szyitów. Kluczową różnicą między nimi jest to, że sunnici żyją zgodnie z zapisem wypowiedzi Proroka znanym jako hadisy (tradycje), podczas gdy szyici postępują według wskazań aktualnego przywódcy (imana), któremu przypisują boską nieomylność. Twierdzami szyityzmu są Iran (100%) i Irak (55%). Sześć procent obywateli Arabii Saudyjskiej to szyici — prześladowana, znienawidzona mniejszość, której przywódca ukrywa się i która działa głównie w okolicach pól naftowych Hasa.

FUNDAMENTALIZM. Wprawdzie pośród sunnitów są i fundamentaliści, ale właściwą ich kolebką jest odłam szyitów. Ta sekta w sekcie głosi absolutne posłuszeństwo wobec Koranu w interpretacji zmarłego Ajatollaha Chomeiniego, który do dziś nie ma następcy.

HEZB'ALLAH. Na obszarze Iranu jedyna i prawdziwie fundamentalistyczna wiara wyznawana jest przez rzeszę fanatyków określających siebie „Partią Boga", czyli Hezb'Allah. Gdzie indziej fundamentaliści działają także pod innymi nazwami, ale dla celów niniejszego tekstu wystarczy to pojęcie.

CELE I CREDO. Podstawowa filozofia głosi, że cały islam, a ostatecznie i cały świat zostanie podporządkowany woli Allaha w interpretacji wzorem z Chomeiniego. Na tej drodze stawia się wiele warunków wstępnych, z których trzy są interesujące: wszelkie istniejące rządy muzułmańskie są bezprawne, bo nie opierają się na bezwarunkowym poddaniu się Allahowi, a zatem i Chomeiniemu; każde współdziałanie między Hezb'Allahem a świeckim muzułmańskim rządem jest niemożliwe do spełnienia; świętym obowiązkiem Hezb'Allahu jest karać śmiercią wszelkich wrogów islamu na całym świecie, a szczególnie heretyków w łonie islamu.

METODY. Hezb'Allah dawno temu zdecydował, że w realizacji tego ostatniego celu nie ma żadnej łaski, współczucia, miłosierdzia, powściągliwości czy pohamowania, aż do męczeństwa włącznie. Nazywa się to Świętym Terrorem.

PROPOZYCJE. Fanatycznych szyitów należy pobudzić, zebrać, uaktywnić, zorganizować i wspierać w tym, by przeprowadzili masakrę 600 czołowych i dysponujących największą władzą członków dynastii Saud, a przez to zniszczyć rząd w Rijadzie, który następnie zostałby zastąpiony mało znaczącym księciem gotowym przystać na okupację pól naftowych Hasa przez wojska amerykańskie i ustalanie cen ropy na poziomie „sugerowanym" przez USA.

— Któż to, u licha, napisał? — spytał Scanlon odkładając raport, który doczytał tylko do połowy.

— Człowiek będący od roku moim konsultantem — wyjaśnił Miller. — Chcesz go poznać?

— Jest tutaj?

— Obok. Zjawił się dziesięć minut temu.

— Jasne — odparł Scanlon — niech przyjrzę się temu szaleńcowi.

— Już za moment — powiedział Miller.

Na długo przedtem nim profesor John Cormack porzucił karierę akademicką, by zostać kongresmenem reprezentującym stan Connecticut, rodzina Cormacków miała swój dom letniskowy na wyspie Nantucket. On sam przybył tam przed trzydziestu laty jako świeżo upieczony nauczyciel i żonkoś, nim jeszcze Nantucket stało się tak modne jak Martha's Vineyard i Cape Cod, i od razu został oczarowany prostotą i świeżością tamtejszego życia.

Nantucket leżące na wschód od Martha's Vineyard, opodal wybrzeża Massachusetts, miało wówczas swoją tradycyjną wioskę rybacką, indiański cmentarz, ożywcze wiatry i złote plaże, a do tego parę domków letniskowych. Ziemi było pod dostatkiem, więc młoda para zacisnęła pasa, by uzbierać na czteroakrową działkę w Shawkemo, wzdłuż Plaży Dziecięcej, na skraju otoczonej lądem laguny zwanej po prostu portem. Tam też John Cormack postawił swój drewniany dom, z drewnianymi gontami na dachu i wyposażony w grubo ciosane drewniane meble, futrzane wykładziny i kapy na łóżka w ludowym stylu.

Z czasem znalazły się pieniądze, by ulepszyć wszystko i rozbudować dom. Gdy przed dwudziestu miesiącami wprowadził się do Białego Domu ogłaszając, że letnie urlopy spędzać będzie w Nantucket, akurat huragan spadł na stary domek. Specjaliści, przybyli tam z Waszyngtonu, zarejestrowali z przerażeniem brak kwater, niedostatki bezpieczeństwa, łączności... I kiedy wrócili, orzekli: „Tak, panie prezydencie, wszystko jest w porządku. Trzeba tylko postawić kwatery dla stu ludzi z Secret Service, przygotować lądowisko dla helikoptera, kilka bungalowów dla gości, stenografów i służby domowej — nie wypadało przecież, by Myra Cormack sama słała łóżka — a do tego jedną lub dwie anteny satelitarne dla ludzi z łączności... Prezydent Cormack wolał odwołać rzecz całą.

Potem, tego samego roku w listopadzie, podjął ryzyko wobec przedstawiciela Moskwy, zapraszając na weekend do Nantucket Michaiła Gorbaczowa. Rosjanin był oczarowany.

Goryle z KGB byli spanikowani podobnie jak ci z Secret Service, ale obaj szefowie państw postawili ich przed faktem. Dobrze opatuleni przed tnąco-zimnym wiatrem cieśniny Nantucket (Rosjanin przywiózł Amerykaninowi czapkę z soboli) odbywali długie spacery po plaży, podczas gdy ludzie z KGB i Secret Service sunęli za nimi, inni chowali się w przywiędłej trawie i mruczeli coś do nadajników, helikopter przebijał się nad nimi przez wiatry, a kuter straży przybrzeżnej kołysał się na wzburzonych wodach.

Nikt nie próbował nikogo zabić. Obaj panowie bez zaanonsowania dotarli tak do miasteczka Nantucket, a rybacy przy Prostym Nabrzeżu pokazywali im świeżo złapane homary i małże. Gorbaczow, cały rozpromieniony, był pod wrażeniem połowu, a potem obaj wypili po piwie w knajpce przy nabrzeżu i spacerkiem wrócili do Shawkemo, wyglądając obok siebie jak buldog i bocian.

Wieczorem, po homarach z rusztu w drewnianym domku, dosiedli się do nich eksperci od obrony i tłumacze, i wtedy wypracowali końcowe wnioski i naszkicowali swoje oświadczenia.

We wtorek dopuszczono dziennikarzy; grupka ich kręciła się tam od początku wyłapując zdania i obrazki — jakby nie patrzeć, byli przecież w Ameryce — ale we wtorek przybyły wręcz całe bataliony. W południe obaj mężczyźni wyszli na drewnianą werandę i prezydent odczytał oświadczenie. Wyrażało ono zdecydowaną wolę przedłożenia Komitetowi Centralnemu i Kongresowi bardzo daleko sięgającej umowy zmniejszenia konwencjonalnych sił zbrojnych po obu stronach i na całym świecie. Kilka problemów wymagało jeszcze ustaleń ekspertów; szczegóły o tym, jakie rodzaje broni i jak wiele ich zostanie unieruchomionych, zamrożonych, złomowanych czy zdemontowanych, miały zostać podane do wiadomości później. Prezydent Cormack mówił o honorowym pokoju, bezpiecznym pokoju i pokoju dobrej woli. Sekretarz Gorbaczow potrząsał energicznie głową, kiedy docierał do niego przekład. I nikt nie wspomniał, co zauważyła później ostro prasa, że w obliczu deficytu amerykańskiego budżetu, radzieckiego chaosu gospodarczego i widma kryzysu naftowego, żadne z mocarstw i tak nie mogło pozwolić sobie na kontynuowanie wyścigu zbrojeń.

Ponad dwa tysiące mil stamtąd, w Houston, Cyrus V. Miller wyłączył telewizor i zerknął na Scanlona z niedowierzaniem.

— Ten człowiek ściągnie z nas ostatnią koszulę — rzucił zjadliwie. — On jest niebezpieczny. To zdrajca... — Kiedy ochłonął, podszedł do interkomu na biurku: — Louise, wpuść teraz pułkownika Easterhouse'a, dobrze?

Ktoś kiedyś powiedział: „Wszyscy ludzie marzą, ale najbardziej niebezpieczni są ci, którzy marzą z szeroko otwartymi oczami". Pułkownik Robert Easterhouse siedział w eleganckiej poczekalni na najwyższym piętrze Pan-Global i przez okno spoglądał na panoramę Houston. Jego bladobłękitne oczy widziały jednak dalekie niebo i ochrowe piaski Nejd, marząc o kontrolowaniu dochodów z pól naftowych Hasa dla dobra Ameryki i całej ludzkości.

Urodził się w 1945 roku, a trzy lata później jego ojciec przyjął posadę na Uniwersytecie Amerykańskim w Bejrucie. Stolica Libanu była wówczas rajem: elegancka, światowa, bogata i bezpieczna. Tam chodził do arabskiej szkoły, miał francuskich i arabskich kolegów; gdy rodzina wróciła do Idaho, miał trzynaście lat i biegle mówił po angielsku, francusku i arabsku.

Swoich szkolnych kolegów w Ameryce uznał za powierzchownych, lekkomyślnych i zadziwiająco głupich, a do tego opętanych rock'n'rollem i młodym piosenkarzem o nazwisku Presley. Naśmiewali się z jego opowieści o kołyszących się cedrach, zamkach krzyżackich i pióropuszach dymów z obozowisk Druzów unoszących się nad przełęczami gór Szuf. I dlatego wolał książki, a najbardziej *Siedem filarów mądrości* T.E. Lawrence'a. Jako osiemnastolatek porzucił college i randki z dziewczynami, zgłaszając się na ochotnika do 82 Dywizji Desantowej, i w chwili śmierci Kennedy'ego odbywał właśnie podstawowe szkolenie.

Przez dziesięć lat był spadochroniarzem, trzy razy trafiając do Wietnamu, który opuścił w roku 1973 z ostatnimi oddziałami. Można szybko awansować, kiedy jest dużo ofiar w ludziach, i tym samym został najmłodszym pułkownikiem 82 Dywizji, okaleczonym nie podczas działań, ale przez idiotyczny wypadek. Stało się to przy ćwiczebnym skoku na pustyni; miejsce lądowania miało być płaskie i piaszczyste, wiatr miał wiać z prędkością pięciu węzłów. Jak zwykle „góra" popełniła błąd. Prędkość wiatru przy ziemi wynosiła dobre 30 węzłów; spadli na skały i parowy. Trzech zginęło, dwudziestu siedmiu było rannych.

Na zdjęciu rentgenowskim kości lewej nogi Easterhouse'a wyglądały potem jak rozsypana na czarnym aksamicie zawartość pudełka zapałek.

W 1975 roku oglądał w szpitalnym telewizorze żenująco pospieszną ewakuację Amerykanów z ambasady w Sajgonie — bunkra nad bunkrami, który znał z ofensywy Tet. W szpitalu wpadła mu też w ręce książka o komputerach i stało się dla niego jasne, że te maszyny są drogą do władzy — przy odpowiednim zastosowaniu mogą być środkiem do usunięcia idiotyzmów świata i wniesienia porządku oraz rozsądku w chaos i anarchię.

Zakończywszy służbę poszedł do college'u, zrobił dyplom z informatyki, trzy kolejne lata przepracował w Honeywell i stamtąd przeniósł się do IBM. Był rok 1981, kojarzony z petrodolarową potęgą Arabii Saudyjskiej. Aramco podpisało z IBM kontrakt na stworzenie bezpiecznych, wolnych od szaleńców, systemów komputerowych do nadzoru produkcji, przepływu pieniądza, eksportu i nade wszystko opłat licencyjnych za eksploatację ich monopolu w Arabii Saudyjskiej. Ze swoim arabskim i geniuszem w dziedzinie komputerów Easterhouse był najlepszym kandydatem. Przez pięć lat strzegł interesów Aramco w Arabii i specjalizował się przy tym w opartych na komputerach systemach zabezpieczeń przed oszustwem i malwersacją. Kiedy w roku 1986 padł kartel OPEC i władza znowu przeszła w ręce konsumentów, Saudyjczycy stali się nerwowi. Zwrócili się więc do kulejącego fachowca od komputerów, który mówił ich językiem, znał ich obyczaje, proponując mu fortunę, by wystąpił z firmy i pracował dla nich zamiast dla IBM i Aramco.

Znał kraj i jego historię jak tubylec. Już jako chłopak czytał, zafascynowany, historię o założycielu, wywłaszczonym nomadzkim szejku Abdulu Aziz al-Saud, który przybył z pustyni, by przypuścić szturm na twierdzę w Musmak w Rijadzie i rozpocząć swoją drogę do władzy. Zdumiewała go przebiegłość Abdula Aziza, który w trzydzieści lat podbił trzydzieści siedem plemion w głębi kraju, zjednoczył Nejd z Hejaz i Hadramaut, poślubił córki pokonanych wrogów i zebrał plemiona w jeden naród, lub coś na wzór narodu. A kiedy zobaczył to wszystko naprawdę, podziw obrócił się w rozczarowanie, pogardę i nienawiść.

Do jego zadań w IBM należało zapobieganie oszustwom komputerowym i wykrywanie ich w systemach tworzonych przez oderwanych od życia majsterkowiczów ze Stanów, a do tego przekształcaniu procesów eksploatacyjnych przy wydobyciu ropy na język księgowości i bilansów bankowych, tworzeniu bezbłędnych systemów, które dawałyby się zintegrować z systemem skarbowości Arabii Saudyjskiej. Rozrzutność i obłędna korupcja dały jego purytańskiemu duchowi przekonanie, że jest mu przeznaczone stać się pewnego dnia instrumentem, który zmiecie korupcyjne szaleństwo ironii losu, co podarował tak niesłychane bogactwo i tak potężną władzę takim ludziom; to on miał przywrócić porządek i usunąć szalone kontrasty Bliskiego Wschodu, tak by ten boży dar ropy naftowej służył nade wszystko wolnemu światu, a tym samym i ludziom tego świata.

Mógłby wykorzystać swoje zdolności, by z przychodów z ropy naftowej „skubnąć" dla siebie niezły majątek, jak czynili to książęta, ale moralne zasady przeszkadzały mu w tym. Aby spełnić swe marzenie, potrzebowałby raczej wsparcia osób posiadających władzę, wpływy i finanse. I wtedy to wezwał go Cyrus Miller, by pomógł mu rozebrać skorumpowaną budowlę i przenieść ją do Ameryki. Teraz musiał tylko przekonać tych barbarzyńskich Teksańczyków, że jest ich człowiekiem.

— Pułkowniku Easterhouse? — wyrwał go z rozmyślań słodki jak miód głosik Louise. — Pan Miller czeka na pana, sir.

Wstał, oparł się przez parę sekund na lasce, aż ustał ból, i ruszył za nią do biura Millera. Kiedy drzwi się zamknęły, przywitał się z szacunkiem z Millerem i został przedstawiony Scanlanowi.

Miller przeszedł od razu do rzeczy.

— Pułkowniku, chciałbym, aby mój przyjaciel i kolega był przekonany podobnie jak ja o wykonalności pańskiego konceptu. Szanuję jego zdanie i chciałbym, aby był przy naszym projekcie.

Scanlon docenił ten komplement. Ale Easterhouse wyczuł w nim fałsz. Miller nie liczył się z opinią Scanlona, ale obaj potrzebowali jego statków, aby sprowadzić w tajemnicy broń potrzebną do *coup d'état*. Potraktował więc Scanlona z szacunkiem.

— Czytał pan mój raport? — zapytał go.

— Ee... to znaczy... ten kawałek o gościach z Hez-Boll-Ah. Ciężkie to, pełne dziwnych nazw. I sądzi pan, że można ich użyć do obalenia monarchii i, co ważniejsze, skłonić do przekazania pól naftowych Hasa Ameryce?

— Panie Scanlon, nie można kontrolować pól naftowych Hasa i przekazywać ich produktu do Ameryki, jeśli wcześniej nie będzie się miało w ręku rządu w Rijadzie, który jest oddalony o setki mil. Rząd musi zostać przekształcony w marionetkowy reżim, który zda się wyłącznie na swoich amerykańskich doradców. Stany nie mogą otwarcie obalić dynastii Saud, reakcja Arabów byłaby przerażająca. Mój plan polega na wykorzystaniu małej grupy szyickich fundamentalistów dokonujących tego w imię Świętego Terroru. To, że zwolennicy Chomeiniego mają w ręku Półwysep Arabski, wywołałoby w całym świecie arabskim falę paniki. Z Omanu na południu, emiratów Kuwejtu, Syrii, Iraku, Jordanu, Libanu, Egiptu i Izraela dotarłyby natychmiast mniej lub bardziej skryte prośby do Ameryki o interwencję i ocalenie przed Świętym Terrorem. A budując przez dwa lata komputerowy system bezpieczeństwa wewnętrznego Arabii, wiem o istnieniu tam grupy fanatyków Świętego Terroru pod wodzą imana, który z chrobliwą odrazą nienawidzi króla, jego braci i wewnętrznej mafii znanej jako Al-Fahd oraz składającej się z trzech tysięcy dynastycznych książąt rodziny. Iman publicznie potępił ich wszystkich nazywając Prostytutkami Islamu, profanującymi Święte Miejsca, czyli Mekkę i Medynę. Musi się ukrywać przez to, ale ja mogę go chronić do czasu, gdy będzie nam potrzebny, wyrzucając wszelkie dane o miejscach jego pobytu z komputera centralnego. Mam z nim także kontakt przez rozgoryczonego członka Mutawain, wszechobecnej i znienawidzonej Policji Religijnej.

— Po cóż jednak przekazywać Arabię Saudyjską takim szaleńcom? — chciał wiedzieć Scanlon. — Skoro Saudyjczycy zarabiają trzysta milionów dolarów dziennie... u diabła, doprowadziliby kraj do kompletnego chaosu.

— Zgadzam się. I tego by nie zniósł cały świat arabski. Każde państwo tego obszaru poza Iranem prosiłoby Amerykę o interwencję. Waszyngton byłby pod naszym naciskiem i musiałby wysłać Siły Szybkiego Reagowania do bazy przygotowanej w Omanie na Półwyspie Mussandam, a stamtąd do stolicy, Rijadu, i dalej do Dharramu i Bahrajnu, aby zabezpieczyć pola naftowe przed totalnym ich zniszczeniem. I wtedy też nasze oddziały musiałyby tam pozostać, by zapobiec takim wypadkom na przyszłość.

— A ten iman? — pytał dalej Scanlon. — Co z nim się stanie?

— Umrze — odparł spokojnie Easterhouse — aby zostać zastąpionym przez księcia z dynastii, który uniknie masakry, ponieważ w odpowiednim czasie zostanie porwany do mojego domu. Znam go dobrze: wykształcony na Zachodzie, proamerykański, chwiejny słabeusz i alkoholik. Uprawomocni jednak inne arabskie apele przez swój własny, który nada przez radio z naszej ambasady w Rijadzie. Jako jedyny ocalały członek dynastii zaapeluje do Stanów, aby przez interwencję przywróciły porządek. I wtedy będzie już na zawsze naszym człowiekiem.

Scanlon trawił to w myślach. W kontekście przeczytanego raportu.

— Ale co my będziemy z tego mieli? Nie Stany, ale my sami...

Tu wkroczył Miller. Znał Scanlona i wiedział, jak ten zareaguje.

— Mel, jeśli ten książę w Rijadzie przejmie władzę, a nasz pułkownik będzie mu dzień i noc doradzał, możesz przyjąć, że monopol Aramco zostanie przełamany, a to oznaczać będzie nowe kontrakty, dostawy, import, przetwórstwo. I chyba wiesz, kto na tym pierwszy skorzysta?

Scanlon przytaknął kiwnięciem głowy.

— A kiedy ma nastąpić to... wydarzenie?

— Jak pan może wie, w styczniu 1902 roku nastąpił szturm na twierdzę Musmak, nowe królestwo ustanowione zostało w 1932 roku. Za piętnaście miesięcy, wiosną 1992 roku, król i jego dwór obchodzić będą dziewięćdziesiątą rocznicę pierwszego wydarzenia i diamentowy jubileusz monarchii. Planowana jest ogromna, szacowana na miliard dolarów feta, której widzem ma być cały świat. Nowy kryty stadion już jest budowany. Ja mam kontrolować cały jego komputerowo sterowany system bezpieczeństwa: bramy, drzwi, okna, klimatyzację. Tydzień przed wielkim wydarzeniem odbędzie się próba generalna, w której weźmie udział sześciuset najważniejszych członków dynastii Saud, przybyłych ze wszystkich stron świata. Ustawię to tak, że ci od Świętego Terroru uderzą tego dnia. Gdy wszyscy będą już wewnątrz, bramy zatrzasną się elektronicznie. Pięciuset żołnierzom królewskiej straży trafi się wadliwa amunicja, która razem z potrzebnymi Hezb'Allahowi karabinami maszynowymi dostarczona tam będzie pańskimi statkami.

— A co potem? — spytał Scanlon.

— Potem, panie Scanlon, nie będzie już dynastii Saud. I żadnych terrorystów. Stadion zacznie płonąć, a kamery będą pracować, aż się stopią. Później nowy Ajatollah, samozwańczy żyjący iman, spadkobierca ducha i duszy Chomeiniego wystąpi w telewizji, i światu, który właśnie obejrzał, co stało się na stadionie, ogłosi swoje plany. Jestem pewien, że odzew Waszyngtonu nastąpi szybko...

— Pułkowniku — odezwał się Cyrus Miller — jak dużych funduszy pan potrzebuje?

— Aby móc od razu planować przyszłościowo, milion dolarów. Potem jeszcze dwa miliony na zagraniczne zakupy i łapówki w twardej walucie. Na obszarze Arabii, nic. Na wszystkie nakłady tam, łącznie z łapówkami, mogę zdobyć środki w wysokości kilku miliardów riali.

Miller skinął głową. Ten dziwny wizjoner żądał groszy za to, co oferował.

— Zatroszczę się, by otrzymał pan te pieniądze, sir. A teraz proszę, niech zaczeka pan jeszcze chwilę na zewnątrz. Chcę pana gościć na kolacji w moim domu.

Wychodząc, pułkownik Easterhouse zatrzymał się jeszcze na chwilę w drzwiach.

— Istnieje jeden problem, który może wystąpić. Jedyny nie podlegający kontroli czynnik. Prezydent Cormack to człowiek oddany pokojowi i sądząc po tym, co zauważyłem w Nantucket, obecnie mocno zdecydowany na układ z Kremlem. Ten układ nie wytrzyma prawdopodobnie naszego wkroczenia na Półwysep Arabski. Taki człowiek mógłby nawet odmówić wysłania tam Sił Szybkiego Reagowania...

Kiedy wyszedł, Scanlon zaklął pod nosem, na co Miller zmarszczył brwi.

— Wiesz, Cy, on może mieć rację. Mój Boże, żeby to Odell był w Białym Domu.

Mimo iż to Cormack osobiście go wybrał, wiceprezydent Michael Odell był również Teksańczykiem, biznesmenem, który sam dorobił się milionów i był bardziej prawicowy niż sam Cormack.

Ze zwykłą dla siebie impulsywnością, Miller odwrócił się i chwycił Scanlona za ramiona.

— Mel, z powodu tego człowieka już wiele razy modliłem się do Wszechmogącego. Prosiłem go o znak. I właśnie ten pułkownik dał mi znak w jego imieniu. Cormack musi odejść.

Na północ od stolicy hazardu, Las Vegas w Nevadzie, ulokowana jest ogromna Baza Sił Powietrznych Nellis, gdzie hazard nie jest przewidziany w rozkładzie dnia. Baza zajmująca 11 274 akry strzeże mianowicie najtajniejszego poligonu Ameryki do testowania broni, Tonapah, gdzie każdy zabłąkany samolot prywatny, który wedrze się w tę przestrzeń powietrzną podczas prób, jest ostrzegany tylko raz, a potem zostaje zestrzelony.

Tutaj właśnie pewnego świeżego, słonecznego grudniowego poranka dwie grupy mężczyzn wysiadły z kawalkady limuzyn, by wziąć udział w pierwszej próbie i demonstracji nowej rewolucyjnej broni. W pierwszej byli producenci Wyrzutni Wielorakietowej, która była podstawą systemu, a towarzyszyli im panowie dwóch partnerskich spółek, które zbudowały rakiety i układy sterujące bronią. Jak większość nowoczesnych broni także DESPOTA, najskuteczniejszy z niszczycieli czołgów, nie był urządzeniem prostym, lecz obejmował kilka kompleksowych systemów, które w tym przypadku zaprojektowane i zbudowane zostały przez trzy różne przedsiębiorstwa.

Cobb był prezesem zarządu i akcjonariuszem Zodiac OPB Inc., spółki specjalizującej się w produkcji opancerzonych pojazdów bojowych, co rozjaśniało skrót w nazwie. Dla niego osobiście i jego przedsiębiorstwa wszystko zależało teraz od DESPOTY, któremu na własny koszt poświęcili ostatnie siedem lat i który został przyjęty i zakupiony przez Pentagon. Wątpliwości tu nie było; DESPOTA wyprzedzał o lata system Pancernego Tygrysa Boeinga i nowszy system Milczącej Tęczy. Wiedział, że broń pod każdym względem odpowiadała koncepcjom planistów NATO: odizolowania pierwszej fali od drugiej radzieckiego ataku pancernego na Wielkiej Równinie Niemieckiej.

Jego kolegami byli Moir z Pasadena Avionics w Kalifornii, zakładów lotniczych produkujących części do Kestrela i Goshawka, oraz Salkind ze Spółki Przemysłowej ECK w Dolinie Krzemowej niedaleko Palo Alto w Kalifornii. Także dla obu mężczyzn i ich firm wiele zależało od tego, czy DESPOTA zostanie kupiony przez Pentagon. Spółka Przemysłowa ECK miała też udział w tworzeniu prototypu B-2 Niewidzialnego, bombowca dla Sił Powietrznych, ale ten projekt był pewny.

Przedstawiciele Pentagonu przybyli dwie godziny później, gdy wszystko już przygotowano. Było ich, razem z dwoma generałami, dwunastu i tworzyli grupę ekspertów, której ustalenia miały być decydujące dla Pentagonu. Kiedy wszyscy zajęli miejsca pod markizą przed rzędem ekranów telewizyjnych, zaczął się test.

Moir zaczął od niespodzianki. Nakłonił widzów do odwrócenia się na swych krzesłach i spojrzenia na pustynię. Była płaska i pusta. Wszyscy zrobili pytające miny. Wtedy Moir nacisnął guzik na pulpicie przed sobą. Niemal o kilka kroków przed ich oczami pustynia się wzburzyła. Pojawiły się duże stalowe kleszcze, wysunęły do przodu i szarpnęły. Z piasku, gdzie leżał zagrzebany, nie do wyłapania dla myśliwców zwiadowczych i radaru ustawionego na ziemię, wyłonił się DESPOTA. Duży blok z szarej stali na kołach i gąsienicach, bez okien, niezależny, pewny siebie, odporny na zniszczenie, poza pociskami ciężkiej artylerii lub dużą bombą, odporny na ataki atomowe, gazowe i bakteriologiczne, wyszedł z grobu, jaki sam sobie wykopał, i ruszył do działania.

Czterej mężczyźni w jego wnętrzu włączyli silniki zasilające wszelkie układy, odsunęli stalowe osłony chroniące szklane iluminatory i wysunęli antenę radaru mającego ostrzegać przed zbliżającym się atakiem i antenę czujnikową pomocną przy sterowaniu pociskami. Grupa z Pentagonu była pod wrażeniem.

— Załóżmy — powiedział Cobb — że pierwsza fala radzieckich czołgów przejdzie Łabę przez wiele istniejących mostów i przerzuconych nocą mostów pontonowych docierając do Niemiec Zachodnich. Wojska NATO odpierają tę falę, choć z dużą trudnością. Ale wtedy ze swego ukrycia w lasach Niemiec Wschodnich nadchodzi druga fala czołgów radzieckich i kieruje się ku Łabie. Mają one zrobić wyłom i dotrzeć do francuskiej granicy. Wozy DESPOTA rozstawione w ukryciu na linii Północ-Południe przez całe Niemcy dostają swoje rozkazy: Zlokalizować, zidentyfikować i zniszczyć.

Przycisnął inny guzik i otworzył się właz na górze pojazdu bojowego. Przez otwór wysunęła się na wyrzutni cienka jak ołówek rakieta — długa na trzy metry i o średnicy pół metra. Załączył się jej niewielki mechanizm napędu i poszybowała w jasnobłękitne niebo, gdzie dzięki swej jasnoniebieskiej barwie szybko stała się niewidoczna. Mężczyźni zapatrzyli się wtedy w swoje ekrany, na których kamery o dużej ostrości śledziły Kestrela. Na wysokości 50 metrów turboodrzutowy silnik dwuprzepływowy włączył się, rakieta zamarła i opadła, z boku wychyliły się grube krótkie skrzydełka, a tylne lotki nadały jej kierunek. Miniaturowa rakieta zaczęła lecieć jak samolot i utrzymywała wysokość oddalając się od poligonu. Moir wskazał na wielki ekran radaru. Obrotowe ramię krążyło wokół tarczy nie pokazując żadnego kształtu.

— Kestrel jest w całości wykonany z włókna szklanego — dumnie zaznaczył Moir. — Jego silnik wykonano z ceramicznopodobnego materiału, żaroodpornego, niedostrzegalnego dla radaru. Z dodatkiem technologii zapożyczonej z niewidzialnego bombowca będzie całkowicie niewidoczny dla oka i wszelkich urządzeń. Na ekranie radaru wygląda jak kosmiczna zięba. A może wydaje się nawet jeszcze mniejszy. Ptak może być widoczny na radarze przez ruch swoich skrzydeł. Kestrel nie wykonuje takich ruchów, a do tego ten radar jest nowocześniejszy niż sprzęt, jakim dysponują Sowieci.

W czasie wojny Kestrel, rakieta dalekiego zasięgu, mógł dotrzeć do ośmiuset kilometrów za linię wroga. Podczas tej próby osiągnął operacyjny poziom pięciu tysięcy metrów, przeleciał 200 kilometrów nad poligonem i wolno zaczął kołować; w powietrzu miał utrzymywać się jeszcze przez dziesięć godzin przy prędkości dziesięciu węzłów. Zaczął też elektroniczną obserwację terenu, zadziałały jego liczne czujniki. Jak ptak drapieżny śledził teren pod sobą, obejmując okrąg o średnicy stu kilometrów. Jego detektory działające na podczerwień obserwowały teren, który badał potem radarem o paśmie milimetrowym.

— Jest tak zaprogramowany, że uderza w cel wydzielający ciepło, stalowy i poruszający się — objaśniał Moir. — Cel musi wydzielać tak dużo ciepła, że w grę wchodzi tylko czołg. Nie samochód, ciężarówka czy pociąg. Nie uderzy w ognisko, ogrzewany budynek czy zaparkowany pojazd, bo te nie są w ruchu. Z tego powodu nie trafi też w reflektory. Jak również nie uderzy w cegłę, drewno i gumę, bo nie są ze stali. A teraz, panowie, proszę przyjrzeć się celowi na ekranie.

Obrócili się do ogromnego ekranu, któremu obraz przekazywała kamera oddalona o dwieście kilometrów. Rozległy obszar był tak przygotowany jak dekoracje na planie w Hollywood. Były tam sztuczne drzewa, drewniane domki, zaparkowane auta dostawcze, ciężarowe i osobowe. Były gumowe czołgi, które teraz zaczęły poruszać się wolno, ciągnione przez niewidzialne druty. Były podsycane benzyną ogniska, buchające płomieniami. I do tego poruszył się właśnie jedyny prawdziwy czołg, sterowany drogą radiową. Z wysokości pięciu tysięcy metrów Kestrel wytropił go natychmiast i zareagował.

— Panowie, to nowa rewolucja, z której słusznie jesteśmy dumni. We wcześniejszych systemach taki myśliwy spadał na cel i niszczył przy okazji siebie wraz z całą kosztowną technologią. To było bardzo nieoszczędne. Kestrel działa inaczej: wzywa Goshawka. Proszę obserwować DESPOTĘ.

Widzowie znowu obrócili się na swoich krzesłach i trafili na moment błysku metrowej długości pocisku Goshawk, który posłuszny wezwaniu Kestrela, przyjął kurs na podany cel. Teraz komentarz wydarzeń przejął Salkind.

— Goshawk wzniesie się na wysokość trzydziestu tysięcy metrów, obróci i poszybuje w dół. Mijając Kestrela, otrzyma od tej zdalnie sterowanej rakiety ostatnią informację o celu. Komputer pokładowy Kestrela poda pozycję celu w momencie, w którym Goshawk zbliży się do ziemi z dokładnością do pół metra. Goshawk uderzy dokładnie w tym okręgu. Schodzi właśnie w dół...

Pośród wszystkich tych domków, chat, różnorakich aut, ognisk sygnalizacyjnych, reflektorów osadzonych w piasku, by oświetlały plan akcji, sunął z chrzęstem stalowy czołg (wiekowy Abrams Mark I) niczym w prawdziwej potyczce. Nagle błysnęło i wydawało się, jakby Abrams zmiażdżony został ogromną pięścią. Jakby w zwolnionym tempie wyprostował się, boki rozpadły się, lufa podniosła, jakby skarżąc się niebu, i wszystko zmieniło się w słup ognia. Zebrani pod markizą odetchnęli chóralnie, jakby się zmówili.

— Jak dużo masy wybuchowej napchaliście w tego Goshawka? — dociekał jeden z generałów.

— Żadnej, panie generale — odparł Salkind. — Goshawk jest jak rozpędzony głaz. Spada z prędkością około piętnastu tysięcy kilometrów na godzinę. Odbiornik informacji z Kestrela i malutki radar do naprowadzania na cel przez ostatnie pięć tysięcy metrów są jedynymi urządzeniami na pokładzie Goshawka. Dlatego jest taki tani. Ale dziesięć kilogramów stali wolframowej uderzającej z tą prędkością w czołg to jak... hmm, jak strzał ze śrutówki do karalucha. Ten czołg wystawiony był na uderzenie odpowiadające masie dwóch lokomotyw Amtrak gnających z prędkością dwustu kilometrów na godzinę. Został zwyczajnie sklepany.

Pokaz trwał jeszcze dwie godziny. Producenci udowodnili, że mogą przeprogramować Kestrela w locie; jeśli polecili mu szukać stalowych budowli otoczonych wodą i z lądem na obu końcach, wybierał mosty. Jeśli zmienili cechy celu, uderzał w pociągi, barki lub kolumny ciężarówek. Ale tylko wtedy, gdy się poruszały. Jeśli obiekt był stacjonarny, Kestler nie poznawał, czy chodzi o stalową ciężarówkę, czy blaszaną budkę. Jego czujniki zdołały przeniknąć deszcz, chmury, śnieg, grad, mgłę i ciemność.

Wczesnym popołudniem grupy się rozeszły, a panowie z Pentagonu ruszyli do swoich limuzyn, by odjechać do Nellis i stamtąd odlecieć do Waszyngtonu.

Jeden z generałów podał rękę producentom.

— Jako czołgista — powiedział — nie widziałem w życiu czegoś tak budzącego przerażenie. Macie mój głos. To przysporzy naprawdę strachu na ulicy Frunzego. Być tropionym przez człowieka to już źle, ale być śledzonym przez robota to, u licha, dopiero koszmar!

Ostatnie słowo miał jeden z cywilów: — Panowie, ta broń jest wspaniała. To najlepszy na świecie zdalnie sterowany system do niszczenia czołgów na obszarze wroga. Muszę jednak zaznaczyć, że w przypadku ratyfikacji tego Traktatu z Nantucket, nigdy go chyba nie zamówimy...

Cobb, Moir i Salkind zrozumieli podczas wspólnego powrotu samochodem do Las Vegas, że Nantucket grozi im, jak i tysiącom podobnych spółek działających w przemyśle zbrojeniowym, kompletną ruiną.

W wigilijny wieczór w Alcantara del Rio nie pracowano, ale do późna w nocy trwało wielkie pijaństwo. Kiedy Antonio zamykał swój mały bar, było już po północy. Paru z jego klientów mieszkało na miejscu we wsi, inni jechali lub szli do swoich domów rozrzuconych na wzgórzach wokoło. Dlatego José Francisco, zwany Pablem, kiwając się na boki przechodził ścieżką obok domu wysokiego obcokrajowca, w znakomitym nastroju. Pomijając może lekki ucisk w pęcherzu. Uznając, że musi sobie ulżyć, stanął przy kamiennym murze podwórka, na którym stał rozklekotany mini-jeep SEAT Terra, rozpiął rozporek i oddał się drugiej w kolejności przyjemności mężczyzny. Nad jego głową spał wysoki mężczyzna i znowu śnił swój straszny sen, który przywiódł go w te strony. Skąpany w pocie musiał po raz setny chyba przechodzić przez to wszystko. Jeszcze we śnie otworzył usta i krzyknął: „Nie-e-e!!!"

Na dole Pablo z przerażenia dał susa i padł jak długi na drogę, opryskując sobie najlepsze świąteczne spodnie. Zebrawszy się jakoś ruszył dalej biegiem, a mocz spływał mu po nogach; z rozpiętym rozporkiem i penisem wystawionym na niezwykły dlań powiew świeżego powietrza.

Jeśli ten olbrzymi długonogi obcokrajowiec miał wpaść w szał, on, José Francisco Echevaria, nie musiał być przy tym, dzięki Bogu, obecny. Z pewnością obcy był w porządku i dobrze mówił po hiszpańsku, ale miał jednak w sobie coś dziwnego.

Była połowa stycznia, kiedy student pierwszego roku jechał rowerem wzdłuż St Giles Street w starym angielskim mieście Oksford, spiesząc na spotkanie ze swoim nowym opiekunem i ciesząc się pierwszym dniem w Balliol College. Z powodu zimna miał na sobie grube sztruksowe spodnie i pikowany anorak, ale uparł się, by na to założyć czarną pelerynę studenta Uniwersytetu Oksfordzkiego, która trzepotała mu teraz na wietrze. Później miał się dowiedzieć, że większość studentów zakładała je tylko na wspólne posiłki w jadalni, lecz jako nowicjusz był z niej bardzo dumny. Też wolałby mieszkać w college'u, ale rodzice wynajęli mu duży dom z siedmioma sypialniami przy Woodstock Road. Minął Pomnik Męczenników i wjechał w Magdalen Street.

Ciągnąca za nim, niezauważenie, jasna limuzyna zatrzymała się w tym momencie. Siedziało w niej trzech mężczyzn, dwóch z przodu i jeden z tyłu. Ten z tyłu nachylił się.

— Magdalen Street jest zamknięta dla ruchu. Dalej pozostaje tylko iść pieszo.

Mężczyzna na fotelu obok kierowcy zaklął pod nosem i wysiadł z auta. Szybkim krokiem przemykał się przez tłum, skupiając uwagę na postaci pedałującej przed nim. A samochód, zgodnie ze wskazówkami mężczyzny z tyłu, skręcił w prawo w Beaumont Street, potem w lewo w Gloucester Street i dalej w George Street. Zatrzymał się na drugim końcu Magdalen Street w momencie, gdy pojawił się rowerzysta. Student zsiadł z roweru u wylotu Broad Street, minąwszy skrzyżowanie, samochód nie ruszał więc dalej. Trzeci mężczyzna wyłonił się z Magdalen Street, zaczerwieniony od lodowatego wiatru, rozejrzał się, dostrzegł samochód i dołączył do reszty.

— Przeklęte miasto — orzekł. — Same jednokierunkowe ulice i strefy dla pieszych.

Mężczyzna na tylnym siedzeniu zachichotał.

— Dlatego studenci używają rowerów. Może i my powinniśmy...

— Uważajcie lepiej — rzucił bez humoru kierowca.

Mężczyzna obok niego umilkł i poprawił pistolet pod lewą pachą.

Student trzymał rower i wpatrywał się w krzyż ułożony z brukowców pośrodku Broad Street. Z przewodnika wyczytał, że w roku 1555 na tym miejscu dwaj biskupi, Latimer i Ridley, zostali żywcem spaleni na rozkaz katolickiej królowej Marii. A kiedy objęły ich płomienie, biskup Latimer zawołał do swojego współmęczennika: „Nie upadaj na duchu, mistrzu Ridley, bądź mężczyzną. Dziś rozpalamy w Anglii, z Bożą pomocą, taką pochodnię, której nikt już nie ugasi..."

Miał na myśli pochodnię protestanckej wiary, ale jaka była odpowiedź biskupa Ridleya, historia nie podaje, gdyż ten płonął w owym momencie. Rok później, w 1556, na tym samym miejscu, na śmierć poszedł arcybiskup Cranmer. Płomienie ze stosu osmaliły wtedy drzwi Balliol College, znajdujące się kilka kroków dalej. Zdjęto więc potem te drzwi i zawieszono u wejścia na Dziedziniec Wewnętrzny, gdzie teraz jeszcze widoczne są na nich ślady osmalenia.

— Cześć — rzucił ktoś obok studenta. Obrócił się. On był wysoki i kościsty, a ona niska z ciemnymi błyszczącymi oczyma i pulchna jak przepiórka. — Jestem Jenny. Zdaje się, że mamy tego samego opiekuna.

Liczący dwadzieścia jeden lat student, który przeszedł do Oksfordu z Yale w ramach wymiany rocznego kursu, uśmiechnął się.

— Cześć, jestem Simon.

Podeszli do łukowatego wejścia do college'u, młody człowiek pchał swój rower. Był tu poprzedniego dnia, aby przedstawić się dziekanowi, ale wtedy przyjechał samochodem. W połowie sklepienia wyłoniła się przed nim miła, choć surowa postać Tima Warda-Barbera.

— Nowy w college'u, co, sir? — spytał.

— No tak — przyznał Simon. — To mój pierwszy dzień.

— Świetnie. Zacznijmy więc od pierwszej naszej reguły. Nigdy, pod żadnym pozorem, pijani, naćpani, czy tylko zaspani, nie pchamy, nie wnosimy ani też nie dosiadamy rowerów pod łukiem prowadzącym na dziedziniec, sir. Proszę go postawić przy murze, obok innych, jeśli łaska.

Na uniwersytetach są rektorzy, dyrektorzy, dziekani, inspektorzy, prodziekani, kwestorzy, profesorowie, wykładowcy i asystenci, stosownie do kolejności dziobania. Ale główny portier college'u należał bezsprzecznie do starszyzny. Jako były podoficer w 16 kompanii piątego pułku ułanów, Tim umiał sobie radzić na różnych frontach. Gdy tamci wrócili, pokiwał dobrotliwie głową i dodał: — Jesteście pewnie od doktora Keena, w rogu dziedzińca schodami do góry.

Kiedy dotarli do wykładowcy historii średniowiecznej, zajmującego zagracony pokój na szczycie schodów, i przedstawili się, Jenny tytułowała go „profesorem", a Simon mówił do niego „sir". Doktor Keen zerknął na nich wesoło zza okularów.

— Taak — zaczął z uśmiechem — są dwie rzeczy, których nie toleruję. Po pierwsze, marnowania waszego i mojego czasu, a po drugie, gdy ktoś mówi do mnie „sir". „Doktorze Keen" wystarczy. Później mogę awansować u was na „Maurice'a". A tak przy okazji, Jenny, nie jestem też profesorem. Profesorowie mają katedry, a ja, jak widać, nie posiadam nawet porządnego krzesła; przynajmniej takiego, gdzie wygodnie się spocznie.

Wesołym gestem pokazał na wpół zapadnięte fotele, prosząc, by czuli się swobodnie. Simon od razu zapadł się w pozbawiony nóżek fotel w stylu królowej Anny, tak że nogi wisiały mu w powietrzu, po czym wspólnie zaczęli mówić o Janie Husie i huskiej rewolucji w średniowiecznych Czechach. Simon uśmiechnął się pod nosem. Już wiedział, że spodoba mu się w Oksfordzie.

Czystym przypadkiem było to, że Cyrus Miller, dwa tygodnie później, na wystawnym obiedzie charytatywnym w Austin, w Teksasie, siedział obok Lionela Cobba. Nienawidził takich obiadów i zwykle unikał ich; ten jednak zorganizowano na cześć lokalnego polityka i Miller wiedział, jak cenne jest zaznaczanie swej obecności pośród nich: potem wystarczyło tylko się przypomnieć w potrzebie. Postanowił jednak zignorować mężczyznę siedzącego obok, który nie miał nic wspólnego z interesem naftowym, dopóki Cobb nie wyraził się ostro przeciwko Traktatowi z Nantucket i Johnowi Cormackowi, stojącemu za tym.

— Ten cholerny traktat należy powstrzymać — mówił Cobb. — Trzeba jakoś przekonać Kongres, by odmówił jego ratyfikacji.

Według najnowszych wieści traktat był w ostatnim stadium projektu i w kwietniu miał zostać parafowany przez ambasadorów w Waszyngtonie i Moskwie, a po przerwie wakacyjnej zatwierdzony przez Komitet Centralny w Moskwie i jeszcze przed końcem roku przedłożony Kongresowi.

— Czy sądzi pan, że Kongres go odrzuci? — spytał ostrożnie Miller.

Przemysłowiec zbrojeniowy zapatrzył się posępnie w swój kieliszek.

— Nie — odparł. — Faktem jest, że ograniczanie zbrojeń daje popularność pośród ludzi z ulicy i Cormack ze swoją charyzmą przeforsuje ten układ. Nie znoszę gościa, ale realia są takie, a nie inne.

Miller podziwiał realizm pokonanego.

— Zna pan już warunki, na jakich został zawarty? — zapytał.

— Wystarczająco — odpowiedział Cobb. — Środki na obronę mają być obcięte o dziesiątki miliardów. Po obu stronach Żelaznej Kurtyny. Mówi się o czterdziestu procentach, po obu stronach, rzecz jasna.

— Czy wielu jest takich, którzy podzielają pańskie sądy? — pytał dalej Miller.

Cobb był zbyt pijany, aby zrozumieć właściwie pytanie.

— Niemal cały przemysł zbrojeniowy — burknął. — Tylko patrzeć, jak zamkną zakłady, a dotknie to też i spółek, i osób prywatnych.

— Hmm, jaka szkoda więc, że Michael Odell nie jest naszym prezydentem — westchnął Miller.

Przedstawiciel spółki Zodiac Inc. roześmiał się zjadliwie.

— Pomarzyć zawsze można. On jest przeciw rozbrojeniu. Ale pozostanie wice, a Cormack prezydentem.

— Tak pan sądzi? — rzucił wtedy cicho Miller.

A już w ostanim tygodniu tego miesiąca Cobb, Moir i Salkind spotkali się ze Scanlonem i Millerem na prywatnej kolacji wydanej na koszt Millera w zacisznym luksusowym apartamencie hotelu Remington w Houston. Przy brandy i kawie Miller zwrócił myśli reszty na obecność Johna Cormacka w Owalnym Gabinecie.

— On musi odejść — zaczął Miller. Reszta zgodnie przytaknęła.

— W żaden zamach nie wejdę — zaznaczył pospiesznie Salkind.

— Pamiętamy Kennedy'ego. Pod wpływem jego śmierci zatwierdzono w kongresie wszystkie prawa obywatelskie, jakich on sam nie mógł przeforsować. To miało przeciwny skutek, biorąc pod uwagę cel zamachu. I to właśnie Johnson był tym, który wprowadził te prawa.

— Zgadzam się — powiedział Miller. — Takie działanie nie wchodzi w rachubę. Ale są chyba jakieś sposoby na zmuszenie go do ustąpienia...

— Niech usłyszę chociaż jeden — rzucił Moir. — Jak, do licha, ktoś miałby tego dokonać? Ten człowiek jest czysty jak łza. Nie ciągnie się za nim żaden skandal. Komitety upewniły się co do tego, nim go tam posadziły.

— Ale musi coś być — upierał się Miller. — Jakaś pięta achillesowa. Jesteśmy zdeterminowani, mamy wpływy, mamy pieniądze. Potrzebujemy tylko organizatora.

— Może ten twój człowiek, pułkownik? — podsunął Scanlon.

Miller pokręcił głową.

— Mimo wszystko traktowałby każdego prezydenta Stanów jako swego dowódcę. Nie, to musi być ktoś inny... ktoś z zewnątrz...

Jego zdaniem miał to być jakiś renegat, wyrafinowany, bezwzględny, inteligentny i lojalny tylko wobec pieniędzy.

ROZDZIAŁ TRZECI

1991

Marzec

Pięćdziesiąt kilometrów na północny zachód od Oklahoma City leży więzienie El Reno, w języku urzędowym zwane Federalną Placówką Karną; pośród więziennej braci uznawane za jedno z najcięższych więzień w USA. Któregoś chłodnego poranka w połowie marca w ponurej bramie głównej otworzyły się małe drzwi i pojawił się w nich mężczyzna.

Był średniego wzrostu, z nadwagą, po więziennemu blady, bez grosza przy duszy i do głębi zgorzkniały. Rozejrzał się, ale niewiele zobaczył (bo i nie było tam prawie nic do oglądania), i obrał kurs w kierunku miasta. Wysoko nad nim, niewidoczne, obserwowały go oczy strażnika z wieży, który jednak szybko odwrócił znudzony wzrok. Z zaparkowanego samochodu obserwowały go z wielkim zainteresowaniem inne oczy. Długa limuzyna stała w dyskretnej odległości od głównego wejścia, na tyle daleko, by tablicy rejestracyjnej nie dało się odczytać.

Mężczyzna, który patrzył przez lornetkę z okna samochodu, odłożył ją i mruknął: — Idzie w naszą stronę.

Dziesięć minut później grubas przeszedł obok samochodu, obrzucając go tylko spojrzeniem. Ale jego profesjonalizm nakazał mu wyostrzyć uwagę. Kiedy znalazł się sto metrów dalej, silnik zaczął cicho pracować i limuzyna podjechała do niego. Wysiadł z niej młody mężczyzna, krótko ostrzyżony, o sportowej sylwetce, wzbudzający zaufanie.

— Pan Moss?

— A kto pyta?

— Mój pracodawca, sir. Chciałby z panem porozmawiać.

— Ale nazwiska pan nie poda... — zauważył gruby.

Ten drugi się uśmiechnął. — Jeszcze nie, sir. Ale mamy dobrze ogrzany wóz, prywatny samolot i szczere zamiary wobec pana. Niech pan to przekalkuluje, Moss, czy trafia się panu lepsze miejsce na teraz?

Moss zastanowił się. Samochód i mężczyzna nie śmierdzieli CIA ani FBI z jego zaprzysięgłymi starymi wrogami i faktycznie nie wiedział, dokąd mógłby pójść. Wsiadł do tyłu. Młody mężczyzna znalazł się obok i samochód ruszył. Nie w kierunku Oklahoma City, ale na lotnisko Wiley Post na północnym zachodzie.

W roku 1966 dwudziestopięcioletni Irving Moss, młodszy oficer (GS 12) w CIA, znalazł się w Wietnamie i przydzielony został do prowadzonego tam programu *Phoenix*. Były to czasy, kiedy Siły Specjalne, Zielone Berety, swoje całkiem udane plany wychowawczo-oświeceniowe w delcie Mekongu przekazały armii południowowietnamskiej, ARVN, która zadanie „wybicia z głowy" ludności wietnamskiej wspierania Vietkongu wykonywała ze znacznie mniejszym sprytem i humanitaryzmem. Ludzie z *Phoenixa* mieli współdziałać z południowowietnamską armią, podczas gdy Zielone Berety skupiły się na misjach odkrywania i niszczenia gniazd wroga, wyłapywaniu jeńców z Vietkongu lub zwykłych podejrzanych, których brała na przesłuchanie ARVN pod nadzorem ludzi z *Phoenixa*. I tu Moss odkrył swoje utajnione zamiłowania i swój właściwy talent.

Jako młodego człowieka brak seksualnych doznań doprowadzał go do szału i deprymował. Z goryczą myślał wciąż o kpinach, które znosić musiał jako nastolatek. Zgłupiał kompletnie, kiedy odkrył — a w latach pięćdziesiątych kontakty między nastolatkami były stosunkowo niewinne — że krzyk ludzki mógł go podniecić, i to w jednej chwili. Dla kogoś takiego dżungla Wietnamu, nie stawiająca żadnych pytań, była rajem. Ze swoją małą wietnamską jednostką mógł sam mianować się głównym śledczym do przesłuchań podejrzanych, z dwójką myślących podobnie i usłużnych mu południowowietnamskich kaprali.

To były trzy piękne lata dla niego, które skończyły się gorzko pewnego dnia w roku 1969, gdy wysoki, mężny, młody sierżant Zielonych Beretów niespodziewanie wyłonił się z dżungli. Jego lewe ramię krwawiło, a przełożony odesłał go w celu opatrzenia rany. Młody żołnierz tylko przez chwilę przyglądał się temu, co wyprawiał Moss, a potem bez słowa odchylił się i wyprowadził potężny cios łamiąc mu kość nosową. Lekarze wojskowi w Da Nang robili, co mogli, ale kości przegrody nosowej były tak potrzaskane, że wylądował z tym w Japonii. Mimo kunsztownej operacji jego nos był jeszcze szerszy, jeszcze bardziej płaski niż przedtem, a zatoki były tak uszkodzone, że przy oddychaniu gwizdał i sapał, zwłaszcza gdy był podniecony.

Nie spotkał już tego sierżanta, nie było oficjalnego raportu, a i Mossowi udało się zatrzeć za sobą ślady i pozostać w CIA do 1983 roku. Owego roku, po wielu awansach, uczestniczył w akcji wspierania przez CIA kontras w Hondurasie. Podlegały mu obozy w dżungli na granicy z Nikaraguą, skąd kontras, z których wielu było wcześniej sługami obalonego dyktatora Somozy, podejmowali sporadyczne napady na kraj, jakim niegdyś rządzili. Któregoś dnia jedna z tych grup wróciła z trzynastoletnim chłopcem — żadnym sandinistą, tylko zwyczajnym wyrostkiem.

Przesłuchanie odbyło się na polance w buszu dobre pół kilometra od obozu kontras, ale w zastygłym tropikalnym powietrzu słychać było wyraźnie oszalałe krzyki. Nikt nie mógł spać. Nad ranem krzyki ustały. Moss wrócił do obozu jak odurzony narkotykami. Rzucił się na polowe łóżko i zapadł w głęboki sen. Dwóch nikaraguańskich dowódców grupy wymknęło się z obozu, weszło w busz i wróciło po dwudziestu minutach, żądając rozmowy z komendantem. Pułkownik Rivas przyjął ich w namiocie, gdzie przy syczącej lampie naftowej pisał raporty. Dwaj partyzanci rozmawiali z nim przez kilka minut.

— Nie możemy z nim pracować — orzekł na koniec jeden. — Rozmawialiśmy też z innymi, są tego samego zdania, pułkowniku.

— *Es un malsano* — dodał drugi. — To zwierzak.

Pułkownik Rivas westchnął. Wcześniej należał do somozowskich szwadronów śmierci. Wyciągnął wtedy z łóżka paru związkowców czy pracowników reżimu. Widział kilka egzekucji, brał w nich nawet czynny udział, ale dzieci... Sięgnął po radio. Nie chciał tu buntu ani masowej dezercji. Niedługo potem amerykański helikopter wojskowy wylądował w obozie i wysiadł z niego ciemnowłosy mężczyzna — świeżo mianowany zastępca szefa latynoamerykańskiej sekcji CIA, który robił akurat zwiad po nowym podległym mu obszarze. Rivas towarzyszył Amerykaninowi w drodze przez busz, skąd wyszli po paru minutach.

Irving Moss obudził się, gdy ktoś kopnął nogą w jego polowe łóżko. Spojrzał mętnym wzrokiem na mężczyznę w polowym mundurze, który patrzył na niego z góry.

— Jesteś zwolniony, Moss — powiedział tamten.

— Kim jesteś, do diabła? — spytał wtedy Moss.

I otrzymał odpowiedź.

— Jednym z *tych* — zaznaczył przybysz szyderczo. — Dokładnie jednym z *tych*, a ty zwiajasz się stąd, i z Hondurasu, i z CIA. — Pokazał Mossowi kartkę papieru.

— Tego nie przysłali z Langley — odparował Moss.

— Nie — zgodził się mężczyzna — to moja decyzja. A ja przybyłem z Langley. Zbieraj swoje manatki i wskakuj do helikoptera.

Pół godziny później David Weintraub obserwował, jak helikopter wznosi się w poranne niebo. W Tegucigalpie Moss musiał zameldować się u szefa stacji, który zabrał go do Miami, a potem do Waszyngtonu. Nigdy już nie widział Langley. W Waszyngtonie odebrano go na lotnisku, oddano mu jego dokumenty, dokładając dobrą radę, aby więcej tu się nie pokazywał. I tak pięć kolejnych lat pracował jako rozchwytywany specjalista dla coraz mniej sympatycznych dyktatorów na Bliskim Wschodzie i w Ameryce Środkowej. Później organizował transporty narkotyków dla Noriegi z Panamy. To był błąd. Amerykańska Agencja do Spraw Narkotyków (DEA) umieściła go na liście najbardziej poszukiwanych osób.

Pewnego dnia 1988 roku na lotnisku londyńskim Heathrow dwóch podejrzanie grzecznych brytyjskich policjantów weszło mu w drogę i poprosiło o krótką rozmowę. „Rozmowa" dotyczyła schowanej w jego bagażu broni. Normalna przy ekstradycji procedura została tym razem wykonana w rekordowym czasie i trzy tygodnie później znowu stąpał po amerykańskiej ziemi. Dostał trzy lata i ponieważ nie był wcześniej karany, mógł właściwie liczyć na lekką placówkę karną, ale podczas oczekiwania na wyrok, dwóch mężczyzn spotkało się na lunchu w zaciszu ekskluzywnego Metropolitan Club w Waszyngtonie.

Jednym z nich był krępy mężczyzna nazwiskiem Weintraub, który awansował w międzyczasie na zastępcę kierownika do spraw operacyjnych CIA. Drugim był Oliver „Buck" Revell, były świetny lotnik Marines, teraz zajmujący odpowiedzialne stanowisko do spraw śledczych FBI. W młodości grał w amerykański futbol, nie na tyle długo jednak, by dać sobie rozbabrać mózg. Niektórzy w Hoover Building byli nawet zdania, że funkcjonował on nad wyraz sprawnie. Weintraub czekał, aż Revell skończy swój stek, i pokazał mu teczkę z dokumentami i kilkoma zdjęciami. Revell przekartkował akta i powiedział krótko: — Rozumiem.

Z nie wyjaśnionych powodów Moss musiał odbyć karę w El Reno, gdzie umieszczono także paru najbardziej brutalnych morderców, gwałcicieli, szantażystów zamkniętych akurat w całych Stanach. Wychodząc stamtąd opętany był już chorobliwą nienawiścią do CIA, FBI i Brytyjczyków, pozostając tylko przy najważniejszych z jego listy.

Na lotnisko w Wiley Post limuzyna wpuszczona została przez główny wjazd i zatrzymała się przed oczekującym Learjetem. Poza numerem rejestracyjnym, który Moss wbił sobie do głowy, maszyna nie była w żaden sposób oznakowana. Po pięciu minutach leciała już w kierunku, jaki odbiegał od dokładnego kursu południowego tylko nieznacznie na zachód. Moss mógł określić to po pozycji porannego słońca. Wiedział już, że lecą do Teksasu.

Zaraz za Austin zaczyna się kraina zwana przez Teksańczyków Hill Country i tu właśnie miał swoją posiadłość właściciel Pan-Global. Osiem tysięcy hektarów u podnóża gór. Z okien skierowanych na południowy wschód miało się daleki widok na wielką teksańską równinę sięgającą aż do Galveston i Zatoki Meksykańskiej. Oprócz licznych zabudowań dla domowego personelu, bungalowów dla gości, basenu i strzelnicy, posiadłość dysponowała własnym pasem startowym i tu właśnie, krótko przed południem, wylądował Learjet.

Mossa poprowadzono do jednego z bungalowów pod drzewami. Dostał pół godziny, by się umyć, ogolić i przebrać, a następnie wprowadzono go do rezydencji, do miłego chłodu pokoju ze skórzanymi meblami. Po dwóch minutach stanął przed nim wysoki, starszy mężczyzna o siwych włosach.

— Pan Moss? — spytał mężczyzna. — Irving Moss?

— Tak, sir — odpowiedział Moss. Zwietrzył pieniądze, bardzo duże pieniądze.

— Nazywam się Miller — przedstawił się tamten. — Cyrus V. Miller.

Kwiecień

Konferencja odbyła się w Sali Posiedzeń, za biurem prywatnego sekretarza, patrząc od strony Owalnego Gabinetu. Jak wielu innych, prezydent John Cormack zdziwił się, gdy po raz pierwszy zobaczył Owalny Gabinet, że jest tak mały. Sala Posiedzeń, ze swoim wielkim ośmiokątnym stołem pod portretem George'a Washingtona pędzla Stuarta, oferowała więcej miejsca do rozłożenia dokumentów i nietrącania się łokciami.

Na to przedpołudnie Cormack zaprosił, składający się z najbardziej zaufanych przyjaciół i doradców, gabinet wewnętrzny, aby ustalić ostateczne kwestie dotyczące Traktatu z Nantucket. Detale były opracowane, procedury weryfikacyjne sprawdzone, eksperci z niechęcią udzielili zgody — albo i nie, jak w przypadku dwóch wysokich rangą generałów i trzech pracowników Pentagonu, którzy woleli złożyć dymisję — ale Cormack chciał jeszcze usłyszeć komentarze ze swojego kręgu najściślejszych doradców.

W wieku sześćdziesięciu lat był u szczytu swych sił i możliwości, cieszył się bez skrępowania popularnością i autorytetem urzędu, na który nigdy nie miał nadziei. Gdy w lecie 1988 roku Partia Republikańska przeżywała kryzys, kompetentne gremia partyjne szukały gorączkowo kogoś, kto mógłby zostać kandydatem na prezydenta. I zbiorowe oko trafiło na tego kongresmana z Connecticut. Potomka bogatej patrycjuszowskiej rodziny z Nowej Anglii, który zdecydował się na ulokowanie swojego majątku w kilku fundacjach i zostanie profesorem na Uniwersytecie Cornella, nim dobrze po trzydziestce zwrócił się ku polityce w rodzinnym stanie Connecticut.

Jako przedstawiciel liberalnego skrzydła swej partii, John Cormack był w kraju osobą w ogóle nieznaną. Przyjaciele określili go jako człowieka zdecydowanego, uczciwego i przyjaznego i zapewnili partyjnych przywódców, że jest czysty jak łza. Nie występował do tej pory w telewizji — obecnie traktowanej jako nieodzowny atrybut każdego kandydata — ale partia zdecydowała się na niego. Dla mediów był przypadkiem beznadziejnym. Jednak przez cztery miesiące nieustannej kampanii obrócił to na swoją stronę. Cormack wbrew utartym regułom patrzył bez obaw w kamerę i bez ogródek odpowiadał na każde pytanie — rzekomo najpewniejsza droga do katastrofy. Obraził kilka osób, w przeważającej części prawicę, choć ci nie mogli oczywiście dać swoich głosów nikomu innemu. Na dużo większej części ludzi zrobił jednak wspaniałe wrażenie. Protestant z północnoirlandzkim nazwiskiem jako warunek dla swej kandydatury wyprosił, by mógł sam sobie wybrać wiceprezydenta — i podał nazwisko Michaela Odella, katolickiego Teksańczyka dumnego z irlandzkiego pochodzenia.

Obaj byli z gruntu różni. Odell, bardziej prawicowy, był gubernatorem swego stanu. Cormack lubił tego żującego cały czas gumę człowieka z Waco i zaufał mu. Z jakiś powodów ten tandem był udany. Wyborcy, z niewielkimi wyjątkami, postawili na człowieka, którego prasa tak samo chętnie jak niesłusznie porównywała z Woodrowem Wilsonem, ostatnim profesorem na urzędzie prezydenta w USA. I jego partnera, który komentatorowi telewizyjnemu Danowi Ratherowi bez ogródek oświadczył: „Nie zawsze jestem tego samego zdania co mój przyjaciel John Cormack, ale, u licha, żyjemy w Ameryce i zniszczę każdego, kto zabroni mu mówienia tego, co myśli".

Wszystko zadziałało. Tandem trzymającego się prosto przedstawiciela Nowej Anglii obdarzonego darem przekonywania oraz wydającego się być populistą południowca, przyciągnął decydujące głosy czarnego, hiszpańsko-amerykańskiego i irlandzkiego elektoratu. Cormack świadomie włączał Odella w proces decyzyjny na najwyższym szczeblu. Siedzieli teraz naprzeciw siebie, aby porozmawiać o traktacie, który, Cormack to wiedział, Odell zdecydowanie odrzuci. Prezydenta otaczało czterech innych bliskich, zaufanych: sekretarz stanu Jim Donaldson, prokurator generalny Bill Waters, Hubert Reed z Ministerstwa Skarbu i Morton Stannard z Obrony.

Po stronie Odella siedział Brad Johnson, błyskotliwy Murzyn z Missouri, który wykładał obronność na Uniwersytecie Cornella, a teraz pełnił obowiązki doradcy do spraw bezpieczeństwa narodowego, oraz Lee Alexander, dyrektor CIA, który parę miesięcy po rozpoczęciu kadencji Cormacka zastąpił Billa Webstera. Znajdował się tam na wypadek, gdyby Rosjanie naruszyli warunki traktatu, bo wtedy musiał poprzez swoje satelity i służby wywiadowcze z całą siecią agentów uzyskać błyskawiczny przegląd sytuacji.

Żaden z ośmiu mężczyzn czytających ostateczny tekst traktatu nie miał wątpliwości, że chodzi o najbardziej kontrowersyjny układ, jaki podpisywały Stany Zjednoczone. W obozie prawicowym i przemyśle zbrojeniowym już teraz podniósł się ostry sprzeciw. W roku 1988, za Reagana, Pentagon zadeklarował się obniżyć o 33 miliardy dolarów wydatki na obronę i tym samym zmniejszyć je do 299 miliardów. W kolejnych latach od 1990 do 1994 siły zbrojne miały obciąć *planowane* wydatki odpowiednio o 37,1, 41,3, 45,3 i 50,7 miliardów rocznie. Cięcia te ograniczały jednak *wzrost* wydatków na obronę o 2% rocznie. Traktat z Nantucket przewidywał znaczny *spadek* wydatków na obronę. A ograniczenia wzrostu już przyniosły problemy. Nantucket miał nieuchronnie wywołać katastrofę.

Różnica polegała na tym, jak wielokrotnie podkreślał Cormack, że wcześniejszym cięciom wzrostu nie odpowiadały żadne cięcia w ZSRR. W Nantucket Moskwa zadeklarowała zmniejszenie własnych sił zbrojnych w niespotykanym dotychczas wymiarze. Cormack wiedział, że dwa supermocarstwa nie mają prawie żadnego wyboru. Od objęcia urzędu on i Reed stale walczyli z rosnącym wzrostem deficytu handlowego i budżetowego. Wymykały się one spod kontroli i były zagrożeniem dla dobrobytu nie tylko USA, ale całego zachodniego świata. Opierając się na analizach ekspertów, że i u Rosjan, choć z innych przyczyn, sytuacja jest podobna, powiedział Gorbaczowowi prosto w twarz: „My musimy zrobić cięcia budżetowe, a wy musicie zabrać te pieniądze armii". Rosjanie wzięli na siebie przekonanie pozostałych państw Układu Warszawskiego. Cormack miał pozyskać do swoich planów NATO. Najpierw Niemców, potem Włochów i na samym końcu Brytyjczyków. Główne postanowienia traktatu brzmiały:

Wojska lądowe. Związek Radziecki przystał na zmniejszenie o połowę swych wojsk, w liczbie dwudziestu jeden dywizji bojowych wszelkich rodzajów, stacjonujących w Niemczech Wschodnich, a więc potencjalnej siły inwazyjnej do ingerencji na zachód wzdłuż Wielkiej Niziny Niemieckiej. Jednostki te nie zostałyby rozwiązane, lecz wycofane za granicę polsko-radziecką i miały już nigdy więcej nie wracać na zachód. To były dywizje kategorii pierwszej. Ponadto Związek Radziecki miał zredukować liczebnie swoją armię o 40 procent.

— Są jakieś uwagi? — spytał Cormack.

Stannard z Pentagonu, który z samej natury miał najsilniejsze zastrzeżenia do traktatu, a prasa spekulowała już o jego ewentualnej dymisji, podniósł wzrok.

— Dla Rosjan to jest podstawa traktatu, bo dla nich wojska lądowe są najważniejsze — powiedział, przytaczając dosłownie, choć tego nie wyjawił, opinię przewodniczącego Kolegium Szefów Sztabów. — Dla przeciętnego człowieka z ulicy brzmi to fantastycznie; zachodni Niemcy już są oczarowani. Ale pozory mylą. Z jednej strony Rosjanie nie mogą utrzymywać 177 dywizji, taki jest obecny stan, bez wykorzystania w znacznym stopniu południowych grup etnicznych, mam na myśli muzułmanów, a wiemy, że te rozwiązaliby najchętniej. Z drugiej strony, to nie wielka i przy tym chaotyczna armia radziecka, tylko ta o połowę mniejsza, składająca się z żołnierzy zawodowych, nie daje spać spokojnie naszym planistom. Mała armia zawodowa jest bardziej użyteczna niż ta wielka „niezwyciężona", jaką mają teraz.

— Ale jeżeli wrócą do siebie — odparował Johnson — nie zdołają zaatakować Niemiec Zachodnich. Lee, gdyby chcieli znowu przerzucić wojska przez Polskę do Niemiec Wschodnich, czy byśmy tego nie zauważyli?

— W żadnym wypadku — zdecydowanie odparł szef CIA. — Pomijając zamaskowane ciężarówki i pociągi, które mogą zmylić satelity, przecież my i Brytyjczycy mamy zbyt wielu agentów w Polsce, aby takie ruchy wojsk mogły umknąć naszej uwadze. Poza tym i Niemcy Wschodni nie są zainteresowani, żeby stać się terenem działań wojennych. Prawdopodobnie sami by nam to powiedzieli.

— No dobrze, ale co my za to dajemy? — chciał wiedzieć Odell.

Johnson odpowiedział mu: — Część naszych wojsk, niedużo. Rosjanie wycofują dziesięć dywizji, każda po 15 000 ludzi. My mamy w Europie Zachodniej 326 000 ludzi. Po raz pierwszy od 1945 roku zejdziemy poniżej 300 000. 25 000 naszych za 150 000 ich to całkiem niezłe osiągnięcie; sześciu za jednego, a po cichu liczyliśmy na czterech.

— Niby tak — zaprotestował Stannard — ale zobowiązujemy się też nie rozwijać naszych obu nowych ciężkich dywizji, pancernej i zmechanizowanej.

— A ile to zaoszczędzi, Hubert? — spytał delikatnie prezydent. Wolał, by inni mówili, słuchając ich uważnie i robiąc krótkie, i jak zwykle dotykające sedna uwagi, żeby potem zdecydować. Minister skarbu popierał traktat. To znacznie ułatwiłoby mu zbilansowanie budżetu.

— Trzy i pół miliarda dywizja pancerna, trzy koma cztery dywizja zmechanizowana — objaśnił — ale to są tylko koszty początkowe. Potem rocznie zaoszczędzilibyśmy 300 milionów z ich utrzymania. A gdy rezygnujemy z DESPOTA, schodzimy jeszcze o 17 miliardów za trzysta jednostek tego typu.

— Ale DESPOTA jest najlepszym systemem obrony przeciwczołgowej świata — zaprotestował Stannard. — Potrzebujemy go, do cholery!

— Aby zniszczyć czołgi, które właśnie wycofały się za Brześć Litewski? — spytał z ironią Johnson. — Jeżeli Rosjanie o połowę zredukują czołgi w Niemczech Wschodnich, damy sobie radę tym, co mamy: dziesięcioma myśliwcami A-10 i naziemnymi jednostkami pancernymi. Poza tym za zaoszczędzone sumy możemy ulepszyć naszą statyczną obronę. Traktat na to pozwala.

— Europejczykom to się podoba — zauważył sekretarz stanu Donaldson. — Nie potrzebują zmniejszać liczebności swoich wojsk, a jednak dziesięć czy jedenaście radzieckich dywizji zniknie im z oczu. Wydaje mi się, że na lądzie jesteśmy wygrani.

— Przyjrzyjmy się więc bitwie o morskie siły zbrojne — zaproponował Cormack.

Związek Radziecki zadeklarował się zniszczyć pod kontrolą połowę floty podwodnej. Wszystkie łodzie o napędzie atomowym klasy Hotel, Echo i November oraz wszystkie napędzane ropą i prądem: Juliet, Foxtrot, Whiskey, Romeo i Zulu. Właściwie, jak zauważył szybko Stannard, ich wiekowe atomowe łodzie podwodne są już przestarzałe i niebezpieczne. Następowały w nich przecieki neutronów i promieni gamma, a inne, które miały zostać usunięte, były starymi modelami. Po ich wycofaniu Rosjanie będą mogli skoncentrować środki i najlepszych ludzi na łodziach klasy Sierra, Mike i Akula, posiadających o wiele lepsze parametry i dlatego bardziej skutecznych.

Mimo to przyznawał, że 158 łodzi podwodnych to spora kupa złomu i że potencjalne cele amerykańskiego systemu niszczenia łodzi podwodnych zmniejszyłyby się drastycznie. Przez to byłoby łatwiej transportować konwoje do Europy, w przypadku gdyby kiedyś nawet doszło do konfliktu.

Wszyscy wiedzieli, że przewidziane do zniszczenia łodzie podwodne były łodziami do niszczenia celów na morzu. O łodziach z rakietami nie wspomniano. Częściowo dlatego, że broń atomowa wchodziła w zakres Traktatu o Redukcji Strategicznej Broni Jądrowej z 1989 roku — następnym po układzie z 1988 roku — i częściowo dlatego, że rosyjskie łodzie z rakietami w żargonie Departamentu Marynarki Wojennej są „niepoważne". Radziecka broń nuklearna rozmieszczona jest właściwie tylko na lądzie, a to z typowo rosyjskiego powodu. Wielka Brytania i USA pozwalają swoim kapitanom łodzi podwodnych pływać miesiącami bez meldowania i podawania swoich pozycji. Liczy się tu zaufanie. W Moskwie nie. Mimo że oficer polityczny, znienawidzony „politruk", jest na pokładzie każdej ich łodzi, muszą one co 24 godziny wystawiać anteny i krzyczeć: „Jesteśmy tutaj, ojczyzno", na co Amerykanie wdzięczni notują pozycję i śledzą kurs łodzi.

Ostatecznie Moskwa zdeklarowała się złomować pierwszy z czterech jej lotniskowców klasy Kijów i nie budować nowych — ustępstwo nieznaczne, bo lotniskowce zawsze były drogie w utrzymaniu.

Są najkosztowniejszą pozycją w budżecie każdej armii obejmującym broń konwencjonalną. Sam lotniskowiec wart jest miliardy dolarów, zaopatrzenie go w 80 samolotów to kolejne 30 milionów od sztuki, a uzbrojenie dodatkowe 40 milionów. Do tego dochodzi eskorta składająca się z niszczycieli wyposażonych w rakiety i helikopterów do zwalczania łodzi podwodnych, a ponadto własne łodzie podwodne i krążące wokół samoloty zwiadowcze typu Orion P-3. Według Traktatu z Nantucket Stany Zjednoczone mogły zatrzymać ostatnio wybudowane lotniskowce *Abraham Lincoln* i *George Washington*, musiały jednak złomować *Midway* i *Coral Sea*, (które właśnie miały być zniszczone, co jednak przesunięto, aby móc wymienić je jeszcze w kontrakcie), jak i najbliższe im wiekowo *Forrestal* i *Saratoga*, razem z dywizjonami lotniczymi. Gdyby te szwadrony zostały wycofane, cztery lata były potrzebne, aby przywrócić ich sprawność bojową.

— Ruscy mogą powiedzieć, że zmniejszają o 18 procent naszą zdolność zadania ciosu ich ojczyźnie — narzekał Stannard — a sami rezygnują tylko ze 158 łodzi podwodnych, które nie dały się już dłużej utrzymywać.

Ale gabinet, pod wrażeniem oszczędności blisko 20 miliardów rocznie w połowie kosztów personelu i w połowie kosztów wyposażenia, zgodził się, z wyjątkiem Odella i Stannarda, na warunki dotyczące morskiej części traktatu. Problem zaczął się w powietrzu. Cormack wiedział, że dla Gorbaczowa tam tkwi sedno traktatu. Zestawiając to wszystko Ameryka wygrywała i na lądzie, i na wodzie, bo nie żywiła żadnych złych zamiarów. Chciała tylko uzyskać gwarancje, że w przyszłości nie uczyni tego

Związek Radziecki. W przeciwieństwie do Stannarda i Odella, Cormack i Donaldson wiedzieli, że wielu Rosjan jest przekonanych, że pewnego dnia Zachód zaatakuje ich ojczyznę. Podobnie myśleli ich przywódcy. Według Traktatu z Nantucket Zachód miał zrezygnować z amerykańskich taktycznych myśliwców TFX lub F-18. I europejskiego samolotu wielozadaniowego wspólnego projektu Włoch, RFN, Hiszpanii i Wielkiej Brytanii. Moskwa wstrzymałaby za to dalsze prace nad Migiem 31. Na złom miał trafić także Blackjack, opracowana w zakładach Tupolewa wersja amerykańskiego bombowca B-1, jak i połowa ich powietrznych tankowców, przez co zmniejszyłoby się i strategiczne zagrożenie dla Zachodu z powietrza.

— A skąd mamy wiedzieć, że oni nie konstruują jakiegoś nowego Backfire'a gdzie indziej? — spytał Odell.

— Będziemy mieli oficjalnych inspektorów w fabryce Tupolewa — oznajmił Cormack. — A zbudowanie fabryki Tupolewa w nowym miejscu nie jest takie łatwe. Prawda, Lee?

— Tak jest, panie prezydencie — potwierdził dyrektor CIA i dodał: — Poza tym mamy wtyczki w kierownictwie Tupolewa.

— No no! — Donaldson był pod wrażeniem. — Jako dyplomata nic nie chcę o tym wiedzieć.

Kilku obecnych zjadliwie się uśmiechnęło. Donaldson uchodził za człowieka bez skazy. Prezydent Cormack trzymał się tradycji, jeśli chodzi o osobiste zwracanie się do ludzi. Nie lubił, gdy ci, którzy znają się niecałe dziesięć minut, zwracają się do siebie po imieniu. On sam nazywał swoich współpracowników po imieniu, ale ci trzymali się zasadniczo „panie prezydencie". Per „John" zwracali się do niego Odell, Reed, Donaldson i Walters. Wszyscy oni znali go już bardzo długo.

Najbardziej gorzką pigułką w Traktacie z Nantucket w części dotyczącej sił powietrznych było dla Ameryki to, że musiała zrezygnować z Niewidzialnego, bombowca B-2 — samolotu o rewolucyjnym znaczeniu, gdyż jego przelot był nie do wykrycia dla urządzeń radarowych — mogącego zrzucać swoje bomby atomowe jak i gdzie chciał. To Rosjan przeszywało dreszczem. Michaiłowi Gorbaczowowi to jedyne ustępstwo ze strony USA by wystarczyło do ratyfikacji Traktatu z Nantucket. Zaoszczędzało to przynajmniej 300 miliardów rubli, które w przeciwnym razie wydaliby, chcąc od podstaw zreorganizować obronę powietrzną mającą wykryć każdy atak zagrażający ojczyźnie. Gorbaczow wolał przeznaczyć to na nowe technologie i ropę oraz przemysł.

Amerykę projekt Niewidzialnego miał kosztować 40 miliardów i ta rezygnacja niosła ogromne oszczędności, ale i utratę 50 000 miejsc pracy w przemyśle zbrojeniowym, z czego część zyskanych środków należało wydać na utworzenie miejsc pracy w nowych, „wschodzących" gałęziach przemysłu, aby zmniejszyć socjalne skutki tego kroku.

— A może powinniśmy działać tak jak do tej pory i doprowadzić tych gnojków do bankructwa? — podsunął Odell.

— Michael — spokojnie odparł mu Cormack — musieliby wtedy rozpocząć wojnę.

Po dwunastu godzinach gabinet zatwierdził Traktat z Nantucket i zaczęła się mozolna praca przekonania Kongresu, lobby przemysłowego, finansjery, mediów i narodu o tym, że decyzja była słuszna. Taka jest demokracja. Budżet obrony został obcięty o 100 miliardów dolarów.

Maj

W połowie maja pięciu mężczyzn, którzy w styczniu w hotelu Remington jedli obiad, utworzyło na propozycję Millera grupę Alamo, ku pamięci ludzi, którzy w roku 1836 pod Alamo walczyli z meksykańskimi oddziałami generała Santa Anna o niepodległość Teksasu. Projekt obalenia monarchii saudyjskiej nazwali Planem Bowie'ego, od nazwiska Jima Bowie'ego, który zginął pod Alamo. Akcja pogrążenia prezydenta Cormacka poprzez plotkarską kampanię w lobby przemysłowym, w mediach i w kongresie otrzymała kryptonim Plan Crockett po Davym Crocketcie, pionierze i pogromcy Indian, który również zginął pod Alamo. Teraz spotkali się, aby przedyskutować raport Irvinga Mossa o zadaniu Johnowi Cormackowi tak ciężkiego ciosu, by cofnął swoje decyzje i odszedł z piastowanego urzędu. To był Plan Travisa na cześć człowieka, który był dowódcą pod Alamo.

— Tu są fragmenty, przy których mnie skręca — powiedział Moir pukając palcem w swój egzemplarz raportu.

— Mnie tak samo — przyznał Salkind. — Ostatnie cztery strony. Czy musimy posunąć się naprawdę tak daleko?

— Kochani przyjaciele! — zahuczał Miller. — Rozumiem waszą troskę, a także niechęć, ale tracicie z oczu to, o co toczy się gra. Nie tylko my, ale także cała Ameryka jest w śmiertelnym niebezpieczeństwie. Wiedzieliście, do czego gotowy jest ten judasz w Białym Domu. Do pozbawienia naszego kraju obrony i zjednania sobie antychrysta w Moskwie. Ten człowiek musi odejść, nim zniszczy nasz ukochany kraj, a przy okazji kogoś zrujnuje. Przede wszystkim was, moi panowie, którzy stoicie przed widmem bankructwa. Pan Moss, obecny tutaj, zapewnił mnie w kwestii tych ostatnich czterech stron, że tak daleko sprawa nie zabrnie. Cormack odejdzie, zanim *to* stanie się konieczne.

Irving Moss ubrany w biały garnitur siedział w milczeniu. Części jego planu nie było w raporcie, omówił to z Millerem tylko w cztery oczy. Oddychał przez usta, by uniknąć cichego gwizdania, jakie wydawał jego nos.

Miller zaskoczył nagle wszystkich: — Przyjaciele, poprośmy o wsparcie Tego, który rozumie wszystko. Pomódlmy się razem.

Ben Salkind rzucił szybkie spojrzenie Peterowi Cobbowi, który zmarszczył tylko czoło. Miller położył obie dłonie płasko na stole, zamknął oczy i podniósł twarz wysoko do sufitu. Nie przywykł do opuszczania głowy, nawet gdy rozmawiał z Wszechmogącym, w końcu znali się przecież tak dobrze.

— O Panie — zaintonował magnat naftowy. — Usłysz nas, prosimy Cię, usłysz nas, szczerych, wiernych synów tego wspaniałego kraju, który Ty stworzyłeś i nam powierzyłeś władanie nad nim. Prowadź nasze ręce, wzmocnij nasze serca, napełnij je odwagą, by skończyć dzieło, które stoi przed nami i które, czego jesteśmy pewni, ma Twoje błogosławieństwo. Pomóż nam ten Twój wybrany kraj i ten Twój wybrany lud uratować... — Przez kilka minut kontynuował tę modlitwę, potem zamilkł na chwilę, a gdy opuścił już głowę i spojrzał na pięciu obecnych mężczyzn, w jego oczach paliła się pewność, znana tylko tym, którzy nie miewają wątpliwości. — Moi panowie, On przemówił, jest po naszej stronie, musimy iść naprzód, nie cofać się, dla naszego kraju i za naszego Boga.

Pozostałych pięciu nie miało innego wyboru jak zgadzając się skinąć głowami. Godzinę później Irving Moss rozmawiał sam na sam z Millerem w jego gabinecie. Były jeszcze dwie rzeczy, których on nie mógł zorganizować. Jedną był produkt wysoko zaawansowanej radzieckiej technologii, drugą tajne źródło informacji w najbardziej wewnętrznych gremiach Białego Domu. Wyjaśnił Millerowi powody. Ten skinął głową w zamyśleniu.

— Postaram się o jedno i drugie — obiecał. — Masz swój budżet i zaliczkę na poczet honorarium. A więc zmieniaj plan w czyn, niezwłocznie.

Czerwiec

Pułkownik Easterhouse został przyjęty przez Millera w pierwszym tygodniu czerwca. Miał w Arabii Saudyjskiej pełne ręce roboty, ale wezwanie było stanowcze i przyleciał z Dżuddy przez Londyn do Nowego Jorku, a stamtąd dalej do Dallas. Tu samochód zabrał go na prywatne lotnisko W. P. Hobby'ego na południowy wschód miasta, skąd Learjetem poleciał prosto na ranczo. Widział je pierwszy raz. Jego raport o zaawansowaniu prac był optymistyczny i został dobrze przyjęty. Mógł zameldować, że jego pośrednik z Policji Religijnej entuzjastycznie zareagował na możliwość zmiany rządu w Rijadzie i nawiązał kontakt ze zbiegłym imamem szyickich fundamentalistów, po tym, gdy Easterhouse doniósł mu, gdzie ten człowiek się ukrywa. Fakt, że imam nie został zdradzony, dowodził, że gorliwiec z Policji Religijnej jest godzien zaufania.

Imam wysłuchał propozycji — którą mu przedstawiono bez podawania nazwisk, ponieważ nigdy nie pogodziłby się z tym, że chrześcijanin, taki jak Easterhouse, miałby się stać narzędziem Allaha — i także był oczarowany tą propozycją.

— Problemem jest to, panie Miller, że fanatycy Hezb'Allah nie próbowali sięgać po władzę w Arabii Saudyjskiej, woląc podjąć próbę opanowania Iraku, co się jednak nie udało. Ich powściągliwość daje się wyjaśnić tym, i słusznie, że próba pokonania dynastii Saud sprowokowałaby niezdecydowane na razie Stany Zjednoczone do brutalnej reakcji. Od zawsze byli przekonani, że Arabia i tak przypadnie im w odpowiednim czasie. Imam oswaja się z myślą, że wiosna przyszłego roku — obchody Diamentowego Jubileuszu ustalono już na kwiecień — będzie najsłuszniejszym momentem objawienia się woli Allaha.

Na te obchody przybędą do Rijadu liczne delegacje wszystkich trzydziestu siedmiu większych klanów, aby złożyć hołd panującej dynastii. Pośród nich będą klany z regionu Hasa, robotników z pól naftowych, którzy w większości należą do szyickiej sekty. W tym tłumie ukryje się dwustu przebranych zamachowców Imama — nie uzbrojonych do momentu, gdy rozdane im zostaną lekkie karabiny maszynowe i amunicja, potajemnie dostarczone w jednym z tankowców Scanlona.

Na koniec Easterhouse mógł zameldować, że wysoki rangą egipski oficer — Egipska Grupa Doradców Wojskowych odgrywała decydującą rolę w kwestiach technicznego wyposażenia armii saudyjskiej — obiecał, że jeśli jego kraj, walczący z przyrostem ludności i chronicznym brakiem kapitału, otrzyma dostęp do saudyjskiej ropy, on zatroszczy się o to, by królewskiej gwardii wydano wadliwą amunicję, tak by ci nie mogli zrobić nic dla obrony swych panów.

Miller kiwał w zamyśleniu głową. — Wykonał pan dobrą robotę, pułkowniku — powiedział i zmienił temat. — A jak, pana zdaniem, Sowieci zareagują na przejęcie Arabii Saudyjskiej przez Amerykę?

— Z największym oburzeniem, jak sądzę — odparł pułkownik.

— W takim wymiarze, że oznaczałoby to koniec Traktatu z Nantucket? — chciał wiedzieć Miller.

— Tak właśnie myślę — potwierdził Easterhouse.

— A jaka grupa w Związku Radzieckim miałaby najwięcej powodów, aby odrzucić traktat i posłać go do diabła?

— Sztab Generalny — odparł bez wahania Easterhouse. — Ich obecna pozycja w Związku Radzieckim odpowiada sytuacji naszego Kolegium Szefów Sztabów i przemysłu zbrojeniowego razem wziętych. Ten traktat obcina ich władzę, prestiż, budżet i stan armii o czterdzieści procent. Nie sądzę, by byli temu przychylni.

— Dziwni sojusznicy — zauważył Miller. — Czy są jakieś możliwości dyskretnego nawiązania kontaktu?

— Hm, ja... mam pewne znajomości — rzucił Easterhouse ostrożnie.

— Chciałbym, aby pan je wykorzystał — rzekł Miller — niech pan im po prostu powie, że w USA także są silne grupy interesu przeciwne Traktatowi z Nantucket. Te kręgi uważają, że kontrakt można jeszcze zablokować i są zainteresowane wymianą poglądów.

Królestwo Jordanii nie jest krajem szczególnie proradzieckim, ale król Husajn musi postępować uważnie i taktownie, aby ocalić tron w Ammanie, i dlatego okazyjnie kupował już broń od Rosjan, mimo że jego haszymidzki Legion Arabski jest uzbrojony głównie w broń zachodnią. W Ammanie stacjonuje też trzydziestoosobowa grupa doradców wojskowych, która podlega wojskowemu attaché z ambasady rosyjskiej. Easterhouse poznał go, gdy uczestniczył na zlecenie swoich saudyjskich pracodawców w testowaniu radzieckiej broni ciężkiej w warunkach pustynnych, na wschód od Akaby. A wracając stamtąd Easterhouse znalazł się w Ammanie i tam się zatrzymał.

Attaché wojskowy, pułkownik Kutuzow, co do którego Easterhouse był przekonany, że należał do GRU, nadal trzymał swoją posadę. Obaj spotkali się na obiedzie w cztery oczy. Amerykanin zdumiony był szybkością reakcji. Dwa tygodnie później odszukano go w Rijadzie, by oznajmić, że pewni panowie byliby radzi spotkać się z jego „przyjaciółmi" zapewniając najdalej idącą dyskrecję. Otrzymał też grubą paczkę z instrukcjami podróży, którą bez otwierania dostarczył szybko do Houston.

Lipiec

Ze wszystkich komunistycznych krajów Jugosławia ma najbardziej liberalne nastawienie do terroryzmu, co między innymi oznacza, że wizy wjazdowe można otrzymać tu przy kontroli paszportowej na lotnisku w Belgradzie. W połowie czerwca tego samego dnia z różnych kierunków do Belgradu przyleciało pięciu mężczyzn. Przybyli rejsowymi liniami z Paryża, Rzymu, Wiednia, Londynu i Frankfurtu. Ponieważ wszyscy byli obywatelami USA, nie potrzebowali wcześniej wiz. Dopiero tu każdy złożył podanie o pozwolenie na tygodniowy pobyt jako zwyczajny turysta. Jeden przed południem, dwóch w porze lunchu i dwóch po południu. Wszyscy oświadczali, że chcą zapolować na dziki i jelenie zatrzymując się na terenach łowieckich Karadjordjevo ze słynną wiekową twierdzą na Dunaju cieszącą się powodzeniem wśród bogatych turystów z Zachodu. I gdzie gościł swego czasu amerykański wiceprezydent George Bush. Pierwszą noc, jak oświadczali odbierając wizy, spędzą w superluksusowym hotelu Petrovaradin w Nowym Sadzie, 80 kilometrów na północny zachód od Belgradu. I każdy pojechał tam taksówką.

Urzędnicy kontroli paszportowej mają w południe zmianę i dlatego tylko jeden z Amerykanów został zauważony przez Pavlica, funkcjonariusza znajdującego się także na liście płac KGB. Dwie godziny po służbie rutynowy raport Pavlica leżał już na biurku radzieckiego rezydenta w jego biurze w ambasadzie, w centrum Belgradu.

Pawel Kerkorian nie był w najlepszej kondycji, miał za sobą długą noc i to nie na służbie. Jego żona była gruba i wiecznie narzekała, a on nie mógł się oprzeć jasnowłosym bośniackim dziewczynom. Do tego był jeszcze ciężki lunch, absolutnie służbowo, z członkiem jugosłowiańskiego Komitetu Centralnego, którego miał nadzieję zwerbować. Mało brakowało, a odłożyłby nie przeczytany raport Pavlica na bok. Amerykanie napływali w tych dniach całymi grupami do Jugosławii — niemożliwe było skontrolować ich wszystkich. To nazwisko jednak go pobudziło. I nie tyle nazwisko, bo było całkiem zwyczajne, ale imię: Cyrus. Gdzie ostatnio je widział?

Znalazł je po godzinie w swoim biurze; w starym numerze *Forbes Magazine* był artykuł o Cyrusie Millerze. Takie przypadki decydują czasami o biegu wydarzeń. Ten nie wyglądał na zwyczajny, a żylasty major z armeńskiego KGB nie lubił, gdy coś nie wyglądało zwyczajnie. Po co prawie osiemdziesięcioletni Amerykanin, do tego żarliwy antykomunista, przybywa rejsowym lotem na polowanie na dzikie świnie do Jugosławii, skoro jest tak bogaty, by polować w Ameryce Północnej, na co tylko by jego serce zapragnęło, i by podróżować prywatnym odrzutowcem? Wezwał swoich dwóch pracowników, młodych chłopaków świeżo przybyłych z Moskwy, mając nadzieję, że nie okażą się zbyt głupi. (Dobry personel rzadko się trafiał, jak to ostatnio powiedział do swojego rozmówcy z CIA na cocktail-party. Tamten zgodził się z nim całkowicie.)

Młodzi agenci Kerkoriana mówili po serbsko-chorwacku, ale mimo to doradził im zdać się na kierowcę, Jugosłowianina, który lepiej znał teren. Zameldowali się wieczorem z kabiny telefonicznej hotelu Petrovaradin, co wycisnęło żółć z majora, bo Jugosłowianie podsłuchiwali z pewnością rozmowę. Rozkazał im zadzwonić z innego miejsca.

Chciał właśnie pójść do domu, gdy zameldowali się znowu, tym razem z małego lokalu w pobliżu Nowego Sadu. Amerykanin nie był sam, lecz miał jeszcze czterech towarzyszy podróży, powiedzieli. Mogli się spotkać dopiero w hotelu, ale na pewno znali się wcześniej. W recepcji za kilka banknotów dostali kserokopie dokumentów wszystkich pięciu Amerykanów. Rano jakiś mikrobus miał zabrać ich na tereny łowieckie, dodali agenci pytając, co mają teraz robić. Macie tam zostać, usłyszeli od Kerkoriana. Tak, całą noc. I chcę wiedzieć, dokąd jadą i z kim się spotykają.

Trzeba ich trzymać krótko, myślał w drodze do domu. Ci młodzi zbytnio lubią iść na łatwiznę. Zapewne nic się za tym nie kryje, ale żółtodzioby mogły przynajmniej zdobyć trochę doświadczenia. W południe następnego dnia wrócili zmęczeni, nie ogoleni, ale triumfujący. Kerkorian nie wierzył swoim uszom. Minivan zajechał punktualnie i wsiadło do niego pięciu Amerykanów. Przewodnik był w cywilu, ale sprawiał zdecydowanie wojskowe wrażenie i wyglądał na Rosjanina. Zamiast ruszyć na łowieckie tereny, van zawrócił w stronę Belgradu i potem ruszył prosto na lotnisko Batajnica. Tamci nie pokazywali nawet paszportów przy bramie — przewodnik wyjął wszystkie pięć z własnej kieszeni i barierka została uniesiona w górę.

Kerkorian znał Batajnicę — dużą jugosłowiańską bazę lotniczą, dwadzieścia kilometrów na północny zachód od Belgradu, która z pewnością nie znajdowała się w programie zwiedzania amerykańskich turystów. Lądowały tu stałe radzieckie transporty wojskowe zaopatrujące liczne grupy ich doradców wojskowych w Jugosławii. Dlatego w bazie lotniska była grupa rosyjskich inżynierów, z których jeden pracował dla niego. Zatrudniony był przy odprawie transportów. Dziesięć godzin później Kerkorian wysłał pilny raport do Jazenewa, centrali Zarządu Pierwszego do spraw szpiegostwa za granicą KGB. Raport wylądował na biurku zastępcy szefa Zarządu Pierwszego, generała Wadima Kirpiczenki, który po zasięgnięciu kilku dodatkowych informacji wewnątrz ZSRR, przesłał poszerzony raport bezpośrednio do przełożonego, generała Czebrikowa.

Kerkorian donosił, że pięciu Amerykanów pod eskortą przeszło z minivana do odrzutowca transportowego Antonow 42, który krótko przedtem przybył z ładunkiem z Odessy i miał natychmiast startować z powrotem. Kolejny raport belgradzkiego rezydenta donosił, że Amerykanie wrócili tą samą drogą po upływie doby, przenocowali znowu w hotelu Petrovaradin i opuścili Jugosławię, nie upolowawszy ani jednego dzika. Kerkorian został wyróżniony za swoją czujność.

Sierpień

Upał nad Costa del Sol wisiał jak wełniany koc. Na plażach obracały się z pleców na brzuchy i odwrotnie miliony turystów, jak steki na grillu, nie żałując sobie nacierania olejkami, aby podczas drogich dwóch tygodni opalić się na mahoniowy kolor. Zbyt często jednak przypiekali się na raka. Niebo było tak jasnoniebieskie, że prawie białe i nawet wiejąca od morza bryza zmalała do łagodnego zefirka.

Daleko na zachodzie wyłaniał się w rozgrzanym powietrzu zarys Skały Gibraltarskiej; jasne powierzchnie betonowych kanałów, zbudowane przez inżynierów Jej Królewskiej Mości, zbierające wodę deszczową do podziemnych cystern, odcinały się od zarysu skały jak brzydkie blizny.

Na wzgórzach za plażą Casares powietrze było trochę chłodniejsze, znośniejsze u świtu dnia i krótko przed zachodem słońca. Pracownicy winnic w Alcantara del Rio wstawali więc o czwartej rano, aby móc pracować przez sześć godzin, nim słońce zmuszało ich do ucieczki w cień. Po obiedzie zatrzymywali się za grubymi, chłodnymi, pobielanymi murami swoich domów, oddając się tradycyjnej hiszpańskiej sjeście do piątej, a potem pracowali jeszcze do ósmej, kiedy to nastawał zmierzch.

W słońcu winogrona dojrzewały, pęczniały. Jeszcze było zbyt wcześnie na zbiory, ale zapowiadały się dobre w tym roku. W swoim barze Antonio przyniósł jak zwykle obcokrajowcowi karafkę wina i rozpromienił się.

— *Sera bien, la cosecha?* — spytał.

— Tak — potwierdził z uśmiechem wysoki mężczyzna — w tym roku żniwa będą niezłe. Będziemy mieli z czego opłacić wszystkie zaległe rachunki w barze.

Antonio wybuchnął śmiechem. Każdy wiedział, że obcy miał tu swój własny kawałek ziemi i za wszystko płacił gotówką.

Dwa tygodnie później Michaił Siergiejewicz Gorbaczow nie był w nastroju do żartów. Na co dzień miły i znany z poczucia humoru i dobrych stosunków z podwładnymi, potrafił też wybuchnąć, na przykład gdy ludzie Zachodu chcieli go pouczać w kwestiach praw człowieka albo kiedy wyprowadził go z równowagi któryś z podwładnych. Siedząc przy biurku na siódmym, najwyższym piętrze Komitetu Centralnego przy Nowoj Płoszczadi, przyglądał się ze zdenerwowaniem rozrzuconym po stole raportom.

Pokój był długi, wąski, szeroki na sześć i długi na osiemnaście metrów, biurko sekretarza generalnego stało naprzeciw drzwi. On sam siedział plecami do ściany, a na lewo wychodziły na plac okna z firanami i żółtobrązowymi zasłonami z weluru. Środek zajmował zwyczajny stół konferencyjny, który z poprzecznie stojącym do niego biurkiem tworzył literę T.

W przeciwieństwie do swoich poprzedników Gorbaczow zdecydował się na jasny, przyjazny wystrój. Stół konferencyjny był z jasnego drewna bukowego, a po każdej stronie stało po osiem wygodnych, mimo swej prostoty, krzeseł. Na tym stole rozłożone były raporty, jakie zebrał jego przyjaciel i kolega Eduard Szewardnadze, na którego prośbę z niechęcią wrócił z urlopu z Jałty na Krymie. Ze złością myślał, że wolałby teraz pluskać się ze swoją wnuczką Aksajną w morzu, niż siedzieć w Moskwie i czytać te bzdury.

Upłynęło sześć lat od tego lodowatego marcowego dnia, w którym Czernienko ostatecznie pożegnał się z doczesnością, a on z niepokojącą szybkością — mimo iż ku temu zmierzał i przygotowywał się — dotarł na szczyt. Sześć lat próbował chwycić za kołnierz swój kraj i doprowadzić go w ostatniej dekadzie dwudziestego wieku do kondycji, która pozwoliłaby mu stanąć jak równy z równym wobec kapitalistycznego Zachodu, zrównać się z nim i zatriumfować nad nim.

Jak wszyscy Rosjanie, podziwiał Zachód połowicznie, gardząc nim z drugiej strony. Za jego dobrobyt, finansową potęgę, pewną siebie postawę. Inaczej niż większość Rosjan nie chciał się tak zwyczajnie pogodzić z tym, że stosunki w jego kraju nigdy się nie zmienią, że korupcja, lenistwo, biurokracja i letarg są częścią systemu. Zawsze były nimi i nimi pozostaną. Już jako młody człowiek wiedział, że posiada wystarczająco dużo siły, aby zmienić rzeczy, jeśli tylko otrzyma szansę. To była jego idea, jego siła motoryczna podczas tych lat studiów i pracy partyjnej w Stawropolu. Przekonanie, że pewnego dnia otrzyma swoją szansę.

Od sześciu lat miał ją i stało się dla niego jasne, że i on nie docenił oporu i inercji. Pierwsze lata były krytyczne. Poruszał się po bardzo cienkiej linie, która niejednokrotnie przyprawiała o skręcenie karku.

Jako pierwszy robił czystki w partii uwalniając ją z niedouczonych i niepotrzebnych... czyli prawie wszystkich. Teraz wiedział, że opanował Biuro Polityczne i Komitet Centralny. Wiedział, że sekretariaty partii w każdej republice obsadził ludźmi, którzy podzielają jego przekonanie, że Związek Radziecki tylko wtedy może konkurować z Zachodem, kiedy wzmocni się gospodarczo. To był powód, dla którego większość jego reform nie dotyczyła kwestii moralnych, tylko gospodarczych.

Jako przekonany komunista wierzył święcie, że jego kraj moralnie przewyższa Zachód, nie widział więc żadnej konieczności, by to udowadniać. Nie był jednak na tyle głupi, żeby oszukiwać się odnośnie gospodarczej siły dwóch obozów. Obecny kryzys naftowy, którego był świadom, wymagał ogromnych inwestycji na Syberii i Arktyce, co oznaczało oszczędności w innych miejscach. To z kolei prowadziło do Traktatu z Nantucket i nieuniknionej próby sił z jego własnym wojskowym establishmentem.

Jak każdy radziecki przywódca wiedział, że trzema fundamentami potęgi były partia, armia i KGB, i że nikt nie mógł przeciwstawić się jednocześnie dwóm z nich. Ciągłe potyczki z jego generałami były wystarczającym powodem, aby i KGB pchała mu nóż w plecy. Raporty na stole, które minister spraw zagranicznych zebrał z zachodnich mass mediów i kazał przetłumaczyć, nie mogły być gorsze, i to teraz, gdy opinia publiczna w USA wciąż jeszcze mogła zmienić bieg wydarzeń i skłonić Kongres do odrzucenia Traktatu z Nantucket i obstawać przy budowie i zastosowaniu morderczych (dla Rosji) niewidzialnych bombowców.

Osobiście nie miał zbyt wiele zrozumienia dla Żydów, odwracających plecy od ojczyzny, której wszystko zawdzięczali. W kwestii łobuzów i dysydentów, Gorbaczow był Rosjaninem jak każdy inny. Ale rozgniewało go to, że najnowsze wydarzenia nie były przypadkiem, lecz zostały sprowokowane, i wiedział, kto się za tym kryje. Z rozdrażnieniem wspominał krążącą po Moskwie kilka lat temu łajdacką, przekazywaną z ręki do ręki kasetę wideo z londyńskich zakupów jego żony. Też wiedział, kto się za tym krył. Ci sami ludzie. Poprzednik tego, którego wezwał teraz do siebie i na którego czekał.

Rozległo się pukanie do drzwi po prawej stronie regału na książki. Jego prywatny sekretarz wsadził głowę do środka i skinął. Gorbaczow dał mu znak, żeby chwilę poczekał. Wrócił do biurka i usiadł za jego obszernym blatem z czterema telefonami i kremowym kompletem do pisania z onyksu, potem skinął głową. Sekretarz otworzył szeroko drzwi.

— Towarzyszu przewodniczący, towarzyszu pierwszy sekretarzu — zameldował młody mężczyzna i wycofał się.

Tamten był w pełnym umundurowaniu, jakże inaczej, a Gorbaczow pozwolił przejść mu przez całe pomieszczenie nie witając go. Wtedy dopiero podniósł się i pokazał na rozrzucone papiery.

Generał Władimir Kriuczkow, szef KGB, był bliskim przyjacielem, podzielającym jego poglądy, protegowanym swego poprzednika, zażartego ultrakonserwatysty, Wiktora Czebrikowa. Sekretarz generalny zatroszczył się w ramach swoich wielkich czystek na jesieni 1988 roku o oddalenie Czebrikowa, a tym samym pozbycie się ostatniego potężnego przeciwnika w Biurze Politycznym. Nie miał jednak innego wyboru jak mianować na to miejsce pierwszego zastępcę, Kriuczkowa. Wyrzucenie jednego wystarczyło, dwóch dałoby powód do masakry. Wszystko ma granice, nawet w Moskwie.

Kriuczkow przyglądał się kartkom i zmarszczył czoło. Gnida, pomyślał wtedy Gorbaczow.

— Nie było chyba konieczne to atakowanie ich pod okiem kamer — odezwał się, jak zwykle przechodząc od razu do rzeczy. — Sześć zachodnich ekip telewizyjnych, ośmiu reporterów radiowych i dwudziestu pismaków z gazet i czasopism, a połowa z nich to Amerykanie. Takiego najazdu nie było od olimpiady w osiemdziesiątym roku.

Kriuczkow znowu zmarszczył brwi.

— Żydki urządziły nielegalną demonstrację, drogi Michaile Siergiejewiczu. Ja byłem akurat na urlopie, ale ufam, że ludzie z Zarządu Drugiego postąpili właściwie. Demonstranci nie rozeszli się, kiedy zostali do tego wezwani. Moi ludzie zastosowali więc ogólnie przyjęte w takich wypadkach metody.

— To była ulica, do tego kompetentna jest milicja.

— Chodzi o wywrotowców. Rozpowszechniają antyradziecką propagandę. Niech pan się przyjrzy plakatom. Do tego kompetentne jest KGB.

— A ten najazd zagranicznej prasy?

Szef KBG wzruszył ramionami.

— Oni węszą zawsze i wszędzie.

Tak, szczególnie wtedy, gdy dostaną cynk przez telefon, orzekł w myślach Gorbaczow. Pytał samego siebie, czy mógłby to być pretekst do pozbycia się Kriuczkowa, ale szybko to wykluczył. Aby zwolnić ze stanowiska szefa KGB, potrzebowałby poparcia całego Biura Politycznego, a pobicie zgrai Żydów nie starczyłoby jako powód. Niemniej jednak był wściekły i zdecydowany, aby jednak wyrazić swoje zdanie. Robił to przez pięć minut. Kriuczkow milczał, ale jego usta się zaciskały. Nie mógł znieść, że młodszy, ale wyższy rangą traktował go jak chłopca. Gorbaczow wyszedł zza biurka, obaj byli równie mali i krępi. Gorbaczow patrzył, jak to było w jego zwyczaju, nieustraszenie w oczy rozmówcy. I wtedy to Kriuczkow popełnił błąd.

W kieszeni miał raport pracownika KGB w Belgradzie, jak i frapujące informacje dodatkowe, które Kirpiczenko zebrał z Zarządu Pierwszego.

Wszystko było tak ważne, że musiało być osobiście przedłożone sekretarzowi generalnemu. Pieprzyć to, pomyślał szef KGB zgorzkniale. Niech sobie poczeka. I tak właśnie raport z Belgradu został zatajony.

Wrzesień

Irving Moss zakwaterował się w Londynie, ale przed opuszczeniem Houston uzgodnił z Cyrusem Millerem tajny kod. Wiedział, że urządzenia podsłuchujące Agencji Bezpieczeństwa Narodowego w Fort Meade nieustannie przesłuchują eter i wyłapują miliardy słów z międzynarodowych rozmów telefonicznych i że całe baterie komputerów przesiewają ten zlepek słów wyłapując rodzynki. A byli jeszcze i brytyjscy agenci ze Służb Łączności, Rosjanie i niezliczona wprost rzesza tych, którzy mogli sobie pozwolić na podsłuch. Jednak zakres normalnych rozmów w interesach jest tak ogromny, że wszystko, co od razu nie brzmi podejrzanie, ma szansę pozostać nie zauważone. Kod Mossa bazował na liście cen hurtowych sałaty, która przekazywana była ze słonecznego Teksasu do mglistego Londynu. Spisywał wykaz cen przy telefonie, wycinał nazwy, zatrzymywał cyfry i odszyfrowywał to wszystko odpowiednio do daty na podstawie książki z kodami, której egzemplarz miał tylko on i Cyrus.

W tym miesiącu dowiedział się trzech rzeczy: że techniczne urządzenie ze Związku Radzieckiego jest już prawie gotowe i zostanie mu dostarczone w ciągu czternastu dni; że jego informator w Białym Domu został już znaleziony i przekupiony; i że mógł przystąpić do realizacji Planu Travisa. Spalił kartki i zaśmiał się. Jego honorarium płatne było w trzech ratach. Przy zakończeniu planowania, przy realizacji i pozytywnym zakończeniu. Mógł teraz zażądać drugiej raty.

Październik

Trymestr jesienny na uniwersytecie w Oksfordzie trwa osiem tygodni, a ponieważ naukowcy chętnie trzymają się reguł logiki, określa się je jako Pierwszy Tydzień, Drugi Tydzień i tak dalej. Po zakończeniu trymestru, w Dziewiątym Tygodniu odbywa się seria imprez, przede wszystkim zawody sportowe, występy teatralne i debaty. Niewielu studentów pojawia się na krótko przed rozpoczęciem trymestru, w tak zwanym Tygodniu Zerowym, aby przygotować się do zajęć, znaleźć mieszkanie lub rozpocząć treningi.

Drugiego października, pierwszego dnia Tygodnia Zerowego, pojawiły się pojedyncze, wczesne ptaszki w klubie Vincent, punkcie spotkań oczarowanych sportem studentów. Między nimi był także wysoki, szczupły student o imieniu Simon, który przygotowywał się na swój trzeci i ostatni trymestr w Oksfordzie w ramach wymiany dla studentów zagranicznych. Ktoś stojący za nim pozdrowił go wesoło.

— Cześć, Simon, tak wcześnie wróciłeś?

Był to John De'Ath, dowódca eskadry samolotów, kwestor Jesus College jak i szef klubu atletycznego, gdzie trenowali także biegacze przełajowi. Simon uśmiechnął się.

— Tak, sir.

— Czyżbyśmy musieli znowu trochę sadełka zrzucić, co? — spytał emerytowany oficer sił powietrznych. Popukał płaski brzuch studenta. — Tak trzymać, jesteś naszą największą nadzieją, gdy w grudniu w Londynie zagramy przeciw Cambridge.

Każdy wiedział, że uniwersytet w Cambridge był największym rywalem Oksfordu w sporcie i zwyciężali ze sobą na zmianę.

— Od jutra każdego ranka będę biegał, aby znowu dojść do formy — obiecał Simon.

I pozostał wierny swemu założeniu, wybiegał każdego dnia bardzo wcześnie i po tygodniu wydłużył dystans z pięciu do piętnastu kilometrów. W środę, 9 października, wyjechał jak zwykle wcześnie rano swoim rowerem z domu w pobliżu Woodstock Road w południowej części Summertown w północnym Oksfordzie i popedałował do centrum. Minął Pomnik Męczenników i kościół św. Marii Magdaleny. Skręcił w lewo w Broad Street, przejechał obok bramy swojego Balliol College i dalej przez Holywell i Longwall do High Street. Wtedy skręcił ostatni raz w lewo i zatrzymał się przy stojakach dla rowerów obok Magdalen College.

Zeskoczył z siodełka, przypiął rower łańcuchem i zaczął swój bieg. Przeciął Cherwell na moście Magdalen i potem ruszył w dół przez St. Clement's. Kierował się teraz dokładnie na wschód. Było wpół do siódmej i zaraz miało wzejść słońce, a on miał do pokonania jeszcze siedem kilometrów, aby zostawić za sobą przedmieścia Oksfordu.

Dysząc pokonał New Headington i przekroczył Ring Road na żelaznym moście prowadzącym do Shotover Hill, poza nim nie było na drodze żadnych biegaczy. Był prawie sam. Na końcu Old Road teren wznosił się i wtedy poczuł ból, jaki towarzyszy biegaczom długodystansowym. Muskularne nogi poprowadziły go na górę wzniesienia i na Shotover Plain — tu kończył się asfalt i dalej prowadziła polna droga z głębokimi koleinami, gdzie stała jeszcze woda po nocnych opadach. Przeskoczył na porośnięty trawą pas ziemi i radował się uczuciem, jakby biegł po sprężynującym podłożu — przezwyciężył granicę bólu i oddał się całkowicie wolności biegania.

Za nim wyłoniła się z lasu nie rzucająca się w oczy limuzyna. Zjechała z asfaltu i zaczęła podskakiwać na dziurach. Mężczyźni w aucie znali teren i mieli go serdecznie dosyć — pięćset metrów kamienistej drogi polnej, aż do zbiornika z wodą, potem znowu asfalt i zjazd przez osadę Littleworth do wioski Wheatley.

Sto metrów przed zbiornikiem wodnym droga się zwężała i pochylał się nad nią potężny jesion. Tu stała też furgonetka, prawidłowo parkująca przy poboczu drogi — stary zielony ford transit z napisem z boku: „Owoce z sadu Barlowa". Nic nadzwyczajnego. Na początku października samochody Barlowa jeździły po okolicy i zaopatrywały sklepy warzywne hrabstwa Oksford w słodkie jabłka. Każdy, kto widziałby tył furgonetki — poza mężczyznami w aucie, którzy widzieli go akurat z przodu — przysiągłby, że był wyładowany skrzynkami jabłek. W rzeczywistości wewnątrz, po obu stronach okien, przymocowane były dwa łudząco naturalne zdjęcia skrzyń z jabłkami.

Furgonetka miała, jak się wydawało, przebitą oponę z przodu z lewej strony. Obok pojazdu przechylonego na bok podnośnikiem hydraulicznym kucał mężczyzna, próbujący krzyżakowym kluczem zluzować nakrętki koła, pochłonięty tym bez reszty. Chłopca o imieniu Simon, biegnącego jednostajnym krokiem, od furgonetki dzieliła szerokość drogi.

Kiedy mijał ten pojazd, zdarzyły się w bardzo szybkim czasie dwie rzeczy. Otworzyły się suwane drzwi i dwóch mężczyzn w takich samych czarnych dresach i z kominiarkami na twarzy wyskoczyło i rzuciło się na zaskoczonego biegacza przygniatając go do ziemi. Mężczyzna z kluczem obrócił się i wstał, pod swoim naciągniętym na oczy kapeluszem i on był zamaskowany. A klucz do śrub okazał się pistoletem czeskiej produkcji typu Skorpion. Bez wahania otworzył ogień celując w szybę samochodu ochrony, oddalonego o jakieś dwadzieścia metrów.

Człowiek siedzący za kierownicą zginął na miejscu trafiony w twarz. Samochód skręcił gwałtownie i stanął. Mężczyzna z tylnego siedzenia zareagował jak kot — otwierając drzwi po swojej stronie wyskoczył, robiąc dwa koziołki i lądując w pozycji strzeleckiej. Strzelił dwa razy swoim Smith & Wessonem z krótką lufą. Pierwszy pocisk poleciał pół metra w bok, a drugi był o trzy metry za wysoko, bo już w chwili, kiedy naciskał spust, trafiło go w pierś wiele kul ze Skorpiona. Nie miał najmniejszej szansy.

Mężczyzna z siedzenia obok kierowcy wydostał się sekundę po tym. Drzwi miał już szeroko otwarte i próbował przez opuszczoną szybę strzelać do osobnika z pistoletem maszynowym, gdy trzy kule przebiły łatwo blachę i trafiły go w brzuch rzucając na ziemię. Pięć sekund później ten z pistoletem maszynowym siedział już obok kierowcy furgonetki, dwaj inni wepchnęli studenta na tył transita i ruszyli zatrzaskując drzwi. Furgonetka zsunęła się z podnośnika, zawróciła na pełnym gazie na podjeździe do zbiornika wodnego i zniknęła na drodze do Wheatley.

Agent Secret Service był śmiertelnie trafiony, ale żył jeszcze. Z bólem doczołgał się jakoś do otwartych drzwi samochodu, chwycił za mikrofon pod deską rozdzielczą i konwulsyjnym głosem przekazał swój ostatni meldunek. Nie trzymał się haseł, kodów i innych procedur radia policyjnego, na to nie miał już czasu. Kiedy pięć minut później dotarły posiłki, był martwy. Wcześniej podał tylko: „Ratujcie... potrzebujemy pomocy... Ktoś właśnie porwał Simona Cormacka".

ROZDZIAŁ CZWARTY

W ślad za radiowym meldunkiem umierającego agenta amerykańskiej Secret Service wydarzenia prześcigały się nawzajem. Uprowadzenie jedynego syna amerykańskiego prezydenta nastąpiło o 7:05. Meldunek radiowy odebrano o 7:07. Mimo że użyto częstotliwości specjalnej, nadawca mówił bez kodowania. Na szczęście nikt nieupoważniony nie podsłuchiwał policyjnego radia o tej właśnie porze. Meldunek usłyszany został w trzech miejscach.

W wynajętym wolnostojącym domu w pobliżu Woodstock Road znajdowało się dziesięciu innych mężczyzn Secret Service, których zadaniem było strzec syna prezydenta podczas jego studiów w Oksfordzie. Ośmiu jeszcze spało, ale dwóch było na nogach, w tym nocny oficer dyżurny, który prowadził nasłuch na przypisanej im częstotliwości.

Dyrektor Secret Service, Creighton Burbank, od samego początku był zdania, że syn prezydenta nie powinien w ogóle studiować za granicą podczas kadencji swojego ojca. Cormack nie zastosował się do jego zastrzeżeń, nie widząc żadnego rozsądnego powodu, by odmawiać synowi od dawna wymarzonej szansy spędzenia roku w Oksfordzie. Burbank dał za wygraną, zażądał jednak, by do Oksfordu oddelegowano pięćdziesięciu jego ludzi.

Także w tym punkcie prezydent ugiął się pod prośbami syna — „Daj mi trochę luzu, tato, będę wyglądał jak byk na wystawie z tymi pięćdziesięcioma gorylami kręcącymi się przy mnie" — i ostatecznie zadowolono się dwunastoma ochroniarzami. Ambasada londyńska wynajęła willę w północnej części Oksfordu, a po długich konsultacjach z brytyjskimi władzami zaangażowano trzech na wylot sprawdzonych brytyjskich pracowników domowych: ogrodnika, kucharza i kobietę do prania i sprzątania. Uczyniono tym samym wszystko, aby umożliwić Simonowi Cormackowi normalne życie.

Z tej dwunastki przynajmniej ośmiu mężczyzn zawsze było na służbie. Ci z kolei podzielili się na cztery podwójne zespoły, trzy z nich miały ośmiogodzinną służbę na zmiany w domu, a pozostali dwaj mężczyźni nadzorowali Simona, kiedy ten opuszczał Woodstock Road. Amerykanie grozili, że wypowiedzą pracę, jeśli nie będą mogli nosić broni, ale w Anglii obowiązuje ustawa, że żaden obcokrajowiec na brytyjskiej ziemi nie może mieć przy sobie nabitej broni. Wypracowano więc typowy kompromis: poza domem w samochodzie będzie siedział uzbrojony brytyjski sierżant z Oddziału Specjalnego. Formalnie Amerykanie podlegali jego dowództwu i mogli nosić broń. To było dla pozoru, ale ci z Oddziału Specjalnego okazali się użytecznymi, ponieważ dobrze znali miejscowe układy. To właśnie brytyjski sierżant, siedzący na tylnym siedzeniu limuzyny, próbował użyć swojego Smith & Wessona, nim zastrzelono go na Shotover Plain.

W kilka sekund po meldunku radiowym umierającego agenta willa w pobliżu Woodstock Road rozbrzmiała krzykami, wołaniami i lamentami. Pozostali członkowie ochrony rzucili się do dwóch aut i pognali w kierunku Shotover Plain. Trasa biegu była ustalona i wszystkim znana. Oficer dyżurny pozostał z jednym jeszcze agentem i zadzwonił w dwa miejsca. Najpierw do Creightona Burbanka, który o tak wczesnej porze, pięć godzin różnicy czasu w stosunku do Londynu, spał w najlepsze. Drugi telefon był do radcy prawnego amerykańskiej ambasady, który właśnie golił się w swoim domu w St. John's Wood.

Radca prawny amerykańskiej ambasady jest zawsze agentem FBI i w Londynie jest to bardzo ważne stanowisko. Władze policyjne obu krajów pozostają w stałym kontakcie. Patrick Seymour przed dwoma laty zastąpił na tym stanowisku Darrella Millsa. Dobrze radził sobie z Brytyjczykami i lubił swoją pracę. Zaraz po telefonie zbladł i mocno zdenerwowany wykręcił numer szefa FBI, Donalda Edmondsona, który spał głęboko w swoim domu w Chevy Chase.

Drugim odbiorcą meldunku radiowego był wóz patrolowy Policji Doliny Tamizy, działającej na obszarze starych hrabstw: Oksford, Berk i Buckingham. Mimo że grupa amerykańska z towarzyszącym jej człowiekiem Oddziału Specjalnego była zawsze w pobliżu Simona Cormacka, policja lokalna przestrzegała zasady, aby zawsze trzymać jeden ze swoich wozów patrolowych gotowym do wezwania w odległości nie większej niż dwa kilometry. Policjanci z patrolu ustawili swoje radia na przydzieloną częstotliwość i jechali właśnie przez Headington. W pięćdziesiąt sekund pokonali odległość. Niektórzy mówili potem, że sierżant i kierowca w wozie patrolowym powinni zostawić miejsce zdarzenia i próbować dogonić uciekającą furgonetkę. Łatwo powiedzieć; na widok trzech trupów na polnej drodze na Shotover Plain zatrzymali się, by stwierdzić, czy nie trzeba udzielić pomocy i czy nie dowiedzą się czegoś o napastnikach. Jedno i drugie było spóźnione.

Trzecim miejscem odbioru meldunku było dowództwo Policji Doliny Tamizy w Kidlington. Policjantka Janet Wren miała nocną służbę do 7:30 i właśnie ziewała, gdy konwulsyjny głos z amerykańskim akcentem rozbrzmiał w jej słuchawkach. Była tak zaskoczona, że w pierwszej chwili wzięła to za żart. Później rzuciła spojrzenie na instrukcje i wystukała kilka znaków na komputerze po swojej lewej stronie. Na monitorze natychmiast ukazała się seria instrukcji, które mocno przestraszona młoda policjantka wykonała szybko co do joty.

Rok wcześniej, po długich rozmowach między dowództwem Policji Doliny Tamizy, Scotland Yardem, Ministerstwem Spraw Wewnętrznych, amerykańską ambasadą i Secret Service ustalono zasady współpracy w kwestii ochrony Simona Cormacka. Operacja otrzymała kryptonim Bazgroły Jankesa. Jej zasady wprowadzono do komputera, podobnie jak procedurę postępowania w sytuacjach nadzwyczajnych — gdyby syn prezydenta został uwikłany w jakąś bijatykę w lokalu lub na ulicy, wypadek samochodowy lub w demonstrację, zachorował lub miałby życzenie opuścić Oksford i jakiś czas zatrzymać się w innym hrabstwie. Policjantka Wren wprowadziła hasło „Porwanie" i komputer odpowiedział jej.

W ciągu kilku minut był przy niej dyżurny oficer, którego troska wypisana była na bladej twarzy. Zaczął od serii telefonów. Jeden do szefa władz Wydziału Policji Kryminalnej, który wziął na siebie zaalarmowanie swego kolegi, szefa Oddziału Specjalnego Policji Doliny Tamizy. Oficer z Kidlington zadzwonił również do zastępcy naczelnika policji do spraw operacyjnych, który miał się właśnie zabrać do dwóch gotowanych jajek, kiedy zabrzęczał telefon. Wysłuchał uważnie i po chwili wyrzucił z siebie serię instrukcji i pytań.

— Gdzie, dokładnie?

— Shotover Plain, sir — odparł inspektor z Kidlington. — Delta Bravo jest na miejscu. Zawrócili samochód prywatny, który jechał akurat z Wheatley, dwóch innych biegaczy i kobietę z psem. Obaj Amerykanie nie żyją, sierżant Dunn także.

— Mój Boże — szepnął zastępca naczelnika policji. To będzie największa sprawa w całej jego karierze, a jako naczelny do działań operacyjnych, musi wszystkiego dopilnować. Nie może pozwolić sobie na najmniejsze uchybienia. I działać ostro. — Niech jak najszybciej zjawi się tam pięćdziesięciu naszych. Do tego słupki, młoty, taśmy, obszar ma być zamknięty... natychmiast. Mają tam być wszyscy z ekipy zabezpieczającej, jakich da się złapać. I zrobić blokady drogowe. Ta droga nie jest ślepa, co? Czy oni uciekli w kierunku Oksford?

— Z Delta Bravo mówią, że nie — odparł oficer z dowództwa. — Nie wiemy, ile czasu minęło od napadu do meldunku Amerykanina, ale jeśli mało, to Delta Bravo była na drodze z Headington i nic nie jechało od strony Shotover. Dużo powiedzą ślady opon. Tam jest niezłe błoto.

— Skoncentrujcie blokady na północy i południu, po wschodniej stronie — zdecydował zastępca naczelnika policji. — Szefa policji zostawcie mnie. Czy mój samochód jest w drodze?

— Powinien być w każdej chwili — usłyszał w odpowiedzi z Kidlington i rzeczywiście tak było.

Zastępca naczelnika zerknął przez okno swojego salonu i ujrzał podjeżdżający pojazd, który normalnie byłby tu czterdzieści minut później.

— Kto już jest w drodze? — rzucił do słuchawki.

— Wydział Kryminalny, Oddział Specjalny, ekipa zabezpieczająca i rusza już grupa mundurowych — odparł oficer dyżurny z Kidlington.

— Proszę jeszcze odciągnąć wszystkich detektywów od dotychczasowych spraw i niech pogrzebią przy tej — dodał zastępca szefa policji. — Jadę prosto do Shotover.

— A jaki ma być zasięg blokady drogowej? — chciał wiedzieć oficer z centrali.

Zastępca naczelnika policji zastanowił się. Blokady łatwiej było zarządzić, niż ustawić. Graniczące z Londynem historyczne hrabstwa są gęsto zaludnione i połączone istnym labiryntem wiejskich dróg i drugorzędnych szos, które łączą ze sobą wiele miasteczek, wsi i osad. Zarzucając siatkę za daleko, powiększało się liczbę dróg o setki. Zbyt ciasno z kolei to skurczenie dystansu, jaki pokonać muszą porywacze, aby im się wymknąć.

— Granice hrabstwa Oksford — zdecydował zastępca naczelnika.

Odłożył słuchawkę i zadzwonił do swojego zwierzchnika, szefa Constable'a. Rutynowe działania policji każdego brytyjskiego hrabstwa podlegają zastępcy naczelnika. Naczelnik może, ale nie musi mieć doświadczenia w pracy w policji. Jego zakres kompetencji obejmuje: politykę, dyscyplinę, opinię publiczną i stosunki z Londynem. Zastępca spojrzał na zegarek, gdy wykonywał telefon. Była 7:31.

Constable, naczelnik Policji Doliny Tamizy, zamieszkiwał w uroczym domku po byłej plebanii w wiosce Bletchingdon. Wycierając marmoladę z ust wstał od stołu i ruszył do gabinetu, aby odebrać telefon. Gdy usłyszał nowinę, zapomniał o śniadaniu. Ten poranek dziewiątego października jeszcze wielu miał tak niemile zaskoczyć.

— Rozumiem — powiedział, kiedy poznał szczegóły. — Niech pan kontynuuje działania. Ja... zadzwonię do Londynu.

Na biurku w jego gabinecie znajdowało się kilka telefonów. Jeden z nich połączony był specjalną linią z biurem zastępcy szefa departamentu F-4 Ministerstwa Spraw Wewnętrznych, który sprawuje kontrolę nad siłami policyjnymi stolicy i hrabstw. O tej porze urzędnika nie było jeszcze w biurze, ale naczelnik bez problemu uzyskał połączenie z jego domem w Fulham w Londynie. Biurokrata wbrew swoim zwyczajom przeklął, potem przeprowadził dwie rozmowy telefoniczne i udał się prosto do wielkiego białego budynku przy Queen Anne's Gate, blisko Victoria Street, gdzie mieściło się jego ministerstwo.

Pierwszą rozmowę odbył z oficerem dyżurnym departamentu F-4, któremu polecił natychmiast odłożyć wszystko i ściągnąć z domów do ministerstwa wszystkich pracowników. Nie podał powodu. Nie wiedział ciągle jeszcze, jak wiele osób wiedziało już o masakrze na Shotover Plain, ale jako dobry urzędnik nie chciał w żadnym wypadku powiększać tej liczby, jeśli nie było to potrzebne.

Drugiemu swemu rozmówcy musiał jednak to podać. Był nim podsekretarz stanu, najwyższy rangą po ministrze w ich ministerstwie. Na szczęście on także mieszkał w granicach Londynu, a nie na odległych przedmieściach, i mogli się spotkać w ministerstwie już o 7:51. Sir Harry Marriott, minister spraw wewnętrznych w rządzie konserwatystów, dołączył do nich o 8:04 i od razu też został o wszystkim poinformowany. Połączył się wtedy z Downing Street 10 i obstawał przy tym, aby osobiście mówić z panią Thatcher.

Telefon został odebrany przez jej prywatnego sekretarza. W Whitehall, londyńskiej dzielnicy prominenckiej, jest dużo „sekretarzy". Niektórzy z nich to sami ministrowie, niektórzy są wysokimi urzędnikami albo osobistymi doradcami, a tylko nieliczni faktycznie zajmują się pracą w sekretariacie. Charles Powell należał do przedostatniej grupy. Wiedział, że pani premier od godziny zajęta jest przeglądaniem stosu akt, podczas gdy większość jej pracowników nie wyszła nawet ze swoich piżam. Taki miała zwyczaj. Powell wiedział także, że sir Harry był jej najbliższym kolegą i zaufanym. Wyjaśnił jej krótko, kto dzwoni, i natychmiast przyjęła telefon.

— Pani premier, muszę z panią koniecznie rozmawiać. Muszę niezwłocznie do pani przyjechać.

Margaret Thatcher zmarszczyła czoło. Pora i ton były niezwyczajne.

— W takim razie niech pan przyjeżdża, Harry — odparła.

— Za trzy minuty będę.

Sir Harry Marriott odłożył słuchawkę. Na dole czekał już jego samochód, aby zawieźć go 500 metrów dalej. Zegar pokazywał 8:11.

Porywaczy było czterech. Strzelec, siedzący teraz na fotelu obok kierowcy, trzymał Skorpiona między nogami i ściągał wełnianą kominiarkę. Pod spodem miał perukę i fałszywą brodę. Do tego grube, rogowe okulary. Mężczyzna za kierownicą był przywódcą grupy; on także miał perukę i brodę. Chodziło tylko o prowizoryczne przebranie, gdyż musieli jeszcze przebyć sporo drogi bez rzucania się w oczy.

Z tyłu dwaj inni mocowali się z Simonem Cormackiem, który ostro się bronił, co nie stanowiło jednak większego problemu. Jeden z nich, potężny mężczyzna, trzymał młodego Amerykanina w niedźwiedzim uścisku, podczas kiedy drugi, żylasty, chudy typ, przykładał mu tampon z eterem. Furgonetka podskakiwała na krótkim kawałku bocznej drogi od zbiornika wodnego, aż wyjechała na asfaltową drogę do Wheatley. Hałasy z tyłu umilkły w tym czasie — syn prezydenta stracił przytomność.

Zjechali w dół przez Littleworth z niewieloma porozrzucanymi tam domkami i dalej prosto do Wheatley. Wyprzedzili melexa z mlekiem, który rozwoził je po okolicy, a sto metrów dalej kierowca furgonetki kątem oka zauważył, że chłopak dostarczający gazety przyglądał im się jakoś dziwnie. Kiedy mieli za sobą Wheatley, wjechali na prowadzącą do Oksford autostradę A40 i nią pokonali kolejne pół kilometra w stronę miasta, a potem skręcili w prawo na boczną drogę B4027 do osad Forest Hill i Stanton St John.

Furgonetka minęła z normalną prędkością obie wioski, przecięła skrzyżowanie w New Inn Farm i dalej ruszyła w kierunku Islip. Dwa kilometry za New Inn, zaraz za Fox Covert, skręciła w lewo i zatrzymała się przy bramie na farmę. Mężczyzna siedzący obok kierowcy wyskoczył z auta, otworzył kłódkę przy bramie — kłódkę farmera zamienili na własną dziesięć godzin wcześniej — i furgonetka wjechała na podwórko. Po dziesięciu metrach zatrzymała się przed na wpół rozpadłą, drewnianą stodołą ukrytą za drzewami, którą porywacze wyszukali dwa tygodnie wcześniej. Była 7:16.

Robiło się coraz jaśniej i czterech mężczyzn nie próżnowało. Strzelec otworzył szeroko drzwi szopy i wyjechał wielkim volvo, który stał tam od północy. Zielona furgonetka wjechała do środka, kierowca wysiadł, zabierając pistolet maszynowy i dwie kominiarki. Przekonał się, że nic nie zostawili w kabinie, i zatrzasnął drzwi. Pozostali mężczyźni wyskoczyli tyłem z furgonetki, wynieśli nieprzytomnego Simona Cormacka i położyli go do obszernego bagażnika volvo, które dostatecznie wyposażyli w otwory powietrzne. Wtedy wszyscy czterej ściągnęli swoje czarne dresy, pod którymi mieli garnitury, koszule i krawaty. Schowali też peruki, fałszywe brody i okulary. Tobołek z ubraniami wrzucili obok Simona do bagażnika. Pistolet maszynowy ukryli pod kocem na podłodze przy tylnym siedzeniu volvo.

Kierowca i przywódca jednocześnie usiadł za kierownicą volvo i czekał. Ten chudszy, który wcześniej był z tyłu, podłożył ładunek wybuchowy pod furgonetkę, a najwyższy zamknął drzwi stodoły. Obaj usiedli z tyłu w volvo i wyjechali przed bramę. Strzelec zamknął ją, zabrał swoją kłódkę i umocował starą, zardzewiałą farmera. Była przepiłowana, ale nie rzucało się to teraz w oczy. Opony volvo pozostawiły ślady w podmokłej ziemi, ale było to nieuniknione. Opony były standardowe i mieli je niedługo wymienić. Strzelec zajął miejsce z przodu obok kierowcy i volvo ruszyło na północ. Była 7:22. Zastępca naczelnika policji mówił właśnie „Mój Boże" do telefonu.

Porywacze jechali w północno-zachodnim kierunku aż do wioski Islip, tam skręcili w prawo na prostą jak strzała A421 w kierunku Bicester. Zgodnie z obowiązującą prędkością minęli to piękne targowe miasteczko na północny wschód od hrabstwa Oksford i aż do Buckingham mieli pozostać na A421. Krótko za Bicester pojawił się wielki range rover policji. Jeden z mężczyzn na tylnym siedzeniu zaklął ostrzegawczo i chciał chwycić za Skorpiona. Kierowca nakazał mu jednak siedzieć cicho i nadal jechał spokojnie. Sto metrów dalej, na skraju miasta stała tablica z napisem *Witajcie w hrabstwie Buckingham*. Granica hrabstwa. Tu range rover zahamował i ustawił się w poprzek drogi. Policjanci zaczęli wyładowywać żelazne kolczatki. Volvo jechało dalej nie zatrzymywane przez nikogo i wkrótce znikło w oddali. Była 8:05. W Londynie sir Harry Marriott podnosił słuchawkę, aby zadzwonić na Downing Street.

Brytyjska pani premier ma wiele ciepła. O wiele więcej niż jej pięciu męskich poprzedników. Mimo że w skrajnych okolicznościach potrafi, nawet chyba bardziej niż każdy z nich, zachować zimną krew, na pewno nie jest osobą wolną od wzruszeń. Sir Harry opowiadał potem swej żonie, że gdy przekazał jej wiadomość, oczy pani premier zaszkliły się, ukryła twarz w dłoniach i cichutko dodała: — O, mój Boże. Biedny człowiek...

„Staliśmy właśnie w obliczu największego kryzysu od czasu Suezu — mówił sir Harry do swojej Debbie — a jej pierwsza myśl powędrowała do ojca. Nie do syna, zwróć uwagę, lecz do ojca".

Sir Harry nie miał dzieci i w styczniu 1982 nie był tu obecny, więc w przeciwieństwie do emerytowanego już sekretarza gabinetu sir Roberta Armstronga, który nie byłby zaskoczony tą reakcją, nie doświadczył, jaką udrękę przeszła Margaret Thatcher, kiedy jej syn podczas rajdu Paryż- -Dakar zaginął na algierskiej pustyni. Wówczas płakała pod osłoną nocy z owego czystego i całkiem szczególnego bólu, który czuje matka lub ojciec, kiedy własne dziecko jest w niebezpieczeństwie. Mark Thatcher został odnaleziony żywy po sześciu dniach przez brygadę poszukiwaw- czą.

Gdy podniosła głowę, była już opanowana. Przycisnęła guzik inter- komu: — Charlie, proszę połączyć mnie osobiście z prezydentem Cor- mackiem. I proszę zaznaczyć w Białym Domu, że jest to pilne i nie cierpiące zwłoki. Tak, *wiem*, która godzina jest teraz w Waszyngtonie.

— Może poprosić amerykańskiego ambasadora... — wtrącił się sir Harry Marriott. — Przez ministra spraw zagranicznych... on mógłby...

— Nie, zrobię to sama — nalegała pani premier. — A pan niech zwoła posiedzenie COBRY. Proszę też o raporty co godzina.

Nie ma nic szczególnie gorącego w tak zwanej gorącej linii między Downing Street a Waszyngtonem. Jest to bezpośrednie połączenie przez satelitę, tyle tylko, że mające urządzenia kodujące po obu stronach. Zwy- kle mija około pięciu minut, nim rozmowa przez gorącą linię dochodzi do skutku. Margaret Thatcher odsunęła na bok swoje papiery i czekała, wyglądając przez kuloodporne okna swego prywatnego gabinetu.

Na Shotover Plain kłębił się tłum. Dwaj policjanci z samochodu pa- trolowego Delta Bravo znali się na swojej pracy na tyle dobrze, aby trzy- mać każdego z dala od miejsca napadu i samemu chodzić nadzwyczaj uważnie, kiedy badali trzech mężczyzn w poszukiwaniu oznak życia. Gdy nie stwierdzili żadnych, zostawili ich leżących. Zbyt często policyjne ba- dania od samego początku są skazane na niepowodzenie, bo ktoś chodzi beztrosko po dowodach, które dla ekspertów w laboratorium policyjnym są nieocenione, albo ktoś wdeptał łuskę naboju stopą w błoto tak, że na metalu nie da się ustalić odcisków palców.

Mundurowi ogrodzili szeroko teren — całą drogę polną od Little- worth u stóp wzgórza na wschód, wzdłuż stalowej kładki, nad Riong Road pomiędzy Shotover i Oksfordem. Na tym obszarze ekipa docho- dzeniowa szukała każdego najmniejszego śladu. Ustalili, że sierżant z bry- tyjskiego Oddziału Specjalnego strzelił dwa razy; detektor metali wykrył kulę w błocie tuż przed nim — musiał nacisnąć jeszcze spust, nim padł na kolana. Drugiej kuli nie znaleźli. Możliwe, że trafiła ona jednego z po- rywaczy, napisali później w raporcie. (Nie trafiła, ale nie wiedzieli tego.)

Znaleziono puste łuski nabojów od Skorpiona, w sumie dwadzieścia osiem sztuk, wszystkie w tej samej kałuży, każda została sfotografowana tam, gdzie leżała, wyjęta pincetą i zapakowana do woreczka dla chłopaków z laboratorium. Jeden z Amerykanów siedział jeszcze oparty o kierownicę samochodu, drugi leżał tam, gdzie zmarł, obok drzwi pasażera, trzymając zakrwawione ręce na trzech ranach postrzałowych na swoim brzuchu. Obok niego kołysał się mikrofon. Wszystko zostało z najróżniejszych kątów sfotografowane, nim czegokolwiek dotknięto. Zwłoki przewiezione zostały do szpitala w Radcliffe. Patolog z Ministerstwa Spraw Wewnętrznych był już w drodze.

Ślady w błocie okazały się szczególnie interesujące: miejsce gdzie Simon został powalony na ziemię, odciski butów porywaczy — potem miały się okazać zwyczajnymi tenisówkami, które nie dały się wytropić — i ślady opon pojazdu, jakim uciekli, zidentyfikowanym wkrótce jako samochód dostawczy. Poza tym znaleziono podnośnik, który był nowy i dostępny w każdym sklepie sieci Unipart. I podobnie jak naboje pistoletu maszynowego Skorpion nie miał żadnych odcisków palców.

Trzydziestu detektywów „niuchało po ludziach" — żmudna, ale ważna praca, która dała parę tymczasowych spostrzeżeń. Dwieście metrów na wschód od zbiornika wodnego stały dwa domy, tuż przy drodze do Littleworth. Kobieta w jednym z nich, około godziny siódmej, gdy robiła właśnie herbatę, słyszała wielokrotne trzaski, ale nic nie widziała. Mężczyzna z Littleworth widział zieloną furgonetkę jadącą w kierunku Wheatley zaraz po siódmej. Jeden z „niuchaczy" odnalazł także krótko przed dziewiątą chłopaka roznoszącego gazety i kierowcę samochodu z mlekiem — chłopca w szkole, a mleczarza przy śniadaniu.

Ten był najlepszym świadkiem. Zielonkawy, zdezelowany ford transit z logo Barlowa na boku. Kierownik u Barlowa potwierdził, że w tym czasie nie było żadnych furgonetek firmy w drodze na tym obszarze i że żadnego z samochodów nie brakowało. Tym samym policja miała swój poszukiwany samochód; mogli ogłosić alarm. Bez podania powodów; samochód dostawczy miał się odnaleźć i już. Nikt nie zauważył związku z pożarem stodoły przy drodze do Islip, jeszcze nie.

Inni detektywi przyglądali się domowi w Summertown, pukali do drzwi przy Woodstock Road i w sąsiedztwie. Czy ktoś nie widział parkujących samochodów, furgonetek i tak dalej. Czy nie rzucił się w oczy ktoś obserwujący dom w dole ulicy. Prześledzili trasę biegu Simona Cormacka aż do centrum Oksfordu. Około dwudziestu osób przyznało, że widziało młodego biegacza, za którym podążało auto z ludźmi w środku, ale za każdym razem okazywało się, że był to pojazd Secret Service.

Około dziewiątej zastępcę naczelnika policji ogarnęło znajome uczucie, że tym razem nie będzie żadnego szybkiego wyjaśnienia, żadnych szczęśliwych przypadków i żadnego szybkiego aresztowania. Porywacze uciekli, kimkolwiek byli. Naczelnik Constable w pełnym umundurowaniu przybył na Shotover Plain, dołączył do niego i obserwował policjantów przy pracy.

— Wygląda na to, że Londyn chce przejąć sprawę — powiedział Constable. Jego zastępca burknął tylko. Był to afront, ale także uwolnienie od piekielnej odpowiedzialności. Badanie tego, co zaszło, okazało się piekielnie trudne, bez widoków na sukces w przyszłości. — Nie rozumie pan, w Whitehall uznali podobno, że oni opuścili już nasz okręg. Lepiej chyba, jak Yard to przejmie. Prasa już coś wie?

Zastępca potrząsnął głową.

— Jeszcze nie, ale to nie potrwa już długo. Za duża sprawa.

Nie wiedział, że kobieta z psem, przegnana przez dwóch policjantów z Delta Bravo o 7:16, widziała dwa z trzech ciał i wróciwszy do domu, w najwyższym uniesieniu opowiedziała o tym swojemu mężowi. Nie wiedział również, że był on drukarzem w *Oxford Mail*. I mimo iż był tu od spraw technicznych, uznał za stosowne wspomnieć dyżurnemu redaktorowi o tym wydarzeniu, gdy tylko przyszedł do pracy.

Telefon z Downing Street odebrał starszy oficer dyżurny w Centrali Łączności Białego Domu, w podziemnej części zachodniego skrzydła, obok Pokoju Sytuacyjnego. Była 3:34 czasu miejscowego. Słysząc, kto dzwoni, zgodził się z oporem powiadomić najwyższego rangą agenta Secret Service pełniącego akurat służbę.

Agent z Secret Service robił akurat rundę po Holu Centralnym w pobliżu prywatnych pokoi na pierwszym piętrze. Podniósł słuchawkę, gdy telefon na jego biurku stojący naprzeciwko pozłacanych drzwi windy dla rodziny prezydenta cicho zadzwonił.

— Czego ona chce? — szepnął do słuchawki. — Czy ci Angole mają pojęcie, która tu jest?

Przysłuchiwał się jeszcze chwilę. Nie mógł sobie przypomnieć, kiedy ostatni raz ktoś zadzwonił do prezydenta o tak wczesnej porze. Coś takiego zdarza się w przypadku wojny. I może o to tu chodziło. A jeśli nie, podpadnie Burbankowi jak nic. Z drugiej strony... brytyjska premier osobiście...

— Odkładam teraz słuchawkę i zaraz oddzwonię — powiedział oficerowi w centrali. Londyn otrzymał informację, że prezydent jest właśnie budzony; mają odwiesić słuchawkę. Co też uczynili.

Strażnik z Secret Service o nazwisku Lepinsky przeszedł przez drzwi skrzydłowe do Zachodniego Salonu i do drzwi sypialni Cormacka. Przystanął, wciągnął głęboko powietrze i zapukał cicho. Żadnej odpowiedzi. Nacisnął klamkę. Drzwi nie były zamknięte. Wypełniony ciemnymi przeczuciami dotyczącymi jego dalszej kariery, wszedł do środka. W wielkim, podwójnym łożu rozpoznał dwie śpiące postacie. Wiedział, że prezydent leży bliżej okna. Na palcach obszedł łóżko. Rozpoznał kasztanową piżamę i potrząsnął prezydenta za ramię.

— Panie prezydencie... Proszę się obudzić, sir.

John Cormack ocknął się, rozpoznał mężczyznę, który wystraszony stał przy krawędzi łóżka, spojrzał przez ramię na swoją żonę i nie zapalił światła.

— Która godzina, panie Lepinsky?

— Krótko przed wpół do czwartej, sir. Bardzo mi przykro, ale... Panie prezydencie, brytyjska premier jest przy telefonie. Mówi, że nie może czekać. Przykro mi, sir.

John Cormack zastanowił się przez moment, potem lekko spuścił nogi z łóżka, aby nie obudzić żony. Lepinsky podał mu szlafrok. Po prawie trzech latach na swoim stanowisku Cormack znał bardzo dobrze brytyjską premier, spotkał się z nią dwukrotnie w Anglii — ten drugi raz gdy miał dwugodzinny postój w drodze powrotnej z Wnukowa — a ona dwa razy odwiedziła go w Stanach. Oboje byli ludźmi czynu. Dobrze się rozumieli. Jeśli była teraz przy telefonie, musiało to być coś ważnego. Wyspać się jeszcze przecież zdąży.

— Niech pan wróci do Holu Centralnego — powiedział cicho. — I nie robi sobie żadnych wyrzutów. Zachował się pan jak najbardziej właściwie. Odbiorę telefon w moim gabinecie.

Gabinet prezydenta — jeden z wielu, ale tylko ten był w prywatnym apartamencie — znajduje się między wielką sypialnią a Żółtym Pokojem Okrągłym przy rotundzie centralnej. Okna wychodzą, jak i w sypialni, na połacie zieleni w kierunku Pennsylvania Avenue. Cormack zamknął drzwi, zapalił światło. Zamrugał kilkakrotnie oczami, usiadł za biurkiem i podniósł słuchawkę. Margaret Thatcher zgłosiła się po dziesięciu sekundach.

— Czy ktoś inny nawiązywał już z panem kontakt?

Poczuł się, jakby otrzymał uderzenie w żołądek.

— Nie... nikt. Dlaczego?

— O ile wiem, panowie Edmonds i Burbank zostali już poinformowani. Jest mi przykro, że to ja pierwsza...

I powiedziała mu. Objął kurczowo słuchawkę i patrzył na zasłony

nie widząc ich. Jego usta wyschły i nie mógł przełykać. Słyszał zdania...
przedsięwzięliśmy wszystko, ale naprawdę wszystko... najlepsi ludzie ze
Scotland Yardu... ucieczka niemożliwa... Powiedział „Rozumiem", podziękował i odłożył słuchawkę. Rozrywało mu pierś. Przypomniał sobie,
że Myra jeszcze śpi. Musi jej powiedzieć, to będzie dla niej straszliwy
cios.

— Simon, mój chłopcze — odezwał się cicho.

Wiedział, że potrzebuje przyjaciela, który będzie zajmował się wszystkim, podczas gdy on będzie zajmował się żoną. Po kilku minutach zadzwonił do centrali i starał się mówić opanowanym głosem.

— Proszę mnie połączyć z wiceprezydentem Odellem. Tak, teraz.

W swojej rezydencji w Obserwatorium Morskim Odell został obudzony w ten sam sposób — przez pracownika Secret Service. Wezwanie
było kategoryczne, a Cormack nie podał powodu. Proszę, przyjeżdżaj natychmiast do Białego Domu, pierwsze piętro, gabinet, szybko. Michael,
proszę, tylko szybko.

Wiceprezydent z Teksasu słyszał, jak na drugim końcu odwieszono
słuchawkę. Odłożył także swoją i drapiąc się po głowie wyłuskał z paczki
listek miętowej gumy do żucia. Pomogło mu to się skoncentrować. Zadzwonił po samochód i podszedł do szafy z ubraniami. Odell był wdow-
cem i sypiał samotnie. Nie było więc nikogo, komu mógłby przeszkodzić.
Dziesięć minut później siedział w spodniach, butach i swetrze założonym na koszulę, na tylnym siedzeniu swojego samochodu służbowego
i spoglądał na zmianę — na krótko przystrzyżony tył głowy kierowcy
z marynarki wojennej i światła pogrążonego we śnie Waszyngtonu, aż
ukazał się oświetlony kompleks Białego Domu. Minął Portyk i Wejście
Południowe, które jego zdaniem były zbyt pompatyczne. Wszedł na parter małym wejściem na zachodnim końcu. Rozkazał kierowcy czekać,
uznając, że nie potrwa to długo. Mylił się. Była 4:07.

Sztab kryzysowy na najwyższym szczeblu w Wielkiej Brytanii to po-
woływany pospiesznie komitet, którego skład zmienia się w zależności
od rodzaju kryzysu, ale nie zmienia się miejsce zebrania. Komitet zbiera
się prawie zawsze w Centrum Odpraw Biura Rządu, w skrócie COBRA,
w spokojnym klimatyzowanym pomieszczeniu, dwa piętra pod ziemią.
Pod znajdującym się przy ulicy Downing Street Biurem Rządu.

Sir Harry Marriott potrzebował trochę ponad godzinę, aby „figury",
jak nazywał on swoich współpracowników, doprowadzić z ich domów,
pociągów i rozrzuconych po mieście biur do Biura Rządu. Otworzył
posiedzenie o godzinie 9:56.

Uprowadzenie było jednoznacznie przestępstwem i sprawą policji. Wchodziło w kompetencje Ministerstwa Spraw Wewnętrznych, w tym przypadku jednak musiały włączyć się i inne ministerstwa. Obok przedstawicieli Ministerstwa Spraw Wewnętrznych był i minister spraw zagranicznych, mający zająć się utrzymywaniem kontaktów z Departmentem Stanu w Waszyngtonie, a tym samym z Białym Domem. Na wypadek gdyby Simon Cormack został przerzucony do Europy, ministerstwo to miałoby spełnić kluczową rolę na arenie politycznej. Podległe mu były SIS, Tajne Służby Wywiadowcze, zwane także MI6 lub Firmą, które miały przede wszystkim zbadać informacje o ewentualnej przynależności terrorystów. Ich przedstawiciel przybył z placówki po drugiej stronie rzeki w Century House i miał informować szefa na bieżąco.

Ministerstwu Spraw Wewnętrznych podlegał także poza policją kontrwywiad, Security Service albo MI5. Ci tylko pobieżnie interesowali się wewnętrznymi skutkami terroryzmu w Wielkiej Brytanii. Przedstawiciel tej placówki przybył z Curzon Street w Mayfair, gdzie trwało właśnie sprawdzanie stosów akt podejrzanych i skąd kontaktowano się z informatorami, licząc na otrzymanie odpowiedzi na to jedno palące pytanie: Kto?

Komisji podlegał także wyższy urzędnik Ministerstwa Obrony, który dowodził Specjalnym Desantowym Oddziałem Uderzeniowym z Hereford. W przypadku, gdy miejsce pobytu Simona Cormacka zostałoby wykryte i doszłoby do oblężenia, konieczna mogłaby się okazać akcja odbicia zakładnika — w czym specjalizowała się ta jednostka. Nie trzeba było nikomu mówić, że w każdym przypadku gotowi byli oni do interwencji w ciągu pół godziny — zgodnie z porządkiem, bez najmniejszego rozgłosu Grupie Siódmej, spadochroniarzom z Eskadry B ogłoszono alarm (pełna gotowość w dziesięć minut), a grupa wspierająca miała teraz sześćdziesiąt minut zamiast dwóch godzin.

Obecny był również człowiek z Ministerstwa Transportu, odpowiadający za kontrolę brytyjskich lotnisk i portów. We współpracy ze strażą wybrzeża i strażą celną ministerstwo to miało nadzorować wszystkie porty i lotniska, bo sprawą pierwszej wagi było teraz, aby Simon Cormack nie został wywieziony z kraju, w przypadku gdyby porywacze mieli takie zamiary. Mężczyzna rozmawiał właśnie z Ministerstwem Handlu i Przemysłu i otrzymał stamtąd wiadomość, że nie ma możliwości sprawdzenia zamkniętego i zapieczętowanego kontenera, który przeznaczony jest na eksport. Przy opuszczaniu kraju jednak każdy samolot prywatny, jacht, łódź rybacka, przyczepa samochodowa, kempingowa czy samochód kempingowy sprawdzony zostanie dokładnie przez straż wybrzeża lub celników. Podobnie jak wiozący wielkie skrzynie oraz pasażerowie na noszach.

Najważniejszy tutaj człowiek siedział jednak po prawej stronie sir Harry'ego i był nim Nigel Cramer.

W przeciwieństwie do policyjnych władz na brytyjskiej prowincji policja londyńska, Metropolitan Police, bardziej znana jako Scotland Yard, nie ma naczelnika, lecz jest zarządzana przez nadkomisarza. I stanowi największą grupę policyjną kraju. Nadkomisarzowi, w tym przypadku sir Peterowi Imbertowi, podlega czterech komisarzy kierujących osobnymi departamentami. Drugi z nich jest od Specjalistycznych Operacji (SO).

Ma on trzynaście wydziałów numerowanych od 1 do 14, piąty numer nie istnieje z nieznanych powodów. Do tych 13 wydziałów należą brygady: inwigilacyjna, do zwalczania przestępstw ciężkich, lotna, do zwalczania nadużyć i do zwalczania przestępczości lokalnej. Do tego dochodził wydział specjalny (kontrwywiad), wydział wywiadowczy środowisk przestępczych (SO11) oraz brygada antyterrorystyczna (SO13).

Człowiekiem, którego sir Peter Imbert wyznaczył, aby reprezentował Yard w komitecie COBRA, był zastępca komisarza departamentu SO Nigel Cramer. Od tej chwili miał on składać raporty nie tylko swojemu komisarzowi i nadkomisarzowi, ale również komitetowi COBRA. Do niego miały spływać wszystkie wyniki dochodzenia od wyznaczonego oficjalnie do sprawy oficera śledczego, który z kolei miał do dyspozycji wszystkie oddziały departamentu, jakie mogły okazać się pomocne.

Decyzja polityczna jest potrzebna, gdy Scotland Yard ma przejąć śledztwo policji lokalnej. Ale tu decyzja była podjęta przez panią premier. Co było usprawiedliwione podejrzeniem, że Simon nie znajdował się już na terenie Doliny Tamizy, i sir Harry Marriott poinformował naczelnika o tej decyzji. A ludzie Cramera byli już na przedmieściach Oksfordu.

Do uczestnictwa w komitecie COBRA zaproszono dwóch obcokrajowców. Jednym był Patrick Seymour, człowiek FBI przy ambasadzie, drugim Lou Collins, londyński oficer łącznikowy CIA. Przyjęto ich nie tylko z grzeczności. Mieli oni na bieżąco informować swoje agencje o staraniach podjętych przez placówki brytyjskie w celu rozwiązania sprawy, a do tego jeszcze przekazywać takie czy inne informacje, do których zdołają dotrzeć ich ludzie.

Sir Harry rozpoczął posiedzenie od raportu o stanie wydarzeń. Od uprowadzenia upłynęły dopiero trzy godziny. Uważał więc za konieczne wyjście z dwóch założeń. Po pierwsze, że Simon został wywieziony z Shotover Plain i ukryty w nieznanym miejscu; po drugie, że porywacze to jacyś terroryści, którzy dotychczas nie nawiązali żadnego kontaktu z placówkami państwowymi.

Człowiek z SIS był zdania, że jego ludzie mogliby spróbować nawiązać kontakt z różnymi agentami znajdującymi się w organizacjach terrorystycznych na europejskim lądzie, aby w ten sposób dowiedzieć się, jaka grupa stoi za uprowadzeniem. Zajęłoby jednak kilka dni.

— Ci agenci w grupach terrorystycznych prowadzą bardzo niebezpieczne życie — dodał. — Nie możemy tak po prostu zadzwonić do nich i spytać. W ciągu tygodnia ustawimy tajne spotkania w różnych miejscach i może trafimy przez to na jakąś wskazówkę.

Człowiek z Security Service oznajmił, że jego placówka podejmie odpowiednie poszukiwania w miejscowych grupach terrorystycznych, które mogłyby brać udział lub coś wiedzą. Uważał jednak za nieprawdopodobne, by porywaczami okazali się Anglicy. Abstrahując od IRA i INLA — obu irlandzkich organizacji — jest na Wyspach Brytyjskich wystarczająco dużo szaleńców, ale brutalność i profesjonalne przygotowanie akcji na Shotover Plain wykluczało uczestnictwo tych grup. Mimo to skontaktuje się z wtyczkami, jakie ma w tych grupach.

Nigel Cramer uznał, że pierwsze wskazówki będą prawdopodobnie z policyjnych badań lub zeznania przypadkowego, do teraz jeszcze nie przesłuchanego, świadka.

— Znamy auto uciekinierów. Pomalowany na zielono, stary ford transit z nazwą znanego w hrabstwie Oksford sadownika Barlowa. Według zeznań świadków jechał on pięć minut po napadzie w kierunku wschodnim, a więc oddalał się od miejsca zdarzenia przez Wheatley i nie był to żaden samochód dostawczy Barlowa, firma to potwierdziła. Świadek nie zapamiętał numerów rejestracyjnych. Wszystkimi siłami, jakimi dysponujemy, szukamy nadal tych, co widzieli furgonetkę, jej kierunek jazdy i mężczyzn na przednim siedzeniu. Najprawdopodobniej było ich dwóch i niewyraźnie można ich było widzieć za szybą. Mleczarz uważa, że jeden miał brodę. Odnośnie zabezpieczenia śladów, mamy podnośnik i wspaniałe ślady kół furgonetki — nasi ludzie z Doliny Tamizy ustalili dokładne miejsce pobytu samochodu podczas porwania — jak i sporo pustych łusek, które pochodziły z karabinu maszynowego. Będą badane przez ekspertów wojskowych w Fort Halstead, podobnie jak kule, które wydobyto ze zwłok obu agentów Secret Service, jak i naszego sierżanta Dunna. Fort Halstead określi to dokładnie, ale wygląda na to, że amunicja pochodziła z państw Układu Warszawskiego. Prawie wszystkie organizacje terrorystyczne w Europie, z wyjątkiem IRA, używają broni z bloku wschodniego. Ludzie w laboratorium policyjnym z Oksfordu są dobrzy, ale mimo to dostarczamy każdy dowód do sprawdzenia w naszych laboratoriach w Fulham. Policja Doliny Tamizy dalej będzie rozglądać się za świadkami. Moi panowie, nasze poszukiwania muszą skoncentrować się na czterech obszarach: samochodzie, świadkach na miejscu zdarzenia lub w pobliżu, śladach, które pozostawili oraz — to jeszcze jedno zadanie dla ludzi z Doliny Tamizy — szukaniu osób, które widziały kogoś obserwującego dom przy Woodstock Road. Pewne jest — tu spojrzał na obu Amerykanów — że Simon Cormack biegał każdego ranka dokładnie tą samą trasą...

W tym momencie zadzwonił telefon. Był do Cramera. Odebrał go, postawił kilka pytań, przysłuchiwał się parę minut i wrócił do stołu.

— Mianowałem komendanta Petera Williamsa, szefa SO13 brygady antyterrorystycznej, na oficera śledczego. To właśnie on dzwonił. Sądzę, że mamy furgonetkę.

Właściciel farmy Whitehill obok Fox Covert, przy drodze do Islip, wezwał o godzinie 8:10 straż pożarną, widząc dym i płomienie unoszące się z jego starej, drewnianej stodoły. Stała ona na łące, trochę z boku drogi, oddalona 500 metrów od jego podwórza i prawie w ogóle jej nie używał. Straż pożarna przyjechała zbyt późno, aby uratować budynek. Farmer mógł przyglądać się tylko, jak płomienie pożerają drewnianą konstrukcję i jak najpierw runął dach, a potem ściany.

Dogaszając pożar strażacy odkryli pod zwęglonymi belkami coś, co wyglądało jak wypalony wrak samochodu dostawczego. Była 8:41. Farmer twierdził uparcie, że nie wstawiał do szopy żadnego pojazdu. Zakładając, że w aucie mogli się znajdować ludzie — Cyganie, włóczędzy lub nawet obozowicze, strażacy zostali jeszcze i usunęli belki na bok. Zbadali samochód, jak tylko mogli zbliżyć się do niego. Nie znaleźli żadnych śladów ciał, ale na pewno był to wrak transita.

Wracając do bazy jeden ze strażaków usłyszał w radio, że Policja Doliny Tamizy szuka transita, o którym mówi się, że uczestniczył „w napadzie z użyciem broni palnej we wczesnych godzinach porannych". Szybko połączył się z Kidlington.

— Niestety, został z tego tylko wypalony wrak — powiedział Cramer.
— Opony są najprawdopodobniej spalone, odciski palców nie dadzą się już ustalić, ale numery silnika i nadwozia będą do odczytania. Moi ludzie z sekcji pojazdów są już w drodze. Jeśli cokolwiek — należy to rozumieć dosłownie — pozostało, znajdziemy to.

Sekcja pojazdów w Scotland Yardzie wchodziła w skład brygad zwalczania przestępstw ciężkich, a tym samym do departamentu SO.

Obrady COBRY trwały, ale kilku jej ważnych uczestników opuściło salę, by przedsięwziąć konieczne kroki, pozostawiając swych podwładnych, którzy mieli ich zawiadomić, gdy nastąpi jakiś przełom. A obradom miał przewodniczyć teraz wiceminister spraw zagranicznych.

*

W doskonałym świecie, którego przecież nie ma, Nigel Cramer zatroszczyłby się, aby prasa była wykluczona z gry, przynajmniej jeszcze jakiś czas. O jedenastej przed południem Clive Empson z *Oxford Mail* zjawił się w Kidlington pytając o dane dotyczące strzelaniny, w której rzekomo były ofiary śmiertelne, rankiem o wschodzie słońca. I trzy rzeczy od razu go zdziwiły. Po pierwsze, zaprowadzono go do szefa detektywów, który spytał, skąd ma tę wiadomość. I tu odmówił odpowiedzi. Po drugie, zauważył, że policjanci Doliny Tamizy wyglądali mu na autentycznie przerażonych, a po trzecie, że odmówiono mu jakiejkolwiek informacji. Przy takiej strzelaninie z dwoma trupami — żona drukarza widziała tylko dwa ciała — policja zwracała się przecież do prasy o współpracę, wydałaby oświadczenie, a może i zwołała konferencję prasową.

Wracając do Oksfordu przemyślał wszystko jeszcze raz. Jeśli ktoś umiera śmiercią naturalną, wiozą go do miejskiej kostnicy. Ofiara strzelaniny zostałaby odwieziona do lepiej wyposażonego szpitala w Radcliffe. A tam, na szczęście, miał znajomą pielęgniarkę; nie w „dziale nieboszczyków" wprawdzie, ale chyba znała kogoś stamtąd.

W porze lunchu wiedział już, że w Radcliffe jest grubsza afera. W kostnicy znajdowały się trzy ciała — dwóch Amerykanów i brytyjskiego policjanta; z Londynu przybył lekarz medycyny sądowej i ktoś z ambasady amerykańskiej. To było naprawdę zagadkowe.

Mogły tu trafić zwłoki żołnierzy amerykańskich sił zbrojnych z pobliskiej bazy Upper Heyford, a jeśli to były ciała amerykańskich turystów, mógł przybyć tam i ktoś z ambasady — ale dlaczego Kidlington trzymało to w takiej tajemnicy? Wtedy pomyślał o Simonie Cormacku, o którym prawie każdy wiedział, że studiuje tu od dziewięciu miesięcy, i udał się do Balliol College. Tam spotkał ładną walijską studentkę o imieniu Jenny.

Potwierdziła, że Simon Cormack nie przybył tego dnia na kolokwium, ale nie było w tym nic zaskakującego dla niej. Może bardziej interesowały go te biegi przełajowe. Jakie biegi przełajowe? Jak to jakie, w grudniu ma przecież nadzieję pokonać Cambridge i dlatego każdego ranka trenował jak szalony, najczęściej na Shotover Plain.

Clive Empson poczuł się, jakby dostał kopa w brzuch. Oswojony już dawno z faktem, że całe życie będzie zwyczajnym pismakiem dla *Oxford Mail*, dojrzał nagle migające dla niego światła Wielkiego Miasta. I niemal trafił, zakładając, że Simon Cormack został zastrzelony. Tak podał w artykule, jaki późnym popołudniem przekazał jednej z głównych londyńskich gazet. Rząd był przez to zmuszony wydać oświadczenie.

*

W cztery oczy bywalcy waszyngtońscy przyznają nawet przyjaciołom w Anglii, że brytyjski system rządowy im się podoba.

Brytyjski system jest bardzo prosty. Królowa jest głową państwa i nią pozostaje. Szefem rządu jest premier, którym zawsze zostaje przywódca partii wygrywającej wybory parlamentarne. Ma to duże zalety. Szef rządu nie potrzebuje ścierać się w parlamencie z większością partii opozycyjnej (przez co łatwiej jest przeprowadzać konieczne, choć nie zawsze popularne, ustawy); obejmujący po zwycięstwie wyborczym urząd premier jest prawie zawsze politykiem z wielkim doświadczeniem na płaszczyźnie krajowej i przeważnie był ministrem poprzedniego rządu. Doświadczenie, umiejętności, wiedza o tym, jak przebiegają sprawy i jak należy je prowadzić dalej, to kwestie, których nie musi się uczyć.

Londyn ma jeszcze trzecią zaletę. Za politykami stoi armia doświadczonych urzędników, która w przeważającej części służyła pod poprzednim rządem, a nierzadko i jeszcze wcześniejszymi. Ci „mandaryni", których tuzin razem licząc przepracował tu dobre sto lat, są dla nowego rządu nieocenioną pomocą. Wiedzą, co i dlaczego wydarzyło się poprzednio, prowadzą protokoły i znają miejsca, gdzie można się potknąć.

W Waszyngtonie odchodzący prezydent zabiera prawie wszystko ze sobą — doświadczenie, doradców i akta, albo przynajmniej te z nich, których nie zgarnął jakiś dobrze ustawiony pułkownik. Nowy prezydent zaczyna od początku. Posiada tylko doświadczenie na arenie stanowej i bierze ze sobą swoich doradców, którzy są tak samo „zieloni" jak on i nie odróżniają pola do futbolu od minowego. Dlatego właśnie reputacja wielu z nich szybko zaczyna kuleć.

I dlatego też, kiedy mocno przejęty wiceprezydent Odell opuścił tego październikowego poranka o 5:05 swoją rezydencję i przeszedł do zachodniego skrzydła Białego Domu, niezbyt dobrze wiedział, co robić lub kogo spytać o radę.

— Nie dam sobie z tym rady sam, Michael — powiedział mu prezydent. — Chcę spróbować sprostać moim obowiązkom jako prezydent, pozostanę w Pokoju Owalnym, ale nie mogę kierować Komisją Antykryzysową. Za bardzo dotyczy to mnie osobiście. Spraw, by on wrócił, Michael, spraw, by oddali mi syna...

Odell dawał się kierować emocjom o wiele bardziej niż John Cormack. Jeszcze nigdy nie widział swojego przyjaciela, opanowanego, śmiałego profesora akademickiego tak rozbitego, i nigdy nawet tego sobie nie wyobrażał. Objął prezydenta i przysiągł mu, że zrobi wszystko. A Cormack wrócił do sypialni, gdzie lekarz Białego Domu podawał akurat środek uspokajający Pierwszej Damie.

Odell siadł przy stole w Sali Posiedzeń Gabinetu, zamówił kawę i wykonał pierwsze telefony. Uprowadzenie miało miejsce w Anglii, za granicą, będzie więc potrzebował Sekretarza Stanu. Zadzwonił do Jima Donaldsona i obudził go. Nie podał żadnego powodu, wezwał go tylko natychmiast do siebie. Donaldson próbował protestować, że zdąży tam, ale na dziewiątą.

— Jim, masz być natychmiast. Jasne? To przypadek wyjątkowy. I nie dzwoń czasem do prezydenta, aby się upewnić. Nie może odebrać twojego telefonu i prosił mnie, abym przejął sprawy.

Gdy Michael Odell był gubernatorem Teksasu, polityka zagraniczna była dla niego „czarną magią", ale wystarczająco długo siedział w Waszyngtonie i był wiceprezydentem, aby na niezliczonych posiedzeniach dotyczących polityki zagranicznej sporo się nauczyć. Ci, którzy dawali się nabrać na wygląd zwyczajnego chłopka, jaki on świadomie kultywował, nie byli wobec niego sprawiedliwi, czego później dostatecznie często żałowali. Michael Odell nie wywalczyłby sobie takiego poważania i zaufania u człowieka pokroju Cormacka, gdyby był głupkiem. Był nawet nadzwyczaj sprytnym człowiekiem.

Zadzwonił także do Billa Waltersa, prokuratora generalnego i politycznego szefa FBI. Ten był już na nogach, ubrany, bo otrzymał telefon od Dona Edmondsa, szefa FBI.

— Już wyjeżdżam, Michael — powiedział. — Zabieram też Dona Edmondsa, będziemy potrzebowali fachowej wiedzy FBI. Poza tym Don jest na bieżąco informowany przez jego człowieka w Londynie. Niezbędne będą aktualne raporty. Dobrze myślę?

— Bardzo dobrze — przyznał Odell z ulgą. — Zabierz Edmondsa.

O szóstej, kiedy komisja zebrała się już w komplecie, byli w niej także: minister skarbu Hubert Reed (odpowiedzialny za Secret Service), minister obrony Morton Stannard, doradca do spraw bezpieczeństwa narodowego Brad Johnson, Lee Alexander — dyrektor CIA. Do dyspozycji oddali się: Don Edmonds z FBI, Creighton Burbank z Secret Service oraz zastępca dyrektora CIA do spraw operacyjnych, David Weintraub.

Lee Alexander rozumiał, że będąc dyrektorem CIA, nie zjawił się tu jako spec od wywiadu, ale jako polityk. Człowiekiem kierującym wszystkimi operacjami CIA był Weintraub. I razem czekali cierpliwie.

Don Edmonds również przyprowadził swojego najlepszego człowieka. Dyrektorowi FBI podlegają trzej zastępcy: szefowie służb policyjnych, administracji i śledczych. Szef śledczych, Buck Revell, był chory. Dział ten podzielono na trzy jednostki: wywiad, kontakty międzynarodowe (stąd przybył do Londynu Patrick Seymour), służby śledcze policji kryminalnej.

Edmonds przywiózł ze sobą Philipa Kelly'ego, który kierował ostatnią z tych jednostek.

— Najlepiej niech wszyscy wejdą — zaproponował Brad Johnson. — Jak na razie wiedzą więcej od nas.

Wszyscy się z tym zgodzili. Później cała, zawiązana przez ekspertów, Grupa Antykryzysowa obradowała w Pokoju Sytuacyjnym, na dole, właściwym z praktycznych powodów i z potrzeby zachowania tajemnicy, obok Centrum Łączności. Jeszcze później mieli przyłączyć się do nich ministrowie, gdy ludzie z prasy śledzili ich przez okna Sali Posiedzeń, czekali z kamerami w Ogrodzie Różanym. Jako pierwszy wypowiedział się Creighton Burbank, który Brytyjczykom przypisał z nieukrywaną wściekłością winę za to nieszczęście. Przekazał im wszystko, co wiedział od swoich ludzi w Summertown — zdarzenia od chwili wyjścia Simona na Woodstock Road wczesnym rankiem — i to, co jego ludzie później widzieli i dowiedzieli się na Shotover Plain.

— Dwóch naszych nie żyje — zaznaczył — i muszę przekazać tę wiadomość dwóm wdowom i trzem sierotom, a to wszystko dlatego, że ci idioci nie są w stanie pilnować człowieka. Chcę, aby znalazło się w protokole, że moja placówka wielokrotnie żądała, by Simon Cormack nie studiował jednak za granicą, i że potrzebowaliśmy tam pięćdziesięciu ludzi, a nie dwunastu.

— Już dobrze, mieliście rację — odparł Odell pojednawczo.

Don Edmonds zdążył odebrać telefon od Patricka Seymoura, człowieka FBI w Londynie. Zreferował on wszystko, co zdarzyło się później, aż do zamknięcia posiedzenia komisji COBRA.

— Co się właściwie robi w przypadku uprowadzenia? — zapytał miękko Reed.

Ze wszystkich obecnych zaufanych prezydenta, Hubert Reed był tym, który najsłabiej umiał przeciskać się przez polityczne intrygi i przepychanki do władzy, co było nieodłącznym aspektem zajmowania wysokiego urzędu w Waszyngtonie. Był niskim, łagodnym człowiekiem, wręcz nieśmiałym, nawet bezbronnym — co potęgowały jeszcze jego mocne szkła. Odziedziczył spory majątek i swoją karierę rozpoczął w wielkiej firmie brokerskiej. Talentowi wyczuwania zyskownych inwestycji zawdzięczał fakt, że na początku pięćdziesiątego roku życia był czołowym finansistą. Wcześniej zarządzał rodzinnym majątkiem Cormacka i w ten sposób poznali się i zostali przyjaciółmi. Cormack zabrał go do Waszyngtonu jako finansowego geniusza, gdzie, jako ministrowi skarbu, udało mu się stale rosnący deficyt budżetowy USA utrzymać w sensownych granicach. O ile chodziło o finanse, Hubert Reed znał się na rzeczy, ale gdy wtajemniczono go w szczegóły kilku „twardych" operacji, prowadzonych przez Agencję do Spraw Zwalczania Narkotyków i Secret Service (obie podlegały Ministerstwu Skarbu), poczuł się wyraźnie nieswojo.

Don Edmonds zerknął na Kelly'ego. Tu on był ekspertem od zwalczania przestępstw.

— Zazwyczaj, jeśli nie trafia się szybko na ślad porywaczy i ich kryjówkę, kontaktują się sami i żądają okupu. Od tego momentu prowadzone są pertraktacje odnośnie wypuszczenia zakładników. Naturalnie kontynuowane jest dochodzenie w celu odkrycia miejsca przebywania porywaczy. Jeśli to nic nie daje, pozostają tylko negocjacje.

— A kto prowadziłby je w tym przypadku? — spytał Stannard.

Zapadła cisza. Ameryka posiada kilka najbardziej wyrafinowanych systemów alarmowych świata. Jej naukowcy skonstruowali czujniki podczerwieni wykrywające ciepło ciała z odległości kilku kilometrów nad powierzchnią ziemi; są i czujniki dźwiękowe, które słyszą oddychającą z odległości półtora kilometra mysz. Są czujniki ruchowe i świetlne, które z przestrzeni kosmicznej wykryją tlącego się papierosa na ziemi. Lecz żaden system w tym całym arsenale nie może się równać z systemem czujników CYA, którego centrum znajduje się w Waszyngtonie. W tym momencie był już aktywny od dwóch godzin i osiągał właśnie pełną zdolność operacyjną.

— Musimy być tam obecni — naciskał Walters. — Nie możemy wszystkiego zostawić w rękach Brytyjczyków. Musi być widać dookoła, że my też coś robimy, aby odzyskać chłopaka.

— Jestem tego samego zdania, do cholery! — wyrwało się Odellowi.

— Możemy mówić, że to oni zgubili chłopaka, choć to Secret Service było za tym, aby brytyjski policjant jeździł z tyłu... — Burbank obrzucił go złowieszczym spojrzeniem. — Mamy pewne wpływy. Możemy obstawać przy tym, aby uczestniczyć w dochodzeniu.

— Nie możemy jednak tak zwyczajnie wysłać policjantów z Waszyngtonu, aby zabrali sprawę Scotland Yardowi na ich własnym terenie — zauważył prokurator generalny, Walters.

— To co z negocjacjami, w takim razie? — spytał Brad Johnson.

Profesjonaliści ciągle milczeli. Johnson wyraźnie naruszał starą zasadę KSD (Kryj Swoją Dupę).

Odell odezwał się, żeby ukryć ich wahanie: — Jeśli przyjmiemy, że dojdzie do pertraktacji, kto jest najlepszym na świecie negocjatorem?

— W Quantico — odezwał się Kelly — mamy grupę FBI do spraw psychologicznych. Prowadzą w takich przypadkach dla nas pertraktacje. To są najlepsi ludzie, jakich tutaj mamy...

— Pytałem, kto jest najlepszy na świecie? — powtórzył wiceprezydent.

— Najskuteczniejszym jak do tej pory negocjatorem — odezwał się cicho Weintraub — jest człowiek nazwiskiem Quinn. Znam go, a właściwie to znałem go kiedyś.

Dziesięć par oczu zwróciło się na przedstawiciela CIA.

— A coś więcej o nim? — rzucił Odell.

— To Amerykanin. Po wojsku pracował w spółce ubezpieczeniowej w Hartford. Dwa lata później został szefem ich oddziału w Paryżu, który obsługiwał klientów w całej Europie. Ożenił się i miał córkę. Jego żona, Francuzka, i córka zginęły w wypadku na autostradzie koło Orleanu. Zaczął pić, wyleciał z Hartford, potem pozbierał się znowu i trafił do firmy, która należy do ubezpieczalni Lloyda w Londynie, specjalizującej się w ochronie osób i stąd też w prowadzeniu pertraktacji z porywaczami. O ile wiem, pracował u nich dziesięć lat, od 1978 do 1988 roku i potem odszedł na emeryturę. Do tego czasu osobiście, albo gdy były problemy językowe jako doradca, doprowadził do końca wiele przypadków porwań w całej Europie. Jak wiecie, pośród krajów rozwiniętych uprowadzenia najczęściej zdarzają się w Europie. Oprócz angielskiego włada on trzema językami obcymi i zna europejski kontynent i Wielką Brytanię jak własną kieszeń.

— Czy to właściwy człowiek? Czy mógłby to zrobić dla Stanów? — spytał Odell.

Weintraub wzruszył ramionami.

— Pan pytał, kto jest najlepszy na świecie, panie wiceprezydencie — odparł.

Wielu z zebranych z ulgą zaczęło kiwać głowami.

— Gdzie on teraz jest? — spytał Odell.

— Sądzę, że siedzi na emeryturze w południowej Hiszpanii, sir. W Langley z pewnością mamy wszystkie dane.

— Niech pan go ściągnie, Weintraub — powiedział Odell. — Niech pan sprowadzi tu tego Quinna. Koszty nie grają roli.

Tego dnia o siódmej wieczorem pierwsza informacja wystrzeliła w telewizji jak bomba. W programie Television Española trajkoczący spiker referował przerażonej hiszpańskiej publiczności wydarzenia, jakie miały miejsce rano w okolicach miasta Oksford. Mężczyźni w barze u Antonia w Alcantara del Rio patrzyli milcząc w ekran. Sam Antonio przyniósł szklankę wina wysokiemu mężczyźnie, na koszt firmy.

— *Mala cosa* — rzucił przyjaźnie ze współczuciem.

Wysoki mężczyzna nie odwrócił wzroku od telewizora.

— *No es mi asunto* — powiedział. To nie była jego sprawa.

David Weintraub wystartował z bazy lotniczej Andrews koło Waszyngtonu o dziesiątej rano czasu miejscowego, na pokładzie USAF VC20A, wojskowej wersji Gulfstream 3. Przy pełnych zbiornikach maszyna ze swoimi silnikami Rolls Royce Spey 511 mogła przelecieć 4117 mil i miała jeszcze rezerwę na trzydzieści minut lotu. Lecąc na wysokości 43 000 stóp i przy prędkości 483 mil na godzinę oraz dzięki sprzyjającemu wiatrowi z tyłu pokonała Atlantyk w siedem i pół godziny.

Z powodu sześciogodzinnej różnicy czasu była 23:30, gdy zastępca dyrektora CIA do spraw operacyjnych wylądował w bazie amerykańskiej marynarki wojennej w Rota, oddzielonej wodami zatoki od Kadyksu w Andaluzji. Przesiadł się tam szybko do oczekującego helikoptera marynarki wojennej SH2F Sea Sprite, który startował już na wschód, nim on dobrze się usadowił. Spotkanie było umówione na szerokiej płaskiej plaży Casares i tam w samochodzie czekał człowiek z ich madryckiej placówki. Był to młody, zdolny mężczyzna, który właśnie ukończył szkołę FBI w Virginii w Camp Peary i chciał zrobić wrażenie na zastępcy dyrektora. Weintraub westchnął jednak tylko ciężko na powitanie.

Jechali ostrożnie przez Manilvę, gdzie operatywny Sneed dwa razy musiał pytać o drogę, i do Alcantara del Rio dotarli krótko po północy. Pobielana *casita* poza granicami miejscowości była ciężka do znalezienia. Ale uczynny tubylec wskazał im drogę.

Było wokół ciemno, gdy samochód się zatrzymał. Sneed zgasił silnik. Wysiedli i przyglądali się pogrążonej w ciemności chatce. Sneed nacisnął klamkę. Drzwi nie były zamknięte. Weszli do środka i stanęli w przestrzennym, chłodnym pomieszczeniu na parterze. W świetle księżyca Weintraub ogarniał wzrokiem detale pokoju — wyprawione wołowe skóry na kamiennych płytkach podłogi, zwykłe krzesła, stary klasztorny stół z hiszpańskiego dębu, ściana z książkami.

Sneed szukał kontaktu, ale Weintraub zauważył trzy lampy naftowe i odkrył, że to strata czasu. Z pewnością za domem znajdował się generator na ropę, który dostarczał prądu do gotowania i sprzątania, i który był wyłączany prawdopodobnie na noc. Sneed kręcił się dookoła robiąc hałas. Weintraub wykonał krok do przodu i poczuł czubek noża pod prawym uchem. Zamarł. Tamten absolutnie bezszelestnie zszedł na dół po kamiennych schodach z sypialni.

— Dużo czasu upłynęło od Son Tay, Quinn — odezwał się cicho Weintraub i nóż oddalił się od żyły na jego gardle.

— Co pan powiedział, sir? — beztrosko spytał Sneed z drugiego końca pomieszczenia.

Cień prześliznął się po kafelkach. Zajaśniał płomień zapałki i lampa olejowa omiotła światłem pokój. Sneed podskoczył do góry. Major Kerkorian w Belgradzie niebiańsko by się z tego ucieszył.

— Podróż była męcząca — powiedział Weintraub. — Mogę usiąść?

Quinn wokół pasa owinięty był bawełnianym ręcznikiem, niczym wschodnim sarongiem. Nagi tułów był smukły i muskularny. Sneed aż rozdziawił usta z przerażenia na widok blizn.

— Wyszedłem z tego, David. — Quinn siadł przy stole klasztornym, naprzeciw zastępcy dyrektora CIA. — Jestem na emeryturze.

Podsunął Weintraubowi kubek i gliniany dzban czerwonego wina. Gość nalał sobie, wypił i skinął głową z uznaniem. Zwyczajne czerwone wino, jakie trudno znaleźć na stołach bogaczy. Wino chłopów i żołnierzy.

— Proszę, Quinn.

Sneed oniemiał, bo zastępca dyrektora nigdy nie mówił „proszę". On wydawał rozkazy.

— Nie wchodzę — odparł Quinn.

Sneed zbliżył się do światła, jego marynarka była rozpięta. Obrócił się tak, że można było zobaczyć kolbę broni, jaką nosił w kaburze. Quinn ani razu nie zerknął w jego stronę. Patrzył na Weintrauba.

— Co to za dupek? — spytał spokojnie.

— Sneed — odezwał się głośniej Weintraub — idź sprawdź, czy opony są w porządku.

Sneed wyszedł, a Weintraub westchnął.

— Quinn, ta sprawa w Taorminie. Ta dziewczynka. My wiemy, że to nie była twoja wina...

— Nie rozumiesz? Ja już jestem poza. Było, minęło i nigdy więcej. Przyjechałeś na próżno. Znajdźcie sobie kogoś innego.

— Nie ma żadnego innego. Brytyjczycy mają swoich ludzi, dobrych ludzi. Waszyngton uważa, że potrzebujemy Amerykanina, ale my nie mamy nikogo, kto mógłby ci dorównać, jeśli chodzi o Europę.

— Waszyngton chce ratować własną dupę — orzekł Quinn lekceważąco. — Jak zawsze. Potrzebują po prostu kozła ofiarnego na wypadek, gdy coś się nie uda.

— Tak, to możliwe — przyznał Weintraub. — Jeszcze raz, Quinn, nie dla Waszyngtonu, nie dla rządu, nawet nie dla chłopaka. Dla rodziców. Oni potrzebują najlepszego. Powiedziałem komisji, że ty nim jesteś.

Quinn rozejrzał się po pokoju. Popatrzył na te parę rzeczy, które posiadał, jakby się z nimi żegnał.

— Mam swoją cenę — odezwał się w końcu.

— To ją podaj — odparł szybko zastępca dyrektora.

— Musicie zebrać moje winogrona. Jest winobranie.

Dziesięć minut później wyszli. Quinn z przewieszonym na ramieniu jutowym workiem, w trampkach włożonych na bose nogi i w koszuli. Sneed otworzył drzwi samochodu. Quinn usiadł na miejscu pasażera, Weintraub za kierownicą.

— Ty zostajesz tu, zbierzesz winogrona.

— Że co? — zdziwił się Sneed.

— Dobrze słyszałeś. Rano zejdziesz do wioski, zatrudnisz paru robotników i zbierzesz winogrona z tej plantacji. Sam poinformuję o tym w Madrycie.

Przez radio wezwał helikopter, który wznosił się już nad plażą w Casares, gdy tam przybyli. Wdrapali się do niego i odlecieli w kierunku Rota i Waszyngtonu, zanurzając się w aksamitnej ciemności.

ROZDZIAŁ PIĄTY

David Weintraub był nieobecny w Waszyngtonie tylko przez dwadzieścia godzin. Na ośmiogodzinnym locie z Roty do Andrews zyskał sześć godzin z powodu różnicy czasu i o czwartej rano wylądował w bazie 89 Wojskowego Oddziału Lotniczego. W międzyczasie oba rządy, w Waszyngtonie i Londynie, przeżyły istne oblężenie.

Istnieje niewiele budzących grozę obrazów, jak ten, kiedy zjednoczona potęga mediów świata traci resztki umiaru. Apetyt ich jest wtedy nienasycony, a postępowanie brutalne.

Samoloty ze Stanów Zjednoczonych do Londynu lub każdego innego portu lotniczego w Anglii były wypełnione od drzwi pokładu po toalety, bo każdy, nawet najgorszy, amerykański brukowiec wysyłał do brytyjskiej stolicy swoją ekipę. Po dotarciu na miejsce ludzie ci zupełnie tracili nerwy; czas mieli wyliczony co do minuty, ale wieści do przekazania żadnych. Londyn uzgodnił z Białym Domem, aby pozostać przy pierwotnym lakonicznym komunikacie. Mediom, rzecz jasna, to było na nic.

Reporterzy i ekipy telewizyjne obwarowali samotny dom przy Woodstock Road, jakby tam, za drzwiami ukrywano zaginionego młodzieńca. Te pozostawały jednak szczelnie zamknięte, podczas gdy grupa Secret Service na polecenie Creightona Burbanka spakowała wszystko co do sztuki i była gotowa do odjazdu.

Koroner miasta Oksford, korzystając ze swych uprawnień, zgodnie z artykułem 20 Nowelizacji Ustawy o Urzędzie Koronera, wydał zwłoki obu agentów Secret Service, gdy tylko patolodzy Ministerstwa Spraw Wewnętrznych zakończyli obdukcję. Formalnie zostały przekazane ambasadorowi Charlesowi Fairweatherowi, jako przedstawicielowi najbliższych. W rzeczywistości jednak trumny przewiezione zostały przez starszego rangą pracownika ambasady do bazy lotniczej w pobliskim Upper Heyford, gdzie straż honorowa dopilnowała załadunku trumien odtransportowanych do Bazy Sił Powietrznych w asyście dziesięciu pozostałych agentów, którzy opuszczając dom w Summertown omal nie zostali stratowani przez żądny informacji tłum. Ci wracali do Stanów, na spotkanie z Creightonem Burbankiem i by rozpocząć żmudne analizy tego, co poszło źle w całej sprawie. W Anglii nie mieli już nic do roboty.

Nawet gdy dom w Oksfordzie został zamknięty, czekała jeszcze przed nim garstka reporterów w nadziei, że coś się zdarzy. Inni ganiali po miasteczku uniwersyteckim za wszystkimi, którzy mieli styczność z Simonem Cormackiem: opiekunami, bracią studencką, urzędnikami college'u, barmanami i sportowcami. Dwóch innych amerykańskich studentów w Oksfordzie musiało się nawet ukryć. Matka jednego z nich, odszukana w Ameryce, orzekła, że zabierze syna z powrotem w bezpieczne śródmieście Miami. To dało gazecie krótki artykuł, a stroskanej matce występ w lokalnej telewizji.

Ciało sierżanta Dunna zostało przekazane najbliższym i Policja Doliny Tamizy przygotowała się na pogrzeb ze wszystkimi honorami.

Materiał dowodowy został sprowadzony do Londynu. Pociski ze Skorpiona trafiły do laboratorium materiałów wybuchowych Królewskiego Instytutu Badawczo-Rozwojowego Wojsk Pancernych w Fort Halstead koło Sevenoaks w hrabstwie Kent, gdzie szybko je zidentyfikowano, co podkreślało możliwość, że terroryści uczestniczący w porwaniu byli z kontynentu. Zatajono to jednak przed opinią publiczną.

Pozostałe dowody wylądowały w laboratorium Scotland Yardu w Fulham — rozdeptane źdźbło trawy ze śladami krwi, grudki gliny, odlewy opon, lewarek, odciski stóp, kule wyjęte z trzech ciał i kawałki szkła z rozstrzaskanej szyby samochodu ochrony. Jeszcze przed zmrokiem okolice Shotover Plain wyglądały jakby przeczyszczono je odkurzaczem.

Samochód przewieziony został na lawecie do sekcji pojazdów brygady zwalczania przestępstw ciężkich. Bardziej interesująca okazała się furgonetka odkryta w spalonej stodole. Eksperci pełzający dokoła między zwęglonymi deskami byli czarni jak sadza. Zardzewiałą i przeciętą kłódkę farmera zdejmowano z bramy, jakby to było surowe jajko, ale jedynym wynikiem było orzeczenie, że przecięto ją standardowymi nożycami. Więcej dały ślady limuzyny, która stamtąd wyjechała.

Wypalonego transita przewieziono w specjalnej skrzyni do Londynu i tam starannie rozłożono na części. Tablice były sfałszowane, ale przestępcy zadali sobie dużo trudu, bo formalnie mogły należeć do wozu z tego samego roku produkcji.

Furgonetka, jak stwierdzono, była naprawiana i regulowana przez bardzo sprawnego mechanika. Ktoś próbował usunąć numery podwozia i silnika przez zeszlifowanie, używając szlifierki wolframowo-karbidowej nałożonej na wiertarkę, jaka dostępna była w każdym sklepie z narzędziami. Nie było to całkiem udane. Numery są wtłaczane w metal i dały się odczytać dzięki spektroskopowemu badaniu głębszej warstwy.

Centralny komputer rejestracji pojazdów w Swansea wypluł pierwotne numery rejestracyjne i ostatniego znanego właściciela, mieszkającego w Nottingham. Adres sprawdzono i okazało się, że przeprowadził się i aktualnych namiarów brak. Tu trop się urywał...

Nigel Cramer składał komitetowi COBRA raport o każdej pełnej godzinie, który przekazywano dalej do określonych działów. Langley upoważniło Lou Collinsa, człowieka CIA, aby oświadczył, że mobilizowani są wszyscy agenci, którzy przeniknęli do europejskiej sceny terrorystycznej. A nie było ich wcale mało. Kontrwywiad i służby terrorystyczne we wszystkich krajach, gdzie działały tego rodzaju grupy, także oferowały wszelkie wsparcie. Pościg stawał się z każdą chwilą bardziej zażarty, ale ciągle nie było żadnego zwrotu w sprawie. Jeszcze nie.

Porywacze również się nie zgłaszali. Od momentu gdy sprawa stała się publiczna, połączenia telefoniczne do Kidlington, Scotland Yardu, ambasady amerykańskiej na Grosvenor Square i do wszystkich ministerstw były zablokowane. Do obsługi linii telefonicznych musiano przeznaczyć dodatkowy personel. Brytyjska opinia publiczna, trzeba było jej to przyznać, starała się rzeczywiście pomóc. Każdy telefon był sprawdzany, prawie wszystkie inne dochodzenia zeszły na dalszy plan. Wśród tysięcy telefonów zgłaszali się wariaci, głupcy, dowcipniście, optymiści, natchnieni nadzieją, osobnicy gotowi do pomocy i zwyczajni pomyleńcy.

Pierwszy filtr tworzyła linia operatorów centrali telefonicznej, kolejny — ogrom policjantów, którzy uważnie przysłuchiwali się dzwoniącym i przyznawali, że obiekt na niebie w kształcie cygara może być bardzo ważny i osobiście powiadomią o tym panią premier. Ostateczny przesiew zastrzegli sobie starsi oficerowie, rozmawiający z osobami mogącymi „naprawdę coś" przekazać. Pośród tych było dwóch kierowców, rannych ptaszków, którzy widzieli zieloną furgonetkę między Wheatley a Stanton St John. Wszystko jednak urywało się na stodole.

Nigel Cramer rozgryzł w swoim czasie parę ciężkich przypadków. Zaczynał jako policjant z rewiru, potem przeniesiono go do detektywów i na tym stanowisku pozostał trzydzieści lat. Wiedział, że przestępcy zostawiają ślady; dotykając czegoś zawsze pozostawia się ślad. Dobry gliniarz mógł z pomocą nowoczesnej techniki znaleźć ten ślad, jeśli rozejrzy się dostatecznie wnikliwie. Potrzebny jest wtedy tylko czas, a tego nie mieli. Przeżył już takie przypadki, przy których musieli pracować piekielnie szybko, ale ten był wyjątkowy.

Wiedział też, że mimo światowej techniki sukces detektywa w dużej mierze zależał od jego szczęścia. Zbyt często wyłom w śledztwie trafiał się przez czysty przypadek — szczęście dla detektywa, pech dla przestępcy. Jeśli było inaczej, przestępca prawie zawsze się wymykał. Szczęściu można było jednak dopomóc i dlatego nakazał wyostrzyć zmysły swoim ludziom, aby nie bagatelizowali absolutnie niczego, nawet gdy wydawało im się to głupie i bez sensu. Po upływie doby czarne myśli owładnęły jednak i nim, i jego kumplami z Policji Doliny Tamizy; czuli, że tej sprawy nie rozwiążą zbyt szybko. Tamtym udało się ulotnić i wytropienie ich będzie prawdziwą mordęgą.

Należało jeszcze przemyśleć inny czynnik — zakładnik. Skoro chodziło o syna amerykańskiego prezydenta, była to sprawa polityczna, a nie policyjna. Choć i taki syn ogrodnika też był przecież człowiekiem. Pościg za kimś z workiem zrabowanych pieniędzy albo za mordercą koncentrował się bezpośrednio na celu. Tam, gdzie w grę wchodzili zakładnicy, należało postępować dyskretnie, nie spłoszyć porywaczy, bo wtedy nie zważając na czas i pieniądze, na wszystko co zainwestowali w przestępstwo, uciekną, zostawiając martwego zakładnika. Wyznał to głośno nastrojonemu ponuro komitetowi o północy londyńskiego czasu. A godzinę później David Weintraub popijał wino z Quinnem w Hiszpanii. Cramer, brytyjski glina, jednak o tym nie wiedział. Jeszcze nie.

Scotland Yard przyznaje się w cztery oczy, że stosunki z prasą ma lepsze, niż mogłoby się to z pozoru wydawać. Przy drobiazgach często dochodzi do wzajemnego drażnienia się, ale gdy chodzi o rzeczywiście poważną sprawę, redaktorzy naczelni i właściciele gazet są ogólnie gotowi do powściągliwości. Poważna sprawa oznacza, że zagrożone jest życie ludzkie lub bezpieczeństwo państwa. Dlatego wiele opisów uprowadzeń w ogóle nie trafia do opinii publicznej, mimo iż redaktorom naczelnym znane są ich szczegóły.

W tym przypadku wścibskość młodego oksfordzkiego reportera rozniosła całą sprawę i brytyjska prasa nie mogła wiele zrobić, aby ją przystopować. Nadkomisarz, sir Peter Imbert stanął więc przed ośmioma właścicielami gazet i dwudziestoma naczelnymi redaktorami, szefami dwóch telewizji i dwunastu stacji radiowych. Argumentował, że obojętnie co zagraniczne media pisały czy mówiły, sporo świadczy za tym, że porywacze ukryli się gdzieś w Anglii, śledząc wiadomości w lokalnych radiach, telewizjach i gazetach. Prosił, aby nie przekazywać żadnych zwariowanych raportów w rodzaju, że policja zarzuciła sieć i zamierza właśnie szturmować kryjówkę. To mogło sprawić, że kidnaperzy wpadną w panikę, zamordują zakładnika i się ulotnią. I dostał to, co chciał.

W Londynie był wczesny ranek, kiedy daleko na południu VC20A przeleciał w drodze do Waszyngtonu przez spowite ciemnościami Azory.

Kidnaperzy faktycznie się zaszyli. Kiedy dzień wcześniej volvo minęło Buckingham, przecięło autostradę M1 na wschód od Milton Keynes i obrało kierunek południowy na Londyn, przyłączając się do stalowego ciągu pojazdów, jaki sunął do stolicy, mknąc niezauważenie pomiędzy ciężkimi ciężarówkami kursującymi jak zwykle z hrabstw Buckhingham, Bedford i Hertford. Na północ od Londynu pojazd wolno skręcił na M25, ogromną obwodnicę, która okala miasto w promieniu czterdziestu kilometrów od centrum. Z M25 rozchodzą się, jak szprychy rowerowe, magistrale łączące prowincję z Londynem.

Volvo skręciło na jednej z takich szprych i wślizgnęło się przed dziesiątą do garażu wolno stojącego domu, w pobliżu trzypasmowej alei, niecałe dwa kilometry od centrum małego miasta i ponad sześćdziesiąt w linii prostej od Scotland Yardu. Dom był dobrze wyszukany — niezbyt odosobniony, by budzić zainteresowanie u potencjalnych kupców, i nie za blisko ciekawskich sąsiadów. Parę kilometrów przed tym, nim dotarli do celu, szef grupy rozkazał trzem pozostałym mężczyznom schować się na tyle, by byli niewidoczni spoza szyb samochodu. Obaj z tyłu, leżący jeden na drugim, naciągnęli na siebie koc. I każdy obserwujący widziałby tylko jednego brodatego mężczyznę w garniturze, który przekroczył wjazd i wjechał do garażu.

Kierowca uruchomił zdalne sterowanie i drzwi garażu otwarły się automatycznie, a potem znów zamknęły. Dopiero wtedy zezwolił swoim ludziom podnieść się i wyjść z auta. Garaż był połączony z domem, do którego prowadziły wewnętrzne drzwi.

Czterech mężczyzn naciągnęło znowu czarne dresy i wełniane kominiarki, nim otworzyli bagażnik. Simon Cormack był oszołomiony i spoglądał mętnie. Zmrużył oczy, kiedy oślepiła go ręczna latarka. Szybko zarzucono mu na głowę kaptur z czarnej serży. Nie widział żadnego z porywaczy.

Potykającego się poprowadzono go przez drzwi do domu i schodami w dół do piwnicy. Była już przygotowana; czysta, wybielona dookoła razem z betonową podłogą, do tego wpuszczona w sufit lampa z nietłukącego szkła, stalowe łóżko przyśrubowane do podłogi, kubeł toaletowy z plastikową przykrywką, wizjer w drzwiach zasuwanych z zewnątrz na rygiel i dwie stalowe zasuwy.

Mężczyźni nie byli brutalni. Donieśli chłopaka na łóżko i tu olbrzym przytrzymał go, podczas gdy drugi założył mu kajdanki na kostkę. Nie za ciasno, żeby krążyła krew, ale tak, by noga nie mogła się wysunąć. Drugą obrączkę połączono kłódką z trzymetrowym łańcuchem, a ten drugim końcem sczepiony został z nogą łóżka, także kłódką. I tak go zostawili. Nie wymówili przy tym nawet słowa i nigdy nie mieli powiedzieć.

Odczekał pół godziny, aż odważył się zdjąć kaptur. Nie był pewien, czy czasem nie zostali, choć słyszał zamykające się drzwi i zgrzyt rygla. Jego ręce były wolne, ale kaptur zdejmował bardzo powoli; nie czuł żadnych uderzeń, nie słyszał żadnych krzyków. Wreszcie się udało. Mrużył oczy, aż przyzwyczaiły się do światła, i wtedy rozejrzał się dookoła. Jego pamięć była przyćmiona. Wiedział, że biegł przez miękki sprężysty trawnik, przypominał sobie zieloną ciężarówkę, człowieka zmieniającego koło, dwie czarno ubrane postacie, które rzuciły się na niego, huki strzałów, później uderzenie, ciążącą na nim masę i trawę w ustach.

Przypominał sobie otwarte drzwi furgonetki, próby krzyku, ból kości, materace w pojeździe, wielkiego człowieka, który go trzymał, później coś słodkiego, aromatycznego i już nic więcej, aż do teraz. Do tej właśnie chwili. Dotarło to do niego i wraz ze zrozumieniem sytuacji przyszedł strach. I poczucie samotności, absolutnej izolacji. Starał się być dzielny, ale strach wygrał i łzy spłynęły mu po twarzy.

— Och, tato — szepnął. — Przepraszam, tato. Pomóż mi.

Kiedy w Whitehall natłok telefonów i naciski prasy dawały się we znaki, Biały Dom znajdował się pod trzykroć gorszą presją. Pierwsza wzmianka o sprawie wyszła poza Londyn o dziewiętnastej, o czym Biały Dom powiadomiono godzinę wcześniej. W Waszyngtonie była wtedy dopiero czternasta i amerykańskie media zareagowały gorączkowo.

Craig Lipton, rzecznik prasowy Białego Domu, spędził godzinę w Sali Posiedzeń z członkami komitetu, instruowany, co ma powiedzieć. Zakłopotany, że było tego naprawdę mało. Fakt uprowadzenia mógł zostać potwierdzony, podobnie jak śmierć obu ludzi z Secret Service. I że syn prezydenta to wspaniały sportowiec, specjalizujący się w biegach przełajowych, i w owym czasie odbywał trening.

To oczywiście nie pomoże zbytnio. Nikt nie potrafi tak jasno kojarzyć jak wzburzony dziennikarz. Creighton Burbank przyznał wprawdzie, że nie chce krytykować prezydenta lub robić wyrzutów Simonowi, wyraźnie jednak zaznaczył, że nie pozwoli, aby jego służby zostały postawione pod pręgierz z powodu błędnego nadzoru, bo sam prosił o więcej ludzi. Stworzono kompromis, aby strony nie atakowały się wzajemnie.

Jim Donaldson zwrócił uwagę, że jako sekretarz stanu musi uważać na stosunki z Londynem, a poza tym niejasności między obiema stolicami nie tylko nie będą pomocne, ale mogą nawet wyrządzić poważną szkodę. Żądał, by Lipton zaakcentował, że zamordowany został także angielski sierżant policji. Zgodzono się co do tego, choć sztab prasowy Białego Domu nie przejął się tym zbytnio.

Krótko po szesnastej Lipton wystąpił przed rozwrzeszczaną zgrają dziennikarzy i wydał swoje oświadczenie. Emitowało je radio i telewizja. Jeszcze nie skończył mówić, gdy wybuchła wrzawa. Prosił o zrozumienie, że nie może odpowiedzieć na żadne pytanie. Równie dobrze ofiara w rzymskim Koloseum mogłaby lwom tłumaczyć, że w zasadzie to jest bardzo chudym chrześcijaninem. Hałas wzbierał, wprawdzie sporo pytań tonęło w nim, ale niektóre dotarły do setek milionów Amerykanów, zasiewając ziarno zwątpienia. Czy Biały Dom obwinia Brytyjczyków? Cóż, nie... Dlaczego nie? Czy nie do nich należała ochrona? W zasadzie tak, ale... Czy Biały Dom obarcza odpowiedzialnością Secret Service? Właściwie nie... Dlaczego syna prezydenta chroniło tylko dwóch mężczyzn? Jak mógł biegać praktycznie sam na takim odludziu? Czy jest prawdą, że Creighton Burbank zapowiedział dymisję? Czy kidnaperzy już się zgłosili? Na ostatnie pytanie Lipton odpowiedział zgodnie z prawdą „nie", ale wtedy natychmiast spróbowano nakłonić go, żeby przekroczył otrzymane instrukcje. I o to chodziło. Reporterzy wyczują każdego wyślizgującego się im rzecznika jak firmowy ser.

W końcu mokry Lipton jakoś się wymknął, niemal zdecydowany zostawić tę pracę. Czar bycia rzecznikiem prasowym Białego Domu znowu prysł. Redaktorzy wiadomości i autorzy artykułów napiszą przecież to, co będą chcieli, bez przejmowania się jego odpowiedziami. Już wieczorne tony w prasie wobec Wielkiej Brytanii był wyraźnie wrogie.

W ambasadzie brytyjskiej na Massachusetts Avenue attaché prasowy, który też znał zasadę KSD, wydał oświadczenie. Wyrażając, jak bardzo dotknięty i przygnębiony jest jego kraj z powodu tego, co się stało, wplótł w tę wypowiedź dwie kwestie. To, że Policja Doliny Tamizy na amerykańską prośbę nie narzucała się w kwestii ochrony, a ponadto sierżant Dunn jako jedyny oddał w kierunku porywaczy dwa strzały, przypłacając to wszystko swoim życiem. Nie to chciano usłyszeć, ale na notkę wystarczało. Tylko Creighton Burbank wpadł w szał. Obaj mężczyźni wiedzieli, że ta prośba, a raczej wyraźne obstawanie, wyszło od Simona Cormacka ustami jego ojca, ale nie mogli jednak tego głośno powiedzieć.

Ludzie z Grupy Antykryzysowej spędzili cały dzień w swym lokum obok Pokoju Sytuacyjnego weryfikując lawinę informacji napływających z komitetu COBRA w Londynie i składali dalej raporty, jeśli istniała taka konieczność. NSA usprawniło nadzór nad połączeniami z i do Wielkiej

Brytanii na wypadek, gdyby porywacze odezwali się przez satelitę. Psychologowie FBI z Quantico zestawili listę psychologicznych portretów znanych porywaczy, spisali, co mogli uczynić porywacze lub czego nie zrobią porywacze Cormacka i jak powinny zachować się brytyjskie i amerykańskie władze. W Quantico czekali już, kiedy całą chmarą polecą do Londynu, i najwyraźniej dziwiła ich zwłoka, mimo że żaden z nich nigdy wcześniej nie pracował w Europie.

Komitet ministrów w Sali Posiedzeń żył resztkami nerwów, kawą i tabletkami antacidum. Był to pierwszy wielki kryzys prezydentury Cormacka. A starzejący się już politycy otrzymali w tej ciężkiej szkole pierwszą lekcję rządzenia w warunkach kryzysu: kosztować cię to będzie mnóstwo snu, a więc śpij ile możesz i kiedy tylko możesz. Członkowie rządu, którzy podnieśli się o godzinie czwartej z łóżek, byli o północy jeszcze na nogach.

W tym czasie VC20A, lecący nad Atlantykiem, był już trochę bardziej na zachód od Azorów i miał za trzy i pół godziny dotrzeć do kontynentu, a za cztery lądować. W przestronnej tylnej części przysypiali dwaj weterani, Weintraub i Quinn. Z tyłu spało trzech członków załogi, która prowadziła odrzutowiec do Hiszpanii, zastępowana w drodze powrotnej przez drugą ekipę.

Mężczyźni w Sali Posiedzeń kartkowali właśnie dossier człowieka o nazwisku Quinn, wyszperane z akt Langley i uzupełnione danymi z Pentagonu. Jak wynikało z nich, urodził się na farmie w Delaware. Matkę stracił, kiedy miał lat dziesięć; teraz liczył sobie czterdzieści sześć. W 1963 roku jako osiemnastolatek wstąpił do piechoty, dwa lata później przeniesiony do Sił Specjalnych, a po czterech miesiącach znalazł się w Wietnamie. Tam spędził pięć lat.

— Podobno nigdy nie używa swego imienia — skrzywił się Reed, minister skarbu. — Tu napisali, że nawet kumple nazywają go Quinn. Dziwne.

— Bo on jest dziwny — przyznał Bill Walters, który przeczytał już kolejne dane. — Tu podają, że nienawidzi przemocy.

— W tym chyba nie ma nic dziwnego — zauważył Donaldson, prawnik z New Hampshire, sekretarz stanu. — Ja też nienawidzę przemocy.

W odróżnieniu od swego poprzednika, Georga Shultza, któremu okazyjnie wymykały się przekleństwa, Jim Donaldson był pruderyjny, co często stawało się powodem drwin Michaela Odella.

Chudy i kościsty, wyższy od Johna Cormacka, przypominał flaminga kroczącego w kondukcie pogrzebowym, zawsze w swoim szarym garniturze z kamizelką, ze złotym zegarkiem na łańcuszku i sztywnym, białym kołnierzykiem. Odell, ilekroć chciał zadrwić sobie z oschłego adwokata z Nowej Anglii, skupiał się na ludzkiej fizjologii, na co Donaldson marszczył z obrzydzenia swój ostry nos. Jego nastawienie do przemocy było podobne do niechęci, jaką odczuwał wobec wulgaryzmów.

— Tak — włączył się znowu Walters — ale nie czytałeś jeszcze osiemnastej strony.

Donaldson przeczytał ją szybko. Michael Odell także. Wiceprezydent gwizdnął przez zęby.

— To *jego* robota? — rzucił zdziwiony. — Za to powinni mu byli dać Medal Kongresu.

— Do tego potrzebni są świadkowie — zauważył Walters. — A tylko dwóch przeżyło potyczkę nad Mekongiem. Tego drugiego Quinn wlókł kilometrami na plecach, a później tamten zmarł od ran w szpitalu wojskowym w Da Nang.

— Ale — wtrącił ostrożnie Hubert Reed — i tak zdobył Srebrną Gwiazdę, dwa Brązowe i pięć Purpurowych Serc. — Jakby przyjemnie było zostać rannym w zamian za więcej baretek.

— Razem z medalami wojennymi musi mieć ich ze cztery rządki — zdumiał się Odell. — Ale nie podali tu, jak poznał Weintrauba.

Nie podali. Weintraub miał teraz pięćdziesiąt cztery lata, był osiem lat starszy od Quinna. A trzydzieści lat temu, zaraz po zakończeniu college'u w 1961 wstąpił do CIA, odbył szkolenie na Farmie — kryptonim obozu Peary nad rzeką York w Wirginii. W 1965 roku jako oficer GS12 znalazł się w Wietnamie, mniej więcej w tym samym czasie, kiedy młody żołnierz Zielonych Beretów Quinn dotarł tam z Fort Bragg.

W roku 1961 i 1962 dziesięć drużyn Amerykańskich Sił Specjalnych stacjonowało w prowincji Darlac, gdzie razem z wieśniakami budowali strategiczne, umocnione wioski, stosując przy tym rozprzestrzenioną przez Brytyjczyków na Malajach w walce z komunistycznymi partyzantami teorię „plamy oleju", której celem było odebranie terrorystom lokalnego wsparcia, zaopatrzenia w żywność, schronienia, informacji i pieniędzy. Amerykanie nazwali to polityką „serc i umysłów". Pod nadzorem Sił Specjalnych działała nad wyraz dobrze.

W 1964 roku Lyndon Johnson objął prezydenturę. Armia naciskała, by odebrać CIA Siły Specjalne i oddać pod jej dowództwo. I wygrała. Przeforsowała to, co z góry oznaczało już koniec polityki „serca i umysłu", nawet jeśli całkiem rozpadła się dopiero po dwóch latach. Wtedy to Weintraub i Quinn się poznali. Człowiek CIA zbierał informacje o Vietcongu, z godnym podziwu sprytem i wprawą, żywiąc odrazę do metod stosowanych przez ludzi pokroju Irvinga Mossa (nie spotkał go, odkąd przebywali w różnych częściach Wietnamu), mimo iż wiedział, że takie praktyki stosowane były w programie *Phoenix*, w którym sam uczestniczył.

Siły Specjalne były coraz częściej odciągane od działalności w wioskach i wysyłane na operacje poszukiwawczo-niszczycielskie w najgłębszą dżunglę. Poznali się obaj w barze przy piwie. Quinn liczył lat dwadzieścia jeden i był tu od roku. Pracownik CIA miał osiem lat więcej i taki sam staż. Obaj zgodnie orzekli, że amerykańskie dowództwo nie wygra tej wojny, rzucając do ataku artylerię. Weintraubowi spodobał się nieustraszony młody żołnierz. Możliwe, że był on samoukiem, ale miał jasny umysł, wyróżniający go pośród tutejszych wojskowych, i biegle przyswoił sobie wietnamski. Pozostali w kontakcie. Ostatnio Weintraub widział Quinna podczas zdobywania Son Tay.

— Piszą, że facet był w Son Tay — rzucił Odell. — Niezły bu-haj.

— I z takimi papierami nie został oficerem! — dziwił się Stannard. — W Pentagonie mają ludzi, co za podobne wyróżnienia dostawali awans w pierwszym rzucie.

David Weintraub mógłby im to wyjaśnić, ale jego maszyna miała przed sobą jeszcze sześćdziesiąt minut lotu. Po odzyskaniu kontroli nad Siłami Specjalnymi ortodoksyjni wojskowi, nie rozumiejący ich zadań nienawidzący ich, w ciągu sześciu kolejnych lat, do 1970 roku, stopniowo pomniejszali ich rolę, przekazując program „serce i umysł", jak i misje poszukiwawczo-niszczycielskie, armii południowowietnamskiej, z koszmarnymi rezultatami.

Zielone Berety nie poddawały się jednak, próbując pokonać Vietcong podstępem i przebiegłością, zamiast zmasowanymi bombardowaniami i akcjami ogołacania, które napędzały tylko nowych rekrutów. Były operacje Omega, Sigma, Delta, Pałka. Quinn był w Delcie pod dowództwem „Niezmordowanego Charliego" Beckwitha, który później w 1977 stworzył Delta Force w Fort Bragg i błagał Quinna, aby wrócił z Paryża i wstąpił znowu do armii.

Problemem było to, że Quinn rozkazy traktował jak prośby, a niekiedy się z nimi nie zgadzał. Poza tym preferował działanie na własną rękę i ani to pierwsze, ani drugie nie było dobrą rekomendacją dla oficera. Po pół roku został kapralem, po dziesięciu miesiącach sierżantem. Potem znowu szeregowcem, potem sierżantem, znowu szeregowcem. Jego kariera przypominała huśtawkę.

— Sądzę, że tu mamy odpowiedź na twoje pytanie, Morton — powiedział Odell. — Sprawa po Son Tay. — Zaśmiał się. — Facet wypolerował szczękę generałowi.

Piąta Grupa Sił Specjalnych ostatecznie opuściła Wietnam 31 grudnia

1970 roku, trzy lata przed wycofaniem się masowym, w którym uczestniczył także pułkownik Easterhouse, i pięć lat przed upokarzającą ewakuacją Amerykanów z dachu ambasady. Son Tay było w listopadzie 1970 roku.

Nadchodziły meldunki, że liczni amerykańscy jeńcy wojenni trzymani są w więzieniu w Son Tay, czterdzieści kilometrów od Hanoi. Postanowiono, że Siły Specjalne ich uwolnią. Było to kompleksowe i bardzo śmiałe przedsięwzięcie. Wszyscy ochotnicy w liczbie pięćdziesięciu ośmiu przybyli z Fort Bragg w Karolinie Północnej do Bazy Sił Powietrznych Eglin na Florydzie, gdzie odbyli przeszkolenie do walki w dżungli. Potrzebowali kogoś mówiącego płynnie po wietnamsku. Weintraub, który jako człowiek CIA w planowaniu brał udział, powiedział, że zna takiego kogoś i tak Quinn dołączył do grupy na Tajlandii, skąd polecieli już na akcję.

Operacja prowadzona była przez pułkownika Arthura „Byka" Simonsa, a czołówka, która ruszyła na teren więzienia, przez kapitana Dicka Meadowsa. Quinn w ciągu paru sekund po lądowaniu wyciągnął z jednego ogłupionego północnowietnamskiego wartownika, że dwa tygodnie wcześniej Amerykanie zostali przeniesieni. Grupa wyszła z tej akcji bez obrażeń, pomijając parę ran ciętych.

Wróciwszy do bazy Quinn zbeształ Weintrauba za takie rozpoznanie. Człowiek CIA zapewnił go, że nikt nie wiedział o zabraniu Amerykanów, i pretensje może mieć najwyżej do dowodzącego generała. Quinn pomaszerował wtedy do oficerskiego kasyna i przy barze złamał tamtemu szczękę jednym ciosem. Incydent oczywiście zatuszowano. Dobry obrońca mógł niejednemu z powodu takiej historii zniszczyć karierę. Ale Quinn został tylko zdegradowany, znowu do stopnia szeregowca, i opuścił obóz z innymi żołnierzami, a tydzień później porzucił armię i zajął się ubezpieczeniami.

— Ten człowiek to rebeliant — orzekł Donaldson, gdy przeczytał akta. — To samotnik, niezależny politycznie, a w dodatku postrzeleniec. Chyba popełniliśmy błąd.

— Ale osiągnął niekwestionowane sukcesy jako negocjator w układaniu się z porywaczami — zauważył prokurator generalny, Bill Walters. — Piszą, że nie brak mu sprytu i wyrafinowania. Czternaście, zakończonych odbiciem zakładników, akcji w Irlandii, Francji, Holandii, Niemczech i Włoszech. Dokonanych albo przez niego, albo z jego pomocą jako doradcy.

— My chcemy od niego tylko tego jednego — powiedział Odell — żeby przyprowadził Simona Cormacka do domu zdrowego. I jest mi obojętne, czy walnie w twarz generała, czy zerżnie owcę.

— Proszę... — błagalnie rzucił Donaldson. — A tak na marginesie. Dlaczego odszedł z tej pracy?

— Zrezygnował — wyjaśnił Brad Johnson. — To jakaś historia z małą dziewczynką, która zginęła przed trzema laty na Sycylii. Odebrał wtedy odprawę, zrealizował polisę i kupił kawałek ziemi w południowej Hiszpanii.

Adiutant z Centrum Łącznościowego wetknął głowę w drzwi. Była czwarta rano, dwadzieścia cztery godziny po tym, gdy ich wszystkich zbudzono.

— Zastępca dyrektora CIA i jego kolega właśnie wylądowali w Andrews — oznajmił.

— Niech przychodzą od razu tutaj — zarządził Odell. — A nim się zjawią, poproś jeszcze dyrektora CIA, szefa FBI i pana Kelly'ego.

Quinn miał ciągle na sobie rzeczy, w których opuścił Hiszpanię. Z jutowego worka wyjął tylko pulower, żeby nie było mu zimno. Czarne spodnie, należące do jego jedynego garnituru, wystarczały do wyjścia na mszę w Alcantara del Rio, gdyż w wioskach Andaluzji ludzie nadal chodzili w czarnych garniturach do kościoła, ale były okropnie wygniecione. Sweter też pamiętał lepsze czasy, a twarz Quinna porastał trzydniowy zarost.

Członkowie komitetu wyglądali lepiej. Kazali przynieść sobie z domów świeżą bieliznę, wyprane koszule i garnitury, a łazienkę mieli obok. Weintraub nie zatrzymywał się między Andrews a Białym Domem; Quinn bardziej przypominał teraz wyrzutka z ulicznego gangu.

Weintraub wszedł pierwszy, po czym usunął się na bok, aby zrobić Quinnowi miejsce, i zamknął drzwi. Politycy waszyngtońscy niemo przyglądali się przybyszowi. Wysoki mężczyzna bez słowa doszedł do krzesła na końcu stołu, nie proszony zajął miejsce i wtedy powiedział:

— Jestem Quinn.

Wiceprezydent Odell odchrząknął.

— Panie Quinn, poprosiliśmy pana tutaj, ponieważ nosimy się z zamiarem powierzenia panu misji wynegocjowania bezpiecznego uwolnienia Simona Cormacka.

Quinn skinął głową. Należało przyjąć, że nie przebył takiej drogi, aby dyskutować o futbolu.

— Macie aktualne dane o sytuacji w Londynie? — spytał.

Członkowie komitetu odetchnęli z ulgą, kiedy od razu przeszedł do konkretów. Brad Johnson podsunął mu przez stół dalekopis, który Quinn przestudiował w milczeniu.

— Kawy, panie Quinn? — spytał Hubert Reed.

Nie jest rzeczą powszechną, że ministrowie skarbu serwują kawę, ale Reed sam podszedł do ekspresu stojącego przy ścianie. Morze kawy wypito tu od rana.

— Czarną — powiedział Quinn i czytał dalej. — Oni się jeszcze nie zgłosili?

Nikt nie musiał pytać, kogo miał na myśli mówiąc: oni.

— Nie — odparł Odell. — Totalna cisza. Naturalnie, były setki telefonów od żartownisiów. Trochę w Anglii. W samym Waszyngtonie naliczyliśmy ich tysiąc siedemset. Wariaci mają dzisiaj niezłe używanie.

Quinn czytał dalej. Weintraub podczas lotu wprowadził go w tło sprawy. Teraz dodawał tylko najnowsze wieści. I było ich piekielnie mało.

— Panie Quinn, czy ma pan jakieś sugestie, któż to mógłby być? — zapytał Donaldson.

Quinn podniósł wzrok.

— Panowie, są cztery gatunki porywaczy. Tylko cztery. Najlepsi z naszego punktu widzenia byliby amatorzy. Ich planowanie jest złe. Jeśli uda im się porwanie, najczęściej zostawiają ślady. Z reguły da się ich szybko wytropić. Mają słabe nerwy, co może być niebezpieczne. Zazwyczaj grupa odbijająca zaskakuje ich, przechytrza i uwalnia zakładnika nie tkniętego. Ale to nie byli amatorzy... — Nikt nie wniósł sprzeciwu, a wszystkie oczy skierowane były na niego. — Najgorsi są maniacy, typy jak z bandy Mansona. Nieprzystępni, irracjonalni, nie robią tego dla pieniędzy. Zabijają, bo sprawia im to przyjemność. Na szczęście to nie wygląda na robotę maniaków. Wszystko było skrupulatnie zaplanowane, precyzyjnie wykonane.

— A te dwa pozostałe gatunki? — zapytał Bill Walters.

— Z dwóch pozostałych gorsi są polityczni lub religijni fanatycy. Ich żądania są czasami wręcz nie do spełnienia. Szukają sławy i rozgłosu. Przede wszystkim. Walczą za sprawę. Niektórzy gotowi są umrzeć za tę sprawę, a wszyscy gotowi są za nią zabić. Nam ta sprawa może wydać się szalona, im zdecydowanie nie. I wcale nie są głupi, tylko pełni nienawiści do establishmentu i tym samym także do ich ofiary, która pochodzi z tych kół. Zabijają, aby coś zademonstrować. Nie w samoobronie.

— A czwarty rodzaj? — odezwał się Morton Stannard.

— To profesjonalni przestępcy — odparł bez wahania Quinn. — Chcą pieniędzy, to proste. Bardzo wiele zainwestowali. Ich inwestycja tkwi w zakładniku i nie zrujnują jej tak łatwo.

— A ci nasi? — pytał dalej Odell.

— Kimkolwiek są, jedna okoliczność działa na ich niekorzyść, co może mieć dobry lub zły skutek. Partyzanci z Południowej i Środkowej

Ameryki, mafia sycylijska, Camorra w Kalabrii, ludzie z gór Sardynii czy Hezb'Allah na południu Bejrutu operują w bezpiecznym dla siebie otoczeniu. Nie muszą zabijać, gdyż nie stoją pod presją. A ci siedzą w jakiejś kryjówce w Anglii, w bardzo złym dla nich otoczeniu. Samo to jest bardzo wielką presją. Chcą szybko dobić targu. A później uciec. To jest dla nas dobre, ale istnieje niebezpieczeństwo, że opęta ich strach przed wykryciem. Też zwieją, ale zostawiając zwłoki, a to już źle.

— Czy będzie pan pertraktował z nimi? — spytał Reed.

— Jeśli dam radę, tak. Jeśli się zgłoszą, ktoś musi ich przejąć.

— Wzdrygam się na samą myśl o płaceniu takim śmieciom okupu — powiedział Philip Kelly z wydziału kryminalnego FBI.

Ludzie przychodzą do FBI z różnych obszarów. Kelly był wcześniej w policji nowojorskiej.

— Czy zawodowi przestępcy wykazują więcej współczucia niż fanatycy? — zapytał Brad Johnson.

— Porywacze, obojętnie jacy, nie znają współczucia — odparł Quinn sucho. — To najgorsza zbrodnia w myśl prawa. Nasza nadzieja w ich żądzy pieniądza.

Michael Odell spojrzał dookoła, jego koledzy powoli skinęli głowami.

— Panie Quinn, spróbuje pan wynegocjować uwolnienie chłopaka?

— Jeśli się zgłoszą, tak. Chcę jednak postawić parę warunków.

— Naturalnie, niech pan je wymienia.

— Nie pracuję dla rządu USA, on zaś kooperuje ze mną pod każdym względem. Pracuję dla rodziców i tylko dla nich.

— Zgoda.

— Moją bazą będzie Londyn, nie Waszyngton. Stąd jest za daleko do Londynu. Nikt nie będzie mnie sprawdzał, nie chcę żadnego rozgłosu. Otrzymam jakiś lokal i linie telefoniczne, według ustaleń. I pierwszeństwo podczas pertraktacji, co musi być uzgodnione z Londynem. Nie chcę żadnej wojny ze Scotland Yardem.

Odell rzucił spojrzenie ministrowi spraw zagranicznych.

— Sądzę, że możemy nakłonić Anglików, aby to przyjęli. Oni mają priorytet w dochodzeniu, które będzie prowadzone równolegle z pana negocjacjami. Czy coś jeszcze?

— Działam po swojemu, sam podejmuję decyzje, jak się obchodzić z tymi ludźmi. Może być konieczne przekazanie pieniędzy. Powinny zostać przygotowane. Moim zadaniem jest troszczenie się, aby wydano chłopaka. To wszystko. Gdy tylko będzie wolny, możecie sobie ścigać tych typów aż na końcu świata.

— Zrobimy to — zaznaczył Kelly.

— Pieniądze nie są problemem — rzekł Reed. — Może pan liczyć, że jesteśmy gotowi zapłacić *każdą* sumę.

Quinn milczał, choć wiedział, że najgorszym błędem byłoby powiedzieć o tym porywaczom.

— Nie chcę żadnego natłoku, żadnych aniołów stróżów i żadnych prywatnych inicjatyw. I nim odlecę, chcę osobiście porozmawiać z prezydentem Cormackiem. W cztery oczy.

— Mówi pan o prezydencie USA — zauważył Lee Alexander z CIA.

— Ale jest i ojcem zakładnika. Potrzebuję pewnych informacji o Simonie Cormacku i mogę je uzyskać tylko od ojca — odparł Quinn.

— Jest głęboko zrozpaczony — zauważył Odell — czy mógłby mu pan tego zaoszczędzić?

— Z moich doświadczeń wynika, że ojcowie chcą w takich przypadkach z kimś pomówić. Nawet z obcym. Może właśnie z obcym. Proszę mi zaufać... — Wypowiadając te słowa, czuł, że były daremne.

Odell westchnął.

— Zobaczę, co się da zrobić. Jim, załatwisz tę sprawę z Londynem? Zapowiedz przyjazd Quinna. I zaznacz, że życzymy sobie takiego układu. Ktoś niech też załatwi jakieś ubrania. Panie Quinn, czy zechce pan skorzystać z łazienki w korytarzu, aby się odświeżyć? A ja w tym czasie zadzwonię do prezydenta. Jak można najszybciej dotrzeć do Londynu?

— Concordem, który za trzy godziny odlatuje z lotniska Dulles — szybko objaśnił Weintraub.

— To zarezerwujcie miejsce — powiedział Odell, wstając. Wszyscy też się podnieśli.

Nigel Cramer o dziesiątej niósł nowe wieści komitetowi COBRA podległemu Whitehallowi. W Centrum Rejestracji Pojazdów w Swansea trafiono na ślad. Mężczyzna o takim samym nazwisku jak zaginiony właściciel transita kupił i zarejestrował miesiąc temu innego vana, sherpa. Tym razem był adres — w Leicester. Komendant Williams, szef SO13 i oficer śledczy, leciał tam właśnie helikopterem policyjnym. Jeśli tamten auta już nie miał, znaczyło to, że komuś je sprzedał, bo meldunku o kradzieży nie stwierdzono.

Po posiedzeniu sir Harry Marriott wziął Cramera na stronę.

— Waszyngton chce sam prowadzić pertraktacje w przypadku, gdy do tego dojdzie. Wysyłają tu swojego człowieka.

— Panie ministrze, muszę nalegać, aby Scotland Yard miał pierwszeństwo na wszelkich obszarach. Ja chciałem użyć do negocjacji dwóch osób z wydziału penetracji środowisk przestępczych. To nie jest ostatecznie terytorium amerykańskie...

— Przykro mi — odparł sir Harry — że muszę to unieważnić. Tak ustaliłem już z Downing Street. Raczej musimy na to przystać...

Cramer czuł się znieważony, co spotęgowało jeszcze jego sprzeciw. Strata prymatu nad negocjacjami wzmocniła jeszcze jego zdecydowanie, aby wzmóc siły i ująć porywaczy, a tym samym zakończyć sprawę.

— Mogę spytać, kim jest ten człowiek, panie ministrze?

— Podobno nazywa się Quinn.

— Quinn?

— Tak. Zna pan to nazwisko?

— Oczywiście, panie ministrze. Wcześniej pracował dla Lloyda. Myślałem, że przeszedł na emeryturę.

— No cóż. Z Waszyngtonu słyszymy, że wrócił. On jest w tym taki dobry?

— Bardzo dobry. Miał wspaniałe osiągnięcia w pięciu krajach łącznie z Irlandią lata temu. Wtedy go poznałem. Ofiarą był brytyjski biznesmen, który został porwany przez ɔdłam IRA.

Cramerowi ulżyło wewnętrznie. Już się obawiał, że to będzie jakiś psycholog; na dodatek zdziwiony, że Anglicy jeżdżą lewą stroną.

— Wyśmienicie — przyznał sir Harry. — Uważam więc, że powinniśmy zgodzić się na ten punkt. Z naszą nieograniczoną współpracą, prawda?

Minister spraw wewnętrznych, który również słyszał o zasadzie KSD, nie był wcale zeźlony żądaniem Waszyngtonu. W końcu gdyby coś się miało nie udać...

Godzinę po tym, jak Quinn opuścił Salę Posiedzeń, poprowadzono go do prywatnego gabinetu na drugim piętrze Białego Domu. Odell zaprowadził go tam osobiście. Jednak nie przez Ogród Różany z jego ostrodrzewiem i bukszpanem, gdzie przez bezlistne w jesiennym chłodzie krzaki magnolii obserwować go mogły kamery gotowe do filmowania, tylko podziemnym korytarzem aż do schodów prowadzących na parter.

Prezydent Cormarck miał na sobie ciemny garnitur, wyglądał na mocno wyczerpanego i był blady. Dookoła ust i pod oczami umiejscowiły się z bezsenności ciemne cienie. Uścisnął im dłonie i skinął swemu zastępcy, który szybko się wycofał.

Gestem wskazał Quinnowi krzesło, a sam siadł za biurkiem. Stworzył tym samym barierę dla swojej obrony, zachowując dystans. Chciał właśnie zacząć mówić, gdy Quinn go wyprzedził.

— Jak się miewa pani Cormack?

Nie „pierwsza dama", tylko „pani Cormack", jego żona. Był zaskoczony.

— Ach, śpi jeszcze. To był dla niej wielki szok. Jest teraz pod wpływem środków uspokajających. — Zamilkł na chwilę. — Przechodził pan to już nieraz, panie Quinn?

— Bardzo często, sir.

— Więc jak pan widzi, za całą tą pompą i ceremonialnością stoi tylko zwykły człowiek, głęboko zaniepokojony człowiek.

— Tak, sir, wiem. Niech mi pan opowie coś o Simonie.

— O Simonie? Ale co?

— Jaki jest? Jak zareaguje na... taką sprawę? Dlaczego miał go pan tak późno?

Nikt w Białym Domu nie odważyłby się postawić takiego pytania. John Cormack spojrzał przez biurko. Sam był wysoki, ale ten człowiek też sięgał jego metra dziewięćdziesięciu dwóch. Nosił szary garnitur, prążkowany krawat, białą koszulę — wszystko pożyczone, ale Cormack o tym nie wiedział. Gładko ogolony, opalony, ogorzała twarz. Spokojne oczy sprawiały wrażenie cierpliwości i siły.

— Późno? Nie wiem. Ożeniłem się, gdy miałem trzydzieści lat. Myra miała dwadzieścia jeden. Byłem wówczas młodym profesorem. Myślałem, że za dwa, trzy lata będziemy mieli dzieci, nie doszło do tego. Czekaliśmy. Lekarze mówili, że nie ma żadnych przeciwwskazań... Potem, po dziesięciu latach przyszedł na świat Simon. Ja miałem wtedy czterdziestkę na karku, Myra trzydzieści jeden. To nasze jedyne dziecko... Mamy tylko Simona.

— Pan go bardzo kocha, prawda?

Prezydent Cormack spojrzał na Quinna zaskoczony. Pytanie nadeszło tak nieoczekiwanie. Wiedział, że Odell był zupełnie obcy obu swoim dorosłym dzieciom, nigdy jednak nie był świadomy, jak sam bardzo kocha swojego jedynaka. Wstał, obszedł biurko i usiadł bliżej Quinna.

— Panie Quinn, Simon jest dla mnie wszystkim, dla nas obojga. Niech pan go nam sprowadzi z powrotem.

— Opowie mi pan o jego dzieciństwie, kiedy był mały...?

Prezydent poderwał się.

— Mam zdjęcie! — oznajmił z dumą.

Podszedł do sekretarzyka i wrócił z fotografią w ramce. Przedstawiała cztero-pięcioletniego, silnego, zdrowego chłopca w kąpielówkach, na plaży, ściskającego wiaderko i łopatkę. Za nim przykucał śmiejący się, dumny ojciec.

— Było zrobione w siedemdziesiątym piątym, w Nantucket. Zostałem akurat wybrany do kongresu w New Haven.

— Proszę mi opowiedzieć o Nantucket — miękko odezwał się Quinn.

Prezydent Cormack mówił przez godzinę. Wydawało się, że było mu przez to lepiej. Gdy Quinn wstał, aby się pożegnać, Cormack wykaligrafował numer na kartce i podał ją Quinnowi.

— To moje prywatne łącze. Tylko niewielu ludzi ma ten numer. Pod nim jestem uchwytny przez cały dzień, i w nocy także... — Wyciągnął rękę. — Życzę dużo szczęścia, panie Quinn. Bóg z panem. — Starał się panować nad sobą.

Quinn skinął głową i wyszedł. Widział już takie reakcje; ufność, ta straszliwa ufność, że...

Kiedy Quinn przebywał jeszcze w łazience, Philip Kelly wrócił do J. Edgar Hoover Building, gdzie miał czekać na niego drugi zastępca dyrektora. Kevin Brown i on mieli dużo wspólnego i dlatego tak obstawał, by Brown właśnie otrzymał to stanowisko.

Kiedy tam wchodził, jego zastępca już czekał, wertując akta Quinna. Kelly wskazał ruchem głowy na akta i zajął miejsce.

— Poznałeś więc już naszego bohatera. I co o nim myślisz?

— Jako żołnierz zachowywał się prawdziwie mężnie — przyznał Brown. — A w ogóle to zagadkowy gość. Jedynie, co mi się w nim podoba, to nazwisko.

— No tak — powiedział Kelly — wciągnęli go w tę robotę za plecami FBI i zatrudnili jako negocjatora. Don Edmonds nie wnosił żadnych uwag. Może uznał, że gdyby cała sprawa poszła źle... Mimo to gnoje, którzy popełnili to przestępstwo, złamali przynajmniej trzy amerykańskie prawa. I dlatego biuro nadal jest władne, choć stało się to na brytyjskim terytorium. Jestem przeciwny, żeby ten gagatek, Quinn, działał tam na własną rękę, bez względu na zdanie reszty.

— Zgadzam się — przytaknął Brown.

— Znasz człowieka FBI w Londynie, Patricka Seymoura?

— Słyszałem o nim — odparł Brown. — Dobrze daje sobie radę z Brytyjczykami, może nawet za dobrze.

Kevin Brown pochodził z bostońskiej policji. Miał jak Kelly irlandzkie pochodzenie i jego podziw dla Anglii i Anglików bez trudu dałby się opisać na odwrotnej stronie znaczka pocztowego. Nie dlatego, żeby miał słabość do ludzi z IRA; nawet dwóch handlarzy bronią, którzy robili z nimi interesy, przymknął na miesiąc, ale potem sąd i tak ich wypuścił.

Był policjantem starych zasad, który dla kryminalistów obojętnie jakiego pokroju nie miał litości. Ale przypomniał sobie, jak będąc chłopcem w slumsach Bostonu, słuchał opowiadań babki o ludziach, którzy umierali z zielonymi ustami, bo podczas głodu w 1849 roku zjadali trawę. I jak opowiadała o Irlandczykach, którzy w 1916 roku zostali powieszeni i rozstrzelani. Myślał o Irlandii, której nigdy nie odwiedził, jak o zawieszonym we mgle kraju z zielonymi wzgórzami, wypełnionym dźwiękami kobzy, gdzie wędrowali poeci na miarę Yeatsa czy O'Faoláina. Wiedział, że Dublin był miastem pełnym przyjaznych knajp, gdzie pokojowo nastawieni ludzie siedzieli przy porterze, chłonąc dzieła Joyce'a i O'Caseya. Słyszał, że Dublin stoi przed największym problemem narkotykowym wśród młodzieży, ale wiedział, że to nic więcej jak angielska propaganda. Słyszał irlandzkiego premiera na amerykańskiej ziemi proszącego, by nie przysyłano im więcej pieniędzy dla IRA; no pięknie, każdy ma prawo do własnego zdania, i on także. To, że ścigał przestępców, nie musiało od razu oznaczać sympatii dla tych, których uważał za wiecznych prześladowców kraju jego przodków.

Siedzący naprzeciw niego Kelly podjął decyzję.

— Seymour to kumpel Bucka Revella, ale ten jest akurat na chorobowym. Dyrektor zobowiązał mnie, abym przejął tę sprawę w imieniu biura. A ja nie chciałbym, żeby Quinn wymknął nam się spod kontroli. Zbierzesz dobry zespół i też tam polecisz. Samolot masz w południe. Będziesz parę godzin po Concorde, ale to nie ma znaczenia. Ulokujesz się w ambasadzie. Powiem Seymourowi, że dowodzisz, gdyby były jakieś problemy.

Brown wstał, uradowany.

— Jeszcze coś, Kevin. Chciałbym mieć specjalnego agenta w pobliżu Quinna. Zawsze, dzień i noc. Powinniśmy wiedzieć o każdym pierdnięciu tego faceta.

— Myślę, że znam kogoś takiego, dobrego, twardego i przebiegłego — stwierdził Brown. — A przy tym i nadzwyczaj sympatycznego, to nasza agentka Sam Somerville. Już ci wszystko objaśniam...

A w Langley David Weintraub rozmyślał akurat, czy kiedykolwiek jeszcze znajdzie czas na spanie. Podczas jego nieobecności praca spiętrzyła się do rozmiarów prawdziwej góry. Wiele materiałów dotyczyło znanych grup terrorystycznych w Europie: aktualne informacje o agentach działających inwigilacyjnie w tych grupach, miejsca pobytu liderów, ewentualne wypady do Anglii w ciągu ostatnich czterdziestu dni... Już sama lista nagłówków zdawała się nie mieć końca. Dlatego też McCrea został ściśle poinstruowany w kwestii swojego zadania przez szefa sekcji europejskiej.

— Poznasz Lou Colinsa z naszej ambasady — powiedział — ale on będzie nas trzymał z dala od grona wtajemniczonych. A my potrzebujemy kogoś bardzo blisko tego Quinna. Musimy zidentyfikować porywaczy i wcale bym się nie zmartwił, gdybyśmy zdążyli przed Angolami. A nawet FBI. Brytyjczycy to dobrzy kumple, ale chciałbym, aby nasi wygrali tę sprawę. Jeśli porywacze są obcokrajowcami, daje to nam pewną przewagę. Mamy lepsze kartoteki niż Biuro. Może nawet lepsze niż Brytyjczycy. Jeśli Quinn zwącha ślad, jego instynkt na coś go naprowadzi i się wygada, ty nam to szybko przekażesz.

Agent McCrea był mocno przejęty. GS12 z dziesięcioletnim stażem w CIA, zwerbowany za granicą — ojciec działał w Ameryce Środkowej jako biznesmen — delegowany był już dwa razy na placówki, ale nigdy do Londynu. Odpowiedzialność była olbrzymia, ale związana z tym szansa także.

— Może pan się na m-mnie-zz-dać, sir.

Quinn obstawał przy tym, aby nikt znany mediom nie towarzyszył mu na międzynarodowe lotnisko w Dulles. Opuścił Biały Dom zwykłym małym samochodem, który prowadzony był przez pracownika Secret Service. Quinn skulił się na tylnym siedzeniu głęboko, gdy przejeżdżali obok grupy dziennikarzy na Alexander Hamilton Place, najbardziej wschodnim krańcu kompleksu Białego Domu i najbardziej oddalonym od zachodniego skrzydła. Dziennikarze rzucili na samochód krótkie spojrzenie, nie zauważając nic godnego uwagi, i dali sobie spokój.

Na lotnisku Dulles Quinn przekroczył odprawę celną razem z podopiecznym, który nie odstępował go na krok, aż wsiadł do Concorde. Urzędnicy kontroli paszportowej unieśli do góry brwi, gdy wyciągnął legitymację Białego Domu. W tym jednym przynajmniej się tu przydał. Quinn wybrał w sklepie wolnocłowym przybory toaletowe, koszule, krawaty, bieliznę, buty, płaszcz przeciwdeszczowy, torbę podróżną i mały magnetofon z tuzinem baterii i kasetami. A gdy doszło do płacenia, ruchem kciuka wskazał na człowieka z Secret Service.

— Przyjaciel zapłaci swoją kartą kredytową.

Pijawka odessała się od niego przy drzwiach Concorde. Angielska stewardesa poprowadziła Quinna do jego miejsca daleko w przedzie, nie poświęciła mu jednak więcej uwagi niż innym pasażerom. Usiadł wygodnie w fotelu u przejścia. Po chwili ktoś zajął miejsce obok. Spojrzał tam. Krótko przycięte połyskujące blond włosy, na oko trzydzieści pięć lat, niezła wyrazista twarz. Kostium był trochę zbyt poważny, obcasy jakby zbyt płaskie dla tej figury.

Concorde pokołował na stanowisko, wyhamował, zadygotał i wreszcie runął swoim pasem. Dziób drapieżnego ptaka się podniósł, szpony tylnych kół straciły kontakt z ziemią, świat pochylił się pod kątem czterdziestu pięciu stopni i Waszyngton nikł z pola widzenia.

Zauważył coś jeszcze. Dwa malutkie otworki w klapie żakietu. Ukłucie jak od agrafki, którą umocowana jest plakietka identyfikacyjna. Pochylił się.

— Do jakiego wydziału pani należy?

Spojrzała zaniepokojona.

— Proszę?

— W Biurze. Do jakiego wydziału pani należy?

Zarumieniła się w jednej chwili. Przygryzła usta w zamyśleniu. No tak, wcześniej czy później i tak wyjdzie to na jaw.

— Przepraszam, panie Quinn. Jestem Sam Somerville. Zlecono mi...

— Już dobrze, panno Somerville, wiem, co pani zlecono.

Napis „Nie palić" przygasł. Uzależnieni mogli zapalić w tylnej części maszyny. Nadeszła stewardesa i rozdała kieliszki z szampanem. Ostatni wziął biznesmen siedzący przy oknie po lewej od Quinna. Obróciła się, aby odejść, kiedy Quinn zatrzymał ją i przepraszając odebrał jej srebrną tacę. Uniósł ją wysoko jak lustro i objął wzrokiem rzędy za sobą. Trwało to siedem sekund. Potem podziękował zdziwionej stewardesie i oddał jej tacę.

— Jak tylko będzie można odpiąć pasy, niech pani podejdzie i powie temu żółtodziobowi z dwudziestego pierwszego rzędu, żeby ruszył dupę i przyszedł tutaj — rzucił do agentki Somerville.

Pięć minut później przyszła z młodym człowiekiem. Był czerwony na twarzy, odgarniał sobie blond włosy z czoła i uśmiechał się niewinnie.

— Przykro mi, panie Quinn, nie chciałem się narzucać, ale dostałem polecenie i...

— Dobrze już, wiem. Proszę siadać — Wskazał na wolne miejsce w rzędzie przed nimi. Ktoś, komu bardzo przeszkadza dym papierosowy, wyróżniał się tam z tyłu.

— Już, już. — Pokonany młody człowiek uczynił, co mu kazano.

Quinn wyjrzał przez okienko. Concorde szybował właśnie nad plażami Nowej Anglii i przygotowywał się do lotu ponaddźwiękowego. Nie opuścił jeszcze Ameryki, a dane mu obietnice już zostały złamane. Była 10:15 czasu wschodniego i 15:15 czasu londyńskiego. Do Heatrow pozostały trzy godziny lotu.

ROZDZIAŁ SZÓSTY

Simon Cormack spędził dwadzieścia cztery godziny swojej niewoli w całkowitej izolacji. Eksperci wiedzieliby, że należało to do strategii rozmiękczania — okazja dla zakładnika, aby porozmyślał o swej samotności i bezsilności. Czas, aby głód i zmęczenie dały znać o sobie. Zakładnik, który pełen jest animuszu, gotów do pretensji i sporów, a nawet do tego, by uknuć jakiś plan ucieczki, stwarza tylko problemy. Z ofiarą natomiast pozbawioną nadziei i której pozostała tylko żałosna wdzięczność za każdą małą łaskę, można obchodzić się o wiele łatwiej.

O 10:00 następnego dnia, mniej więcej w czasie gdy Quinn wchodził do sali posiedzeń w Waszyngtonie, Simon leżał w niespokojnym półśnie, kiedy usłyszał trzask zapadki na wizjerze przy drzwiach piwnicy. Gdy spojrzał w tamtą stronę, zauważył oko, które go obserwowało; jego łóżko stało dokładnie naprzeciw drzwi i nawet jeśli jego trzymetrowy łańcuch był napięty, nie mógł znaleźć się poza zasięgiem wizjera.

Po kilku sekundach usłyszał zgrzytanie obu zasuw. Drzwi otworzyły się na szerokość szczeliny i ukazała się ręka w czarnej rękawiczce. Trzymała białą kartkę, na której drukowanymi literami flamastrem napisano wiadomość, a w zasadzie instrukcję: SŁYSZYSZ TRZY PUKNIĘCIA — ZAKŁADASZ KAPTUR. JASNE? POTWIERDŹ.

Simon nie wiedział, co ma zrobić. Upłynęło parę sekund. Kartka poruszyła się niecierpliwie.

— Tak — powiedział — zrozumiałem. Na trzy puknięcia zakładam kaptur.

Kartka zniknęła i zastąpiona została inną. Na tej napisano: DWUKROTNE PUKANIE — MOŻESZ ZDJĄĆ KAPTUR. JAKIEŚ CWANE SZTUCZKI I UMIERASZ.

— Zrozumiałem — krzyknął w stronę drzwi.

Zabrano kartkę i drzwi się zamknęły. Po kilku sekundach usłyszał potrójne głośne pukanie. Chłopak posłusznie sięgnął po gruby czarny kaptur leżący na łóżku. Naciągnął go sobie na głowę do samych ramion, położył ręce na kolana i czekał drżąc ze strachu. Gruby materiał nie pozwalał, aby cokolwiek usłyszał; czuł tylko, że ktoś w butach na miękkich podeszwach wszedł do piwnicy.

Porywacz, który wszedł, ciągle jeszcze ubrany był od stóp do głów na czarno, łącznie z kominiarką odsłaniającą tylko oczy, chociaż Simon Cormack i tak niczego nie mógł widzieć. Takie były instrukcje jego szefa. Mężczyzna postawił coś obok łóżka i wyszedł. Pod kapturem Simon usłyszał, jak drzwi zamknęły się i pchnięto zasuwę, a później słyszał wyraźne podwójne pukanie. Na podłodze stała plastikowa taca z plastikowym talerzem, widelcem i kubkiem. Na talerzu leżały kiełbaski, pieczona fasola, bekon i duża kromka chleba. W kubku była woda.

Był głodny jak wilk, bo od kolacji w przeddzień biegu nic nie jadł, i bez zastanowienia krzyknął w stronę drzwi: — Dziękuję.

W tym samym momencie miał ochotę dać sobie kopa. Nie powinien tym draniom dziękować. W swojej niewinności nie zdawał sobie sprawy, że „syndrom sztokholmski" zaczął działać; owoc dziwnej empatii, którą ofiara odczuwa wobec swoich ciemiężycieli, aż jego wściekłość nie będzie kierowała się na porywaczy lecz przeciwko władzom, które dopuściły, by cała rzecz się wydarzyła i trwała.

Zjadł wszystko do ostatniego kęsa, wypił wolno wodę rozkoszując się nią, i zasnął. Godzinę później procedura się powtórzyła i taca zniknęła. Simon po raz czwarty użył wiadra, potem położył się na plecach i myślał o domu próbując sobie wyobrazić, co robią tam dla jego uwolnienia.

Podczas gdy Simon leżał na łóżku i rozmyślał, komendant Williams wrócił z Leicester do Londynu i złożył zastępcy komisarza Cramerowi raport w jego biurze w New Scotland Yardzie. Yard, centrala Metropolitan Police, jest oddalony tylko o czterysta metrów od siedziby rządu.

Poprzedni właściciel transita znajdował się akurat na posterunku w Leicester — zastraszony i, jak się potem okazało, niewinny człowiek. Twierdził, że jego furgonetka nie została ani skradziona, ani sprzedana, tylko dwa miesiące wcześniej uległa kasacji po wypadku. A że w tym samym czasie się przeprowadzał, zapomniał zgłosić ten fakt w centrum rejestracji pojazdów w Swansea.

Komendant Williams krok po kroku sprawdził te dane. Właściciel, który dorywczo pracował w budownictwie, wywoził wówczas od przedsiębiorcy w południowym Londynie dwa marmurowe kominki. Opuszczając teren rozbieranego domu z tymi kominkami, nie wyrobił na zakręcie i zderzył się z koparką. Ta okazała się mocniejsza. Transit, wówczas niebieski, musiał zostać skreślony z ewidencji. Widoczne szkody, głównie na chłodnicy, mieściły się jeszcze w normie, ale rama podwozia była poważnie uszkodzona.

Do Nottingham wrócił już wtedy bez pojazdu. Zostawił go w pobliskim warsztacie i ktoś z ubezpieczenia wydał ekspertyzę, że transit nie nadaje się do naprawy. Ubezpieczenie odmówiło mu jednak wypłacenia odszkodowania, bo polisa była ograniczona i to on był winny zderzenia z koparką. Zatroskany właściciel zaakceptował sumę dwudziestu funtów, jakie telefonicznie zaproponowała mu za wrak firma odholowująca, i od tamtego czasu nie był już więcej w Londynie.

— Ktoś jednak musiał przywrócić pojazdowi zdolność do jazdy — powiedział Williams.

— I dobrze — odparł na to Cramer. — To znaczy, że mamy jakiś trop. Można to sprawdzić. Ludzie w laboratorium powiedzą, czy ktoś robił coś palnikiem przy podwoziu. Poza tym zielona farba została tryśnięta na poprzedni niebieski lakier. Dyletancko pryśnięta. Trzeba sprawdzić, kto to zrobił i komu później transit został sprzedany.

— Jadę do Balham — zdecydował Williams. — Do tego warsztatu.

Cramer wrócił do swojej pracy — góry raportów sporządzonych przez dwanaście różnych zespołów. Wyniki badań ekspertów sądowych formalnie były bez zarzutu. Niestety, nie wnosiły zbyt wiele. Wyjęte z ciał kule pasowały do łusek nabojów Skorpiona, co nie było zaskoczeniem. Z okolic Oksfordu nie zgłosił się żaden inny świadek. Porywacze nie zostawili ani odcisków palców, ani innych śladów oprócz śladów opon. Te należące do furgonetki nic nie dawały — ją przecież mieli, spaloną. Nikt nie widział ludzi w pobliżu stodoły. Na podstawie śladów auta, które wyjechało ze stodoły, zidentyfikowano producenta opon, ale tych używano w pięciuset tysiącach innych samochodów.

Terenowe grupy policyjne dyskretnie sprawdzały kontrakty z ubiegłych sześciu miesięcy, dotyczące wynajmu lokali mogących zapewnić porywaczom dość miejsca i dyskrecji. Scotland Yard robił to samo w Londynie na wypadek, gdyby porywacze zaszyli się w samej stolicy. Oznaczało to tysiące umów do sprawdzenia. Na górze listy były przypadki, w których płacono gotówką i których też były setki. Tak trafiono na dwanaście dyskretnych gniazdek miłosnych, z czego dwa wynajmowane przez znane w kraju osobistości.

Informatorów ze świata przestępczego, wtyczki, wypytano, czy nie słyszeli o przygotowaniach do wielkiego skoku albo o bandytach, którzy nagle ulotnili się ze swoich kryjówek. Całe podziemie przeczesano wszerz i wzdłuż, ale nie przyniosło to jak na razie żadnego efektu.

Piętrzył się też stos raportów o tym, że widziano Simona Cormacka

— od prawdopodobnych po te stworzone w umysłach szaleńców. Kolejny stos to były notatki z telefonów od osobników twierdzących, że oni mają syna amerykańskiego prezydenta w swoich rękach. Także tu kilka było zupełnie wariackich, ale inne całkiem możliwe. Każdy był dokładnie sprawdzany i rozpatrywany całkiem poważnie. Ale instynkt mówił Cramerowi, że prawdziwi porywacze ciągle jeszcze milczeli, pozwalając władzom spocić się do bólu. Takie zachowanie było sprytne.

W podziemiach Scotland Yardu wydzielono specjalne pomieszczenie grupie osób z policyjnego oddziału, którzy zwykle prowadzili negocjacje z porywaczami. Siedzieli tam w oczekiwaniu na ten jeden telefon, spokojnie i cierpliwie rozmawiając z kawalarzami. Kilku z nich ujęto i mieli wkrótce odpowiadać przed sądem.

Nigel Cramer podszedł do okna i zerknął w dół. Na chodniku Victoria Street roiło się od reporterów — za każdym razem gdy opuszczał Whitehall, aby im uciec, musiał po prostu przejeżdżać przez tłum z zamkniętymi szybami. Krzyczeli mimo to, domagając się jakichś nowinek. Biuro prasowe Scotland Yardu przeżywało istne piekło.

Spojrzał na zegarek i westchnął. Jeśli porywacze przetrzymają ich jeszcze przez kilka godzin, ten Amerykanin, Quinn, przejmie ster. Nie było to po jego myśli i wcale mu się nie podobało. Czytał akta Quinna udostępnione przez Lou Collinsa z CIA i odbył dwugodzinną rozmowę z szefem towarzystwa ubezpieczeniowego Lloyda, które przez dziesięć lat wykorzystywało dziwne, choć efektywne talenty Quinna. To, czego się dowiedział, napełniło go mieszanymi uczuciami. Tamten był dobry, ale niekonwencjonalny. Policja niechętnie pracuje z samotnikami, nawet tymi uzdolnionymi. Zdecydował, że nie pojedzie na Heathrow, aby przywitać Quinna. Zobaczy się z nim później przedstawiając go nadinspektorom, z którymi będzie współpracował podczas negocjacji — jeśli do nich dojdzie. Teraz musi znowu jechać do Whitehall z raportem dla COBRY — prawie żadnym. I wygląda na to, że nie skończy się to wszystko tak szybko.

Concorde wszedł na wysokości dwudziestu tysięcy metrów w strumień powietrza po odrzutowcu i wylądował w Londynie równo o osiemnastej, piętnaście minut wcześniej niż planowano. Quinn podniósł swoją małą torbę i z Somerville i McCreą na przyczepkę przeszedł rękawem do hali przylotów. Trochę z boku czekało tam na niego cierpliwie dwóch nie rzucających się w oczy mężczyzn. Jeden z nich podszedł.

— Pan Quinn? — spytał cicho, a ten skinął głową. Nie wyciągał legitymacji, jak to zwykle robią Amerykanie. Uznał, że po jego wyglądzie i zachowaniu można poznać, iż reprezentuje organy państwa. — Oczekiwaliśmy pana, sir. Jeśli byłby pan łaskaw pójść z nami... Mój kolega weźmie pańską torbę.

Nie czekając na ewentualny sprzeciw, ruszył korytarzem ku głównemu wyjściu, mijając strumień pasażerów, prosto do małego służbowego pokoju z numerem na drzwiach. Większy mężczyzna, którego wygląd na kilometr zdradzał byłego podoficera, ukłonił się grzecznie Quinnowi i wziął od niego torbę. W pokoju ten drugi przekartkował pośpiesznie paszport Quinna, a potem paszporty „jego asysty". Wyjął pieczątkę z kieszeni kurtki, ostemplował wszystkie trzy i powiedział:

— Witamy w Londynie, panie Quinn.

Opuścili biuro innymi drzwiami i zeszli parę stopni w dół do czekającego samochodu. Jeśli Quinn myślał, że pojadą niezwłocznie w głąb Londynu, to się mylił. Ruszyli do pomieszczeń dla VIP-ów. Quinn wszedł do środka i rozejrzał się chłodno wokół siebie. Bez rzucania się w oczy, mówił w Waszyngtonie. Bez rozgłosu. A tu zebrali się przedstawiciele amerykańskiej ambasady, Ministerstwa Spraw Wewnętrznych, Scotland Yardu, Ministerstwa Spraw Zagranicznych, CIA i FBI, brakowało chyba tylko kogoś z Woolwortha i Coca-Coli. Trwało to dwadzieścia minut.

Kawalkada samochodów była jeszcze gorsza. Amerykańska limuzyna z proporcem, w której siedział, była długa jak połowa bloku mieszkalnego. Dwaj umundurowani motocykliści torowali jej drogę we wczesnowieczornym ruchu ulicznym. Z tyłu jechał Lou Collins, który zabrał kolegę z CIA, Duncana McCreę, zapoznając go ze sprawą. W następnym samochodzie Patrick Seymour podobnie instruował Sam Somerville. Brytyjczycy w swoich jaguarach, roverach i fordach granada ciągnęli za nimi.

Suneli autostradą M4 w stronę Londynu, potem skręcili na North Circular i z niej na Finchley Road. Zaraz za rondem Lord's pierwszy samochód zjechał w Regent's Park, minął Outer Circle i skręcił przy bramie, przejeżdżając obok dwóch salutujących strażników.

Quinn spędził tę jazdę wpatrując się w światła miasta, które znał tak dobrze jak żadne inne na świecie. Milczał przy tym tak wyraziście, że umilkł nawet, pomny swej ważności, dyplomata siedzący obok. Gdy kawalkada samochodów dotarła przed oświetlony portyk pałacowej willi, Quinn przemówił. A właściwie wrzasnął. Schylił się do przodu ku siedzącemu daleko przed nim kierowcy i krzyknął mu do ucha:

— Zatrzymaj się!

Kierowca, amerykański marynarz, był tak zaskoczony, że nacisnął ostro na hamulce. Mężczyzna za kierownicą następnego samochodu nie zareagował tak szybko. Rozległ się brzęk tłuczonych lamp. Szofer z Mini-

sterstwa Spraw Wewnętrznych wyprowadził swój pojazd w krzaki rodo-
dendronów, aby uniknąć kolizji. Kawalkada aut złożyła się jak harmonia
i stanęła w miejscu. Quinn wysiadł i popatrzył na willę. Na najwyższym
stopniu pod portykiem stał mężczyzna.

— Gdzie jesteśmy? — spytał Quinn. Wiedział bardzo dobrze.

Dyplomata siedzący obok na tylnym siedzeniu wygrzebał się w pośpiechu z limuzyny. Ostrzegano go przed tym Quinnem, ale on nie wziął
tego na serio. Inni podchodzili już do nich.

— To Winfield House, panie Quinn. Ambasador Fairweather chce
pana powitać. Wszystko jest przygotowane, pokój dla pana... wszystko
zorganizowano.

— Możecie więc to zdezorganizować — odparł Quinn. Otworzył bagażnik, złapał swoją torbę i ruszył wzdłuż podjazdu.

— Dokąd pan idzie, panie Quinn? — lamentował dyplomata.

— Wracam do Hiszpanii — odpowiedział Quinn.

Lou Collins zastąpił mu drogę. Rozmawiał przez kodowaną linię
z Weintraubem, podczas gdy Concorde był w drodze. „To trochę dzi-
woląg — zaznaczył zastępca dyrektora — ale dajcie mu to, co chce".

— Mamy mieszkanie — odezwał się spokojnie do Quinna. — Za-
konspirowane, bardzo dyskretne. Korzystamy z niego przy pierwszych
przesłuchaniach ludzi z bloku wschodniego lub gdy mamy gości z Langley. Zastępca dyrektora zatrzymuje się tam, kiedy jest w Londynie.

— Adres — rzucił Quinn. Collins podał mu go. Boczna ulica w Kensington. Quinn skinął głową i ruszył dalej. Na Outer Circle mijała go
taksówka. Quinn kiwnął ręką, podał kierowcy adres i zniknął.

Minął kwadrans, nim zamieszanie na podjeździe uspokoiło się. Ostatecznie Lou Collins wziął do swojego samochodu McCreę i Somerville
i zawiózł ich do Kensington.

Quinn zapłacił za taksówkę i przyjrzał się budynkowi. Tak czy owak
założą mu podsłuch, a w lokalu należącym do CIA te urządzenia już
z pewnością zainstalowano, co zaoszczędzało mnóstwa chytrych wymó-
wek i odnawiania tapety. Mieszkanie, którego szukał, było na trzecim
piętrze. Gdy nacisnął dzwonek, otworzył mu dobrze zbudowany pracownik Agencji niski rangą. Dozorca.

— Kim pan jest? — spytał.

— Wprowadzam się — odparł Quinn i przeszedł obok niego. —
A pan się wyprowadza.

Obejrzał pokój, sypialnię i dwa małe pomieszczenia. Tamten stał
przy telefonie i gorączkowo wybierał numer; połączony z Lou Collinsem
w jego samochodzie uspokoił się. Zniechęcony pakował swoje rzeczy.

Collins i obaj jego opiekunowie przybyli trzy minuty po Quinnie, który zdążył już wybrać dla siebie główną sypialnię. Patrick Seymour wszedł za Collinsem. Quinn popatrzył na całą czwórkę.

— Tych dwoje ma tu ze mną mieszkać? — spytał, wskazując głową na agentkę do zadań specjalnych Somerville i funkcjonariusza GS12 McCreę.

— Spójrzmy na to rozsądnie, Quinn — odezwał się Collins. — Chodzi o odzyskanie syna prezydenta. Wszyscy chcieliby wiedzieć, co się dzieje. Nie zadowolą się byle czym. Ludzie, którzy decydują, nie dopuszczą, by żył pan jak mnich i nic im nie mówił.

Quinn przetrawił to w myśli.

— W porządku, co tych dwoje potrafi poza szpiegowaniem?

— Możemy naprawdę być przydatni, panie Quinn — powiedział McCrea. — Załatwić coś, przynieść... być pod ręką.

Z miękko opadającymi włosami, nieśmiałym uśmiechem jakby zawisłym na ustach i niezdecydowaniem, nie wyglądał na swoje trzydzieści cztery lata, bardziej na studencika niż agenta CIA. Sam Somerville podjęła temat.

— Ja jestem dobrą kucharką — oznajmiła — a skoro wzgardził pan rezydencją z jej całym personelem, będzie panu potrzebny ktoś do gotowania. A i tak przydzieliliby do tego kogoś z CIA...

Po raz pierwszy, od kiedy go poznała, na twarzy Quinna zagościł uśmiech. Somerville odkryła, że odmieniał on mocno tego niedostępnego weterana.

— No dobrze — zwrócił się Quinn do Collinsa i Seymoura. — I tak będziecie podsłuchiwać każdy telefon i wszystko, co tu się wydarzy. Wy dwoje weźmiecie dwie małe sypialnie... — A kiedy młodzi zniknęli w korytarzu, zwrócił się znowu do Collinsa i Seymoura: — Ale na tym koniec. Żadnych innych gości. Muszę pogadać z brytyjską policją. Kto prowadzi sprawę?

— Zastępca komisarza Cramer. Nigel Cramer. Numer drugi w departamencie służb specjalnych. Zna go pan?

— Coś mi się kojarzy — odparł Quinn.

W tym momencie zadzwonił telefon. Collins słuchał chwilę i zakrył dłonią mikrofon.

— To Cramer — powiedział. — Dzwoni z Winfield House. Przyjechał tam, aby nawiązać z panem kontakt, i dowiedział się właśnie o nowej sytuacji. Może tu przyjechać. Chce pan?

Quinn skinął głową. Collins przekazał wiadomość Cramerowi. Ten przybył po dwudziestu minutach nieoznakowanym wozem policyjnym.

— Pan Quinn? Nigel Cramer. Spotkaliśmy się już kiedyś, przelotnie. Ostrożnie wszedł do mieszkania. Nie miał pojęcia, że służyło CIA do celów operacyjnych. Teraz wiedział. Jak i to, że CIA, gdy ta historia się skończy, uprzątnie je i wynajmie inne.

Quinn przypomniał sobie Cramera, gdy zobaczył jego twarz.

— Irlandia, przed kilkoma laty. Sprawa Dona Tideya. Był pan wówczas szefem brygady antyterrorystycznej.

— SO13, tak. Ma pan dobrą pamięć, Quinn. Sądzę, że powinniśmy porozmawiać.

Quinn poprowadził Cramera do salonu, wskazał mu miejsce i sam usiadł naprzeciwko. Kolistym ruchem ręki dał do zrozumienia, że pomieszczenie jest na podsłuchu. Lou Collins mógł być miłym facetem, ale nie *aż* tak. Brytyjski glina skinął poważnie głową. Wiedział, że będąc w sercu stolicy własnego kraju znajdował się właściwie na terytorium amerykańskim. I że musi zdać z tego relację na kolejnym posiedzeniu COBRY.

— Pozwoli pan, że będę mówił bez ogródek, Quinn. Scotland Yard ma zapewniony priorytet w prowadzeniu dochodzenia. Pański rząd przystał na to. Nie doszło wprawdzie do żadnego przełomu w sprawie, ale to dopiero początek i pracujemy naprawdę na najwyższych obrotach.

Quinn skinął głową. Prowadził już rozmowy w podsłuchiwanych pomieszczeniach i przez podsłuchiwane linie telefoniczne. Kosztowało to zawsze sporo wysiłku, aby rozmawiać normalnie. Było dla niego jasne, że Cramer mówi oficjalnie i stąd ten pedantyczny sposób wyrażania się.

— Prosiliśmy także o priorytet w prowadzeniu negocjacji, ale Waszyngton miał inne życzenie. Muszę to akceptować, choć nie jestem zachwycony. Otrzymałem również instrukcję, aby zagwarantować panu każdą pomoc, jaką zaoferować może Scotland Yard i cały nasz państwowy aparat. I otrzyma pan ją. Ma pan na to moje słowo.

— Jestem panu bardzo wdzięczny, panie Cramer — odparł Quinn. Wiedział, że brzmiało to strasznie wyniośle, ale gdzieś obracały się szpule magnetofonu

— Czego więc pan oczekuje?

— Po pierwsze najnowszych danych. Ostatnie dostałem w Waszyngtonie... — Zerknął na zegarek, była dwudziesta czasu londyńskiego. — ...Przed siedmioma godzinami. Czy porywacze już się zgłosili?

— O ile nam wiadomo, nie — odpowiedział Cramer. — Były, rzecz jasna, telefony. Jedni robili zwyczajne kawały, inni też, ale już nie tak wyraźnie, a trochę było i tych wiarygodnych. Prosiliśmy ich o jakiś dowód, że faktycznie przetrzymują Simona Cormacka...

— Jaki dowód? — spytał Quinn.

— Mieli odpowiedzieć na pytanie. O coś z dziewięciu miesięcy Simona Cormacka w Oxfordzie, czego nie można było tak łatwo odkryć. Nikt nie zgłosił się ponownie z prawidłową odpowiedzią.

— Brak kontaktu w ciągu pierwszych czterdziestu ośmiu godzin to nic nadzwyczajnego — powiedział Quinn.

— Zgoda — przytaknął Cramer. — Mogą zgłosić się przez pocztę, wysyłając list lub kasetę. W takim przypadku paczka już jest w drodze. Albo telefonicznie. Jeśli wybiorą pierwsze, przyniesiemy tu te rzeczy, ale nasi eksperci najpierw zajmą się papierem, kopertą czy opakowaniem, szukając odcisków palców, śliny czy innych śladów. Chyba dobrze rozumuję? Pan tu nie ma przecież żadnego laboratorium...

— Absolutnie dobrze — potwierdził Quinn.

— A jeśli jednak wybiorą telefoniczne zgłoszenie, jak chce pan działać, Quinn?

Quinn wyłożył swoje warunki. Po pierwsze, podanie w „Wiadomościach o dziesiątej" informacji, żeby ci, którzy mają Simona Cormacka w swoich rękach, nawiązali kontakt z ambasadą amerykańską i tylko z nią, posługując się jednym z podanych numerów telefonicznych. Po drugie telefonistki w podziemiach ambasady przesieją „głupie" telefony, a te poważne przełączą do niego, do tego mieszkania.

Cramer zerknął na Collinsa i Seymoura, którzy skinęli głowami. W ciągu półtorej godziny, aby zdążyć przed wiadomościami, zainstalują w ambasadzie centralę telefoniczną, która posłuży jako pierwszy filtr. Quinn kontynuował:

— Wasi spece od telefonów mogą wyśledzić każde połączenie do ambasady i może przy okazji uda się zatrzymać paru dowcipnisiów, na tyle głupich, by dzwonić nie z budki albo zbyt długo pozostawać na linii. Nie sądzę jednak, żeby prawdziwi porywacze dali tak się nabrać.

— Zgoda — powiedział Cramer. — Do tej pory też byli sprytniejsi.

— Telefony muszą być przełączane bezpośrednio do jednego z aparatów w tym mieszkaniu. Są trzy, prawda?

Collins skinął głową. Jeden z nich połączony był bezpośrednio z jego biurem, które znajdowało się akurat w budynku ambasady.

— Użyjcie tej linii — zdecydował Quinn. — Zakładając, że dojdzie do mojego nawiązania kontaktu z prawdziwymi porywaczami, chciałbym podać im nowy numer, taką linię, która będzie łączyła ich ze mną i tylko ze mną.

— Podłączą panu w ciągu półtorej godziny taką błyskawiczną linię — oznajmił Cramer — z numerem, z którego nie korzystano. Będziemy go mieć na podsłuchu, rzecz jasna, ale na linii nie będzie w związku z tym żadnych szumów. A teraz chciałbym, aby wprowadzili się tu dwaj inspektorzy, panie Quinn. To fachowcy, ludzie z doświadczeniem. Jeden człowiek nie może przecież być na nogach przez dwadzieścia cztery godziny na dobę.

— Przykro mi, ale nie — odparł Quinn.

— Będą dla pana dużą pomocą — nie poddawał się Cramer. — Jeśli porywacze są Anglikami, wyniknie problem regionalnych dialektów, wyrażeń slangowych, oznak stresu czy desperacji w głosie na drugim końcu linii. Szczegóły, które zauważy tylko Anglik. Oni się nie wtrącą, będą tylko słuchać.

— To mogą robić i w centrali telefonicznej — stwierdził Quinn — przecież i tak nagrywacie wszystko na taśmę. Możecie to puścić językoznawcom, dodając własne komentarze o partactwie, które tu urządzam, i potem podać mi wyniki. Tutaj będę pracował sam.

Cramer zacisnął usta, ale miał swoje rozkazy. Wstał, żeby odejść. Quinn podniósł się również.

— Odprowadzę pana do samochodu — powiedział.

Obaj wiedzieli, co to oznaczało — na klatce schodowej nie było pluskiew. Przy drzwiach Quinn dał znak głową Seymourowi i Collinsowi, aby nie szli z nimi. Zawahali się, ale posłuchali go. Na schodach rzucił chrapliwie Cramerowi do ucha:

— Wiem, że nie jest pan zadowolony z tego układu. Nie spadłem z księżyca. Niech pan spróbuje mi zaufać. Zrobię wszystko, aby nie stracić tego chłopaka. Usłyszy pan każdą sylabę rzuconą z tego telefonu. Moi ludzie będą słyszeli mnie nawet wtedy, kiedy usiądę na sedesie. Tak jak to działa na rynku mediów.

— Dobrze, panie Quinn, dostanie pan wszystko, co mogę zaoferować. Obiecuję to panu.

— Jeszcze jedno... — Dotarli do chodnika, gdzie czekał policyjny samochód. — Nie płoszcie ich. Jeśli zadzwonią i trochę za długo będą na linii, proszę, nie wysyłajcie do budki żadnych wozów na sygnale...

— To oczywiste, panie Quinn. Ale wyślemy tam agentów w cywilu. Będą dyskretni, wręcz niewidzialni. Jeśli dojrzą chociaż numery ich samochodu, opiszą wygląd... To może skrócić całą sprawę o wiele dni.

— Pańscy ludzie nie mogą dać się zauważyć — zaznaczył Quinn. — Ten w budce będzie pod straszną presją. Obaj nie chcemy, żeby kontakt został zerwany. Wtedy prawie pewne jest, że ulotnią się i zostawią tylko ciało.

Cramer skinął głową, podał Quinnowi rękę i wsiadł do auta.

Pół godziny później zjawili się technicy. Żaden nie miał uniformu telekomunikacji, ale wszyscy pokazali legitymacje. Quinn skinął im przyjaźnie głową, wiedząc, że są z MI5, brytyjskiej Służby Bezpieczeństwa. Bez zwłoki zabrali się do pracy. Poszło im sprawnie i szybko. Większa część pracy była i tak do zrobienia w centrali w Kensington.

Jeden z techników, zdjąwszy podstawę aparatu telefonicznego w salonie, uniósł lekko brwi. Quinn udał, że tego nie widzi. Ten, który chciał zamontować pluskwę, stwierdził, że jedna była już zainstalowana. Ale rozkaz to rozkaz. Umieścił swoją pluskwę obok amerykańskiej uzasadniając tym współpracę anglo-amerykańską na nowym, miniaturowym polu. O dwudziestej trzydzieści Quinn miał swoją błyskawiczną, wysoce tajną linię, której numer miał podać porywaczom w przypadku, gdy w ogóle do niego się zgłoszą. Druga linia to było stałe połączenie z centralą w ambasadzie dla telefonów, które mogły być uznane za wiarygodne. Trzecią zarezerwowano dla „normalnych" telefonów.

W podziemiach ambasady przy Grosvenor Square było więcej pracy. Zainstalowano tam dziesięć łączy do ich dyspozycji. I dziesięć młodych kobiet, Amerykanek i Angielek po połowie, siedziało tam i czekało.

Trzecią operację wykonano w centrali telekomunikacji w Kensington, gdzie policja dostała pomieszczenie dla odsłuchu telefonów przechodzących przez linię błyskawiczną Quinna. Ponieważ Kensington była jedną z nowych elektronicznych central, telefony dawały się łatwo zlokalizować, w ciągu ośmiu do dziesięciu sekund. Linia błyskawiczna była jeszcze na podwójnym podsłuchu przy wyjściu z centrali — pierwszy prowadził do centrum łączności MI5 przy Cork Street w dzielnicy Mayfair, a drugi do podziemi ambasady amerykańskiej — które po odezwaniu się porywaczy miały przekształcić się w punkty nasłuchu.

Trzydzieści sekund po tym, gdy Anglicy odeszli, przybył amerykański technik od Lou Collinsa, aby usunąć wszystkie nowo zainstalowane brytyjskie pluskwy i sprawdzić własne. Tym samym Quinn, kiedy nie rozmawiał przez telefon, był podsłuchiwany tylko przez swoich rodaków. Niezłe to było — jak przyznał Seymour swojemu koledze z MI5 tydzień później, kiedy to siedzieli przy drinku w Brook's Club.

O dziesiątej wieczorem, gdy przebrzmiał motyw z Big Bena z czołówki wiadomości, spiker zerknął w kamerę i odczytał oświadczenie dla porywaczy. Numery telefonów, pod jakie mieli zadzwonić, pojawiły się na planszy w czasie podawania najnowszych informacji na temat porwania Simona Cormacka. Nie było tego dużo, ale coś należało wtedy powiedzieć.

W salonie pewnego zacisznego domu, prawie siedemdziesiąt kilometrów od Londynu, siedziało czterech milczących mężczyzn i w napięciu oglądali te wiadomości. Ich przywódca tłumaczył je na żywo dla dwóch z nich na francuski. Dokładnie rzecz biorąc jeden był Belgiem, a drugi Korsykaninem. Czwarty mężczyzna nie potrzebował tłumacza. Jego angielski był dobry, choć miał jednak ciężki akcent afrykański swojej południowoafrykańskiej ojczyzny.

Dwóch Europejczyków słowem nie mówiło po angielsku. Przywódca zabronił im wychodzić z domu, nim sprawa się skończy. On jeden opuszczał dom, zawsze przez garaż, zawsze w volvo, które miało już nowe opony i oryginalne, legalne tablice. Nigdy nie wychodził też bez peruki, brody, sumiastych wąsów i ciemnych okularów. Podczas jego nieobecności pozostałym nie wolno było podchodzić nawet do okna i w żadnym wypadku nie mieli otwierać drzwi, gdyby ktoś dzwonił.

Kiedy w wiadomościach zmieniono temat na sytuację na Bliskim Wschodzie, jeden z Europejczyków postawił pytanie. Przywódca potrząsnął głową.

— *Demain* — odparł po francusku. — Jutro rano.

Tej nocy odebrano ponad dwieście telefonów w podziemiach ambasady. Każdy dzwoniący był traktowany jak surowe jajko i nadzwyczaj grzecznie, ale tylko siedmiu przełączono do Quinna. Pozdrawiał dzwoniących przyjaźnie i pogodnie, mówił do nich „przyjacielu" lub „stary kumplu" i wyjaśniał, że „jego ludzie", niestety, muszą dopełnić ciążącej formalności, aby stwierdzić, czy dzwoniący *faktycznie* więzi Simona Cormacka. Dlatego prosił ich, aby odpowiedzieli na proste pytanie dzwoniąc raz jeszcze później. Nikt nie zgłosił się po raz drugi. W przerwie, między trzecią rano a wschodem słońca, Quinn pozwolił sobie nawet na czterogodzinną drzemkę.

Sam Somerville i Duncan McCrea towarzyszyli mu przez całą noc. Sam zauważyła też jego „luźny ton" w rozmowach telefonicznych.

— Jeszcze się nic nie zaczęło — odparł wtedy spokojnie.

Napięcie jednak dawało już o sobie znać. Dwoje młodych czuło to nader wyraźnie.

Krótko po północy, na pokładzie jumbo jeta, który wyleciał z Waszyngtonu w samo południe, Kevin Brown i jego doborowy zespół ośmiu ludzi z FBI wylądowali na Heathrow. Uprzedzony o ich przybyciu, Patrick Seymour, choć ledwo żywy, oczekiwał ich tam. Poinformował starszego stopniem kolegę o sytuacji na godzinę dwudziestą trzecią, gdy wyjeżdżał na Heathrow. Dodał, że Quinn nie urządził się w Winfield, lecz sam wyszukał sobie kwaterę, jak też opowiedział mu o działaniach związanych z podsłuchem telefonów.

— Wiedziałem, że on ma łeb nie od parady — mruknął Brown, słuchając opowieści o zamieszaniu przed Winfield. — Musimy mieć tego faceta cały czas na oku, w przeciwnym razie wykręci nam kolejny numer. Jedziemy do ambasady, tam będziemy spać na łóżkach polowych w piwnicy. Jeśli ten pomyleniec pierdnie, ja chcę to słyszeć, głośno i wyraźnie.

Seymour jęknął w głębi ducha. Słyszał sporo o Kevinie Brownie i mógł się obejść bez tej jego wizyty. Teraz wszystko może się rozwinąć dużo gorzej, niż sądził. Gdy o wpół do drugiej dotarli do ambasady, odbierano właśnie telefon od sto szóstego dowcipnisia.

Także inni ludzie nie mogli tej nocy zasnąć. Dwaj z nich to komendant Williams z SO13 i mężczyzna o nazwisku Sidney Sykes. Spędzili długie godziny w pokoju przesłuchań na komisariacie Wandsworth w południowym Londynie, gdzie siedzieli naprzeciw siebie. Obecny był także szef wydziału pojazdów brygady do spraw zwalczania ciężkich przestępstw, którego ludzie wytropili Sykesa.

Obaj mężczyźni po drugiej stronie stołu nie zostawili takiemu małemu złodziejaszkowi jak Sykes żadnych szans, aby się z nimi zmierzył, i już po pierwszej godzinie napędzili mu ogromnego stracha. Potem nadeszło jeszcze gorsze.

Wydział pojazdów odnalazł na podstawie opisu przedsiębiorcy budowlanego w Leicester warsztat, gdzie odholowano wrak transita po jego śmiertelnym objęciu się z koparką. Kiedy orzeczono, że pojazd ma przestawioną ramę podwozia i tym samym skreśla się go z ewidencji, ludzie z warsztatu chcieli oddać transita właścicielowi. Jednak koszt transportu na platformie przekraczał wartość pojazdu i ten odmówił. Sprzedano go więc jako złom Sykesowi, który w Wandsworth ciął wraki samochodów. Zespoły poszukiwawcze wydziału pojazdów spędziły dzień na tym, aby interes Sykesa przewrócić do góry nogami.

Odkryli beczkę napełnioną w trzech czwartych brudnym, czarnym i zużytym olejem, a w niej dwadzieścia cztery tablice rejestracyjne, tworzące dwanaście idealnych kompletów. Wszystkie sfabrykowane u Sykesa były równie prawdziwe jak banknot trzyfuntowy. W schowku pod podłogą w odrapanym biurze Sykesa odkryto paczkę dowodów rejestracyjnych — wszystkie należące do samochodów osobowych i ciężarówek, jakie egzystowały już tylko na papierze.

Proceder uprawiany przez Sykesa polegał na tym, że wykupywał on uszkodzone w wypadkach pojazdy, wykreślane z rejestru przez firmę ubezpieczeniową, zapewniając właścicieli, że sam powiadomi Swansea o złomowaniu pojazdu, a faktycznie mówił tam o czymś innym: że kupił pojazd od jego wcześniejszego właściciela. Komputer w centralnym rejestrze odnotowywał ten „fakt". Jeśli pojazd rzeczywiście był doszczętnie rozbity, Sykes miał w ręku legalne dokumenty, w jakie potem zaopatrywał podobny pojazd, zwinięty z parkingu przez jednego z jego kumpli. Z nowymi numerami rejestracyjnymi odpowiadającymi danym w dowodzie rejestracyjnym zniszczonego auta, mógł wcisnąć taki skradziony pojazd każdemu niemal klientowi. Wystarczyło tylko zeszlifować numery podwozia i silnika, nafrezować nowe, a potem zasmarować te miejsca tak dużą ilością smaru i błota, że zwyczajny klient dawał się nabrać. Policja nie dałaby się naturalnie oszukać, lecz ponieważ wszystkie te interesy realizowano gotówkowo, Sykes mógł zawsze zaprzeczyć, że kiedykolwiek widział ten pojazd, nie mówiąc już o tym, że go sprzedał.

Inny chwyt polegał na tym, aby z pojazdu takiego jak transit, który poza przestawionym podwoziem był w dobrym stanie, wyciąć trefną część, wypełnić miejsce wspornikiem i po szpachlowaniu włączyć wehikuł do ruchu. Było to nie tylko nielegalne, ale i niebezpieczne, choć takie pojazdy mogły przejechać jeszcze szmat drogi, nim rozpadły się do cna.

Widząc oświadczenia przedsiębiorcy z Leicester i z warsztatu, który sprzedał mu transita za 20 funtów jako złom, a także zdjęcia starych, oryginalnych numerów silnika i nadwozia, i słysząc, do czego posłużyła furgonetka, Sykes przeraził się wręcz i wyśpiewał wszystko jak na spowiedzi.

Wysiliwszy pamięć podał, że przyszły kupiec transita chodził jednego dnia, jakieś sześć tygodni temu, długo po złomowisku, a zapytany odparł, że szuka taniej furgonetki. A że Sykes skończył właśnie „remont" nadwozia przemalowanego z niebieskiego na zielony transita, ten po godzinie opuścił skład za 300 funtów w gotówce. Nigdy więcej nie widział tego mężczyzny. A po piętnastu banknotach dwudziestofuntowych też już dawno pozostało mu wspomnienie.

— Rysopis? — spytał komendant Williams.

— Próbuję odgrzebać, naprawdę — błagalnie odparł Sykes.

— To pogrzeb tam dobrze — zaznaczył Williams. — Ułatwisz tym sobie resztę życia...

Średni wzrost i budowa. Około czterdziestki. Prostacka twarz i zachowanie. Język mało wyszukany. Do tego żaden rodowity londyńczyk. Jasnobrązowe włosy, może nawet peruka, ale dobra. Miał kapelusz, mimo upału w końcu sierpnia. Bujne wąsy, ciemniejsze niż włosy, może też przyklejane, ale fachowo. Ciemne szkła. Nie przeciwsłoneczne, tylko fotochromy i w rogowej oprawce.

Trzej mężczyźni spędzili jeszcze dwie godziny z policyjnym rysownikiem. Na godzinę przed śniadaniem komendant Williams pojawił się ze szkicem w Scotland Yardzie u Nigela Cramera. Ten zabrał go na posiedzenie komitetu COBRA o dziewiątej. Problem tkwił w tym, że rysunek mógł przedstawiać każdego. I tu ślad się urywał.

— Wiemy, że furgonetka została naprawiona później przez mechanika lepszego niż Sykes — powiedział Cramer do zebranych — i że ktoś zdolny namalował logo firmy Barlowa po obu stronach. To musiało być w jakimś warsztacie z dobrymi urządzeniami spawalniczymi. Ale jeśli zwrócimy się do opinii publicznej, porywacze też się dowiedzą i mogą im puścić nerwy; bez nawiązywania kontaktu załatwią Simona Cormacka i ulotnią się.

Zgodzono się, aby rysunek dostarczyć do każdego komisariatu, ale nie udostępniać go prasie, a tym samym opinii publicznej.

Andrew „Andy" Laing spędził noc ślęcząc nad wyciągami obrotów konta. Nad samym ranem jego oszołomienie ustąpiło miejsca pewności, że miał rację. I że nie było innego wytłumaczenia.

Andy Laing kierował działem kredytów i marketingu w oddziale Investment Bank w Dżuddzie w Arabii Saudyjskiej, założonego przez rząd saudyjski, by zagospodarować większość astronomicznych sum, które kursowały w tej części świata.

Mimo że znajdował się w rękach Saudyjczyków i oni głównie zajmowali dyrektorskie stanowiska, personel składał się przeważnie z obcokrajowców na kontrakcie, a największym ich „dostawcą" był Rockman-Qeens Bank w Nowym Jorku, z którego oddelegowany był Laing.

Młody, pełen zapału, sumienny i ambitny, zdecydowany na zrobienie kariery w bankowości, cieszył się z pracy w Arabii Saudyjskiej. Płaca była tu większa niż w Nowym Jorku, miał piękne mieszkanie, wiele przyjaciółek w dużej zagranicznej kolonii w Dżuddzie, a zakaz spożywania alkoholu nie przeszkadzał mu w dobrych układach z kolegami.

Wprawdzie bank miał centralę w Rijadzie, ale większość operacji uruchamiano w oddziale w Dżuddzie, gospodarczym i handlowym centrum Arabii Saudyjskiej. Normalnie Laing opuściłby biały, przystrojony blankami budynek — wyglądający bardziej na fortecę Legii Cudzoziemskiej niż bank — o szóstej wieczorem i pieszo ruszyłby do Hyatt Regency na drinka. Ale miał jeszcze dwie sprawy do załatwienia i nie chcąc ich przekładać na kolejny dzień, został godzinę dłużej.

Siedział jeszcze przy biurku, kiedy podszedł stary arabski goniec pchający wózek, na którym leżał stos komputerowych wydruków. Zostawiał je na poszczególnych biurkach do wglądu następnego dnia rano. Na tych arkuszach wymienione były transakcje, jakie zawarły różne działy banku tego dnia. Stary człowiek bez pośpiechu położył ich plik na biurku Lainga, kiwnął głową i wycofał się.

— *Shukran* — krzyknął za nim wesoło Laing, dumny ze swej grzeczności wobec saudyjskiego niższego personelu, i wrócił do swojej pracy.

Gdy skończył, rzucił okiem na papiery obok i mruknął poirytowany. Dostał niewłaściwe wydruki. Te dotyczyły operacji płatniczych na najważniejszych kontach, jakie prowadzono w banku. Kompetentny do tego był dyrektor do spraw operacji, a nie kredytów i marketingu. Wziął te wydruki i wyszedł na korytarz, a potem trafił do pustego biura dyrektora Amina, swego pakistańskiego kolegi.

Po drodze rzucił znowu okiem na wydruki i coś przykuło jego uwagę. Zatrzymał się, wrócił do siebie i zaczął je przeglądać. Na każdym pojawiał się ten sam wzór. Włączył komputer i polecił mu pokazanie kont dwóch klientów na ekranie. Za każdym razem obraz był ten sam.

Wczesnym rankiem wiedział już, że nie może być żadnych wątpliwości. To, na co patrzył, było defraudacją na dużą skalę. Zbieg okoliczności był tu wykluczony. Położył wydruki na biurku pana Amina i uznał, że przy pierwszej okazji wybierze się do Rijadu i porozmawia ze swoim rodakiem, dyrektorem naczelnym Steve'em Pyle'em.

Podczas gdy Laing szedł do domu ciemnymi ulicami Dżuddy, osiem stref czasowych na zachód, zebrani w Białym Domu członkowie komitetu słuchali doktora Nicholasa Armitage'a, doświadczonego psychiatry szkoły behawiorystów, który przyszedł właśnie do Skrzydła Zachodniego, prosto z Rezydencji.

— Panowie, muszę powiedzieć, że emocje dotknęły o wiele bardziej Pierwszą Damę niż prezydenta. Nadal przyjmuje ona leki od swego lekarza. Prezydent duchowo jest bardziej wytrzymały, ale obawiam się, że załamanie i tak staje się coraz bardziej zauważalne, jak również symptomy urazu powstającego u rodziców po porwaniu.

— Jakie to symptomy, doktorze? — spytał bez ogródek Odell.

Psychiatra, który nie lubił, gdy mu przerywano i nigdy nie przeżył czegoś takiego przed studentami, chrząknął głośno.

— Musicie panowie zrozumieć, że w takich przypadkach matki dają wyraz swojemu zmartwieniu łzami, nawet histerycznymi wybuchami. U kobiety to norma. Ojcowie cierpią jeszcze bardziej, gdyż poza całkiem normalnym strachem o uprowadzenie dziecka odczuwają głęboko winę, robią sobie wyrzuty, są przekonani, że odpowiadają za to, że powinni więcej zrobić, podjąć więcej środków zapobiegawczych.

— Ależ to nielogiczne — zaprotestował Morton Stannard.

— Tu nie chodzi o logikę — odparł psychiatra. — Bardziej o urazowe symptomy, pogłębione przez fakt, że prezydent był... jest bardzo związany z synem, kocha go naprawdę z całego serca. Do tego trzeba dodać jeszcze poczucie bezsilności, niezdolności, aby coś przedsięwziąć, bo porywacze jeszcze się nie zgłosili, nie wiadomo nawet, czy chłopak w ogóle jeszcze żyje. Jesteśmy co prawda dopiero na początku sprawy, ale nic nie wyrokuje poprawy.

— Takie historie ciągną się i tygodniami — zauważył Jim Donaldson — a ten człowiek jest ostatecznie naszym prezydentem. Jakich zmian należy oczekiwać?

— Napięcie trochę opadnie, jeśli nawiązany zostanie pierwszy kontakt z porywaczami i będziemy mieli dowód, że Simon żyje — objaśnił doktor Armitage. — Choć ta ulga nie potrwa długo. Im więcej czasu upłynie, tym stan prezydenta będzie się pogarszał. Dozna ostrego stresu, który prowadzić będzie do irytacji. Pojawi się bezsenność, której zaradzić można tylko lekami. Ostatecznie nastąpi zobojętnienie ojca na sprawy czysto zawodowe...

— Polegające na rządzeniu tym cholernym krajem — wtrącił Odell.

— Słabość koncentracji, zaniki pamięci, jeśli idzie o sprawy rządowe. Jednym słowem, panowie, myśli prezydenta skierowane będą w części na syna, a resztę wypełni troska o żonę. W niektórych przypadkach, jeśli uprowadzone dziecko ostatecznie zostaje uwolnione, rodzice potrzebują miesięcy, nawet lat, pourazowej terapii.

— Innymi słowy — odezwał się prokurator generalny Bill Waters — mamy tylko połowę prezydenta, a może nawet mniej.

— Ależ panowie — powiedział minister skarbu Reed — ten kraj miał już prezydentów na stole operacyjnym, kompletnie niezdolnych do działania. Musimy po prostu przejąć sprawy, działać zgodnie z jego życzeniami i starać się zajmować tym naszego przyjaciela jak najmniej.

Jego optymizm nie znalazł żadnego echa. Brad Johnson podniósł się.

— Dlaczego te psy, do diabła, się nie zgłaszają? — spytał. — Minęło już prawie czterdzieści osiem godzin...

— Przynajmniej nasz negocjator jest na miejscu i czeka na ich pierwszy telefon — przypomniał Reed.

— I jesteśmy silnie reprezentowani w Londynie — dodał Walters. — Brown i jego ludzie z Biura przybyli tam przed dwiema godzinami.

— A co właściwie robi angielska policja? — burknął Stannard. — Dlaczego, u diabła, nie potrafi złapać tych bydlaków?

— Jak już tu powiedziano, minęło *dopiero* czterdzieści osiem godzin — zauważył sekretarz stanu Donaldson. — Wielka Brytania jest wprawdzie dużo mniejsza niż Stany Zjednoczone, ale zaszycie się wśród pięćdziesięcioczteromilionowej populacji jest igraszką. Przypomnijcie sobie, jak długo przetrzymywana była Patty Hearst przez Symbionese Liberation Army, podczas gdy całe FBI ich ścigało. Miesiące!

— Panowie, spójrzmy prawdzie w oczy — skwitował cierpko Odell. — Nic więcej tu nie stworzymy, w tym cały problem.

Problem tkwił w tym, że nikt nie mógł tu *niczego* stworzyć.

Chłopak, o którym mówili, spędzał właśnie drugą noc w niewoli. Nie wiedział, że na zewnątrz w korytarzu przed jego celą ktoś trzymał zawsze straż. Piwnica była z betonu, ale na wypadek gdyby wpadło mu do głowy krzyczeć, porywacze byli gotowi go uspokoić i zakneblować. Nie popełnił takiego błędu. Starał się stłumić strach i okazać godność na tyle, na ile potrafił. Zrobił dwa tuziny pompek i skłonów oraz ćwiczeń rozciągających, podczas gdy strzegące oko obserwowało go przez wizjer. Nie miał zegarka przy sobie, bo do biegania nie potrzebował żadnego, i stopniowo tracił poczucie czasu. Światło nieustannie paliło się, ale około północy, jak ocenił — faktycznie było już około drugiej — skulił się na łóżku, nałożył cienki koc na głowę, aby zasłonić się przed światłem, i zasnął. W tym czasie daleko stąd, w ambasadzie jego kraju przy Grosvenor Square, dzwoniły ostatnie telefony od dowcipnisiów.

Kevinowi Brownowi i jego ośmioosobowej ekipie nie chciało się spać. Ich organizmy były jeszcze nastawione na czas waszyngtoński, pięć godzin wstecz w stosunku do Londynu.

Brown nalegał, aby Seymour i Collins pokazali mu centralę telefoniczną i stację nasłuchową, pomieszczenia biurowe, gdzie amerykańscy technicy — Brytyjczycy nie otrzymali tu wstępu — zainstalowali na ścianach głośniki mające odtwarzać dźwięki rejestrowane przez różne pluskwy w mieszkaniu w Kensington.

— W salonie są dwie — wyjaśnił Collins niechętnie. Nie widział żadnego powodu, by człowiekowi z FBI rozprawiać o technikach, jakich użyło CIA, ale takie miał instrukcje, a ze względów operacyjnych mieszkanie w Kensington i tak było spalone. — Jeśli wysoki urzędnik z Langley korzysta z tego mieszkania, pluskwy są oczywiście wyłączane, ale gdy przesłuchiwaliśmy tam zwerbowanego radzieckiego agenta, uważaliśmy, że przeszkadzają o wiele mniej niż magnetofon na stole. Przesłuchania prowadzono głównie w salonie. Ale dwie pluskwy są też w dużej sypialni. Quinn tam śpi, choć nie w tej chwili, jak pan usłyszy. A po jednej rozmieszczono w obu małych sypialniach i w kuchni. Z respektu przed panną Somerville i naszym człowiekiem McCreą, wyłączyliśmy podsłuch w obu małych sypialniach. Jeśli jednak Quinn pójdzie na poufną rozmowę do którejś, możemy je uaktywnić. — Wskazał na dwa przełączniki na pulpicie sterowniczym. Brown skinął głową. — A jeśli nawet rozmawiałby z nimi poza zasięgiem podsłuchu, z pewnością nam o tym zameldują, prawda?

Collins i Seymour skinęli głowami.

— Po to tam są — dodał Seymour.

— Mamy też trzy aparaty telefoniczne w mieszkaniu — kontynuował Collins. — Jedno z połączeń to linia błyskawiczna. Quinn użyje jej tylko wtedy, gdy będzie przekonany, że rozmawia z prawdziwymi porywaczami. Wszystkie rozmowy na tej linii będą wyłapane na centrali w Kensington przez Brytyjczyków i przekazane do naszego głośnika. Drugi telefon ma bezpośrednie połączenie tutaj, akurat rozmawia z nami ktoś, o kim sądzimy, że pozwolił sobie na żart, ale kto wie? Ta linia także prowadzi przez centralę w Kensington. Jest jeszcze trzecia linia do odbierania zwykłych telefonów i ta również jest na podsłuchu. Może być używana, kiedy on sam zechce gdzieś zadzwonić.

— Czy to znaczy, że Brytyjczycy mogą to wszystko słyszeć? — spytał ponuro Brown.

— Tylko rozmowy przez linie telefoniczne — odrzekł Seymour. — Potrzebujemy ich kooperacji, bo to ich centrale telekomunikacyjne. Poza tym mogą być pomocni w wykrywaniu głosów, wad wymowy i dialektów. Oni też zlokalizują, skąd dzwonią porywacze, dzięki centrali w Kensington. Nie mamy żadnej czystej linii z mieszkania do tego miejsca...

Collin chrząknął.

— Owszem, mamy — powiedział — ale dotyczy tylko pluskiew w pokojach. Wszystko, co one wyłapią, idzie po kablu do naszego drugiego mniejszego mieszkania w suterenie. Siedzi tam mój człowiek. W suterenie sygnał jest kodowany, przesyłany tutaj na falach ultrakrótkich, odbierany na górze, dekodowany, a następnie przekazywany tutaj.

— Przesyłacie to przez radio na tak małą odległość?

— Sir, moja Agencja ma bardzo dobre stosunki z Brytyjczykami, ale żadna służba wywiadowcza na świecie nie prześle tajnej informacji linią telefoniczną w mieście, którego nie ma pod swoją kontrolą.

Browna to zadowoliło.

— Czyli że Brytyjczycy słyszą rozmowy telefoniczne, ale nie to, co mówi się w pokoju.

Tu się jednak mylił. Gdy w MI5 dowiedziano się o mieszkaniu w Kensington i o tym, że obaj inspektorzy Scotland Yardu nie byli tam mile widziani i że angielskie podsłuchy zostały usunięte, uznano, że musi być w domu drugie amerykańskie mieszkanie, z którego przekazywane były przesłuchania radzieckich agentów do placówki CIA gdzieś dalej. W ciągu godziny stwierdzono na podstawie światłokopii z archiwum, że chodzi o mały jednoosobowy apartament w suterenie. O północy zespół instalatorów znalazł kable łączące obydwa mieszkania w szybie centralnego ogrzewania i założono tam podsłuch do lokalu na parterze, którego mieszkańcy grzecznie zostali zmuszeni do krótkiego urlopu, wyświadczając Jej Królewskiej Mości przysługę. Kiedy następnego dnia wzeszło słońce, każdy podsłuchiwał każdego.

Siedzący przy konsoli człowiek Collinsa z ELINT (wywiadu elektronicznego) zdjął z uszu słuchawki.

— Quinn zakończył akurat rozmowę telefoniczną — powiedział. — Teraz rozmawiają między sobą. Chce pan posłuchać, sir?

— Oczywiście — odparł Brown.

Technik przełączył przekaz rozmowy z salonu w Kensington ze słuchawek na głośniki. Usłyszeli głos Quinna.

— ...będzie dobrze. Dzięki, Sam. Z mlekiem i cukrem.

— Sądzi pan, że on zadzwoni znowu, panie Quinn? (McCrea)

— Nie. Mówił przekonująco, ale to nie to. (Quinn)

Mężczyźni zebrani w podziemiach ambasady ruszyli do wyjścia. W kilku pomieszczeniach biurowych obok ustawiono łóżka polowe. Brown chciał być cały czas obecny. Dwóm ze swoich ośmiu ludzi wyznaczył nocne czuwanie. Była druga trzydzieści w nocy.

Te same rozmowy, telefoniczna i w salonie, przekazywane były do centrum łączności MI5 przy Cork Street i tam nagrywane. W centrali telekomunikacji w Kensington policja przysłuchiwała się tylko rozmowie telefonicznej. W ciągu ośmiu sekund wykryto, że ten ktoś dzwonił z budki w pobliskim Paddington i wysłano tam cywila z komisariatu w Paddington Green, oddalonego o dwieście metrów od budki. I ten zdążył złapać starego człowieka, chorego psychicznie.

O dziewiątej rano trzeciego dnia jedna z telefonistek przy Grosvenor Square odebrała inny telefon. Głos odezwał się po angielsku, ale był chropowaty, szorstki: — Połącz mnie z negocjatorem.

Telefonistka zbladła, do tej pory nikt nie użył tego słowa. Słodkim jak miód głosem odparła: — Przełączam pana, sir.

Quinn miał słuchawkę w ręku, nim na dobre przebrzmiał pierwszy sygnał. Telefonistka szepnęła pośpiesznie: — Ktoś chce mówić z negocjatorem. Tyle powiedział.

Pół sekundy później połączyła go. Głęboki, uspokajająco głośny głos Quinna zabrzmiał z głośników w ambasadzie.

— Witaj, przyjacielu, chciałeś ze mną mówić?

— Jak chcecie Simona Cormacka z powrotem, będzie was to kosztować. Sporo. A teraz posłuchaj...

— Nie, przyjacielu, ty posłuchaj mnie. Dzwoniło tu już kilku dowcipnisiów dzisiaj. Chyba wiesz, ilu wariatów biega po tym świecie, co? Dlatego zrób mi przysługę, tylko jedno proste pytanie...

W Kensington wyłapano „gościa" w osiem sekund. Hitchin w hrabstwie Hertford... Budka telefoniczna... przy dworcu kolejowym. Cramer w Scotland Yardzie wiedział o tym dwie sekundy później. Komisariat w Hitchin nie włączył się tak szybko. Policjanci byli w wozie pół minuty później, a po minucie wyskoczyli z niego dwie przecznice od dworca, i w sto czterdziestej pierwszej sekundzie od rozpoczęcia rozmowy dotarli do budki. Za późno. Tamten był na linii przez trzydzieści sekund. A teraz trzy ulice dalej znikał w porannym tłumie.

McCrea patrzył na Quinna zdumiony.

— Odłożył pan słuchawkę — powiedział.

— Nie dało rady inaczej — odparł Quinn lakonicznie. — Skończyłem, bo przekroczyliśmy nasz ustalony limit czasu.

— Ale gdyby przytrzymał go pan przy telefonie dłużej — odezwała się Sam Somerville — policja mogła go złapać...

— Jeśli to nasz człowiek, chciałbym, aby nabrał do mnie zaufania, a nie przestraszył się, jeszcze nie — zaznaczył Quinn i umilkł.

Był wyraźnie odprężony; tamci dwoje z podekscytowania całkiem opadli z sił i wpatrywali się tępo w aparat, jakby zaraz miał znowu zadzwonić. Quinn wiedział, że nim mężczyzna zadzwoni z innej budki, minie na pewno kilka godzin. Nauczył się tego dawno temu, w wojsku: jeśli nie możesz robić nic innego jak czekać, odpręż się.

Przy Grosvenor Square Kevin Brown, obudzony przez jednego ze swoich ludzi, wbiegł do sali nasłuchu, gdzie usłyszał ostatnie zdania Quinna: — ...jest tytuł tej książki? Jeśli będziesz miał odpowiedź, zadzwoń znowu. To tyle, na razie.

Collins i Seymour dołączyli po chwili do Browna i wszyscy trzej wysłuchali rozmowy z taśmy. Następnie przełączyli podsłuch na mikrofon w mieszkaniu, trafiając na krytyczną uwagę Sam Somerville.

— Ma rację — warknął Brown.

Usłyszeli odpowiedź Quinna.

— To dupek — orzekł Brown. — Jeszcze minuta i mieliby faceta.

— Mieliby jednego, a reszta miałaby dalej chłopaka — zauważył Seymour.

— Dlatego łapie się jednego i skłania, by zdradził kryjówkę — odparł Brown. Silną pięścią prawej ręki uderzył w dłoń lewej.

— Tamci uzgodnili prawdopodobnie maksymalny czas oczekiwania. My stosujemy to na wypadek, gdy członek naszej siatki wpadnie. Jeśli nie wraca wtedy, uwzględniając na przykład korki na drodze, reszta wie, że został złapany. Ci pewnie też. Zabiją chłopaka i wyparują. Niech pan zrozumie, sir, ci ludzie nie mają nic do stracenia — zaznaczył Seymour, widząc irytację Browna. — Nawet gdyby przyszli tutaj, przyprowadzając Simona, i tak dostaną dożywocie. Zabili przecież dwóch ludzi z Secret Service i angielskiego policjanta.

— Ten Quinn chyba wie, co robi — rzucił Brown, wychodząc.

O dziesiątej piętnaście trzy razy głośno zapukano w drzwi piwnicznego więzienia Simona Cormacka. Ten naciągnął kaptur na głowę. Kiedy go zdjął, zobaczył kartkę na ścianie przy drzwiach.

JAKO DZIECKO BYŁEŚ NA WAKACJACH W NANTUCKET I CIOTKA EMILY CZYTAŁA CI SWOJĄ ULUBIONĄ KSIĄŻKĘ. JAKĄ?

Popatrzył na kartkę. I spłynęła na niego fala ulgi. Ktoś nawiązał kontakt. Ktoś rozmawiał z jego ojcem w Waszyngtonie. Ktoś tam, na zewnątrz, próbuje go wyciągnąć. Bronił się przed tym, jednak łzy same napływały mu do oczu. Ktoś patrzył na niego przez wizjer. Pociągał nosem, bo nie miał chusteczki. Myślał o ciotce Emily, starszej siostrze ojca. Chodziła zawsze sztywno w długich, bawełnianych sukniach, spacerowała z nim po plaży, sadzała go na kępach trawy i czytała o zwierzętach mówiących ludzkim głosem i zachowujących się jak dżentelmeni. Znowu pociągnął nosem i wykrzyczał odpowiedź do dziury w drzwiach. Wizjer się zamknął, drzwi uchyliły się i ręka w czarnej rękawiczce zabrała kartkę.

Mężczyzna o chropowatym głosie skontaktował się ponownie o trzynastej trzydzieści. Z ambasady przełączono go błyskawicznie. Telefon został namierzony w ciągu jedenastu sekund: budka w centrum handlowym w Milton Keynes, hrabstwo Buckingham. Gdy tamtejszy policjant doszedł w cywilnym ubraniu do budki, nie było go już tam od dziewięćdziesięciu sekund. Nie tracił czasu.

— Książka — wychrypiał — nazywa się „O czym szumią wierzby".

— Dobrze, przyjacielu, jesteś tym, na którego telefon czekałem. Zapamiętaj sobie teraz nowy numer, odwieś słuchawkę i zadzwoń do mnie z innej budki. To linia, pod jaką jestem tylko ja sam. Trzydzieści siedem zero zero zero czterdzieści. Proszę, zgłoś się znowu. Na razie.

Znowu pierwszy odłożył słuchawkę. Tym razem podniósł głowę i skierował swoje słowa do ściany: — Collins, niech pan powiadomi Waszyngton, że mamy naszego człowieka. Simon żyje, chcą rozmawiać. I możecie zdemontować centralę w ambasadzie.

Usłyszeli to. I wykonali. Collins poinformował kodowanym połączeniem Weintrauba w Langley, ten powiadomił Odella, który z kolei przekazał wszystko prezydentowi. W tym czasie telefonistki przy Grosvenor Square zbierały się do domów. Wtedy też zgłosił się jeszcze ostatni dzwoniący. Płaczliwy, zawodzący głos obwieścił: — Tu Proletariacka Armia Wyzwolenia. Mamy Simona Cormacka. Jeśli Ameryka nie zniszczy całej swojej broni jądrowej...

Na co głos telefonistki był jak rozpływający się syrop: — Chłoptasiu, pierdol się.

A McCrea mówił akurat do Quinna: — Znowu pan to zrobił. Przerwał pan rozmowę.

— On jest u kresu — stwierdziła Sam. — Tacy ludzie mogą być niezrównoważeni. Czy takie traktowanie nie zdenerwuje go do tego stopnia, że zrobi coś Simonowi Cormackowi?

— To możliwe — przyznał Quinn — ale mam nadzieję, że postępuję jednak słusznie. Ten nie wygląda mi na politycznego terrorystę. Modlę się, by był to tylko zawodowy morderca.

Oboje byli zaskoczeni.

— A co takiego dobrego jest w zawodowym mordercy? — spytała Sam.

— Niezbyt wiele — przyznał Quinn, który wydawał się dziwnie rozluźniony — ale zawodowiec pracuje tylko dla pieniędzy. A ten, jak na razie, jeszcze ich nie ma.

ROZDZIAŁ SIÓDMY

Porywacz zadzwonił dopiero o szóstej wieczorem. W międzyczasie Sam Somerville i Duncan McCrea wpatrywali się prawie bez przerwy w aparat błyskawicznej linii i modlili się, by mężczyzna, kimkolwiek był, odezwał się ponownie i nie przerwał kontaktu.

Jedyny Quinn wydawał się być odprężonym. Zdjął buty, wyciągnął się na sofie w salonie i czytał książkę. *Anabazę* Ksenofonta, jak podała cicho Sam przez telefon w swoim pokoju. Książkę zabrał ze sobą z Hiszpanii.

— Nigdy o takiej nie słyszałem — mruknął Brown w podziemiach ambasady.

— Traktuje o taktyce militarnej — ośmielił się podpowiedzieć Seymour — i została napisana przez greckiego generała.

Brown chrząknął. Wiedział, że Grecy są członkami NATO i to mu wystarczało.

Dużo bardziej zajęta była brytyjska policja. Dwie budki telefoniczne, jedna w Hitchin, małym pięknym prowincjonalnym miasteczku na północnym krańcu hrabstwa Hertford, druga w zbudowanym od podstaw po wojnie Milton Keynes, zostały delikatnie zbadane przez ludzi ze Scotland Yardu, łącznie z odciskami palców. Tych było mnóstwo, ale nie mogli wiedzieć, że żadne nie pochodziły od porywacza, gdyż ten nosił gumowe rękawiczki chirurgiczne.

W okolicy obu budek przeprowadzono dyskretne wywiady, aby sprawdzić, czy jakiś świadek nie widział może, kto wtedy dzwonił. Nikt jednak nie potrafił im pomóc. Każda z tych budek stała w rzędzie innych, które bez przerwy niemal były używane. Do tego, akurat w tym czasie, kręciło się tam sporo osób. Cramer skwitował to znacząco: — Wykorzystuje godziny szczytu. I rano, i w porze lunchu.

Taśmy z głosem porywacza dostarczono profesorowi filologii, ekspertowi od specyficznych cech mowy i akcentu. Ponieważ jednak na taśmie przeważał głos Quinna, profesor potrząsnął tylko głową.

— Kiedy tamten mówi, kładzie kilka serwetek albo cienki materiał na mikrofon — stwierdził. — Prymitywne, ale dosyć skuteczne. Nie oszuka tym oscylatorów, ale tak samo jak te aparaty, ja również potrzebuję więcej materiałów, aby wykryć specyficzne cechy.

Komendant Williams obiecał dostarczyć mu więcej materiału, kiedy tylko mężczyzna znowu zadzwoni. W ciągu dnia poddano cichej obserwacji sześć domów — jeden w Londynie, pozostałych pięć w okolicznych hrabstwach. Wszystkie zostały wynajęte na pół roku. Gdy nadszedł wieczór, sprawa dwóch z nich wyjaśniła się: w jednym mieszkał francuski bankowiec, z żoną i dwójką dzieci, całkiem oficjalnie pracujący dla londyńskiego oddziału Société Générale; drugi zajmował niemiecki profesor prowadzący badania w British Museum.

Pozostałe cztery przypadki miały się wyjaśnić do końca tygodnia, jednak rynek nieruchomości na bieżąco dostarczał nowych danych. I wszystkie należało sprawdzić.

— Jeśli porywacze kupili jakąś nieruchomość — mówił Cramer na posiedzeniu COBRY — albo wynajęli ją bezpośrednio od właściciela, wykrycie ich może okazać się niemożliwe. W drugim wariancie nie będziemy dysponowali żadnym śladem, a przy pierwszym ilość tego rodzaju transakcji dokonywanych tu w ciągu roku jest taka, że sprawdzenie ich zajęłoby nam całe miesiące.

Nigel Cramer skłaniał się do tezy Quinna (którą słyszał z taśmy), że dzwoniący sprawiał bardziej wrażenie zawodowca niż terrorysty politycznego. Mimo to weryfikowanie obu kategorii przestępców posuwało się; i tak miało pozostać, aż do rozwiązania sprawy. Nawet jeśli porywacze pochodzili że świata przestępczego, swój czeski karabin maszynowy mogli zdobyć od jakiejś grupy terrorystycznej. Oba światy spotykały się czasem, robiąc ze sobą interesy.

Podczas gdy brytyjska policja miała nawał pracy, amerykański zespół w podziemiach ambasady trawiła bezczynność. Kevin Brown chodził tam i z powrotem jak lew w klatce. Czterech jego ludzi leżało na łóżkach polowych. Pozostałych czterech nie spuszczało oka z lampki, która miała błysnąć, gdy zadzwoni przeznaczony wyłącznie dla Quinna telefon w mieszkaniu w Kensington, którego numer dostał porywacz. Błysnęła wieczorem, dwie minuty po szóstej.

Wszyscy byli zaskoczeni, gdy Quinn pozwolił, by dzwonek zabrzmiał cztery razy. Potem podniósł słuchawkę i rzucił od razu: — No hej. Cieszę się, że dzwonisz.

— Jak mówiłem, będziesz musiał zabulić, jeśli chcesz dostać Simona Cormacka żywego. — Ten sam głos, głęboki, szorstki i gardłowy, i stłumiony papierową chusteczką.

— W porządku, to pogadajmy — powiedział Quinn przyjaznym tonem. — Ja nazywam się Quinn. Po prostu Quinn. Możesz mi podać swoje nazwisko?

— Wypchaj się.

— Spokojnie, nie musi być prawdziwe. Obaj nie jesteśmy przecież głupcami. Rzuć tylko jakieś nazwisko, żebym mógł powiedzieć: „Witaj, Smith" albo „Cześć, Jones"...

— Zack — padło w odpowiedzi.

— Zet-a-ce-ka? Posłuchaj więc, Zack, musisz ograniczyć te telefony do dwudziestu sekund, jasne? Nie jestem żadnym czarodziejem. Tamci podsłuchują i chcą cię namierzyć. Zadzwoń do mnie znowu za parę godzin i wtedy pogadamy. Pasuje?

— Tak — odparł Zack i odwiesił słuchawkę.

Czarodzieje z urzędu telekomunikacji w Kensington zlokalizowali telefon w siedem sekund. Znowu była to publiczna budka telefoniczna. Tym razem w centrum miasta Great Dunmow, hrabstwo Essex, piętnaście kilometrów na zachód od autostrady M11 Londyn-Cambridge. Podobnie jak przedtem, małe miasto na północ od Londynu, z małym posterunkiem policji. Funkcjonariusz w cywilu dotarł do szeregu trzech budek w osiemdziesiąt sekund po tym, jak odwieszono słuchawkę. Za późno. W tym czasie sklepy zamykały się, a puby otwierały i roiło się tam od ludzi, ale nie można było zobaczyć nikogo, kto spoglądał dookoła siebie ukradkiem lub nosił brązową perukę, sumiaste wąsy i ciemne okulary. Zack wyszukał sobie trzecią porę szczytu w ciągu dnia, wczesny wieczór, zmierzch, ale jeszcze nie zmrok, gdyż wtedy w budkach telefonicznych zapala się oświetlenie.

W podziemiach ambasady Kevin Brown szalał.

— Do diabła, po której stronie stoi właściwie ten pieprzony Quinn? — pytał. — Traktuje tego drania jakby był bohaterem roku.

Czterech jego agentów potakiwało mu skwapliwie.

W Kensington Sam i Duncan McCrea postawili podobne pytanie. Quinn ze spokojem położył się na tapczanie, wzruszył ramionami i wrócił do lektury. W przeciwieństwie do nowicjuszy dokładnie wiedział, że wszystko zależy od dwóch rzeczy. Musiał spróbować wczuć się w człowieka na drugim końcu linii i musiał się postarać, aby zyskać sobie zaufanie tej bestii.

Czuł już, że ten Zack nie jest głupcem. Do tej pory nie popełnił wielu błędów, w innym przypadku dawno już byłby złapany. Musiał wiedzieć, że jego telefony są podsłuchiwane i że próbowano sprawdzić, skąd dzwonił. Quinn nie powiedział nic, czego tamten już by nie wiedział.

Sprawiał, że Zack mógł poczuć się bezpieczniej, a do tego nie przekraczał określonych reguł.

Budował po prostu most, nie bacząc, jak niewdzięcznym zadaniem to było, kładł podwaliny do porozumienia, które, miał nadzieję, sprawi, iż przestępca uwierzy w końcu, że Quinn i on mają wspólny cel: wymianę, a złe tak naprawdę są tu władze.

Po latach spędzonych w Anglii Quinn nauczył się, że amerykański akcent działa na brytyjskie uszy jak najprzyjaźniejszy dźwięk świata. Przeciągły sposób mówienia wydaje się milszy niż angielskie połykanie końcówek słów. I dlatego mówił teraz jeszcze bardziej przeciągle niż zazwyczaj. Ważne było, aby Zack nie odniósł wrażenia, że jest traktowany z góry, że Quinn kpi sobie z niego. Ważne było też, aby Quinn nie dał po sobie poznać, jak bardzo nienawidzi tego człowieka, który poddawał torturom, cierpiących daleko stąd, ojca i matkę. Quinn był tak przekonywający, że udało mu się oszukać Kevina Browna.

Ale nie Cramera.

— Mógł przytrzymać tego drania jeszcze trochę przy telefonie — powiedział komendant Williams. — Jeden z naszych kolegów na prowincji mógłby zobaczyć go albo przynajmniej jego wóz.

Cramer potrząsnął głową.

— Jeszcze nie — odparł. — Problem polega na tym, że ci w małych komisariatach nie są przeszkoleni w dyskretnym śledzeniu. Quinn spróbuje później przeciągnąć czas trwania rozmowy mając nadzieję, że Zack tego nie zauważy.

Zack nie zadzwonił już tego wieczora, tylko następnego dnia rano.

Andy Laing wziął wolny dzień i poleciał linią krajową do Rijadu, gdzie poprosił o rozmowę z dyrektorem naczelnym Steve'em Pyle'em.

Budynek Investment Bank w stolicy Arabii Saudyjskiej ani trochę nie przypominał fortecy Legii Cudzoziemskiej, jak oddział w Dżuddzie. Tu bank nie oszczędzał i wzniósł wieżę z szarego marmuru, piaskowca i polerowanego granitu.

Laing minął ogromny hol na parterze, gdzie słychać było tylko odgłos jego obcasów i pluskanie niosących ochłodę fontann. Mimo iż był środek października, na zewnątrz panował piekielny upał, a tu powietrze pachniało wiosennym ogrodem. Po półgodzinnym oczekiwaniu poprowadzony został do biura dyrektora na najwyższym piętrze — biura o tak wystawnym przepychu, że nawet prezes Rockman-Queens pół roku wcześniej podczas swego pobytu w Rijadzie zauważył, że jest ono bardziej luksusowe niż jego własny penthouse w Nowym Jorku.

Steve Pyle był dużym, jowialnym mężczyzną, który szczycił się tym, że prowadził swych młodszych pracowników z wielu krajów ojcowską ręką. Jego lekko zaróżowiona cera pozwalała sądzić, że w jego barku niczego nie brakowało, nawet jeśli na ulicach królestwa Arabii Saudyjskiej obowiązywała prohibicja.

Pozdrowił Lainga serdecznie, ale z pewnym zaskoczeniem.

— Pan Al-Haroun nie uprzedził mnie o twoim przyjeździe, Andy — powiedział. — Wysłałbym po ciebie samochód na lotnisko.

Pan Al-Haroun był dyrektorem w Dżuddzie, saudyjskim szefem Lainga.

— Nic mu nie mówiłem, sir. Po prostu wziąłem dzień wolnego. Sądzę, że mamy tam problem, o którym chciałbym pana poinformować.

— Andy, mów do mnie Steve. Cieszę się, że przyjechałeś. Cóż to za problem?

Laing nie zabrał ze sobą wydruków komputerowych; jeśli ktoś w Dżuddzie był zamieszany w ten „przekręt", wszystko by się wydało. Miał jednak mnóstwo notatek. Godzinę czasu zabrało mu wyjaśnienie Pyle'owi tego, co odkrył.

— To nie może być zbieg okoliczności, Steve — przekonywał. — Te liczby czarno na białym dowodzą, że chodzi o dużą defraudację.

W miarę jak Laing objaśniał swoje bolączki, dobry humor Steve'a Pyle'a znikał stopniowo. Siedzieli w głębokich fotelach klubowych z hiszpańskiej skóry, przy stoliku kawowym. Pyle wstał i podszedł do panoramicznego okna z przyciemnianego szkła, za którym rozpościerał się okazały widok na pustynię. W końcu odwrócił się i podszedł znowu do stolika. Na jego twarzy ponownie zakwitł szeroki uśmiech i już wyciągał rękę w przyjaznym geście.

— Andy, jesteś naprawdę bystrym młodzieńcem, bardzo inteligentnym i lojalnym. Doceniam to. Doceniam, że przyszedłeś do mnie z tym... problemem. — Poprowadził Lainga do drzwi. — Proszę, pozostaw tę sprawę mnie. Nie myśl o tym więcej, zajmę się tym osobiście. Uwierz mi, że zajdziesz jeszcze wysoko!

Andy Laing opuścił budynek banku i zadowolony z siebie wrócił do Dżuddy. Wiedział, że postąpił słusznie. Dyrektor naczelny położy kres temu oszustwu. A kiedy Laing wyszedł, Steve Pyle kilka minut bębnił palcami po blacie biurka, a potem odbył rozmowę telefoniczną.

Czwarty telefon Zacka, a drugi przez linię błyskawiczną, nastąpił o 8:45. Dzwonił, jak stwierdzono, z Royston, na północy hrabstwa Hertford przy granicy z Cambridge. Policjant, który dotarł do budki dwie minuty później, przybył o dziewięćdziesiąt sekund za późno. Nie było także odcisków palców.

— Quinn, bez przedłużania. Chcę pięć milionów dolarów w banknotach o niskich nominałach, używanych.

— Boże, Zack, to kupa pieniędzy. Wiesz, ile to będzie *ważyć*?

Milczenie. Nieoczekiwane zwrócenie uwagi na ciężar dolarów pozbawiło Zacka konceptu.

— Tak zostaje, Quinn. I bez dyskusji. Jak będziesz kombinował, zawsze możemy ci przysłać parę palców, żebyś sobie nie myślał.

W Kensington McCrea zacisnął usta i rzucił się w stronę łazienki, potrącając po drodze stolik do kawy.

— Kto tam u ciebie jest? — warknął Zack.

— Agenci — odparł Quinn. — Rozumiesz to chyba. Te dupki nie chcą mnie po prostu zostawić w spokoju.

— Mówiłem poważnie.

— Daj spokój, Zack, daruj sobie. Obaj jesteśmy zawodowcami, prawda? I takimi chcemy pozostać. Jasne? Zrobimy, co musimy zrobić, nic więcej i nic mniej. A na razie czas się kończy. Zejdź z linii.

— Załatw pieniądze, Quinn, to wszystko.

— To muszę przedyskutować z ojcem. Zadzwoń do mnie znowu za dwadzieścia cztery godziny. A w ogóle jak się miewa chłopak?

— Dobrze. Jak na razie.

Zack zakończył rozmowę i opuścił budkę. Był trzydzieści jeden sekund na linii. Quinn odłożył słuchawkę. McCrea wrócił do pokoju.

— Jeśli zrobisz to jeszcze raz — odezwał się Quinn spokojnym głosem — wystawię was na powietrze i w dupie będę miał Agencję i Biuro.

McCrea był tak świadomy winy, że niemal się rozpłakał.

W podziemiach ambasady Brown zerknął na Collinsa.

— Pański człowiek spaskudził sprawę — powiedział. — A właściwie, co to za hałas był na linii?

Nie czekając na odpowiedź zadzwonił bezpośrednio do mieszkania. Sam Somerville odebrała telefon i opowiedziała mu o groźbie ucinania palców, o tym jak McCrea wpadł na stolik do kawy.

Gdy odłożyła słuchawkę, Quinn spytał: — Kto to był?

— Pan Brown — odpowiedziała formalnym tonem. — Pan Kevin Brown.

— A któż to taki? — dociekał Quinn.

Sam spojrzała nerwowo na ściany pokoju.

— Zastępca szefa wydziału śledczego Biura — odparła pedantycznie, wiedząc, że Brown tego słucha.

Quinn machnął ręką, na co Sam wzruszyła ramionami.

W południe w mieszkaniu odbyła się konferencja. Uznano, że Zack zadzwoni dopiero następnego dnia rano, dając im trochę czasu na przedyskutowanie jego żądań.

Przyszedł Kevin Brown, Collins i Seymour. A Nigel Cramer przyprowadził ze sobą komendanta Williamsa. Oprócz Browna i Williamsa Quinn znał już wszystkich.

— Może pan powiedzieć Zackowi, że Waszyngton się zgadza — powiedział Brown. — Informacja nadeszła przed dwudziestoma minutami. To potworne, moim zdaniem, ale wyrażono zgodę. Na pięć milionów dolarów.

— Ale ja się nie zgadzam — oznajmił Quinn.

Brown spojrzał na niego, jakby nie chciał wierzyć własnym uszom.

— Co pan powie, Quinn. *Pan* się nie zgadza? Rząd USA zgadza się, a pan Quinn nie. Wolno mi spytać, dlaczego?

— Ponieważ jest wysoce niebezpieczne zgadzać się na pierwsze żądanie porywacza — odparł spokojnie Quinn. — Wtedy on myśli, że powinien był zażądać więcej. Dojdzie do wniosku, że został wykiwany. Jeśli jest psychopatą, wścieknie się. A nie ma nikogo, na kim może wyładować tę wściekłość, oprócz zakładnika.

— Uważa pan Zacka za psychopatę? — spytał Seymour.

— Może tak, może nie — odpowiedział Quinn. — Ale może nim być jeden z jego kumpli. Nawet jeśli Zack tam dowodzi, a może tak nie być, psychopaci łatwo tracą kontrolę nad sobą.

— Co więc pan radzi? — spytał Collins, na co Brown prychnął.

— To ciągle jeszcze początek — powiedział Quinn. — Najlepsza szansa dla Simona, aby przeżyć i wyjść z tego cało, tkwi w tym, że porywacze muszą być przekonani o dwóch rzeczach: że wycisnęli z rodziny absolutne maksimum tego, co mogła zapłacić, i że zobaczą te pieniądze tylko wtedy, gdy oddadzą Simona żywego i nietkniętego. Nie uświadomią sobie tego w parę sekund. A poza tym policja osiągnie chyba w końcu przełom w sprawie i ich nakryje.

— Zgadzam się z panem, Quinn — przyznał Cramer. — To może potrwać parę tygodni. Brzmi wprawdzie okropnie, ale jest to jednak lepsze niż pospieszne i błędne rozumowanie i postępowanie, które prowadzi do nietrafionej decyzji i śmierci chłopaka.

— Będę uważał to za dobre wtedy, kiedy dostanę więcej czasu — dodał komendant Williams.

— Co mam więc teraz powiedzieć Waszyngtonowi? — dopytywał się Brown.

— Niech pan powie — odparł Quinn spokojnie — że poproszono mnie o wynegocjowanie powrotu Simona i że próbuję to uczynić. Jeśli chcą mnie zwolnić z tego zadania, proszę bardzo. Muszą to tylko powiedzieć prezydentowi.

Collins chrząknął, Seymour wpatrzony był w podłogę. Spotkanie dobiegało końca.

Kiedy Zack zgłosił się znowu, Quinn mocno się usprawiedliwiał.

— Posłuchaj, próbowałem osobiście skontaktować się z prezydentem Cormackiem. Bez szans. On większość czasu znajduje się pod działaniem środków uspokajających. Wydaje się, że...

— Zamknij się i zorganizuj lepiej szmal — przerwał mu Zack.

— Próbowałem, przysięgam na Boga. Pięć milionów to naprawdę dużo. Jest niemożliwe, aby teraz uwolnił tyle gotówki. Wszystko ma w akcjach i może to trwać tygodnie, nim je upłynnią. Ale jakieś dziewięćset tysięcy dolarów dałoby się zorganizować szybko...

— Pierdol się — warknął głos przy telefonie. — Sami załatwicie te pieniądze gdzie indziej. My poczekamy.

— Zgadza się — potwierdził Quinn poważnym tonem. — I jesteście bezpieczni. Gliny nie posuną się dalej. To pewne... jak na razie. Ale może zejdziesz trochę w dół ze swoim żądaniem... Czy chłopak czuje się dobrze?

— Tak.

Quinn czuł, że Zack intensywnie myśli.

— Muszę cię o coś zapytać, Zack. Te typy za mną nieźle mnie naciskają. Spytaj chłopaka, jak nazywał się jego ukochany pies, ten, którego miał od małego aż do dziesiątego roku życia. To tak tylko, żebyśmy wiedzieli, że z nim jest w porządku. Ciebie to nic nie kosztuje, a mnie dużo da.

— Cztery miliony — mruknął nagle Zack. — I basta.

Tym samym rozmowa była skończona. Telefon był z St Neots, miasteczka na południu hrabstwa Cambridge, na północ od granicy z hrabstwem Bedford. Nie widziano nikogo opuszczającego w tym czasie jedną z budek przy poczcie.

— Co pan teraz zamierza? — spytał zaciekawiony Sam.

— Zaczynam go przyciskać — odparł Quinn, ale nie chciał tego rozwijać.

Już wcześniej uświadomił sobie, że w tej sprawie ma w ręku atut, jakim nie zawsze dysponują negocjatorzy. Bandyci w górach Sardynii lub w Ameryce Środkowej mogą, jeśli chcą, wytrzymać miesiące lub lata. Żadna obława wojskowa, żaden policyjny patrol nie wytropi ich pośród tych wzgórz, jaskiń i podziemnych przejść, porośniętych gęstymi krzakami. Jedynym realnym niebezpieczeństwem im grożącym są ewentualnie helikoptery, ale na tym koniec.

W gęsto zaludnionej południowo-wschodniej Anglii Zack i jego wspólnicy znaleźli się w okolicy, w której prawo było przestrzegane, a więc w kraju wrogim. Im dłużej się ukrywali, tym większe stawało się, według rachunku prawdopodobieństwa, ryzyko, że zostaną zidentyfikowani i wytropieni. Z tego powodu byli pod presją, aby zakończyć interes i uciec. Chodziło o to, by ich przekonać, że wygrali grę, że wyssali wszystko co było do wyssania, że nie potrzebowali już zabijać chłopaka przed ucieczką.

Quinn liczył na to, że wspólnicy Zacka — jeszcze na miejscu zdarzenia policja odkryła, że banda liczy co najmniej cztery osoby — nie mogli się ruszyć z kryjówki. Będą więc tracić cierpliwość, dokuczać im będzie klaustrofobia i w końcu zaczną przyciskać swojego szefa, aby zakończył sprawę. Użyją dokładnie tych samych argumentów, jakimi posługiwał się Quinn. Osaczony Zack będzie chciał wtedy wziąć to, co mu dają, i uciec jak najdalej. Nie stanie się to jednak, jeśli presja na porywaczy nie będzie wystarczająco duża.

W pełni tego świadom zasiał w umyśle Zacka dwa ziarna: że on, Quinn, jest porządnym facetem, który próbuje zrobić wszystko, aby szybko zakończyć sprawę, ale przeszkadzają mu w tym władze — mając przed sobą obraz twarzy Kevina Browna pytał siebie, czy nie ma w tym może szczypty prawdy — i że Zackowi nie grozi niebezpieczeństwo... przynajmniej na razie. Ale tu na myśli miał coś całkiem przeciwnego. Im częściej Zack nawiedzany będzie we śnie przez odkrywającą go policję, tym lepiej.

Profesor lingwistyki orzekł, że Zack ma czterdzieści parę, najwyżej pięćdziesiąt lat i przypuszczalnie jest przywódcą bandy. Podczas negocjacji nie było w jego głosie żadnego wahania mogącego wskazywać, że musiał uzgadniać z kimś jeszcze wszelkie warunki. Był z rodziny robotniczej, nie zdobył dobrego wykształcenia i prawie na pewno pochodził z okolic Birmingham. Wyniesiony stamtąd dialekt zmienił się na skutek wieloletniej nieobecności tam, a może nawet i poza krajem.

Psychiatra próbował sporządzić portret psychologiczny tego mężczyzny. Znajdował się z pewnością pod dużą presją, która wzrastała w miarę przeciągania się rozmów. Jego animozja wobec Quinna słabła. Stosowanie przemocy było dla niego czymś zwyczajnym, w jego głosie nie dały się zauważyć żadne skrupuły, bez zająknięcia mówił o obcięciu palców Simonowi Cormackowi. Z drugiej strony rozumował logicznie i był sprytny;

nieufny, ale nie przestraszony. Człowiek niebezpieczny, ale nie szaleniec. Nie psychopata i bez politycznego zaangażowania.

Analizy te dotarły do Nigela Cramera, który przedłożył je komitetowi COBRA. Kopie wysłano natychmiast do Waszyngtonu, prosto do specjalnej komisji w Białym Domu. Inne odpisy trafiły do Kensington. Quinn przeczytał je, a po nim Sam Somerville.

— Nie rozumiem tu jednego — powiedziała, gdy odłożyła na stół ostatnią kartkę — dlaczego wyszukali sobie Simona Cormacka? Prezydent pochodzi wprawdzie z zamożnej rodziny, ale w Anglii ulicami chodzą także inni bogaci, młodzi mężczyźni.

Quinn, którego zajmowała ta sama myśl, gdy siedział w knajpie w Hiszpanii przed ekranem telewizora, rzucił jej krótkie spojrzenie, nie mówiąc nic. Zdenerwowało ją, że nie otrzymała żadnej odpowiedzi. Ale i zaintrygowało. Ten Quinn fascynował ją z dnia na dzień coraz bardziej.

Siódmego dnia po uprowadzeniu i cztery dni po tym, gdy Zack zadzwonił po raz pierwszy, CIA i brytyjska SIS (Tajna Służba Wywiadowcza) odesłały swoich tajnych agentów penetrujących europejskie organizacje terrorystyczne. Nie było żadnych informacji, że pistolet maszynowy Skorpion zakupiony został w tych źródłach i nikt nie sądził już, że w tej sprawie uczestniczyli polityczni terroryści. Wśród sprawdzonych grup były irlandzkie IRA i INLA, gdzie CIA i SIS miały osobnych szpicli, o których tożsamości nie informowano się, Frakcja Czerwonej Armii, następczymi grupy Baader- Meinhof, włoskie Czerwone Brygady, francuska Action Directe, baskijska ETA, belgijskie CCC. Istniały jeszcze mniejsze i bardziej szalone grupy, ale uznano je za zbyt małe, by same mogły zorganizować operację uprowadzenia Simona Cormacka.

Następnego dnia Zack zgłosił się ponownie. Z rzędu budek na dużej stacji paliwowej przy autostradzie M11, na południe od Cambridge. Zlokalizowany został w ciągu ośmiu sekund, ale dopiero siedem minut później przybył tam funkcjonariusz w cywilu. W tłumie przetaczających się aut i ludzi daremną nadzieją było wierzyć, że on sam jeszcze gdzieś się tam kręcił.

— Ten pies — zaczął szorstko — nazywał się Pan Kropek.

— No, no! Dzięki, Zack — powiedział Quinn. — Zatroszcz się o to, aby chłopak pozostał zdrowy, a my zakończymy interes szybciej niż myślisz. Mam nową wiadomość: ci, co rządzą funduszami pana Cormacka, mogą wystarać się o milion dwieście dolarów w gotówce. I te pieniądze mogą być szybko. Idź na to, Zack...

— Pocałuj mnie w dupę — warknął głos na drugim końcu linii. Spieszył się jednak, bo czas się kończył. Opuścił swoje żądania do trzech milionów dolarów. I powiesił słuchawkę.

— Dlaczego nie kończy pan na tym, Quinn? — spytała Sam.

Siedziała na krawędzi krzesła; Quinn wstał właśnie, by pójść do łazienki. Po każdym telefonie Zacka szedł się umyć lub wykąpać, korzystał z toalety i potem coś jadł. Wiedział, że jakiś czas nie będzie żadnego dalszego kontaktu.

— Tu nie chodzi tylko o pieniądze — odparł, opuszczając pokój.

— Zack jeszcze nie dojrzał. Znowu podniósłby żądanie, bo podejrzewa, że go nabieramy. Chcę go jeszcze trochę podminować, żeby poczuł, że znajduje się pod większą presją.

— A presja, pod jaką znajduje się Simon Cormack? — krzyknęła za nim Sam przez korytarz.

Quinn cofnął się do drzwi.

— Tak — zaczął rzeczowym tonem. — A i jego rodzice też. Nie zapomniałem o tym. Ale w takich przypadkach przestępcy muszą wierzyć, wierzyć naprawdę, że nic więcej nie ma do wyciągnięcia. W przeciwnym razie wpadają we wściekłość i robią krzywdę zakładnikowi. Już to przeżyłem. Powolne i ostrożne postępowanie jest naprawdę lepsze niż atak kawalerii. Jeśli sprawy nie można rozwiązać w ciągu czterdziestu ośmiu godzin, szybkim aresztowaniem, dochodzi do wyczerpującej wojny: nerwy porywacza przeciw nerwom negocjatora. Jeśli on nic nie dostanie, szaleje; jeśli dostanie za dużo i za szybko, sądzi, że popsuł sprawę, a jego wspólnicy powiedzą mu to samo. To właśnie jest złe dla zakładnika.

Kiedy Nigel Cramer słyszał parę minut później te słowa z taśmy, pokiwał tylko twierdząco głową. W dwóch przypadkach, w których uczestniczył, zdobył to samo doświadczenie. W jednym zakładnik został uwolniony nietknięty, w drugim porywacz, rozwścieczony psychopata, zlikwidował swoją ofiarę.

W podziemiach ambasady amerykańskiej słowa Quinna odbierano „na żywo".

— Gówno prawda — stwierdził Brown. — Na Boga, on ma przecież ten interes w ręku. Powinien teraz wyciągnąć chłopaka. A potem ja już sam przyskrzynię tych bydlaków.

— Jeśli uciekną, może pan zostawić sprawę Scotland Yardowi — poradził Seymour. — Oni ich znajdą.

— Taak, a brytyjski sąd da im dożywocie w miłej kliteczce. Wie pan, co oznacza dożywocie w tym kraju? Czternaście lat najwyżej, przy dobrym sprawowaniu. Gówno! Niech pan posłucha, co powiem: nikt, naprawdę nikt nie robi czegoś takiego z synem prezydenta i wychodzi z tego cało. Ta historia stanie się pewnego dnia sprawą dla Biura, jaką powinna była być od samego początku. I ja ją załatwię, według reguł bostońskich.

Nigel Cramer pojawił się tego dnia wieczorem osobiście w mieszkaniu w Kensington. Przyszedł z pustymi rękoma. Dyskretnie przesłuchano czterysta osób, sprawdzono prawie pięćset meldunków o tym, że ktoś widział coś niezwykłego, skontrolowano sto sześćdziesiąt dalszych domów i mieszkań. Bez sukcesu.

Policja kryminalna w Birmingham szukała w swoich dossier z minionych pięćdziesięciu lat kryminalistów, którzy figurowali w aktach jako brutalni bandyci i mogli jakiś czas temu opuścić miasto. Zbadano osiem przypadków, jakie wchodziły w grę, i wyjaśniono je wszystkie — ludzie ci albo umarli, albo siedzieli w więzieniu lub innym dającym się ustalić miejscu pobytu.

Archiwum Scotland Yardu, o czym wie niewielu, zawiera także i bank głosów. Dzięki nowoczesnej technice ludzkie głosy dają się podzielić na serię wysokich i niskich punktów, które dokładnie odtwarzają, jak delikwent oddycha, jaką wysokością i mocą tonu mówi, jak formułuje swoje słowa i wypowiada je. Wzór śladów na oscylografie jest jak odcisk palców, może zostać porównany i jeśli głos delikwenta jest już „w magazynie", zidentyfikowany.

Liczni kryminaliści, o czym wielu z nich nie ma żadnego pojęcia, mają tu swoje nagrania. Są też i głosy osób nagabujących innych obscenicznymi telefonami, anonimowych donosicieli i takich, którzy nagrywani byli podczas aresztowania i w sali przesłuchań. Zacka jednak nie było pośród nich.

Także badania śladów spełzły na niczym — łuski pocisków, naboje, odciski butów i ślady opon spoczywały spokojnie w laboratoriach policyjnych i nie chciały zdradzić żadnych nowych tajemnic.

— W promieniu prawie stu kilometrów wokół Londynu znajduje się osiem milionów mieszkań i domów wolnostojących — objaśniał Cramer. — Do tego dochodzą wysuszone kanały odwadniające, magazyny, piwnice, krypty, tunele, podziemne przejścia i opuszczone budynki. Mieliśmy tu swego czasu mordercę i gwałciciela zwanego Czarną Panterą, który żył w nieczynnej kopalni pod parkiem narodowym. Holował swoje ofiary na dół. Złapaliśmy go... upłynęło jednak dużo czasu. Przykro mi, panie Quinn, szukamy po prostu dalej.

Ósmego dnia napięcie w Kensington stało się zauważalne. Silniej dotknęło młodych; jeśli odczuwał je także Quinn, trudno było to po nim poznać. Pomiędzy telefonami i naradami długo leżał na łóżku, zapatrzony w sufit, próbował wczuć się w Zacka i ustalić strategię, jak zachować się przy następnym telefonie. Kiedy powinien zamykać sprawę, jak miałaby odbyć się wymiana?

McCrea był coraz bardziej zmęczony, ale nadal uczynny. Był oddany Quinnowi prawie jak pies, zawsze gotów coś załatwić, zrobić kawę czy zastąpić go w domowych obowiązkach.

Dziewiątego dnia Sam poprosiła o pozwolenie wyjścia po zakupy. Kevin Brown, dzwoniąc z ambasady, przystał na to, acz niechętnie. Po raz pierwszy od blisko dwóch tygodni opuściła mieszkanie, wzięła taksówkę do Knightsbridge i spędziła cztery piękne godziny włócząc się po domach towarowych Harveya Nicholsa i Harrodsa. W tym drugim pozwoliła sobie na elegancką torebkę z krokodylej skóry.

Kiedy wróciła, torebka budziła podziw w oczach obu mężczyzn. Przyniosła także dla każdego podarunek: pozłacane pióro w etui dla McCrei, a dla Quinna kaszmirowy sweter. Młody agent CIA podziękował wzruszony, Quinn założył sweter, a jego twarz pokryła się równie rzadkim co promienistym uśmiechem. Był to jedyny beztroski moment, jaki przeżyli we troje w tym mieszkaniu.

W Waszyngtonie, tego samego dnia, Komisja Antykryzysowa przysłuchiwała się z posępnymi minami wypowiedzi doktora Armitage'a.

— Stan zdrowia prezydenta niepokoi mnie coraz bardziej — mówił do obecnych: wiceprezydenta, doradcy do spraw bezpieczeństwa, prokuratora generalnego, trzech dalszych ministrów oraz dyrektorów FBI i CIA. — Okresy przepełnione stresem zdarzały się już wcześniej i zawsze będą miały miejsce. Ale to obciążenie jest natury osobistej, troska sięgająca o wiele głębiej. Ludzka psychika, nie mówiąc o ciele, nie jest stworzona, by znosić długo tak silny stres.

— A fizyczna kondycja? — spytał Bill Walters.

— Jest skrajnie wyczerpany. Potrzebuje lekarstw, aby móc wieczorem zasnąć, o ile w ogóle śpi. Starzeje się w oczach.

— A umysłowo? — chciał wiedzieć Morton Stannard.

— Widzieliście sami, panowie, jak próbuje stawić czoło normalnym interesom państwa — odpowiedział doktor Armitage. Wszyscy skinęli trzeźwo głowami. — Nie da rady dłużej, jego koncentracja słabnie, pamięć zawodzi.

Morton Stannard skinął współczująco głową, ale oczy zdradzały swoje. Dziesięć lat młodszy od Donaldsona i Reeda, nim został ministrem obrony, był międzynarodowym bankierem z Nowego Jorku, człowiekiem, dla którego cały świat był domem, lubiącym dobrą kuchnię, dojrzałe wina i malarstwo francuskich impresjonistów. Pracując dla Banku Światowego zyskał sobie sławę sprytnego i sprawnego negocjatora, człowieka, którego nie jest łatwo przekonać, jak stwierdzali przedstawiciele krajów Trzeciego Świata zadłużeni po uszy i szukający nowych kredytów, którzy wracali do domu z pustymi rękoma.

W Pentagonie zdobył sobie w ciągu dwóch minionych lat reputację człowieka sprawnie działającego, uznającego, że amerykański podatnik za swoje dolary winien otrzymać skuteczne środki obrony. Narobił sobie wrogów i pośród wyższych oficerów, i wśród rekinów przemysłu zbrojeniowego. Potem przyszło Nantucket i zmieniło kilka starych przymierzy nad Potomakiem. Stannard znalazł się po stronie firm zbrojeniowych i sztabowców, którzy oponowali przeciw daleko idącym cięciom.

Podczas gdy Michael Odell walczył przeciw Traktatowi z Nantucket zgodnie z własnym sumieniem, motywy Stannarda bliższe były podziałowi władzy i wpływów w waszyngtońskiej hierarchii; jego sprzeciw nie wynikał z przemyśleń czysto filozoficznych. Kiedy w gabinecie został przegłosowany, przyjął to z niewzruszonym obliczem. Podobnie jak i teraz, kiedy usłyszał wieści o pogarszającym się stanie prezydenta.

— Biedny człowiek, mój Boże, jaki biedny człowiek — wzdychał pod nosem Hubert Reed z Ministerstwa Skarbu.

— Do tego dochodzi kolejny problem — kończył swoją wypowiedź psychiatra. — On nie jest człowiekiem, który uzewnętrznia swe reakcje. Nie wyrzuca z siebie emocji. Przeżywa to wewnątrz... jak każdy z nas, ma życie wewnętrzne. Tłumi jednak te uczucia, nie potrafi płakać i krzyczeć. Inaczej niż Pierwsza Dama; ona nie ponosi obciążeń związanych z urzędem, ona bierze więcej lekarstw. Choć uważam, że jest w równie złej kondycji, jeśli nie gorszej. Chodzi o jej jedyne dziecko, a stan jej dla prezydenta jest dodatkowym duchowym obciążeniem.

Przechodząc do Rezydencji, pozostawił ośmiu mężczyzn naprawdę głęboko zatroskanych.

Bardziej z ciekawości niż z jakiegoś innego powodu Andy Laing pozostał przez dwa kolejne wieczory ponad regulaminowy czas pracy w swoim biurze w Dżuddzie i wprowadził kilka pytań do komputera. To co otrzymał, zdumiało go.

Malwersacje nadal trwały. Od czasu jego rozmowy z dyrektorem generalnym dokonano kolejnych czterech operacji, które ten mógł zastopować jednym telefonem. Konto oszusta pełne było pieniędzy z publicznych środków królestwa Arabii Saudyjskiej. Laing wiedział, że tego rodzaju sprzeniewierzenia nie były niczym nowym w Arabii Saudyjskiej, tutaj jednak chodziło o ogromne sumy, wystarczające, aby sfinansować zakrojone na ogromną skalę operacje.

Ogarnęło go przerażenie, gdy zrozumiał, że Steve Pyle, którego tak szanował, musiał być uwikłany w tę sprawę. Nie pierwszy raz dyrektor banku „wyciągał" coś dla siebie. Ale mimo to przeżył szok. Zwłaszcza kiedy pomyślał, że ze swoim odkryciem trafił do samego winnego! Resztę nocy spędził w mieszkaniu pochylony nad maszyną do pisania. Przypadkowo Rockman-Queens Bank przyjął go do pracy nie w Nowym Jorku, lecz w Londynie, gdzie pracował dla innego amerykańskiego banku.

Londyn był także centrum prowadzenia operacji w Europie i na Bliskim Wschodzie, z największym oddziałem tego banku poza Nowym Jorkiem, i tam też znajdował się dział rewizji dla transakcji zamorskich. Laing wiedział, co robić; wysłał raport do kierownika tego działu i dołączył jako dowody cztery arkusze wydruku komputerowego.

Gdyby był trochę sprytniejszy, wysłałby przesyłkę normalną pocztą. Jednak ta pracowała wolno i nie zawsze kompetentnie. Wrzucił więc swoją paczkę do korespondencji banku, która zazwyczaj odsyłana była przez kuriera z Dżuddy do Londynu. Zazwyczaj. Jednak po wizycie Lainga w Rijadzie, tydzień wcześniej, dyrektor generalny wydał dyspozycje, aby cała korespondencja przechodziła przez Rijad. Następnego dnia Steve Pyle sprawdził odchodzącą pocztę, wyjął raport Lainga, pozostałe listy odesłał dalej i przeczytał uważnie, co też Laing naniósł na papier. Potem sięgnął po słuchawkę i wybrał lokalny numer.

— Pułkowniku Easterhouse, mamy tutaj pewien problem. Myślę, że powinniśmy się spotkać.

Po obu stronach Atlantyku media donosiły ciągle to samo. Powtarzały wszystko do znudzenia. Mimo to nie brakowało im słów. Eksperci wszelkiego rodzaju, od profesorów, psychiatrów, aż do medium włącznie, oferowały władzom swoje rady. Eksperci parapsychologii przed kamerą nawiązywali połączenie ze światem duchów i odbierali najróżniejsze wieści, które nawzajem zaprzeczały sobie. Liczne oferty zapłaty okupu, bez względu na jego wysokość, wpływały od osób prywatnych i bogatych fundacji. Kaznodzieje telewizyjni doprowadzili się do prawdziwych ekstaz; na stopniach kościołów i katedr trwały czuwania.

Czyhający na sławę przeżywali swoją wielką godzinę. Setki osób zgłosiły się na miejsce Simona Cormacka jako zakładnicy, w uspokajającej pewności, że do takiej wymiany nigdy nie dojdzie. Dziesiątego dnia po pierwszym telefonie Zacka do relacji przekazywanych amerykańskiemu społeczeństwu wkradł się nowy ton.

Ewangelista z Teksasu, którego zasoby finansowe powiększyły się za sprawą wielkiej i nieoczekiwanej ofiary z pewnego koncernu naftowego, twierdził, że miał boskie objawienie. Napaści na Simona Cormacka i jego ojca, prezydenta, a tym samym na całe Stany Zjednoczone, dokonali komuniści. Nie może być co do tego żadnych wątpliwości. Ogólnokrajowe stacje telewizyjne podchwyciły tę niebiańską wieść i podały dalej.

Pierwsze strzały planu Crocketta zostały oddane, zasiewając przy tym pierwsze ziarna.

Bez swojego poważnego kostiumu służbowego, którego nie nosiła od pierwszego wieczoru spędzonego w mieszkaniu, agentka specjalna Sam Somerville była rzucającą się w oczy atrakcyjną kobietą. Dwa razy w swojej karierze zawodowej wykorzystała tę urodę, aby przyspieszyć rozwiązanie sprawy. Za pierwszym razem miała kilka randek z wysoko postawionym urzędnikiem Pentagonu i przy ostatniej pozornię pijana w sztok znalazła się w jego mieszkaniu. Ten dał się nabrać na jej rzekomy brak świadomości i odbył wysoce kompromitującą rozmowę telefoniczną, która dostarczyła dowodu, że określonym producentom broni umożliwiał zwiększenie produkcji i kasował za to łapówki.

W drugim przypadku dała się zaprosić bossowi mafii na kolację i pod tapicerką w jego limuzynie przeszmuglowała pluskwę. To co podsłuch zdradził ludziom z FBI, wystarczyło do postawienia faceta w stan oskarżenia za naruszenie kilku paragrafów prawa federalnego.

Kevin Brown właśnie to miał na względzie, gdy wybrał Sam Somerville jako psa wartowniczego dla negocjatora, którego Biały Dom chciał wysłać do Londynu. Miał nadzieję, że Quinn będzie tak nią oczarowany jak różni inni mężczyźni przed nim i zdradzi jej w momencie słabości wszystkie skryte myśli i zamiary, jakich nie mogły zarejestrować żadne mikrofony.

Nie liczył się jednak z faktem, że mogło się stać coś dokładnie odwrotnego. Wieczorem jedenastego dnia w mieszkaniu w Kensington oboje mijali się w wąskim korytarzu, który prowadził z łazienki do salonu. Podążając za impulsem, Sam Somerville położyła ramiona na szyi Quinna i pocałowała go w usta. Już od tygodnia chciała tego. Nie została odtrącona i była zaskoczona, z jakim pożądaniem on odpowiedział na jej pocałunek.

Objęcie trwało kilka minut, podczas gdy niczego nie przeczuwający McCrea pichcił coś na patelni w kuchni za salonem. Silna i opalona ręka

Quinna głaskała jej lśniące blond włosy. Czuła, jak napięcie i wyczerpanie spływają z niej falami.

— Jak długo jeszcze, Quinn? — szepnęła.

— Niedługo — mruknął. — Parę dni, jeśli wszystko pójdzie dobrze. Może tydzień.

Kiedy wrócili do salonu, zawołani przez McCreę na kolację, ten nie zauważył w nich żadnej zmiany.

Pułkownik Easterhouse kulejąc przemierzył gruby dywan w gabinecie Steve'a Pyle'a i wyjrzał przez okno. Na stoliku kawowym za nim leżał raport Lainga. Pyle obserwował go z zatroskaniem.

— Obawiam się, że pański młody człowiek mógłby wyrządzić olbrzymią szkodę naszemu krajowi tu, w Arabii Saudyjskiej — powiedział Easterhouse cicho. — Nieświadomie, rzecz jasna. Jest z pewnością sumiennym człowiekiem. Mimo to...

Wewnętrznie był bardziej zaniepokojony, niż dał to po sobie poznać. Jego plan masakry i obalenia saudyjskiego domu panującego dojrzewał obecnie i był podatny na przeszkody.

Fundamentalistyczny szyicki imam znajdował się w ukryciu i zniknął z kręgu zainteresowania służb bezpieczeństwa, ponieważ wszelkie zebrane w centralnym komputerze policyjnym informacje o nim zostały wykasowane: wszystkie znane kontakty, przyjaciele, zwolennicy i możliwe miejsca pobytu tego człowieka. Fanatyk z Policji Religijnej Mutawain utrzymywał z nim kontakt. Między szyitami werbowanie przynosiło postępy, przy czym ochotnicy dowiadywali się tylko, że pozostają na służbie imama, a tym samym Allaha i są przygotowywani do czynu, który przyniesie im wielką chwałę.

Prace nad nową areną rozwijały się planowo i zbliżały ku końcowi. Ogromne bramy, okna, wyjścia boczne i system wentylacyjny, wszystko sterowane centralnie komputerem, odpowiednio zaprogramowanym przez Easterhouse'a. Plany manewrów na pustyni, które miały odciągnąć największą część armii Arabii Saudyjskiej ze stolicy wieczorem przed próbą generalną, były już dalece zaawansowane. Egipski generał-major i dwaj palestyńscy specjaliści od broni otrzymali swoją zapłatę i byli gotowi krytycznego wieczoru wydać wadliwą amucję gwardii królewskiej.

Amerykańskie pistolety maszynowe Piccolo z magazynkami i amunicją miały nadejść statkiem na początku nowego roku. Przygotowano już miejsce do ich składowania, nim zostaną wydane szyitom. Jak to zaznaczył Cyrusowi Millerowi, potrzebował amerykańskich dolarów tylko na zakupy za granicą. Na obszarze Arabii mógł płacić rialami.

Steve'owi Pyle'owi opowiedział co innego. Dyrektor generalny słyszał o pułkowniku Easterhouse i jego godnych pozazdroszczenia wpływach na dworze królewskim, czuł się więc zaszczycony, gdy przed dwoma miesiącami otrzymał od niego zaproszenie na obiad. Wielkie wrażenie zrobiła na nim nienagannie sfałszowana legitymacja CIA, jaką Easterhouse mu pokazał. Pomyśleć tylko, że ten człowiek wcale nie jest na cudzym żołdzie, lecz w rzeczywistości pracuje dla swojego rządu i tylko on, Steve Pyle, o tym wiedział.

— Krążą pogłoski o zamiarze obalenia dynastii królewskiej — oznajmił mu z poważną miną Easterhouse. — Powiadomiliśmy o tym króla Fahda. Jego wysokość zgodził się na współdziałanie jego organów bezpieczeństwa z Agencją, aby zdemaskować spiskowców.

Pyle przestał jeść i otworzył usta ze zdziwienia. To, co usłyszał, wydawało się jednak całkiem prawdopodobne.

— Jak pan wie, można w tym kraju za pieniądze kupić wszystko, włącznie z informacjami. Tych potrzebujemy, a normalny budżet służby bezpieczeństwa nie może zostać naruszony, by ewentualni spiskowcy, znajdujący się w jej szeregach, nie dowiedzieli się o wszystkim. Zna pan księcia Abdula?

Pyle skinął głową. Książę Abdul był kuzynem króla i ministrem robót publicznych.

— Król mianował go na mojego łącznika — wyjaśnił Easterhouse — a książę wyraził zgodę, by środki, których potrzebujemy do wykrycia spisku, pochodziły z jego własnego budżetu. Nie muszę chyba panu mówić, że najwyższe koła w Waszyngtonie zainteresowane są mocno, aby temu tak blisko z nami zaprzyjaźnionemu rządowi nic się nie przydarzyło.

I tak bank reprezentowany przez jednego i raczej łatwowiernego dyrektora uznał, że jest gotowy współdziałać przy tworzeniu funduszu. W rzeczywistości Easterhouse wkradł się do komputera księgowości Ministerstwa Robót Publicznych, który sam wcześniej tam zainstalował, i wydał mu cztery nowe instrukcje.

Pierwsza polegała na tym, aby za każdym razem alarmować jego własny terminal, gdy ministerstwo wydawało weksel na pokrycie rachunku wystawionego przez dostawcę. Całkowita suma tych rachunków w miesiącu była ogromna; w rejonie Dżuddy ministerstwo finansowało budowę dróg, szkół, szpitali, głębokowodnych portów, stadionów, wiaduktów i osiedli mieszkaniowych.

Druga instrukcja nakazywała, aby do każdej płatności dodać dziesięć procent i przetransferować je na specjalne konto Easterhouse'a w filii Investment Bank w Dżuddzie. Trzecia i czwarta instrukcja służyły do jego własnej ochrony: gdyby ministerstwo chciało poznać aktualny stan swego konta, komputer miał dodać dziesięć procent. I wreszcie, gdyby ktoś był bardziej dociekliwy, miał odmówić odpowiedzi i skasować całą swoją pamięć. Aktualny stan konta Easterhouse'a wynosił cztery miliardy rialów.

Dziwnym przypadkiem, jaki rzucił się w oczy Laingowi, było to każdorazowe przeksięgowanie dziesięciu procent sumy przekazu z konta ministerstwa na konto numerowe w tym samym banku.

Oszustwo Easterhouse'a było tylko modyfikacją triku z czwartą kasą rejestrującą i mogło zostać wykryte dopiero w kolejnym roku przy corocznym sprawdzaniu rachunków w ministerstwie. Metoda ta swoją nazwę wzięła z anegdoty o amerykańskim właścicielu baru, który mimo iż jego lokal był zawsze pełen gości, stwierdzał, że dochody są o jedną czwartą mniejsze niż powinny. Zaangażował więc prywatnego detektywa, który w pomieszczeniu nad barem wywiercił dziurę w podłodze i przez cały tydzień obserwował, co działo się na dole. Po czym orzekł: „Przykro mi, że muszę panu to powiedzieć, ale pański personel to uczciwi ludzie. Każdy dolar przechodzący przez kontuar baru ląduje w jednej z pańskich czterech kas rejestrujących". „Dlaczego: czterech? — właściciel baru na to. — Ja mam tylko trzy..."

— Nikt nie chce wyrządzać temu młodemu człowiekowi krzywdy — powiedział Easterhouse — ale jeśli planuje on coś takiego, nie chce trzymać języka za zębami, czy nie byłoby mądrze wysłać go z powrotem do Londynu?

— Nie jest to takie proste. Dlaczego miałby się na to zgodzić bez protestów? — spytał Pyle.

— Sądzi z pewnością — zauważył Easterhouse — że ta przesyłka dotarła do Londynu. Jeśli wezwą go tam, jak mu pan to zaznaczy, będzie łagodny jak baranek. Pan musi tylko podać Londynowi, że chciałby go przenieść. Powody: nie pasuje tutaj, traktuje ordynarnie kolegów i obniża ich morale. Dowody na to ma pan tu, w swoich rękach. Jeśli w Londynie będzie nadal rozgłaszał te zarzuty, potwierdzi tym tylko, że miał pan rację.

Pyle był olśniony. To tuszowało całą sprawę w każdym wariancie.

Quinn był wystarczająco cwany, by wiedzieć, że w jego sypialni jest nie jedna, a dwie pluskwy. Potrzebował godziny, by odkryć pierwszą i kolejnej na drugą. Duża lampa z mosiądzu miała wywiercony w płycie maleńki otwór. Nie był on konieczny, bo sznur prowadził przez boczną część lampy. Quinn przeżuł listek gumy do żucia, której kilka opakowań dostał od wiceprezydenta Odella przed odlotem, i wcisnął ją miękko w otwór.

W podziemiach ambasady pełniący służbę pracownik ELINT obrócił się po kilku minutach przy pulpicie sterowniczym i wezwał do siebie człowieka z FBI. Wkrótce Brown i Collins byli już na stanowisku podsłuchu.

— Jedna z pluskiew w sypialni właśnie padła — stwierdził technik.

— Ta w podstawie lampy. Sygnalizuje uszkodzenie.

— Mechaniczne? — spytał Collins. Mimo zapewnień producentów technika miała zwyczaj zawodzić w regularnych odstępach.

— Być może — zgodził się pracownik ELINT. — To trudno ustalić. Wydaje się, że działa, ale poziom dźwięku wynosi zero.

— Czy on sam mógłby ją odkryć i coś tam wcisnąć? — zapytał Brown. — To chytry lis.

— Możliwe — odparł technik. — Mamy tam jechać?

— Nie — orzekł Collins. — On i tak nigdy nie odzywa się w tej sypialni. Leży tylko na plecach i rozmyśla. Poza tym mamy jeszcze drugą pluskwę, w gniazdku w ścianie.

Tej nocy, dwunastej od pierwszego telefonu Zacka, Sam przyszła do pokoju Quinna. McCrea spał daleko, w drugim końcu mieszkania. Drzwi skrzypnęły lekko, gdy weszła.

— Co to było? — spytał jeden z agentów FBI, który miał nocną służbę i siedział obok technika.

Ten wzruszył ramionami.

— To w sypialni Quinna. Szczęknęły drzwi albo okno, może idzie do kibla albo chce zaczerpnąć świeżego powietrza. Nikt się nie odzywa, słyszysz?

Quinn leżał cicho na swoim łóżku, pogrążony w ciemnościach. Tylko poświata od lamp ulicznych rozjaśniała ten niemal zawsze ciemny pokój. Leżał bez ruchu i patrzył na sufit. Prawie goły, nie licząc sarongu owiniętego wokół bioder. Gdy usłyszał skrzypnięcie drzwi, odwrócił głowę. Sam stała tam cicho. Ona też wiedziała o pluskwach. Wiedziała, że jej własny pokój nie był podsłuchiwany, ale zaraz obok był pokój McCrei.

Quinn spuścił nogi na podłogę, zawiązał ciaśniej swój sarong i położył palec na ustach. Wstał bezszelestnie z łóżka, wziął swój magnetofon ze stolika obok, włączył go i postawił przy gniazdku zainstalowanym tuż nad listwą podłogową, dwa metry od łóżka.

Bez żadnego hałasu podniósł duży fotel klubowy stojący w rogu, odwrócił go do góry nogami i postawił nad magnetofonem opierając go o ścianę. Poduszkami zatkał szpary, gdzie poręcze fotela nie stykały się z tapetą. Fotel tworzył cztery ścianki pomieszczenia, pozostałe dwie tworzyła podłoga i ściana. W środku znajdował się magnetofon.

— Teraz możemy rozmawiać.

— Wcale nie mam na to ochoty — szepnęła Sam i wyciągnęła do niego ramiona.

Quinn podniósł ją i szybkim ruchem przeniósł na łóżko. Tu wyprostowała się na chwilę i zdjęła swoją jedwabną koszulę nocną. Quinn położył się obok niej. Dziesięć minut później stali się kochankami.

A w podziemiach ambasady technik i dwaj agenci FBI nasłuchiwali dźwięków, jakie wydobywały się z gniazdka oddalonego o trzy kilometry.

— Zasnął — stwierdził technik.

W trójkę słyszeli równe rytmiczne oddechy śpiącego mężczyzny. Nagrane noc wcześniej, gdy Quinn postawił magnetofon obok swojej poduszki. Brown i Seymour weszli do stanowiska podsłuchów. Tej nocy nie spodziewano się żadnych wydarzeń. Zack dzwonił podczas wieczornego szczytu o osiemnastej z dworca w Bedford, znowu nikt go nie zauważył.

— Nie rozumiem — przyznał Patrick Seymour — jak on może spać w takim stresie. Ja od dwóch tygodni robię krótką drzemkę i zastanawiam się, czy jeszcze kiedykolwiek będę mógł normalnie spać. Musi mieć struny od fortepianu w miejscu nerwów.

Technik ziewnął i przytaknął mu. Normalnie jego praca dla CIA w Europie nie wiązała się z nocnymi dyżurami, a już na pewno nie jedną noc po drugiej.

— Taak, marzy mi się być teraz na jego miejscu...

Brown odwrócił się bez słowa i wrócił do biura, w którym miał swoją kwaterę. Był od prawie czternastu dni w tym przeklętym mieście i coraz bardziej przekonywał się, że brytyjska policja nie posuwa się naprzód, a Quinn ze szczurem, który nie zasługuje na to, aby być traktowanym jak człowiek, bawi się w kotka i myszkę. Quinn i jego brytyjscy koledzy mogli siedzieć na tyłkach, aż im przyrosną do ziemi; jego cierpliwość już się kończyła. Postanowił, że rano zbierze wszystkich ludzi i zobaczy, czy troszkę staroświeckiej pracy detektywistycznej w terenie nie dostarczyłoby jakiegoś śladu. Nie byłby to pierwszy raz, kiedy potężna policja przeoczyła jednak jakiś drobny szczegół.

ROZDZIAŁ ÓSMY

Prawie trzy godziny Quinn i Sam leżeli objęci, oddając się miłości i szepcząc na przemian. Przede wszystkim odzywała się Sam, opowiadając o sobie i karierze w FBI. Przestrzegała go też przed tym draniem Kevinem Brownem, który ją wybrał do tej misji i sam zjawił się z ośmioosobową ekipą FBI do Londynie, aby mieć sprawy na oku.

Zapadła już w pełen marzeń głęboki sen, pierwszy od dwóch tygodni, kiedy Quinn obudził ją delikatnym szturchańcem.

— Ta taśma jest trzygodzinna — szepnął. — Za kwadrans się kończy.

Pocałowała go jeszcze raz, założyła nocną koszulę i na palcach wróciła do swojego pokoju. Quinn ostrożnie podniósł fotel od ściany. Chrząknął parę razy do mikrofonu w ścianie, wyłączył magnetofon, wskoczył do łóżka i naprawdę zasnął. Na Grosvenor Square dało się to słyszeć, jakby śpiący człowiek zmienił pozycję, przewracając się z boku na bok w czasie snu. Technik i obaj pracownicy FBI rzucili krótkie spojrzenie na pulpit i dalej grali w karty.

Zack zadzwonił o wpół do dziesiątej. Był bardziej szorstki i wrogi niż dzień wcześniej — jak człowiek, któremu nerwy stopniowo zaczęły zawodzić, który cały czas znajdował się pod presją i teraz postanowił sam wywrzeć presję.

— Posłuchaj mnie teraz uważnie, zasrańcu. I żadnej paplaniny. Mam tego dosyć. Przystaję na te twoje pieprzone dwa miliony i basta. A jakbyś jeszcze coś wymyślił, to prześlę ci te parę palców. Wystarczy młotek i przecinak i będzie po prawej rączce chłoptasia. Ciekawe, czy wtedy będą cię jeszcze lubić w Waszyngtonie...

— Zack, spokojnie — odparł Quinn poważnym tonem. — Dostaniesz swoje. Wygrałeś. Wczoraj wieczorem powiedziałem im: albo idą na te dwa miliony, albo ja rezygnuję. Jezu, myślisz, że ty jeden jesteś tu zmęczony? Nawet oka nie zmrużyłem na wypadek, gdybyś zadzwonił.

Myśl, że nerwy kogoś innego są bardziej zszargane niż jego, zdawała się uspokajać Zacka.

— Jeszcze jedno — warknął. — Żadnych pieniędzy, żadnej gotówki. Jak was znam, zasrańcy, wetknęlibyście w torbę jakąś pluskwę. Chcę to w diamentach. Już ci mówię jak...

Zmieścił się w dziesięciu sekundach i odwiesił słuchawkę. Quinn nie robił notatek, nie było to konieczne. Cały czas biegła taśma. Telefon został zlokalizowany w jednej z trzech kabin w Saffron Walden, targowym miasteczku w zachodnim Essex, tuż przy autostradzie M11 z Londynu do Cambridge. Trzy minuty później policjant w cywilu dotarł do tych kabin, na próżno. Dzwoniący zgubił się w tłumie przechodniów.

W tym czasie Andy Laing siedział w stołówce Investment Bank w Dżuddzie przy lunchu. Jadł z pakistańskim przyjacielem i kolegą, panem Aminem, dyrektorem do spraw operacji finansowych.

— Ciągle mnie czymś zaskakują, przyjacielu — mówił młody Pakistańczyk. — Co tu się ostatnio dzieje?

— Nie mnie pytaj — odparł Laing. — A o co właściwie chodzi?

— Jak wiesz, worek z pocztą codziennie wychodzi stąd do Londynu. Miałem dla nich pilną przesyłkę z dokumentami. Potrzebna była szybka odpowiedź. I nic. Teraz sam już nie wiem, kiedy tu dotrze. Pytałem w spedycji, dlaczego tak długo to trwa, i usłyszałem coś bardzo szczególnego.

Laing odłożył nóż i widelec.

— Cóż takiego, stary?

— Powiedzieli, że cała poczta jest opóźniona. Wszystkie przesyłki do Londynu są kierowane do Rijadu, a dopiero dzień później lecą dalej.

Laing stracił apetyt. To, co poczuł w żołądku, nie było uczuciem głodu.

— Jak długo to już trwa?

— Chyba z tydzień.

Prosto ze stołówki Laing wrócił do biura. Tam czekała już wiadomość od szefa oddziału, Al-Harouna. Pan Pyle chciał go niezwłocznie widzieć w Rijadzie.

Wczesnym popołudniem miał jakiś samolot. Kiedy siedział już w nim, próbował całą złość wyładować na sobie. Po fakcie każdy był mądry: gdyby przesyłkę wysłał normalną pocztą do Londynu... A jeszcze zaadresował ją osobiście do szefa działu rewizyjnego. I tak wypisana, z jego charakterystycznym pismem, musiała rzucić się w oczy, kiedy trafiła z innymi listami na biurko Steve'a Pyle'a. A teraz, kiedy ostatni interesant tego dnia opuszczał bank, on miał się tam stawić osobiście.

*

Nigel Cramer zajrzał do Quinna w porze lunchu czasu londyńskiego. — Rozumiem, że te dwa miliony dolarów zamknęły sprawę okupu? — powiedział, a kiedy Quinn skinął głową, dodał: — Moje gratulacje. Trzynaście dni to niezły wynik. A tak na marginesie, mój psycholog przesłuchał waszą dzisiejszą rozmowę. Jest zdania, że facet spoważniał, znajduje się pod ogromną presją i chce z tego już wyjść.

— Parę dni jeszcze tak się pomęczy — stwierdził Quinn. — Podobnie jak my wszyscy. Słyszał pan, że żąda diamentów zamiast gotówki. Zorganizowanie tego potrwa. Są jakieś ślady co do ich kryjówki?

Cramer potrząsnął głową. — Niestety żadnych. Wszystkie znane umowy o wynajem domów zostały sprawdzone. Albo zajęli coś bez najmu, albo kupili ten cholerny dom lub wypożyczyli od kogoś prywatnie.

— I nie ma możliwości sprawdzenia takich zakupów?

— Niestety nie. Liczba domów, jakie na południowym wschodzie Anglii kupiono i sprzedano ostatnio, jest olbrzymia. Tysiące domów są w posiadaniu cudzoziemców, zagranicznych koncernów lub organizacji, które realizują zakup przez adwokatów, banki i tak dalej. Jak chociażby to mieszkanie... — Była to aluzja do Lou Collinsa i CIA, podsłuchujących tę rozmowę. — Ale rozmawiałem też z jednym z naszych w dzielnicy Hatton Garden. Pogadał z kimś, kto wie sporo o diamentach. Kimkolwiek jest dzwoniący, dobrze zna się na diamentach. Albo jeden z jego wspólników. To, czego chce, łatwo potem można zbyć. I nie waży dużo. Około kilograma, może troszkę więcej. Myślał pan już o wymianie?

— Naturalnie — odparł Quinn. — Chciałbym to zrobić według własnego scenariusza. I bez żadnych pluskiew, oni to wyczują. Nie sądzę też, by przyprowadzili Simona Cormacka na spotkanie, więc w razie jakichś kombinacji, mogliby go zabić.

— Niech się pan nie obawia, Quinn. Jasne, że chcielibyśmy ich złapać, ale trzymam pańską stronę. Nie będzie żadnych numerów, żadnych wyskoków.

— Dziękuję — powiedział Quinn.

Na pożegnanie podał rękę człowiekowi ze Scotland Yardu, który pospieszył do komitetu COBRA, aby o trzynastej złożyć kolejny raport.

Kevin Brown spędził przedpołudnie w samotności w przydzielonym mu biurze pod ambasadą. Tuż po otwarciu sklepów wysłał ludzi z całą listą rzeczy, jakich potrzebował: mapy w dużej skali obszaru na północ od Londynu w kwadracie 70x70 kilometrów, odpowiedni arkusz folii, kolorowe szpilki i pisaki w różnych kolorach. Potem zwołał całą ekipę i nałożył folię na mapę.

— Okay, przyjrzyjmy się budkom, które wykorzystał ten szczur. Chuck, odczytaj je po kolei.

Chuck Moxon popatrzył na swoją listę.

— Pierwszy telefon, Hitchin, hrabstwo Herdford.

— Dobrze, Hitchin jest... o tutaj. — Szpilka oznaczyła miejscowość. Zack zadzwonił w ciągu trzynastu dni osiem razy, dziewiąty telefon miał być niedługo. Szpilki, jedna po drugiej, trafiały na miejsca rozmów. Krótko przed dziesiątą jeden z dwóch ludzi FBI wetknął głowę w drzwi.

— Akurat znowu dzwonił. I groził, że przecinakiem odetnie Simonowi palce.

— A niech to szlag! — zaklął Brown. — Ten głupi Quinn sknoci sprawę. Wiedziałem. Skąd był ten telefon?

— Z Saffron Walden — odparł młody mężczyzna.

Gdy dziewiąta szpilka pojawiła się na folii, Brown narysował linię ograniczającą obszar. Dało to strzępiastą formę, która zamykała się w pięciu hrabstwach. Potem wziął linijkę i połączył przeciwne, najdalej leżące punkty. Pojawiła się wtedy sieć przecinających się linii. Najbardziej wysuniętym punktem na południowym wschodzie było Great Dunmow w Essex, na północy St Neots w Cambridge, na zachodzie Milton Keynes w Buckingham.

— Linie krzyżują się w tej okolicy — Brown wskazał palcem — na wschód od Biggleswade w hrabstwie Bedford. I stąd nie było telefonów. Dlaczego?

— Zbyt blisko bazy? — podsunął jeden z ludzi.

— Możliwe, chłopcze, bardzo możliwe. Więc teraz chciałbym, abyście zajęli się tymi miasteczkami, Biggleswade i Sandy, które leżą najbliżej środka sieci. Jedźcie tam i odwiedźcie wszystkich pośredników od nieruchomości w tych miejscach. Jako zainteresowani wynajęciem jakiegoś zacisznego domu, aby pisać tam książkę czy coś w tym rodzaju. Słuchajcie, co powiedzą; może o czymś, co wkrótce się zwolni, może o czymś, co mogli wam wynająć, gdybyście przyszli trzy miesiące wcześniej... Jasne?

Wszyscy skinęli głowami.

— Czy mamy powiadomić pana Seymoura, że tam jedziemy? — spytał Moxon. — Bo może ci ze Scotland Yardu już tam byli...

— Pana Seymoura zostaw mnie — uspokoił go Brown. — Rozumiemy się całkiem dobrze. A gliniarze, jeśli nawet tam byli, mogli przecież coś przeoczyć. Nie wiadomo. Sami się o tym przekonamy.

*

Steve Pyle powitał Lainga, siląc się na zwyczajową u niego jowialność.

— Ja... hm... wezwałem cię, Andy, bo w Londynie życzą sobie, abyś ich tam odwiedził. Wygląda mi to na nowy rozdział w twojej karierze.

— Pewnie tak — zgodził się Laing. — Czy to życzenie Londynu ma jakiś związek z przesyłką i raportem, które tam wysłałem, a które nie dotarły, bo przechwycono je w tym biurze?

Jowialność Pyle'a prysła w jednej chwili.

— Dobrze. Jesteś sprytny, może nawet za sprytny. Węszyłeś wokół spraw, które cię nie dotyczą. Próbowałem cię od tego odwieść, ale ty koniecznie chciałeś zagrać prywatnego detektywa. Porozmawiajmy więc szczerze. To ja przenoszę cię z powrotem do Londynu. Bo nie pasujesz tu, Laing. Nie jestem zadowolony z twojej pracy. Odchodzisz i koniec. Masz tydzień, aby uporządkować biurko. Bilet został właśnie zarezerwowany. Od dzisiaj za tydzień.

Gdyby Andy Laing był starszy i dojrzalszy, przypuszczalnie rozdałby swoje karty z większą trzeźwością umysłu. Ale był wzburzony tym, że człowiek pokroju Pyle'a, zajmujący w banku tak wysokie stanowisko, bogacił się kosztem oskubywania klientów. Miał naiwność młodego i niecierpliwego chłopca, wierzącego, że prawo zatriumfuje. Przy drzwiach odwrócił się jeszcze.

— Siedem dni? To by wystarczyło, aby dogadał się pan z Londynem, prawda? Nie ma mowy. Odlatuję, owszem, ale już jutro.

Zdążył na ostatni nocny samolot do Dżuddy i poszedł prosto do banku. Przechowywał paszport, razem z innymi wartościowymi rzeczami, w górnej szufladzie biurka; włamania do mieszkań, które są domeną Europejczyków, i w Dżuddzie nie należą do rzadkości, a bank był bezpieczny. Przynajmniej tak należało przyjąć. Paszport jednak zniknął.

Tego wieczoru doszło do ogromnego spięcia między porywaczami.

— Przymknijcie trochę gęby — syknął kilka razy Zack. — *Baissez les voix, merde.*

Wiedział, że cierpliwość jego ludzi jest na wyczerpaniu. Zawsze istniało takie ryzyko, kiedy miało się pomocników. Od czasu, gdy podskoczyła im adrenalina po tym porwaniu pod Oksfordem, dzień i noc stłoczeni byli pod jednym dachem, popijając piwo, jakie kupował im w przydrożnych stacjach obsługi, i nasłuchując dzwonków obcych, którzy w końcu musieli odejść z kwitkiem. Siadały im nerwy, a nie byli na tyle mądrzy, by pogrążyć się w książkach czy zatopić w kontemplacji. Korsykanin cały dzień słuchał programów z muzyką pop w języku francuskim, w które wplatano krótkie wiadomości. Południowoafrykańczyk gwizdał godzinami fałszując ciągle tę samą melodię „Sarie Marais", okropnie fałszując. Belg oglądał telewizję, nie rozumiejąc ani słowa, i najbardziej podobały mu się kreskówki.

Kłótnia dotyczyła decyzji Zacka, że dogadał się z negocjatorem Quinnem na dwa miliony dolarów.

Korsykanin podniósł natychmiast sprzeciw, a ponieważ obaj z Belgiem mówili po francusku, ten stanął po jego stronie. Afrykanin miał dość całej historii i chciał wrócić do domu, opowiedział się więc po stronie Zacka. Korsykanin uważał, że mogą tu siedzieć jeszcze długo. Zack wiedział, że tak nie jest, ale i rozumiał, że źle byłoby powiedzieć im prosto w twarz, że stres ich powoli rozmiękcza i że mogli wytrzymać tę otępiającą nudę i bezczynność najwyżej jeszcze przez sześć dni.

Uspokajał ich chwaląc, że zachowywali się wspaniale, że za parę dni będą bogaci. Myśl o dużych pieniądzach udobruchała ich. Zackowi ulżyło, że nie doszło do rękoczynów. W przeciwieństwie do trzech mężczyzn, którzy musieli pozostać w domu, jego problemem nie była nuda, lecz stres. Za każdym razem, kiedy prowadził swoje duże volvo zatłoczonymi drogami, jednego był świadom: pierwsza lepsza kontrola policji, jakaś stłuczka albo moment nieuwagi i patrolujący policjant w niebieskiej czapce już pochyla się nad nim pytając, z jakiego to powodu nosi perukę i przyklejoną brodę z wąsami. Jego charakteryzacja dobra była w tłumie, ale nie z bliskiej odległości.

Wchodząc do kolejnej budki telefonicznej miał świadomość, że coś może źle pójść, że telefon zlokalizowany zostanie szybciej niż zwykle, że policjant w cywilu tylko parę metrów dalej zaalarmowany zostanie przez radio i już będzie przy budce. Zack miał broń i był zdecydowany w razie potrzeby utorować sobie nią drogę ucieczki, ale wtedy musiałby zrezygnować z volvo parkowanego zawsze parę metrów dalej i uciekać pieszo. Jakiś nadgorliwy przechodzień mógłby próbować mu nawet zablokować drogę. Doszedł już do tego, że na widok policjanta na gęstej od tłumu ulicy, jaką wybierał zawsze dla swoich telefonów, żołądek podchodził mu do gardła.

— Zanieś chłopakowi kolację — powiedział do Afrykanina.

Simon Cormack siedział piętnasty dzień w piwnicznej celi. A trzynasty, odkąd podał tytuł książki ciotki Emily, wiedząc już, że ojciec stara się go wydostać. W międzyczasie odkrył, co znaczyło siedzenie w pojedynczej celi i dziwił się, jak ludzie wytrzymywali takie warunki miesiącami, a nawet latami. W zachodnich więzieniach mieli chociaż przybory do pisania, książki, czasem telewizor, cokolwiek, co zajmowało myśli. On nie miał nic. Ale był twardy i zdecydowany nie rozklejać się.

Regularnie ćwiczył, zmuszając się do przezwyciężenia więziennego letargu, dziesięć razy dziennie robił pompki, dwanaście — biegał w miejscu. Miał ciągle swoje tenisówki, skarpetki, szorty i koszulkę, i wiedział, że z pewnością strasznie cuchnie. Bardzo ostrożnie korzystał z wiadra, aby nie pobrudzić podłogi, i był wdzięczny, że opróżniano je co drugi dzień. Jedzenie było monotonne, zazwyczaj smażone lub na zimno, ale wystarczająco dużo. Nie miał przyborów do golenia, wyrosła mu więc kosmata broda. Także włosy stały się dłuższe i rozczesywał je teraz palcami. Długo prosił o plastikową miskę z wodą i gąbkę, aż w końcu spełniono jego prośbę. Odkrył przy tym, jak człowiek może być wdzięczny, kiedy otrzyma możliwość umycia się. Rozebrany do naga, zsunął spodenki aż do łańcucha na stopie, aby ich nie zamoczyć, i wymył całe ciało na ile tylko mógł. I poczuł się jak odmieniony. Nie myślał tylko o próbie ucieczki. Nie dałby rady z tymi łańcuchami, a i drzwi były masywne i zaryglowane od zewnątrz.

Między ćwiczeniami starał się na różne sposoby zaprzątnąć umysł: powtarzał każdy zapamiętany wiersz, dyktował swoją biografię jakiemuś niewidocznemu stenografowi, wyznając wszystko, co przeżył przez dwadzieścia jeden lat życia. Rozmyślał o domu, New Haven i Nantucket, o Yale i Białym Domu. Myślał o matce i ojcu, jak się czuli; miał nadzieję, że nie zamartwiają się z jego powodu, choć liczył jednak na coś przeciwnego. Gdybym mógł im powiedzieć, że wszystko jest w porządku, nawet jeżeli... Trzy głośne puknięcia rozległy się w piwnicy. Sięgnął po czarny kaptur i naciągnął go na głowę. Czas na kolację, a może śniadanie?...

Tego samego wieczora, gdy Simon Cormack już zasnął, Sam Somerville leżała w objęciach Quinna, a taśma podawała swoje oddechy do gniazdka w ścianie, pięć stref czasowych na zachód w Białym Domu zebrał się komitet. Oprócz członków gabinetu i szefów ministerstw obecni byli także Philip Kelly z FBI i David Weintraub z CIA.

Słuchali taśm z rozmowami Zacka i Quinna, szorstkiego głosu brytyjskiego przestępcy i uspokajającej mowy Amerykanina, co powtarzało się niemal dzień po dniu od dwóch tygodni.

Kiedy Zack skończył swoje, Hubert Reed pobladł z przerażenia.

— Mój Boże — westchnął — przecinak i młotek. To zwierzę nie człowiek.

— Taak, to już wiemy — skwitował Odell. — I znamy też wysokość okupu. Dwa miliony dolarów, w diamentach. Czy są jakieś sprzeciwy?

— Żadnych — odparł Jim Donaldson. — Nasz kraj zapłaci za syna prezydenta bez problemu. Zaskakuje mnie tylko, że trwało to dwa tygodnie.

— Z tego co wiem, i tak poszło szybko — zauważył prokurator generalny Bill Walters.

Don Edmonds z FBI skinął głową.

— Przesłuchujemy jeszcze pozostałe taśmy z nagraniami z mieszkania? — zapytał Odell. Nikt nie miał takiej potrzeby. Zapytał więc znowu:

— A co mamy sądzić o tym, co ten Cramer ze Scotland Yardu powiedział Quinnowi? Są jakieś komentarze od twoich ludzi?

Don Edmonds rzucił spojrzenie w bok na Philipa Kelly'ego, ale odpowiedział jednak sam w imieniu Biura.

— Nasi ludzie w Quantico są podobnego zdania co ich brytyjscy koledzy. Ten Zack goni resztkami sił, chce zakończyć sprawę i dokonać wymiany. W jego głosie zauważa się napięcie, stąd te groźby. Zgadzają się także z angielskimi analitykami w innym punkcie. Mianowicie, że Quinn stworzył nić sympatii z tą bestią. Wygląda na to, że zaowocowały jego dwutygodniowe starania — zerknął na Jima Donaldsona — by robić za swojego człowieka, który chce pomóc Zackowi, a nas tutaj wszystkich i w Anglii przedstawić jako twórców całego zła, piętrzących tylko trudności. Zack odczuwa szczyptę zaufania do Quinna i do nikogo innego. Może to mieć znaczenie przy przekazaniu zakładnika i okupu. W każdym razie tak mówią psycholingwiści i behawioryści.

— Boże, co za robota, przymilać się takiej okropnej szumowinie — zauważył Jim Donaldson.

David Weintraub, spoglądający do tej pory w sufit, rzucił okiem na sekretarza stanu. Stłumił to w sobie, ale chętnie by mu odpowiedział, że on i jego ludzie czasami muszą zniżać się do poziomu takich szumowin jak ten Zack, aby ochronić tych wszystkich polityków na ich wysokich stołkach.

— Dobrze, panowie — orzekł Odell — dobijmy więc tego targu. Sprawy są znowu po naszej myśli, ale czas goni. Osobiście uważam, że ten Quinn odwalił kawał dobrej roboty. Jeśli odzyska chłopca nietkniętego, będziemy mu winni podziękowania. A teraz diamenty. Gdzie je załatwimy?

— W Nowym Jorku — odezwał się Weintraub — diamentowym centrum naszego kraju.

— Morton, ty jesteś z Nowego Jorku. Masz jakieś dyskretne kontakty, które mógłbyś szybko uruchomić? — spytał Odell byłego bankiera, Mortona Stannarda.

— Pewnie — odparł Stannard. — W Rockman-Queens mieliśmy

wielu klientów działających w branży jubilerskiej. Są bardzo dyskretni, nadają się do tego. Mam się zająć tą sprawą? A co z pieniędzmi?

— Prezydent nalega, aby samemu zapłacić okup — powiedział Odell — ale nie widzę powodu, dlaczego mielibyśmy go jeszcze tym absorbować. Hubert, czy skarb państwa mógłby udzielić kredytu, dopóki prezydent nie uwolni swych funduszy?

— Bez problemu — odparł Hubert Reed. — Dostaniesz te pieniądze, Morton.

Wszyscy wstali. Odell miał spotkać się z prezydentem w jego rezydencji.

— Najszybciej jak tylko możesz, Morton — powiedział. — Dwa do trzech dni.

Faktycznie zająć miało jednak siedem.

Dopiero rano Andy Laing mógł prosić o rozmowę z panem Al-Harounem, dyrektorem ich oddziału. Nocy jednak nie zmarnował.

Pan Al-Haroun przepraszał tak pokornie, jak tylko mógł dobrze wychowany Arab postawiony w obliczu gniewu człowieka z Zachodu. Było mu bardzo przykro, to bez wątpienia bardzo nieszczęśliwa sytuacja, której rozwiązanie leżało w rękach wszechmiłosiernego Allaha. Nic nie mogło mu sprawić większej przyjemności, jak zwrócenie panu Laingowi paszportu, który tylko na specjalną prośbę pana Pyle'a zabezpieczył na noc. Podszedł do sejfu, wyjął zielony paszport USA swoimi szczupłymi brązowymi palcami i zwrócił go.

Laing był udobruchany, podziękował mu formalnym *Ashkurak* i wyszedł. Dopiero po powrocie do biura przyszło mu na myśl, aby przekartkować paszport.

Obcokrajowcy w Arabii Saudyjskiej potrzebują nie tylko wizy wjazdowej, ale i wyjazdowej. Jego bezterminowa została unieważniona. Stempel kontroli imigracyjnej był prawdziwy. Bez wątpienia, stwierdził gorzko. Pan Al-Haroun ma przecież jakichś przyjaciół w tym urzędzie. Był to w końcu lokalny sposób załatwiania spraw.

Zdając sobie sprawę, że szanse wyjazdu są nikłe, Andy Laing gotów był jednak walczyć do końca. Przypomniał sobie, co mówił mu kiedyś pan Amin, dyrektor do spraw operacji finansowych. Zadzwonił do niego.

— Amin, przyjacielu, czy to nie ty wspominałeś mi o jakimś krewnym w biurze imigracyjnym? — spytał.

Amin nie zauważył w pytaniu żadnej pułapki.

— Tak, rzeczywiście. To mój kuzyn.

— A w którym pokoju urzęduje?

— To nie tak, przyjacielu. On mieszka w Dharram.

Dharram nie leżało, niestety, w pobliżu Dżuddy, nad Morzem Czerwonym, lecz daleko na wschodzie, nad Zatoką Perską. Późnym rankiem Andy Laing dodzwonił się jednak do biura Zulfiqara Amina.

— Tu Steve Pyle, dyrektor generalny Investment Bank — powiedział.

— Jeden z moich pracowników zatrzymał się właśnie służbowo w Dharram. Musi dziś wieczorem w pilnych sprawach lecieć do Bahrajnu, a jego wiza wyjazdowa, jak mówi, straciła ważność. Wie pan, ile to trwa formalną drogą... Przyszło mi na myśl, że skoro pański kuzyn cieszy się u nas takim szacunkiem... A i pan Laing jest bardzo hojnym człowiekiem, więc...

Andy Laing wykorzystał przerwę na lunch, by wyskoczyć do swojego mieszkania i spakować rzeczy. Potem złapał samolot linii saudyjskich startujący o piętnastej do Dharram. Pan Zulfiqar Amin czekał już na niego. Wydanie wizy kosztowało go dwie godziny czasu i tysiąc riali.

Al-Haroun odkrył nieobecność dyrektora do spraw kredytów i marketingu w czasie, gdy ten odlatywał do Dharram. Skontaktował się z lotniskiem, ale sprawdził tylko odloty zagraniczne. Nigdzie nie było Lainga. Zaniepokojony zadzwonił do Rijadu. Pyle spytał go, czy nie można by „zablokować" wszelkich lotów, także tych krajowych.

— Przykro mi, drogi kolego, ale nie da się tego zorganizować — odpowiedział Al-Haroun, który nie lubił rozczarowywać nikogo. — Mogę jednak spytać mojego przyjaciela, czy leciał samolotem krajowym.

Na ślad Lainga trafiono w Dharram dokładnie w momencie, gdy ten przekraczał granicę z sąsiadującym Emiratem Bahrajnu. Stamtąd bez problemu złapał samolot British Airways na trasie Mauritius-Londyn. Uznając, że Laing nie mógł załatwić sobie nowej wizy wyjazdowej, Pyle czekał do kolejnego rana i wtedy dopiero poprosił personel oddziału w Dharram, aby rozejrzeli się w mieście za Laingiem i ustalili, co on tam robi. Zajęło to trzy dni i nie przyniosło żadnych efektów.

Trzy dni po tym, jak komitet w Waszyngtonie upoważnił go do zdobycia diamentów, minister obrony zameldował, że zadanie to wymaga więcej czasu niż przewidział. I nie pieniądze były problemem, te już czekały.

— Widzicie — objaśniał kolegom — ja nic nie wiem o diamentach. Moi pośrednicy, a mam kontakt z trzema i wszyscy, bardzo dyskretni i wyrozumiali, mówią, że to ogromna liczba kamieni. Ten kidnaper chce je nie cięte, nie szlifowane, od jednej piątej do pół karata, średniej jakości. Takie kamienie są warte, jak mi powiedziano, od dwustu pięćdziesięciu do trzystu dolarów za karat. Żeby być pewnym, kalkulują cenę wyjściową na dwieście pięćdziesiąt dolarów. Chodzi więc o jakieś osiem tysięcy karatów.

— To w czym problem? — pytał Odell.

— W czasie — odparł Morton Stannard — przy jednej piątej karata daje to czterdzieści tysięcy kamieni, pół karatowych byłoby szesnaście tysięcy, a przy mieszaniu różnych mas jakieś dwadzieścia tysięcy. Trudno zebrać ich tyle w takim pośpiechu. Ci trzej uwijają się, ale też nie chcą robić zamieszania.

— Czyli kiedy? — zapytał Brad Johnson. — Kiedy mogą być gotowe do drogi?

— Jeszcze dzień, może dwa — odparł minister obrony.

— Stań na głowie, Morton — warknął Odell. — Dobiliśmy targu. Nie możemy kazać chłopakowi i ojcu dłużej czekać.

— W chwili kiedy będą w worku, zważone i poświadczone, dostaniecie je — zapewnił Stannard.

Następnego ranka jeden z członków ekipy Kevina Browna zadzwonił do niego, do ambasady.

— Może coś trafiliśmy, szefie — oznajmił krótko.

— Ani słowa więcej na otwartej linii, chłopcze. Rusz dupę i bądź tu jak najszybciej. Opowiesz mi wszystko osobiście.

Agent przybył do Londynu około południa. To, co miał do powiedzenia, było bardziej niż interesujące.

Na wschód od Biggleswade i Sandy, położonych przy autostradzie A1 z Londynu na północ, hrabstwa Bedford i Cambridge graniczą ze sobą. Obszar ten przecinają jedynie drogi klasy B i wiejskie trakty, nie ma żadnych większych miejscowości i w przeważającej części wykorzystywany jest rolniczo. Na obrzeżach między oboma hrabstwami jest tylko parę osad o starych angielskich nazwach: Potton, Tadlow, Wrestlingworth i Gamlingay.

Między dwiema z tych osad, trochę na uboczu, w płytkiej dolinie, z prowadzącą doń polną drogą leży stara farma, częściowo zniszczona przez pożar, ale jedno skrzydło zachowało się i da się tam mieszkać.

Dwa miesiące wcześniej, jak odkrył pracownik FBI, dom wynajęty został przez grupę rzekomych wyznawców natury, którzy twierdzili, że chcą tu trochę pożyć prosto i kreatywnie, lepiąc garnki, wyplatając kosze.

— Dziwne jest to — mówił agent — że czynsz opłacili w gotówce, tych garnków za dużo nie naprodukowali i jeżdżą dwoma dżipami, które trzymają w stajni. I nie kontakują się tam z nikim.

— A jak nazywa się to miejsce? — spytał Brown.

— Green Meadow Farm, szefie.

— Okay, jeśli ruszymy od razu, zdążymy tam za widoku. Trzeba przyjrzeć się tej Green Meadow Farm.

Kevin Brown i agent FBI do zmroku mieli jeszcze dwie godziny, kiedy parkowali samochód u wylotu drogi dojazdowej. Obaj cichcem zbliżyli się do celu, przeskakując pod osłoną drzew, by tak dobrnąć na skraj zagajnika. Stąd podczołgali się ostatnie dziesięć metrów do krawędzi wzniesienia i spojrzeli w dolinę. Farma była pod nimi; w części wypalona, ale skąpy płomień światła jakby z lampy naftowej bił z okna ocalałego skrzydła.

Z domu wyszedł akurat potężny mężczyzna i ruszył do jednej z trzech szop. Tam spędził dziesięć minut i wrócił. Brown zlustrował wnikliwie cały teren silną lornetką. Drogą z ich lewej strony nadjeżdżał japoński wóz terenowy z napędem na cztery koła. Stanął przed domem i wygramolił się z niego mężczyzna. Rozejrzał się uważnie wokół siebie. Nie zauważył nikogo.

— Cholera — rzucił Brown. — Rudy i w okularach.

Kierowca dżipa wszedł do domu i parę sekund później wrócił w towarzystwie potężnego mężczyzny i rottweilera. Razem weszli do szopy, pozostali tam znowu dziesięć minut i wyszli. Wtedy potężny mężczyzna wprowadził dżipa do drugiej szopy i zamknął wrota.

— Ładne mi garnki lepią, dupki cholerne — orzekł Brown. — W tej pieprzonej szopie jest ktoś lub coś. Stawiam dwa do jednego, że to nasz chłopak.

Podczołgali się z powrotem na skraj drzew. Ciemność zapadała nad doliną.

— Wyciągniesz koc z bagażnika — nakazał Brown. — Zostaniesz tu na noc. Wrócę tu z resztą naszych przed wschodem słońca, jeśli w tym cholernym kraju w ogóle jest jakieś słońce.

Po drugiej stronie doliny na gałęzi ogromnego dębu leżał człowiek w uniformie maskującym. Także i on miał silną lornetkę, którą wychwycił ruchy między drzewami naprzeciwko. Kiedy Kevin Brown i jego agent zsunęli się w dół wzniesienia i zniknęli w zagajniku, wyjął z kieszeni małe radio i mówił do niego przez kilka sekund cicho, naglącym tonem. Był 28 października, dziewiętnasty dzień od uprowadzenia Cormacka i siedemnasty od pierwszego telefonu Zacka do Kensington.

Tego wieczoru znowu zadzwonił, ukryty pośród tłumu przechodniów w centrum Luton.

— Co się u diabła dzieje, Quinn? Minęły już trzy pieprzone dni.

— Spokojnie, Zack. To są diamenty. Zaskoczyłeś nas, przyjacielu. Zebranie takiej paczuszki trochę trwa. Przycisnąłem tych w Waszyngtonie, ile się dało. Robią teraz, co mogą, ale do cholery, Zack, wyszukanie dwudziestu pięciu tysięcy dobrych, czystych kamieni musi potrwać...

— Dobra, powiedz im, że mają jeszcze dwa dni, a potem dostaną chłopaka w worku. Przekaż im to.

Powiesił słuchawkę. Eksperci uznają potem, że jego nerwy puściły, był bliski zrobić coś chłopcu z frustracji, uznając się za wystawionego do wiatru.

Kevin Brown i jego zespół byli zwarci i gotowi. Ruszyli dwójkami z czterech stron, aby otoczyć farmę. Dwóch biegło wzdłuż drogi, przeskakując od jednej osłony do drugiej, pozostali w absolutnej ciszy ruszyli zagajnikiem w dół przez opadające w dolinę pola. Była to owa godzina przed brzaskiem, kiedy światło jest najpodstępniejsze, a czujność ofiary spada do najniższego punktu — godzina myśliwego.

Zaskoczenie było kompletne. Chuck Moxon i jego partner wzięli na siebie podejrzaną szopę. Moxon przeciął kłódkę, jego kolega rzucił się do przodu lądując z wyciągniętym pistoletem na pokrytej kurzem podłodze szopy. Poza agregatem, czymś wyglądającym jak piec do wypalania i ławą z rządkiem szkła laboratoryjnego nie było tam nic do oglądania. Sześciu pozostałych z Brownem, którzy wdarli się do domu, miało więcej szczęścia. Czterech wdarło się przez okno i po sforsowaniu szyb z ramami ruszyło na górę do sypialni.

Brown i dwaj pozostali sforsowali drzwi. Jedynym uderzeniem kowalskiego młota roztrzaskali zamek i już byli w środku.

Obok tlącego się żaru pod paleniskiem w kuchni spał w fotelu potężny mężczyzna. Miał trzymać nocną straż, ale nuda i zmęczenie zrobiły swoje. Trzaśnięcie drzwiami poderwało go do góry i szybko sięgnął po dubeltówkę leżącą na sosnowym stole. Prawie mu się udało. Jednak wrzask od drzwi „Nie ruszać się!" i widok silnego, krótko ostrzyżonego mężczyzny w chylącej się postawie z koltem celującym w jego pierś, nakazały mu się zatrzymać. Splunął tylko i wolno podniósł obie ręce.

Na górze rudy mężczyzna leżał w łóżku z jedyną kobietą w grupie. Obudzili się, gdy na parterze rozsypały się na kawałki okna i drzwi. Kobieta krzyknęła, mężczyzna podbiegł do drzwi sypialni i przy schodach zderzył się z pierwszym człowiekiem z FBI. Obaj upadli w ciemności na podłogę i próbowali mocować się, dopóki inny Amerykanin nie rozpoznał, gdzie który jest, waląc rudego soczyście kolbą swojego kolta.

Parę sekund później czwarty członek grupy — mrugający oczami, chudy kościsty młodzieniec o prostych, gładkich włosach — wywleczony został z łóżka. Ekipa FBI miała latarki na paskach. Kolejne dwie minuty zajęło im przeszukanie reszty pokoi i stwierdzenie, że poza tą czwórką nikogo więcej tu nie było. Kevin Brown kazał zaprowadzić ich wszystkich do kuchni, gdzie zapalono światło. Lustrował ich wzrokiem z odrazą.

— Dobra, gdzie jest chłopak? — zapytał.

Jeden z jego ludzi wyjrzał przez okno.

— Szefie, mamy towarzystwo.

Około pięćdziesięciu ludzi schodziło ze wszystkich stron w dół doliny kierując się ku farmie, wszyscy w butach z cholewami, ubrani na niebiesko i z tuzinem owczarków, które rwały im się na smyczach. W jednej z szop rottweiler wył z wściekłości na intruzów. Biały range rover z niebieskim napisem telepał się dróżką, by zatrzymać się dziesięć metrów przed wywarzonymi drzwiami domu. Wysiadł z niego starszy mężczyzna w niebieskim mundurze z błyszczącymi srebrnymi guzikami i odznakami. Wkroczył bez słowa do przedsionka, stąd do kuchni i skupił wzrok na więźniach.

— W porządku, przekazujemy ich wam — powiedział Brown. — On gdzieś tu jest i te zasrańce wiedzą gdzie.

— Jasne. A pan to właściwie kto? — spytał mężczyzna w niebieskim mundurze.

— Ach tak, oczywiście...

Kevin Brown pokazał swoją legitymację FBI. Anglik obejrzał ją dokładnie i oddał.

— Jak pan widzi — ciągnął Brown — my tutaj...

— Wy tutaj, panie Brown — przerwał mu z lodowatą wściekłością szef policji hrabstwa Bedford — spieprzyliście największą obławę na mafię narkotykową, która, jak się obawiam, nam już nie wyjdzie. A ci tutaj to tylko ich obstawa bez znaczenia i chemik. Grube ryby i towar oczekiwane były każdego dnia. Czy może pan teraz wrócić do Londynu?

W tym czasie Steve Pyle siedział w gabinecie pana Al-Harouna w Dżuddzie, dokąd przyleciał szybko po niepokojącym telefonie.

— Co on dokładnie zabrał? — spytał po raz czwarty.

Al-Haroun wzruszył ramionami. Ci Amerykanie byli jeszcze gorsi niż Europejczycy, zawsze się spieszyli.

— Niestety, nie jestem ekspertem, jeśli chodzi o te maszyny, ale mój nocny strażnik coś wie...

Odwrócił się do strażnika i zalał go potokiem wylewnych słów w języku arabskim. Tamten opowiedział, rozkładając przy tym ręce, jakby coś opisywał.

— Mówi, że w dniu, kiedy zwróciłem panu Laingowi paszport, przerobiony zgodnie z ustaleniami, ten młody człowiek prawie całą noc spędził przy komputerze i wyszedł przed świtem z ogromną ilością wydruków komputerowych. W pracy zjawił się już o zwykłej porze bez nich.

Steve Pyle wracał do Rijadu głęboko zaniepokojony. Pomaganie rządowi i krajowi to jedno, ale przy wewnętrznej kontroli nie grałoby to żadnej roli. Musi poprosić o rozmowę pułkownika Easterhouse'a.

Znawca Arabów wysłuchał go spokojnie, kiwając przy tym głową.

— Sądzi pan, że on już jest w Londynie? — spytał.

— Nie wiem, jak tego dokonał, ale gdzie indziej, do diabła, miałby teraz być?

— Hm... A czy mógłbym skorzystać przez chwilę z waszego centralnego komputera?

Faktycznie zajęło to jednak pułkownikowi cztery godziny. Praca nie była skomplikowana, bo znał kody wyjściowe. Kiedy skończył, wszystkie dane w komputerze były skasowane i zastąpione nowymi.

Nigel Cramer otrzymał raport telefoniczny z Bedford przed południem, na długo nim dotarło to na piśmie. Dzwoniąc do Patricka Seymoura w amerykańskiej ambasadzie, był piekielnie wściekły. Brown i jego ludzie byli jeszcze w drodze powrotnej.

— Patrick, zawsze cholernie dobrze nam się układała współpraca, ale tym razem to skandal. Za kogo, do diabła, on się uważa? I gdzie, do jasnej cholery, sądzi, że jest?

Sytuacja Seymoura była nad wyraz przykra. Trzy lata poświęcił, aby zbudować wzorcową współpracę między Biurem a Yardem — zadanie odziedziczone po Darrellu Millsie. Uczęszczał na kursy w Anglii i aranżował wizyty wysokich rangą urzędników Scotand Yardu w Hoover Building, aby rozwinęły się kontakty bezpośrednie, co w kryzysowej sytuacji mogło skrócić urzędową biurokrację.

— Co właściwie wydarzyło się na farmie? — spytał.

Cramer uspokoił się i opowiedział mu. Scotland Yard otrzymał przed miesiącem cynk, że duża narkotykowa szajka chce rozpocząć w Anglii nową operację o dalekim zasięgu. Po żmudnym śledztwie ustalono, że ta farma jest ich bazą. Grupa inwigilacyjna z jego oddziałów specjalnych SO we współpracy z policją w Bedford nie spuszczała z nich oka tydzień po tygodniu. Mężczyzna, którego ścigano, był nowozelandzkim bossem narkotykowym, ściganym przez tuzin innych państw, mistrzem w wymykaniu się. Miał zjawić się z dużą ilością koki do przetworzenia, porcjowania i rozdzielenia, ale teraz na pewno będzie unikał farmy.

— Przykro mi, Patrick, ale będę musiał poprosić ministra spraw wewnętrznych, żeby Waszyngton odwołał stąd Browna.

— Rozumiem, skoro musisz, to musisz — odparł Seymour. A gdy odkładał słuchawkę, pomyślał: „I tak zrób!".

Cramer miał jeszcze jedno, nawet bardziej pilne zadanie: by historia nie przedostała się do mediów. Tego ranka w dużej mierze zdany był na dobrą wolę ich właścicieli i redaktorów.

Komitet w Waszyngtonie otrzymał raport Seymoura o siódmej, kiedy zebrał się tego dnia po raz pierwszy.

— Przecież on zwęszył tylko wyśmienity trop i ruszył za nim! — zaprotestował Kelly.

Don Edmonds rzucił mu ostrzegawcze spojrzenie.

— Powinien był współpracować ze Scotland Yardem — orzekł sekretarz stanu, Jim Donaldson. — Nie możemy tak zadzierać z Brytyjczykami. Co, do cholery, mam powiedzieć sir Harry'emu Marriottowi, gdy spyta o powód odwołania Browna?

— Poczekajcie — odezwał się minister skarbu, Reed. — Dlaczego nie pójść na kompromis? Brown był nadgorliwy i ubolewamy nad tym. Jesteśmy jednak przekonani, że Quinn i Brytyjczycy doprowadzą do wypuszczenia Simona Cormacka i wówczas potrzebna będzie eskorta towarzysząca chłopakowi do domu. Brown i jego ludzie mogą dostać jeszcze parę dni zwłoki. Powiedzmy, do końca tygodnia.

Donaldson skinął głową.

— Tak, sir Harry chyba to zaakceptuje. A jak się miewa prezydent?

— Odżywa — stwierdził Odell. — Jest już bardzo optymistycznie nastawiony. Przed godziną powiedziałem mu, że Quinn zdobył kolejny dowód, że Simon żyje i jest w dobrym stanie. To już kolejny raz Quinn tak podszedł kidnaperów. A co z diamentami, Morton?

— Do wieczora będziemy je mieli — odpowiedział Morton Stannard.

— Zatroszcz się więc, by jakaś szybka maszyna była gotowa do odlotu — zaznaczył wiceprezydent Odell.

Minister Stannard skinął głową i zanotował sobie to polecenie.

Tego samego dnia, po lunchu Andy Laing dostał się wreszcie do szefa działu rewizji, również Amerykanina, który przez ostatnie trzy dni odwiedzał europejskie oddziały banku.

Wysłuchał on z powagą i rosnącą konsternacją opowieści młodego pracownika banku z Dżuddy. Wyćwiczonym okiem przestudiował też wydruki komputerowe. Kiedy skończył, usiadł wygodnie w fotelu, wydął policzki i ciężko wzdychając, stwierdził:

— Dobry Boże, to są bardzo poważne oskarżenia! I jak się wydaje, udowodnione. Gdzie zatrzymał się pan w Londynie?

— Mam pokój w Chelsea — odparł Laing. — Od dawna. Na szczęście lokatorzy, którym go podnająłem, wyprowadzili się przed dwoma tygodniami.

Szef działu rewizji zanotował adres i numer telefonu.

— Muszę to omówić z tutejszym dyrektorem naczelnym, może także z naszym prezesem w Nowym Jorku, nim skonfrontujemy to ze Steve'em Pyle'em. Niech pan będzie przez parę dni pod telefonem.

Żaden z nich nie mógł wiedzieć, że w porannym worku pocztowym z Rijadu znajdował się poufny list Steve'a Pyle'a do dyrektora naczelnego odnośnie zamorskich operacji.

Brytyjska prasa dotrzymała obietnicy, ale centrala radia luksemburskiego znajduje się w Paryżu, a dla francuskich słuchaczy burda pierwszej klasy u ich anglosaskich sąsiadów była zbyt piękną okazją, by mogli ją tak zostawić.

Poza tym, że przeciek był telefoniczny i do tego anonimowy, nic więcej nie udało się potem wyjaśnić. Londyńskie biuro radia prześledziło sprawę i orzekło, że sama dyskrecja policji w Bedford uwiarygadnia tę historię. Był to mało obfity w wydarzenia dzień i tym sposobem informacja została wpleciona w wiadomości o szesnastej.

W Anglii prawie nikt jej nie słyszał, poza Korsykaninem. Ten gwizdnął ze zdumienia i ruszył na poszukiwania Zacka. Anglik wysłuchał go uważnie, zadał kilka pytań i pobladł ze złości. Quinn, na szczęście, już wiedział i miał czas ułożyć sobie odpowiedzi na wypadek, gdyby Zack zadzwonił. Ten zgłosił się krótko po dziewiętnastej, kipiąc ze złości.

— Ty kłamliwy sukinsynu! Powiedziałeś, że ani gliny, ani jacyś tam kowboje nie będą się mieszać. To było podłe kłamstwo.

Quinn zaprotestował, jakoby nie wiedział, o czym mówi Zack — dziwne byłoby przecież znać sprawę, nim ten ją wyłuszczy. Zack streścił mu więc całą historię w trzech rzuconych wściekle zdaniach.

— Ale to nie miało z nami nic wspólnego — odparł Quinn. — Żabojady jak zwykle coś źle zrozumieli. Chodziło o nieudaną obławę na handlarzy koką. Znasz przecież tych Rambo z Agencji do Spraw Zwalczania Narkotyków, to była ich akcja. Nie szukali was, ale kokainy. Przed godziną był tu facet ze Scotland Yardu, też piekielnie wściekły. Na miłość boską, Zack, sam wiesz, jakie są media. Gdyby im wierzyć, to Simon widziany był w ośmiuset różnych miejscach, a ciebie złapano już pięćdziesiąt razy...

To go przekonało. Quinn liczył, że Zack przez trzy tygodnie przeczytał w bulwarowej prasie mnóstwo bezsensownych informacji i wyrobił sobie zdanie o mediach. Zack stojący w budce przy dworcu autobusowym w Lindslade uspokoił się. Czas było kończyć rozmowę.

— Lepiej, żeby to była prawda, Quinn. Lepiej dla wszystkich — zaznaczył i rozłączył się.

Sam Somerville i Duncan McCrea pobledli ze strachu na te słowa.

— Gdzie są te cholerne diamenty? — spytał Sam.

A miało być jeszcze gorzej. Jak w większości krajów także w Wielkiej Brytanii audycje w porze śniadaniowej są mieszanką paplaniny prowadzącego, muzyki pop, wiadomości z ostatniej chwili i telefonów od słuchaczy. Wiadomości składają się z krótkich relacji agencyjnych, przepisanych w pośpiechu przez młodszych redaktorów i wepchniętych przed nos spikerowi. Z uwagi na szalone tempo tych audycji nie ma szans na dokładne ich sprawdzenie, jak to robią spece od bombowych materiałów.

Telefon od pewnego Amerykanina w zapracowanej redakcji programu „Na dzień dobry" odebrała stażystka, która z płaczem przyznała później, że ani przez chwilę nie wątpiła, że to sam attaché prasowy amerykańskiej ambasady zadzwonił z krótką wiadomością. Siedemdziesiąt sekund później odczytał ją podnieconym głosem spiker. Nigel Cramer tego nie słyszał, ale jego nastoletnia córka tak.

— Tato! — krzyknęła z kuchni. — Złapiecie ich dzisiaj?

— Kogo złapiemy? — spytał ojciec, który w korytarzu zakładał właśnie płaszcz. Jego służbowe auto czekało.

— Porywaczy... wiesz przecież.

— Wątpię, dlaczego pytasz?

— Tak mówili przed chwilą w radiu.

Cramer poczuł, że coś ciężkiego uderzyło go w żołądek, zawrócił od drzwi i wszedł do kuchni. Jego córka smarowała masłem tosta.

— Co dokładnie mówili? — zapytał zduszonym głosem.

Powiedziała mu. W ciągu dnia ma dojść do wymiany okupu na Simona Cormacka, a władze są pewne, że złapią przy tym porywaczy. Cramer wybiegł do samochodu i podczas zapalania silnika wykonał już pierwszy z serii gorących telefonów.

Za późno. Zack nie słyszał wprawdzie audycji, ale Afrykanin tak.

ROZDZIAŁ DZIEWIĄTY

Zack zadzwonił później niż zwykle, o 10:20. Gdy dzień wcześniej był przepełniony złością o obławę na farmę w Bedford, teraz wpadł niemal w histerię.

Nigel Cramer, ruszając w kierunku Scotland Yardu, zdążył powiadomić Quinna. Sam po raz pierwszy widziała, jak był wstrząśnięty, kiedy odkładał słuchawkę. Chodził w milczeniu po pokoju, podczas gdy oboje z Duncanem siedzieli i przepełnieni strachem obserwowali go. Słyszeli najistotniejsze wieści z telefonu Cramera i mieli uczucie, że gdzieś, jakoś ta historia źle się skończy. Siedzenie i czekanie na dzwonek telefonu — nie wiedząc, czy porywacze w ogóle słyszeli audycję, a jeśli tak, jak na to zareagują — przyprawiało Sam o nerwowe mdłości. Kiedy telefon w końcu zabrzęczał, Quinn odebrał go w dobrym nastroju i z normalnym dla niego spokojem. A Zack od razu przeszedł do sprawy.

— Tym razem ostatecznie to spieprzyłeś, ty popaprany jankesie. Masz mnie chyba za kompletnego idiotę, co? Nie, przyjacielu, to nie ja, ale ty jesteś idiotą. I to ty już pogrzebałeś Simona Cormacka.

Zaskoczenie i zdziwienie Quinna było odegrane przekonywająco.

— Zack, o czym ty, do diabła, mówisz? Co poszło źle?

— Nie pieprz! — krzyknął porywacz do telefonu. — Jeśli sam nie słyszałeś w radiu, to spytaj kolesiów z policji. I nie mów, że to kłamstwo, bo wyszło to właśnie z twojej własnej zasranej ambasady...

Quinn wiedział już o wszystkim, ale chciał, by Zack powtórzył swoje. Zack uspokoił się przy tym trochę, ale jego czas się kończył.

— Zack, to kłamstwo, dziennikarska kaczka. Jeśli dojdzie do wymiany, to tylko między nami dwoma. Będziemy sami i bez broni. Żadnych urządzeń kierunkowych, żadnych sztuczek, policji, wojska. Na twoich warunkach, w miejscu i czasie określonym przez ciebie. Inaczej nie podjąłbym się tego zadania.

— Może i tak, ale teraz jest już na to za późno. Twoi kumple chcą trupa i go dostaną.

Za chwilę miał odłożyć słuchawkę. Po raz ostatni. Quinn wiedział, że jeśli do tego dojdzie, sprawa będzie zakończona. Za kilka dni albo tygodni ktoś wejdzie do *tego* mieszkania — sprzątaczka, agent nieruchomości, sąsiad — i znajdzie go tam. Jedynego syna prezydenta zastrzelonego lub uduszonego, w rozkładzie...

— Zack, proszę, zostań jeszcze parę sekund przy aparacie.

Po twarzy Quinna ściekał pot, pierwszy raz od dwudziestu dni widać było po nim to wewnętrzne obciążenie. Zdawał sobie sprawę, jak blisko są katastrofy.

W centrali w Kensington grupa techników i policjantów, wpatrzona w urządzenia, słuchała zdenerwowanych głosów na linii. Na Cork Street, poniżej poziomu ulic eleganckiego Mayfair siedziało czterech mężczyzn z MI5 jakby wrośniętych w swoje krzesła, podczas gdy palący wściekłością głos Zacka wydostawał się z głośnika, a magnetofonowa szpula obracała się powoli.

W podziemiach amerykańskiej ambasady na Grosvenor Square czekało dwóch techników z ELINT i trzech agentów FBI oraz Lou Collins z CIA i reprezentujący FBI Patrick Seymour. Informacja w audycji radiowej przywiodła ich wszystkich tutaj, bo przeczuwali coś, co teraz się potwierdziło.

Główne stacje radiowe w kraju, włącznie z City Radio, od dwóch godzin zapewniały słuchaczy, że telefon dowcipnisia w porze śniadaniowej nie ma żadnego pokrycia w faktach. Ale każdy wiedział, że uporczywe dementowanie informacji nic tu nie zmieni. Jak mówił Hitler, ludzie wierzą tylko w wielkie kłamstwa...

— Proszę, Zack, pozwól mi nawiązać osobisty kontakt z prezydentem Cormackiem. Daj mi jeszcze tylko dwadzieścia cztery godziny. Nie niszcz tego, w co zainwestowaliśmy tyle czasu. Prezydent może powiedzieć tym dupkom, żeby wynieśli się stąd, i zostawić wszystko tobie i mnie. Tylko nam obu... Jesteśmy jedynymi, na których może się zdać, by ta historia zakończyła się dobrze. Po tych dwudziestu dniach proszę cię tylko o jeszcze jeden dzień... Dwadzieścia cztery godziny, Zack. Tylko tyle...

Na linii zapadła cisza. Gdzieś w Aylesbury w hrabstwie Buckingham młody policjant powoli dochodził do budek.

— Jutro o tej samej porze — powiedział w końcu Zack i odwiesił słuchawkę. Opuścił budkę i skręcił za róg, kiedy policjant w cywilu wyszedł z wąskiej uliczki i rzucił okiem na kabiny telefoniczne. Wszystkie były puste. Osiem sekund wcześniej zobaczyłby Zacka.

Quinn położył słuchawkę na widełki, podszedł do długiego tapczanu i wyciągnął się na nim, z rękami pod głową, zapatrzony w sufit.

— Panie Quinn... — odezwał się niepewnie McCrea. Mimo wielokrotnych propozycji darowania sobie tego „pana", młody, nieśmiały pracownik CIA traktował Quinna jak swojego nauczyciela w szkole.

— Zamknij się — powiedział wyraźnie Quinn.

McCrea, który chciał tylko spytać, czy życzy sobie kawy, speszony poszedł do kuchni i przygotował jednak trzy filiżanki. Wtedy zadzwonił trzeci „zwyczajny" aparat. To był Cramer.

— Wszystko słyszeliśmy — powiedział. — Jak pan się czuje?

— Fatalnie — odparł Quinn. — Czy wiadomo już coś o źródle informacji z radia?

— Jeszcze nic — przyznał Cramer. — Stażystka, która odebrała telefon, nadal jest na posterunku w Holborn. Przysięga, że był to głos z amerykańskim akcentem, ale nie można być tego pewnym. Przysięga też, że był przekonywająco oficjalny, wiedział, co ma do powiedzenia. Chce pan taśmę z kopią audycji?

— Chyba trochę za późno — stwierdził Quinn.

— I co chce pan teraz robić? — zapytał Cramer.

— Pomodlę się. I może wpadnie mi coś do głowy.

— To powodzenia. Muszę jechać do Whitehall. Będziemy w kontakcie.

Ambasada była następna. Seymour. Z gratulacjami dla Quinna, jego sprytu, jak to rozegrał... Czy mogą coś zrobić... I w tym tkwił problem, pomyślał Quinn. Ktoś tu robi o dużo za dużo. Ale zachował to dla siebie.

Do połowy wypił swoją kawę, usiadł na tapczanie i podniósł słuchawkę aparatu łączącego go z ambasadą. W podziemiach odebrano natychmiast. Znowu Seymour.

— Chciałbym zostać połączony jakąś specjalną linią z wiceprezydentem Odellem — powiedział. — Jak najszybciej.

— Hm, widzi pan, Quinn, Waszyngton już wie, co stało się tu wcześniej. Niedługo będą mieli nawet taśmy. Uważam, że powinniśmy pozwolić im posłuchać, co się stało, i przedyskutować...

— Połączycie mnie w ciągu dziesięciu minut z Odellem albo obudzę go przez otwartą linię — przerwał mu Quinn stanowczo.

Seymour zastanawiał się. Otwarte połączenie było niebezpieczne. Agencja Bezpieczeństwa Narodowego wychwyci przez swoje satelity rozmowę, podobnie jak Brytyjczycy i Rosjanie.

— Skontaktuję się z nim i poproszę, aby odebrał telefon — powiedział.

Dziesięć minut później Michael Odell czekał przy telefonie. W Waszyngtonie była 6:15 i wiceprezydent przebywał w swoim służbowym mieszkaniu w Obserwatorium Morskim. Obudził się jednak pół godziny wcześniej.

— Quinn, co u diabła tam się u was dzieje? Słyszałem właśnie, że jakiś dowcipniś zadzwonił do radia...

— Panie wiceprezydencie — sucho odezwał się Quinn — czy ma pan w pobliżu lustro?

Odell był zaskoczony.

— Tak, owszem.

— Jeśli pan w nie spojrzy, widzi pan swój nos?

— Co to ma znaczyć? Tak. Widzę mój nos.

— I tak samo pewne jak pański nos, jest to, że Simon Cormack zostanie zamordowany w ciągu dwudziestu czterech godzin.

Pozwolił słowom zapaść w świadomość oszołomionego człowieka, siedzącego na krawędzi łóżka w Waszyngtonie.

— Chyba że...

— Rozumiem, Quinn, co konkretnie?

— Chyba że jutro o świcie czasu londyńskiego paczka z diamentami o wartości rynkowej dwóch milionów dolarów będzie w moich rękach. Ta rozmowa została utrwalona na taśmie. Do widzenia, panie wiceprezydencie.

Położył słuchawkę na widełki. A na drugim końcu linii wiceprezydent Stanów Zjednoczonych przez kilka kolejnych minut wydawał z siebie takie przekleństwa, które pozbawiłyby go głosów Moralnej Większości, gdyby ci zacni obywatele mogli go słyszeć. Kiedy się znowu pozbierał, zadzwonił do telefonistki.

— Proszę mi odszukać Mortona Stannarda — powiedział. — W domu czy gdziekolwiek teraz jest, byle szybko.

Andy Laing był zdziwiony, że tak szybko wezwano go z powrotem do banku. Miał tam być na jedenastą, ale dotarł dziesięć minut wcześniej. Odesłano go do góry, ale nie do biura szefa rewizji, tylko do dyrektora generalnego. Tam spotkał obu mężczyzn. Dyrektor bez słowa wskazał mu krzesło naprzeciw biurka. Potem wstał, podszedł do okna, przez chwilę wyglądał ponad dachami City, odwrócił się i zaczął mówić. Jego ton był oficjalny i lodowaty.

— Wczoraj, panie Laing, opuściwszy Arabię Saudyjską w jakiś bliżej nie znany nam sposób, odszukał pan, obecnego tutaj, mojego kolegę i zjawił się u niego z danymi mającymi podważać uczciwość pana Steve'a Pyle'a.

Laing był wstrząśnięty. „Panie Laing"? A gdzie „Andy"? Zwracali się tu do siebie po imieniu, tworząc rodzinną atmosferę, do której Nowy Jork przykładał wagę.

— Pokazałem mnóstwo wydruków komputerowych na potwierdzenie mojego odkrycia — powiedział ostrożnie, ale czuł, że żołądek podchodzi mu do gardła. Coś wisiało w powietrzu.

Dyrektor generalny zrobił lekceważący ruch ręką na wzmiankę o materiale dowodowym Lainga.

— Wczoraj otrzymałem także długi list od Steve'a Pyle'a. Dziś przeprowadziłem z nim wyczerpującą rozmowę telefoniczną. Dla mnie, podobnie jak i szefa wydziału rewizji, jest jasne jak słońce, że jest pan oszustem i że zdefraudował pan pieniądze.

Laing nie chciał wierzyć własnym uszom. Rzucił szefowi rewizji spojrzenie, w którym znajdowała się prośba o pomoc. Ten jednak spoglądał w sufit.

— Znam już całą historię — dodał dyrektor. — I wiem, jak to było naprawdę.

Skonfrontował młodego człowieka z tym, co według jego przekonania było prawdą. Laing defraudował pieniądze z konta Ministerstwa Robót Publicznych. Nie były to duże sumy jak na warunki Arabii Saudyjskiej, ale wystarczające: jeden procent od każdej sumy rachunku, którą ministerstwo przekazywało na konto dostawcy. Pan Amin przeoczył niestety te braki, ale zauważył je pan Al-Haroun i powiadomił Steve'a Pyle'a.

Z przesadnej lojalności dyrektor generalny w Rijadzie próbował chronić Lainga, zmuszając go, aby spłacił każdego riala na konto ministerstwa, co ten wykonał.

A Laing, za to nadzwyczaj solidarne zachowanie kolegi, oburzony stratą pieniędzy, odpłacił mu tym, że spędził noc w oddziale w Dżuddzie fałszując dane z komputera, aby „udowodnić", że niby dużo większe sumy zostały sprzeniewierzone przy współudziale samego Steve'a Pyle'a.

— Ale przyniosłem przecież wydruki... — protestował Laing.

— Oczywiste fałszerstwo. Mamy tu prawdziwe dane. Dziś rano zarządziłem, aby nasz komputer centralny połączył się z komputerem w Rijadzie i sprawdził bilans. Te prawdziwe dane leżą na moim biurku. I pokazują jasno, co się stało. Ten procent, jaki pan skradł, został zwrócony. Żadnych innych pieniędzy nie brakuje. Reputacja banku w Arabii Saudyjskiej została uratowana z boską pomocą, a raczej z pomocą Steve'a Pyle'a.

— Ależ to nieprawda! — zaprotestował Laing przeraźliwie ostrym głosem. — Pyle i jego nieznany mi wspólnik ściągali z kont ministerstwa *dziesięć* procent.

Dyrektor naczelny przyglądał się Laingowi kamiennym wzrokiem, a potem spojrzał na najświeższe dane z Rijadu.

— Al — spytał — czy ty może zauważyłeś, że ktoś ściągał sobie te dziesięć procent?

Szef rewizji potrząsnął głową.

— To absurd. Przy sumach, jakie tam przepływają, jeden procent dałby się ukryć, ale w żadnym przypadku dziesięć. Coroczna kontrola w kwietniu wyciągnęłaby ten szwindel na światło dzienne i gdzie by wtedy ten ktoś wylądował? W brudnym saudyjskim więzieniu, aż do końca swoich dni. Zakładając, rzecz jasna, że rząd saudyjski w kwietniu będzie sprawował jeszcze swój urząd. Prawda?

Dyrektor generalny uśmiechnął się lodowato. To było oczywiste.

— Obawiam się — ciągnął szef rewizji — że sprawę można uznać za zamkniętą. Steve Pyle uczynił przysługę nie tylko nam wszystkim, ale i panu, Laing. Uchronił pana przed karą wieloletniego więzienia.

— Na jaką pan prawdopodobnie zasłużył — dodał dyrektor generalny. — My, rzecz jasna, nie możemy jej panu wymierzyć. Ale i nie gustujemy w skandalach. Gwarantujemy wielu bankom w Trzecim Świecie kontraktowych pracowników i nie potrzebujemy tam afer. Dlatego pan, panie Laing, nie należy już do pracowników naszej firmy. Pismo zwalniające leży przed panem. Odprawy naturalnie pan nie otrzyma i referencje również nie wchodzą w grę. Może pan już wyjść.

Laing wiedział, że był to wyrok: już nigdy nikt nie zatrudni go w bankowości. Minutę później znalazł się na chodniku Lombard Street.

W Waszyngtonie Morton Stannard przysłuchiwał się wybuchowi wściekłości Zacka, w miarę jak przewijały się szpule magnetofonu stojącego na stole w Pokoju Sytuacyjnym, gdzie komitet wycofał się, aby uciec od teleobiektywów kamer, nieustannie zaglądających w okna Sali Posiedzeń Gabinetu.

Wieści z Londynu o zbliżającej się wymianie, niezależnie, czy prawdziwe, czy nie, ponownie doprowadziły prasę w Waszyngtonie do szału. Jeszcze przed świtem Biały Dom zalany został pytaniami, a rzecznikowi prasowemu znowu kończyły się pomysły.

Gdy taśma ostatecznie przewinęła się, ośmiu zszokowanych członków komitetu siedziało w milczeniu.

— Te diamenty — warknął Odell — gdzie są, do cholery?

— Już czekają — odparł natychmiast Stannard. — Muszę przeprosić za mój wcześniejszy optymizm. Nie znam się na takich rzeczach i sądziłem, że przygotowanie takiej wysyłki zajmie dużo mniej czasu. Ale są już przygotowane, prawie dwadzieścia pięć tysięcy kamieni różnej wielkości. Wszystkie autentyczne i szacunkowo warte nawet trochę ponad dwa miliony dolarów.

— Gdzie są? — zapytał Hubert Reed.

— W sejfie szefa nowojorskiego biura Pentagonu, tego biura, które zawiaduje zakupami systemów broni na obszarze wybrzeża wschodniego. Z oczywistych powodów jest to bardzo bezpieczny sejf.

— A co z przekazaniem ich do Londynu? — spytał Brad Johnson.

— Proponuję skorzystać z jednej z naszych baz lotniczych w Anglii. Nie chcemy żadnych kłopotów z reporterami na Heathrow ani innych historii.

— Za godzinę mam spotkanie z wyższym oficerem Sił Powietrznych — oznajmił Stannard. — On ustali, jak najlepiej dostarczyć tam przesyłkę.

— Potrzebny będzie samochód Agencji, który odbierze diamenty z lotniska i dostarczy Quinnowi do jego mieszkania — powiedział Odell. — Lee, ty się o to zatroszczysz, w końcu to twój lokal.

— Żaden problem — odparł Lee Alexander z CIA. — Każę je odebrać osobiście Lou Collinsowi z bazy lotniczej.

— Jutro o świcie, czasu londyńskiego — orzekł wiceprezydent. — Jutro o świcie w Londynie na Kensington. Czy znane są szczegóły wymiany?

— Nie — przyznał na koniec dyrektor FBI. — Quinn na pewno ustali detale razem z naszymi ludźmi.

Siły Powietrzne zaproponowały do lotu przez Atlantyk jednoosobowy myśliwiec F-15 klasy Orzeł.

— Po wyposażeniu go w ładunki FAST będzie miał wystarczający zasięg — powiedział Stannardowi generał lotnictwa w Pentagonie. — A paczka musi być dostarczona do bazy lotniczej w Trenton, w New Jersey, najpóźniej do godziny czternastej.

Wybrany do misji pilot był doświadczonym podpułkownikiem z ponad siedmioma tysiącami godzin na F-15. Późnym przedpołudniem maszyna w Trenton została poddana dokładnemu przeglądowi, jak rzadko przedtem. Przy obu zewnętrznych zbiornikach paliwa pod skrzydłami przymocowane zostały ładunki FAST. Mimo swej nazwy: „szybkie", nie służyły do tego, aby zwiększyć prędkość Orła. Były to dodatkowe zbiorniki paliwa dla lotów długich oznaczane taką właśnie nazwą.

Pozbawiony uzbrojenia Orzeł może zabrać paliwa na pokonanie maksymalnego dystansu lotu 4631 kilometrów; dodatkowe paliwo w ładunkach FAST zwiększa zasięg do 5552 kilometrów.

W sali nawigacyjnej podpułkownik Bowers skupił się na trasie swojego przelotu i kanapkach na lunch. Z Trenton do bazy Sił Powietrznych USA w Upper Heyford niedaleko Oksfordu odległość wynosi 4929 kilometrów. Meteorolog podał mu siłę wiatru na wysokości jego lotu ustalonej na 15 000 metrów. A on wyliczył, że przy prędkości 0,95 Macha pokona trasę w 5,4 godziny i pozostanie mu jeszcze spora rezerwa paliwa. O 14:00 z bazy Sił Powietrznych Andrews niedaleko Waszyngtonu wystartował wielki tankowiec KC 135 i objął kurs na miejsce spotkania z Orłem na wysokości 13 500 metrów nad wschodnim wybrzeżem.

W Trenton w ostatniej chwili nastąpiło zamieszanie. Podpułkownik Bowers około piętnastej był już w kombinezonie, gotowy do odlotu, kiedy długa czarna limuzyna z nowojorskiego biura Pentagonu wjechała główną bramą. Urzędnik po cywilnemu w towarzystwie generała lotnictwa przekazał Bowersowi płaską aktówkę i kartkę z numerami zamka szyfrowego. Po chwili w bazie znalazła się druga, nieoznakowana limuzyna. Po ożywionej dyskusji obu grup wysokich urzędników na pasie startowym aktówka i kartka ostatecznie zostały odebrane podpułkownikowi Bowersowi i wylądowały na tylnym siedzeniu jednego z aut. Tam aktówkę otworzono i jej zawartość, płaską paczkę w czarnym aksamicie, 25 na 30 centymetrów dużą i 8 centymetrów grubą, przełożono do nowej aktówki. I tę podano następnie zniecierpliwionemu podpułkownikowi.

Myśliwce pościgowe nie zabierają zazwyczaj bagażu, ale pod siedzeniem pilota było trochę miejsca na małe przesyłki i tam została umieszczona aktówka. O 15:31 pilot poderwał maszynę i wystartował.

Szybko osiągnął pułap 13 500 metrów, nawiązał łączność z tankowcem i napełnił zbiorniki, aby do Anglii wyruszyć z całym zapasem paliwa. Potem wzniósł się na 15 000 metrów, objął kurs na Upper Heyford i ustawił prędkość na 0,95 Macha, nieco poniżej progu wibracji oznaczającego barierę dźwięku. Nad Nantucket złapał prognozowany wiatr od tyłu.

Kiedy jeszcze na pasie startowym w Trenton trwała dyskusja, z lotniska Kennedy'ego wystartował rejsowy jumbo jet do Londynu. W klasie klubowej siedział wysoki, dobrze ubrany młody człowiek, który przyleciał prosto z Houston. Pracował tam dla koncernu Pan-Global i czuł się zachwycony, gdy jego pracodawca, sam właściciel, powierzał mu tak dyskretną misję.

Nie miał najmniejszego pojęcia o zawartości koperty, którą ściskał w wewnętrznej kieszeni marynarki. I nawet nie chciał tego wiedzieć. Dla firmy musiała ona zawierać dokumenty o szczególnym znaczeniu, bo inaczej zostałyby przesłane pocztą, faksem, czy też powierzone firmie kurierskiej.

Jego instrukcje były jasne, powtarzał je wielokroć w milczeniu. Miał określonego dnia, czyli jutro, o określonej godzinie odszukać określony adres. Tam miał nie dzwonić, tylko włożyć kopertę do skrzynki na listy, po czym wrócić na Heathrow i odlecieć do Houston. Nudne śmiertelnie, ale bardzo proste. Podziękował za drinka; serwowano właśnie koktajle, bo do obiadu było jeszcze sporo czasu, a jemu pozostało wyglądać przez iluminator.

Jeśli późnojesienną porą leci się z zachodu na wschód, zmrok zapada szybko. Dwie godziny lotu sprawiły, że niebo nabrało już głęboko czerwonego koloru i pojawiły się gwiazdy. Gdy tak wyglądał, wysoko nad samolotem ujrzał mały ognisty punkcik wielkości główki od szpilki poruszający się przez ławicę gwiazd w tym samym co oni kierunku. Nie wiedział, że obserwuje jarzące się od ognia wyloty dysz silników Orła F-15 podpułkownika Bowersa. Każdy ze swoją misją i nie wiedząc o sobie, obaj pędzili w kierunku stolicy Anglii, obaj nie przeczuwali, co wiozą.

Podpułkownik przybył na miejsce pierwszy. Wyrwał ze snu mieszkańców miasteczka, gdy po ostatnim okrążeniu naprowadził samolot na oświetlenie pasa lądowego i wylądował planowo o 1:55 czasu miejscowego. Wieża kierowała go, aż otoczony jasnym kręgiem świateł stanął w hangarze, którego drzwi zamknęły się w tym samym momencie, gdy wyłączył silniki. Kiedy otworzył luk kabiny, zbliżył się do niego dowódca bazy razem z cywilem. I to cywil odezwał się do niego.

— Podpułkownik Bowers?

— Tak, to ja, sir.

— Ma pan dla mnie paczkę?

— Mam aktówkę. Jest pod siedzeniem.

Wyprostował zesztywniałe ciało, wygrzebał się z kabiny i zszedł po stalowej drabinie na ziemię. Szczególny sposób zwiedzania Anglii, pomyślał. Cywil wspiął się po drabinie do góry i wyjął aktówkę. Wyciągnął rękę po kod do zamka szyfrowego. Dziesięć minut później Lou Collins znowu był w swojej limuzynie CIA, tym razem w drodze powrotnej do Londynu. Do domu w Kensington dotarł o 4:10. Światła paliły się cały czas, nikt nie spał. Quinn siedział w salonie i popijał kawę.

Collins położył aktówkę na niskim stoliku, spojrzał na kartkę i otworzył zamki. Wtedy wyjął płaską, prawie kwadratową, owiniętą w aksamit paczkę i podał Quinnowi.

— Zgodnie z umową, o świcie — powiedział.

Quinn zważył paczkę w dłoniach. Ponad kilogram.

— Otwieramy? — spytał Collins.

— Nie ma potrzeby — odparł Quinn. — Jeśli to szkło lub podróbki, czy nawet jeśli tylko jeden kamień okaże się tu fałszywy, ktoś będzie miał Simona Cormacka na sumieniu.

— Nie zrobiliby tego — stwierdził Collins. — Wszystkie są prawdziwe. Ciekawe tylko, czy zadzwoni...

— Niech się pan modli, aby to zrobił — orzekł Quinn.

— A wymiana?

— Musimy ją dzisiaj ustalić.

— I jak pan to rozegra, Quinn?

— Po swojemu.

Wyszedł z pokoju, aby wziąć kąpiel i się przebrać. Dla wielu osób ostatni dzień października miał się okazać naprawdę ciężki.

Młody mężczyzna z Houston wylądował o 6:45 czasu londyńskiego i z małą torbą podróżną, mieszczącą przybory toaletowe, przeszedł szybko przez odprawę celną do holu terminalu numer trzy. Zerknąwszy na swój zegarek stwierdził, że ma jeszcze dobre trzy godziny czasu. Czasu, aby odświeżyć się w umywalni, zjeść śniadanie i pojechać taksówką do centrum londyńskiego West Endu.

O 9.55 znalazł się przy wejściu do wysokiego, nie rzucającego się w oczy bloku z tyłu Great Portland Street w dzielnicy Marble Arch. Przybył pięć minut za wcześnie, ale nakazano mu być punktualnym. Nie wiedział, że z samochodu po drugiej strony ulicy obserwuje go mężczyzna. Chodził przez pięć minut tam i z powrotem, a dokładnie o dziesiątej wrzucił grubą kopertę przez otwór na listy w drzwiach domu. Nie było tam żadnego portiera, który by ją podniósł. Koperta została na wycieraczce za drzwiami. Zadowolony, że wykonał swoje zlecenie, młody Amerykanin wrócił do Bayswater Road i machnął na taksówkę, która odwiozła go na lotnisko Heathrow.

Ledwo zdążył zniknąć za rogiem, obserwujący go mężczyzna wysiadł z samochodu, przekroczył ulicę i wszedł do domu. Mieszkał tu od kilku tygodni. W samochodzie siedział tylko po to, by upewnić się, że kurier odpowiadał opisowi i że nikt go nie śledził.

Mężczyzna podniósł kopertę z podłogi, windą wjechał na ósme piętro, wszedł do mieszkania i wtedy rozciął kopertę. Z zadowoleniem przekartkował zawartość przesyłki. Jego oddech był syczący, gwiżdżący z powodu zniekształconego nosa. Irving Moss miał w ręku to, co uważał za swoje ostateczne instrukcje.

W mieszkaniu na Kensington przedpołudnie wlokło się w ciszy. Napięcie było prawie namacalne. W centrali telefonicznej, na Cork Street i na Grosvenor Square, nasłuchujący pochyleni nad przyrządami czekali, aż powie coś Quinn albo McCrea lub Sam Somerville. Ale głośniki milczały. Quinn jasno dał do zrozumienia, że wszystko skończone, jeśli Zack nie zadzwoni. Potem mogą zająć się szczegółowymi poszukiwaniami zwłok porzuconych w jakimś opuszczonym domu.

A Zack nie dzwonił.

O 10:30 Irving Moss opuścił wynajmowane mieszkanie przy Marble Arch, zabrał wypożyczony samochód z płatnego parkingu i dotarł nim na dworzec Paddington. Broda, wyhodowana jeszcze w Houston w czasie przygotowań, zmieniła kształt jego twarzy. Kanadyjski paszport był nienagannie podrobiony, więc bez trudności dotarł do Irlandii, a stamtąd do Anglii. Bez trudu mógł także ze swoim kanadyjskim prawem jazdy wynająć mały samochód na dłuższy czas. W okolicy Marble Arch mieszkał spokojnie od kilku tygodni; nie rzucający się w oczy jeden z ponad miliona obcokrajowców w stolicy Wielkiej Brytanii.

Jako wyszkolony agent wiedział, jak pojawić się w prawie każdym mieście i zniknąć z pola widzenia. A Londyn znał już dobrze, wiedział, gdzie mógł załatwić to, czego potrzebował, miał tu kontakty z półświatkiem, był dostatecznie sprytny i doświadczony, aby uniknąć błędów, które zwróciłyby uwagę władz na obcego.

Przesyłka z Houston zawierała nowy raport z sytuacji i instrukcje, których nie dało się przekazać wcześniej jako wykazu cen produktów rolnych. Oprócz tego były podane nowe zadania. Najbardziej interesujący był jednak opis sytuacji i jej rozwoju w Białym Domu, w szczególności pogorszenia się stanu zdrowia prezydenta Cormacka.

Pakiet zawierał także pokwitowanie z przechowalni bagażu na dworcu w Paddington za coś, co mogło być przewiezione przez Atlantyk tylko przez jedną osobę. Jak *to* dotarło do Londynu z Houston, Moss nie wiedział i nie chciał wiedzieć. Nie to było ważne. Ważne było, że znalazło się już na miejscu. O jedenastej wykorzystał to pokwitowanie.

Pracownik Kolei Brytyjskich nie zauważył przy tym nic podejrzanego. Każdego dnia oddawano u niego setki paczuszek, toreb podróżnych i walizek, a sto innych było odbierane. Tylko jeśli jakiś przedmiot nie został odebrany w ciągu trzech miesięcy, zdejmowany był z regału i otwierany, aby go zidentyfikować. Kwit bagażu, który przedłożył milczący człowiek w szarym gabardynowym płaszczu tego przedpołudnia, był jednym z wielu. Urzędnik w przechowalni bagażu poszukał w swoich regałach, odnalazł przedmiot odpowiadający numerowi, małą fibrową walizkę, i wręczył mu ją. Opłaconą z góry. Do wieczora zdąży o tym zapomnieć.

Moss zawiózł walizeczkę do swojego mieszkania. Podważył małe zamki i sprawdził zawartość. Wszystko było tak jak go poinformowano. Zerknął na zegarek. Za trzy godziny miał ruszać w drogę. Przy cichej ulicy na skraju małego miasteczka, oddalonego niecałe siedemdziesiąt kilometrów od Londynu, stał dom. O określonym czasie przejedzie obok tego domu, jak to robił co drugi dzień i pozycja szyby w oknie jego auta od strony kierowcy, zamknięte, pół lub całkiem opuszczone, wskaże obserwatorowi, co ten musi wiedzieć. A tego dnia okno będzie po raz pierwszy otwarte do końca. Wsunął do odtwarzacza jeden ze zdobytych w Londynie filmów wideo — super ostre porno, wiedział, gdzie je nabyć — i wyciągnął się kompletnie rozluźniony.

Kiedy Andy Laing opuścił bank, znajdował się w stanie bliskim szoku. Nieliczni doświadczają tego, że ich długoletnia, z trudem budowana zawodowa kariera w jednej chwili rozpada się przed nimi w gruzy. Pierwszą reakcją jest wtedy kompletne zaskoczenie, kolejną dezorientacja.

Laing wędrował bez celu ciasnymi uliczkami i skrytymi zaułkami na tyłach ruchliwych arterii londyńskiego City, najstarszej dzielnicy angielskiej stolicy i centrum handlowego i bankowego kraju. Przechodził pod murami klasztorów, gdzie niegdyś rozbrzmiewały śpiewy franciszkanów, dominikanów i karmelitów, obok domków cechowych, gdzie zbierali się dyskutujący kupcy w czasach, kiedy to Henryk VIII wyznaczał kolejne egzekucje swych żon w pobliskim Tower, obok lekkich kościołów wzniesionych przez Christophera Wrena po wielkim pożarze w 1666 roku.

Mężczyźni, którzy pośpiesznie go mijali, a także coraz większa liczba atrakcyjnych kobiet, myśleli o cenach surowców, o spekulacjach przy hossie lub bessie, lub małych ruchach na rynku finansowym, które mogły wskazywać trend lub też były tylko słomianym ogniem. Używali komputerów zamiast gęsich piór, jednak obiekt ich starań okazywał się taki sam, jak od stuleci: handel, kupowanie, sprzedawanie rzeczy wyprodukowanych przez innych. Był to świat, który dziesięć lat wcześniej zafascynował Lainga, gdy ukończył akurat szkołę, i który teraz na zawsze został zamknięty dla niego.

Przekąsił coś w małym barze przy ulicy nazwanej Crutched Friars, od imienia braci mniejszych, którzy dawniej kuśtykali tu z nogą przywiązaną do tyłu, aby zadać sobie ból dla większej chwały boskiej. Tam podjął decyzję.

Dopił kawę i metrem wrócił do mieszkania przy Beaufort Street w Chelsea, gdzie przezornie zachował fotokopie przywiezionych z Dżuddy dokumentów. Kiedy człowiek nie ma już nic do stracenia, staje się bardzo niebezpieczny. Laing postanowił spisać wszystko, co wiedział, dołączyć kopie wydruków komputerowych, o których wiarygodności był przekonany, i przesłać je członkom Rady Nadzorczej banku w Nowym Jorku. Skład tego gremium był znany; adresy podane były w amerykańskim *Who is Who*.

Nie widział powodu, dla którego miałby to ścierpieć w milczeniu. Teraz Steve Pyle powinien zacząć się bać, orzekł w myśli. I przesłał dyrektorowi generalnemu w Rijadzie list, w którym oświadczył, co zamierza robić.

Zack zadzwonił o 13:20 w południowym szczycie, kiedy to Laing dopijał swoją kawę, a Moss delektował się nowym porno z dziećmi, prosto z Amsterdamu. Dzwonił z jednej z budek na tyłach poczty w Dunstable; jak zwykle było to na północ od Londynu.

Quinn od wschodu słońca czekał już wykąpany i ubrany. A dzień zapowiadał się słonecznie, z błękitnym niebem, i tylko chłodny powiew wisiał w powietrzu. Ani McCrea, ani Sam nie pomyśleli nawet, aby spytać go, czy nie czuje tego chłodu, bo miał na sobie dżinsy, nowy sweter z kaszmiru i skórzaną kurtkę na zamek błyskawiczny.

— Quinn, to ostatni telefon.

— Zack, przyjacielu, mam przed oczami misę na owoce, dużą misę. I wiesz co? Aż po brzegi wypełniona jest diamentami. Błyszczą i skrzą się jakby były żywe. Załatwmy to już, Zack, załatwmy teraz.

Obraz, jaki nakreślił Quinn, zbił Zacka z tropu.

— A więc posłuchaj — odezwał się w słuchawce — to są moje instrukcje...

— Nie, Zack, zrobimy to tak, jak ja chcę, albo z tej całej sprawy nic nie będzie.

W centrali telefonicznej na Cork Street i Grosvenor Square wszyscy wstrzymali oddech. Albo Quinn wiedział dokładnie, co robi, albo był bliski sprowokowania porywacza, by ten odwiesił słuchawkę.

Quinn mówił dalej, nie robiąc przerwy:

— Może i jestem sukinsynem, Zack, ale jestem jedynym sukinsynem w tym całym gównie, któremu można zaufać, i teraz ty musisz mi zaufać. Masz ołówek?

— Zaraz. Quinn, posłuchaj...

— Ty teraz słuchasz, przyjacielu. Idź do innej budki i zadzwoń do mnie za czterdzieści sekund pod numer trzy-siedem-zero, jeden-dwa-zero-cztery. No już, spadaj!

Ostatnie słowo było wykrzyczane. Sam Somerville i Duncan McCrea przyznali potem, podczas dochodzenia, że byli tak samo zaskoczeni jak podsłuchujący.

Quinn rzucił słuchawkę na widełki, chwycił aktówkę — diamenty były ciągle tam, a nie w misie na owoce — i wyskoczył z pokoju. W biegu odwrócił głowę i wrzasnął: — Zostańcie tu!

Zaskoczenie i ten wyraźny rozkaz zatrzymały ich przez decydujące pięć sekund na krzesłach. A kiedy dopadli do drzwi mieszkania, słyszeli tylko, jak w zamku przekręcał się klucz. Najwyraźniej Quinn wetknął go tam jeszcze przed świtem.

Quinn nie poszedł do windy, lecz dotarł do schodów mniej więcej w chwili, gdy wydobył się przez drzwi krzyk McCrei i towarzyszące mu kopanie w zamek. Wśród podsłuchujących zapadł chaos, który wkrótce osiągnął szczyt.

— Co on, u diabła, teraz robi? — szeptał w centrali w Kensington jeden z policjantów drugiemu do ucha, a ten wzruszył tylko ramionami.

A Quinn zbiegał już schodami na parter. Dochodzenie wykazało później, że Amerykanin nie ruszył się ze swojego miejsca podsłuchu w suterenie, bo nie było to jego zadaniem. On miał nagrywać głosy z mieszkania nad nim, kodować je i przekazywać drogą radiową na Grosvenor Square, gdzie były odkodowywane i przesłuchiwane w podziemiach ambasady. Dlatego pozostał na miejscu.

Quinn minął hol w piętnaście sekund od chwili, gdy trzasnął słuchawką telefonu. Portier za kontuarem zerknął tylko, skinął głową i wrócił do lektury swojego *Daily Mirror*. Quinn pchnął otwierające się do ulicy drzwi. Potem zamknął je za sobą, wcisnął drewniany klin, jaki wystrugał wcześniej w toalecie, i dobił go jeszcze kopnięciem. Wtedy, lawirując między samochodami, przebiegł przez ulicę.

— Co znaczy to, że uciekł?! — wrzeszczał Kevin Brown przy nasłuchu na Grosvenor Square. Siedział tam całe rano i tak, jak Anglicy i Amerykanie, czekał na następny i być może ostatni telefon Zacka. Najpierw hałasy z Kensington wprowadziły tylko zamęt; słyszano odkładaną słuchawkę, głos Quinna krzyczącego do kogoś: „Zostańcie tu!", potem jakieś uderzenia, pomieszane wołania i okrzyki McCrei i Somerville, a do tego powtarzające się hałasy jakby ktoś kopał w drzwi.

To Sam Somerville wróciła do pokoju i krzyknęła do podsłuchów:

— Quinn uciekł!

Pytanie Browna słyszalne było w stacji podsłuchów, ale nie dla Sam. Brown sięgnął gorączkowym ruchem po telefon, aby połączyć się ze swoją agentką specjalną w Kensington.

— Somerville — zagrzmiał, gdy ona się zgłosiła — łapcie go!

Wtedy to piąte kopnięcie McCrei wyłamało zamek w drzwiach mieszkania. Wybiegł na schody, a za nim Sam. Oboje w domowych kapciach.

Sklep warzywny i delikatesowy po drugiej stronie ulicy, którego numer Quinn wyszukał z londyńskiej książki telefonicznej w salonie, nazywał się Bradshaw od pierwszego właściciela sklepu, ale teraz był własnością obywatela indyjskiego o nazwisku Patel. Quinn obserwował go z mieszkania, jak układał owoce na straganie lub znikał w głębi sklepu, aby obsłużyć klienta.

Trzydzieści trzy sekundy po tym, gdy rzucił słuchawkę, Quinn był już na chodniku po drugiej stronie ulicy. Wyminął dwóch przechodniów i jak tornado wtargnął do sklepu. Telefon był na ladzie, blisko kasy, gdzie stał pan Patel.

— Dzieciaki kradną tam panu pomarańcze — rzucił Quinn krótko. W tym momencie zadzwonił telefon. Wybierając pomiędzy telefonem a kradzionymi pomarańczami, pan Patel zareagował jak dobry gospodarz i wybiegł przed sklep. Quinn podniósł słuchawkę.

Centrala w Kensington zareagowała szybko, a dochodzenie wykazało później, że ludzie zrobili tam, co mogli. Stracili jednak większą część czterdziestu sekund przez zwykłe zaskoczenie, a potem wynikł problem techniczny. Przedtem byli podłączeni do numeru łączącego z porywaczami i kiedy tamci dzwonili pod ten numer, mogli szybko zlokalizować, skąd był telefon. Komputer wskazywał wtedy, że dany numer należał do danej budki w danym miejscu. Wystarczyło sześć do dziesięciu sekund.

Numer budki, z której dzwonił Zack, mieli już ustalony, ale gdy zmienił ją, mimo że były to sąsiadujące kabiny w Dunstable, zgubili ślad. A nawet gorzej, bo dzwonił pod inny numer londyński, który nie był na podsłuchu. Na szczęście numer, jaki podyktował Quinn, należał jeszcze do obszaru Kensington. Ale i tak poszukiwania zaczęły się od początku. Komputer musiał przeszukać dwadzieścia tysięcy połączeń. Pod numer pana Patela podłączyli się w pięćdziesiąt osiem sekund po tym, jak Quinn go podyktował i wtedy ustalono drugi numer w Dunstable.

— Zapisz kolejny numer, Zack — rzucił bez wstępów Quinn.

— Co się, u diabła, dzieje? — warknął Zack.

— Dziewięć-trzy-pięć, trzy-dwa-jeden-pięć — dyktował niewzruszony Quinn. — Masz go?

Nastąpiła cisza, kiedy Zack zapisywał numer.

— Teraz załatwimy sprawę sami, Zack. Urwałem się im wszystkim. Tylko ty i ja, diamenty za chłopaka. Żadnych sztuczek, daję ci na to słowo. Zadzwoń za sześćdziesiąt minut pod ten numer i za dziewięćdziesiąt, jeśli za pierwszym razem nikt nie odbierze. Tam nie ma podsłuchu.

Odłożył słuchawkę. W centrali zdążyli usłyszeć tylko: „...sześćdziesiąt minut pod ten numer i za dziewięćdziesiąt, jeśli za pierwszym razem nikt nie odbierze. Tam nie ma podsłuchu".

— Sukinsyn podał mu inny numer — powiedział w centrali technik do dwóch siedzących z nim policjantów. Jeden z nich łączył się już ze Scotland Yardem.

Kiedy Quinn wyszedł ze sklepu, widział, jak po drugiej stronie ulicy McCrea mocuje się właśnie z zablokowanymi drzwiami. Sam była za nim, machając i gestykulując. A i portier dołączył do nich drapiąc się po głowie. Drugą stroną ulicy jechały dwa samochody, po stronie Quinna zbliżał się motor. Quinn wyszedł z podniesionymi rękoma na ulicę i aktówką bujającą się w jego lewej dłoni — prosto przed motor. Mężczyzna zahamował, motor zawył i stanął ślizgając się.

— Hej, co to ma...?

Quinn uśmiechnął się do niego bezradnie, schylając się pod kierownicę. Resztę załatwił krótki, twardy cios w żołądek. Młody człowiek w kasku opadł do przodu, Quinn ściągnął go z motoru, wskoczył na siodełko, wrzucił bieg i dał gazu. Machająca ręka McCrei ominęła jego kurtkę o dziesięć centymetrów, gdy ruszył z miejsca.

McCrea, stojąc tak na ulicy, wyglądał żałośnie. Sam dobiegła do niego. Popatrzyli na siebie i wrócili pędem do domu. Najszybszy kontakt z Grosvenor Square to powrót na trzecie piętro.

— No nieźle — westchnął Brown pięć minut później, po wysłuchaniu raportu McCrei i Somerville z Kensington. — Ale znajdziemy tego gnoja. Do roboty.

Zadzwonił telefon obok. To był Nigel Cramer ze Scotland Yardu.

— Wasz negocjator zwiał — rzucił sucho. — Czy mogę się dowiedzieć, jak? Próbowałem zadzwonić do mieszkania, ale numer jest zajęty.

Brown podał mu wszystko w trzydzieści sekund. Cramer chrząknął. Nadal wprawdzie żywił urazę z powodu sprawy z Green Meadow i nie zamierzał jej wybaczać, ale rozwój wypadków uprzedził jego chęć pozbycia się Browna i ekipy FBI.

— Czy pańscy ludzie widzieli numery motoru? — spytał. — Mogę zaalarmować wszystkie wozy patrolowe.

— Jest jeszcze lepiej — odparł zadowolony Brown. — Aktówka, jaką ściska, zawiera kierunkowe wykrywacze.

— Zawiera *co*?

— Wbudowane ma, nie do wyłapania, wykrywacze kierunku, najnowszy poziom techniki — objaśnił Brown. — Kazaliśmy wyposażyć w nie inną aktówkę w Stanach i zamieniliśmy przed samym odlotem z tą, jaką przygotował wcześniej Pentagon.

— Rozumiem — odparł zamyślony Cramer. — A odbiornik?

— Mam go tu — powiedział Brown. — Dotarł pierwszym samolotem rejsowym o świcie. Jeden z naszych odebrał go z Heathrow. Ma zasięg do czterech kilometrów, więc musimy natychmiast ruszać w drogę. Nie możemy zwlekać.

— Tym razem niech pan utrzyma kontakt z naszymi wozami patrolowymi, Brown. Nie dokonuje pan też żadnych aresztowań w tym mieście. To robię ja. Wasz samochód jest wyposażony w radio?

— Oczywiście.

— Rozmawiajcie tylko otwartą linią. Podłączymy się do was i ruszymy zaraz jak tylko powie nam pan, gdzie jest.

— Nie ma sprawy; daję panu na to moje słowo.

Sześćdziesiąt sekund później z terenu ambasady wyskoczyła limuzyna. Chuck Moxon siedział przy kierownicy, śledzący z tyłu obsługiwał odbiornik kierunkowych wykrywaczy — zwyczajne pudełko podobne do małego telewizora, tylko że na ekranie zamiast zwykłego obrazu był świecący punkt. Jak tylko na zaciśniętej na listwie przeciwdeszczowej nad drzwiami pasażera antenie pojawi się sygnał wysyłany przez nadajnik kierunkowy w aktówce Quinna, ze świecącego punktu wybiegnie prosta linia. Kierowca musiał prowadzić samochód tak, aby linia na ekranie pokazywała kierunek jazdy. To będzie znaczyć, że jadą za sygnałem. Ten włączy się automatycznie dzięki zdalnemu sterowaniu z limuzyny.

Przejali szybko przez Park Lane, minęli Knightsbridge i dotarli do Kensington.

— Włącz — odezwał się Brown. A kiedy pracownik FBI obsługujący urządzenie wcisnął przycisk, na ekranie nic się nie poruszyło. — Włączaj co trzydzieści sekund, aż dostaniemy lokalizację — nakazał Brown. — Chuck, zacznij krążyć dookoła Kensington.

Moxon skręcił w Cromwell Road, potem na południe w Gloucester Road w kierunku Old Brompton Road. Antena złapała kontakt.

— Jest za nami, kieruje się na północ — powiedział kolega Moxona. — Odległość wynosi jakieś dwa kilometry.

Trzydzieści sekund później Moxon przejechał znowu Cromwell Road i skręcił w Exhibition Road w stronę Hyde Park.

— Jest teraz dokładnie przed nami, kieruje się na północ — odezwał się operator.

— Przekaż niebieskim, że mamy go — powiedział Brown.

Moxon podał to ambasadzie przez radio i w połowie Edgware Road przyłączył się do nich rover policji londyńskiej.

W tyle, za Brownem, jechali także Collins i Seymour.

— Powinienem to skojarzyć — westchnął z żalem Collins. — Ta różnica czasu powinna rzucić mi się w oczy.

— Jaka różnica czasu? — spytał Seymour.

— Przypominasz sobie to zamieszanie na podjeździe przy Winfield House trzy tygodnie temu? Quinn wyjechał kwadrans przede mną, a do Kensington przybył tylko z trzyminutowym wyprzedzeniem. W godzinach szczytu taksówka jest najszybsza. Zatrzymał się gdzieś po drodze, coś wtedy sobie przygotował.

— Nie mógł przecież zaplanować tego przed trzema tygodniami — odparł Seymour. — Nie wiedział, jak sprawy się rozwiną.

— Nie musiał — powiedział Collins. — Czytałeś jego dossier. Był wystarczająco długo w czynnej służbie, aby wiedzieć, że trzeba zawsze mieć awaryjne miejsce na wypadek, gdy coś się nie uda.

— Skręcił w prawo do St John's Wood — odezwał się operator.

Na rondzie przy Lord's policyjny wóz zrównał się z nimi. Okno było odkręcone.

— Jedzie na północ — rzucił Moxon, wskazując na Finchley Road.

Do obu pojazdów przyłączył się kolejny wóz patrolowy i tak ciągnęli w kierunku północnym przez Swiss Cottage, Hendon i Mill Hill. Odległość zmniejszyła się do trzystu metrów i wszyscy zaczęli się rozglądać za wysokim mężczyzną bez kasku jadącym na małym motorze.

Minęli rondo w Mill Hill tylko sto metrów za urządzeniem nadawczym i wspięli się do Five Ways Corner. Wtedy zdali sobie sprawę, że Quinn musiał zmienić pojazd. Przejechali obok dwóch motorowerów, z których nie dochodził żaden sygnał, i wyprzedzeni zostali przez dwa inne motory o dużej mocy, ale urządzenie nadawcze ciągle poruszało się przed nimi ze stałą prędkością. Kiedy skręcili przy Five Ways Corner na A1 w kierunku Hertford, wiedzieli już, że ich celem był teraz odkryty golf GTi, którego kierowca założył futrzaną czapę, aby chronić głowę i uszy.

Z wypadków tego dnia Cyprian Fothergill miał zapamiętać jedno: w drodze do swojego uroczego domku na wsi za Borehamwood wyprzedził go wielki, czarny samochód i zaraz zajechał mu drogę, zmuszając do zatrzymania się w zatoczce parkingowej obok. W jednej sekundzie, jak opowiadał potem w klubie przyjaciołom wytrzeszczającym oczy ze zdumienia, wyskoczyli ze środka trzej potężni mężczyźni, otoczyli jego samochód i skierowali na niego olbrzymie pistolety. Potem przybył wóz policyjny, a potem jeszcze jeden. Z nich wysiadło z kolei czterech czarujących niebieskich i rozkazali Amerykanom — to musieli być Amerykanie, sądząc *po budowie* — aby odłożyli broń, bo inaczej sami ich rozbroją.

Następnie, jak pamiętał — a uwaga wszystkich w barze skupiła się już na nim — jeden z Amerykanów zerwał mu z głowy futrzaną czapkę i wrzasnął: „No, strojnisiu, gdzie on jest?!", a drugi wyławiał z tylnego siedzenia jego golfa jakąś aktówkę. Kolejną godzinę musiał im bez przerwy powtarzać, że widzi ją po raz pierwszy.

Wysoki, siwy Amerykanin, który wydawał się kierować tymi z czarnej limuzyny, wyrwał aktóweczkę gliniarzowi, otworzył zamki i zajrzał do środka. Była pusta — i tyle zamieszania z powodu pustej aktówki... W każdym razie Amerykanie bluźnili jak szewce, używając takich wyrażeń, jakich on, Cyprian, nigdy jeszcze nie słyszał i miał nadzieję, że nigdy już nie usłyszy; wtedy też wtrącił się angielski sierżant, który był tu jak anioł stróż z nieba...

O 14:25 sierżant Kidd wrócił do wozu patrolowego, aby odpowiedzieć na wezwania dochodzące z radia.

— Tango Alfa... — zaczął.

— Tango Alfa, tu zastępca komisarza, Cramer. Z kim rozmawiam?

— Sierżant Kidd, sir, oddział F.

— Co u was, sierżancie?

Kidd rzucił spojrzenie na obstawionego volkswagena, jego zastraszonego właściciela, na trzech ludzi z FBI sprawdzających pustą aktówkę, jeszcze dwóch jankesów, którzy stali z boku i prosząc o oświecenie spoglądali w niebo, jak i trzech jego kolegów próbujących ustalić fakty.

— Coś chyba poszło źle, sir.

— Sierżancie Kidd, niech mnie pan posłucha. Czy złapaliście może wysokiego Amerykanina, który właśnie skradł dwa miliony dolarów?

— Nie, sir — odparł Kidd. — Zatrzymaliśmy pedziowatego fryzjera, który właśnie narobił w spodnie.

— Co to ma znaczyć... Zniknął? — Jeszcze godzinę później echo tego pytania czy też okrzyku w różnych tonach i akcentach odbijało się w mieszkaniu przy Kensington, w Scotland Yardzie, Whitehall, w Ministerstwie Spraw Wewnętrznych, na Downing Street, Grosvenor Square i w zachodnim skrzydle Białego Domu. — On nie mógł tak po prostu zniknąć!

Ale zniknął.

ROZDZIAŁ DZIESIĄTY

Quinn rzucił aktówkę na tylne siedzenie otwartego golfa trzydzieści sekund po tym, jak znalazł się za rogiem ulicy. Kiedy otworzył ją przed świtem, zgodnie z instrukcjami od Lou Collinsa, nie odkrył żadnego nadajnika, ani też nie spodziewał się, że go wykryje. Ktokolwiek preparował w laboratorium tę aktówkę, był wystarczająco sprytny, aby nie pozostawić żadnych śladów. Quinn gotów był się jednak założyć, że było tam coś, co miało zaprowadzić policję i wojsko do miejsca jego spotkania z Zackiem.

Czekając na światłach, pociągnął za zamek swej skórzanej kurtki, wepchnął tam szybko paczuszkę z diamentami i rozejrzał się wokoło. Ten golf był najbliżej. A kierowca w futrzanej czapce nawet niczego nie zauważył.

Po przejechaniu kilometra Quinn porzucił motor; bez obowiązującego kasku zbyt łatwo rzuciłby się w oczy policjantowi. Przed Bronton Oratory kiwnął na taksówkę, kazał zawieźć się na Marylebone, na George Street zapłacił kierowcy i dalej poszedł pieszo.

Jego kieszenie zawierały wszystko, co mógł niepostrzeżenie zabrać ze sobą z mieszkania: amerykański paszport i prawo jazdy, choć już bezużyteczne po rozpoczętym pościgu, zwitek angielskich banknotów wyjętych z torebki Sam, nóż o kilku ostrzach i szczypce zabrane z szafki z bezpiecznikami. W drogerii na Marylebone High Street kupił zwykłe okulary w grubych rogowych oprawkach, w sklepie z konfekcją męską tweedowy kapelusz i płaszcz przeciwdeszczowy. Dalsze zakupy zrobił w stoisku ze słodyczami, w sklepie z artykułami technicznymi i w składzie z walizkami. A potem sprawdził czas: upłynęło pięćdziesiąt pięć minut, od kiedy odłożył słuchawkę w sklepie warzywnym pana Patela. Skręcił w Blandford Street i na rogu z Chiltern Street znalazł dwie sąsiadujące budki telefoniczne, których właśnie szukał. Wszedł do drugiej; jej numer znał na pamięć od trzech tygodni i podyktował godzinę temu Zackowi. Telefon zabrzęczał co do minuty.

— No, zasrańcu, mów, co ty właściwie kombinujesz?

Zack nic z tego nie pojmował, był nieufny i zdenerwowany. W paru krótkich zdaniach Quinn wyjaśnił mu pokrótce, co zrobił. Zack przysłuchiwał się w milczeniu.

— Nie opowiadasz mi bajek? — spytał. — Bo jeśli tak, to chłopak skończy w worku na trupy.

— Posłuchaj, Zack, szczerze mówiąc, gówno mnie obchodzi, czy was złapią, czy nie. Mnie chodzi tylko o jedno: oddać chłopaka całego i zdrowego rodzinie. W kurtce trzymam nieobrobione diamenty o wartości dwóch milionów dolarów, które chyba dalej cię interesują. Zgubiłem psy, bo tylko by nam namieszały, chcąc pokazać, jakie są sprytne. I co, mamy uzgodnić tę wymianę, czy nie?

— Czas minął — orzekł Zack. — Wychodzę stąd.

— Ta budka, w której stoję, jest akurat w Marylebone — powiedział Quinn — ale masz rację, że jesteś nieufny. Zadzwoń pod ten numer wieczorem, to ustalimy szczegóły. Przyjdę sam, nieuzbrojony, z kamieniami, obojętnie gdzie. Zwiałem im, więc lepiej jak przyjdę tu po zmroku. Powiedzmy o ósmej.

— Zgoda — mruknął Zack. — Wykręcę o ósmej.

Akurat wtedy sierżant Kidd sięgał po mikrofon swojego radia, aby porozmawiać z Nigelem Cramerem. Kilka minut później każdy posterunek Scotland Yardu otrzymał opis mężczyzny i instrukcje, aby pełniący służbę na ulicy mieli oczy otwarte. Nie mieli jednak zbliżać się do podejrzanego, kiedy go odkryją, tylko powiadomić posterunek i śledzić go z daleka. Nie podano ani nazwiska podejrzanego, ani powodu jego ścigania.

Quinn opuścił budkę i wzdłuż Blandford Street ruszył w stronę hotelu Blackwooda. Był to jeden z tych wiekowych zajazdów ukrytych w bocznych ulicach Londynu, które jakoś ustrzegły się przed wykupieniem ich przez wielkie spółki i unowocześnieniem; porośnięty bluszczem dom z dwudziestoma pokojami dla gości, wyłożonych kasetonami i z wykuszami w oknach, z ogniem tlącym się w kominku obok recepcji i dywanikami przysłaniającymi chropowate deski. Quinn podszedł do miło wyglądającej dziewczyny za biurkiem.

— Halo — odezwał się z czarującym uśmiechem.

Spojrzała w górę i odwzajemniła uśmiech. Wysoki, przygarbiony, tweedowy kapelusz, płaszcz i neseser z cielęcej skóry — turysta amerykański jak z żurnala.

— Dzień dobry, sir. Mogę w czymś panu pomóc?

— O tak. Na to właśnie liczę, panienko. Naprawdę. Bo widzi pani, przybyłem tu ze Stanów... waszymi liniami... w ogóle to moje ulubione linie... i jak pani myśli, cóż się takiego stało? Zgubili mój bagaż! Tak, madam, przez niedopatrzenie posłali go do Frankfurtu...

Na jej twarzy pojawiło się współczucie.

— Widzi pani, oni ściągną go tu, najpóźniej za dwadzieścia cztery godziny. Tylko, niestety, wszystkie dokumenty są w mojej torbie podróżnej i ja sam naprawdę nie mogę sobie przypomnieć, gdzież to mam rezerwację. Przez godzinę przeglądałem z tą panią z linii lotniczych nazwy londyńskich hoteli, a jest tego tutaj trochę, i nic mi nie wpadło do głowy bez tej mojej torby. A więc, aby się streścić, wziąłem taksówkę do miasta, a kierowca był zdania, że tutaj u państwa jest rzeczywiście miło... taak... miałaby pani może przypadkiem pokój na jedną noc? W ogóle to nazywam się Harry Russell...

Oczarował ją. Ten wysoki mężczyzna wydawał się tak zmartwiony utratą bagażu, a do tego nie mógł sobie przypomnieć, gdzie miał się zatrzymać; jako kinomance skojarzył się jej z tym gościem, co to ciągle zaprzątał głowę innym, a głos miał podobny do faceta z serialu *Dallas*, co to nosił taki śmieszny kapelusik z piórkiem. W ogóle nie przyszło jej na myśl, aby nie wierzyć w jego historię lub prosić o jakiś inny dowód tożsamości. Hotel Blackwooda nie przyjmował zazwyczaj gości bez bagażu i rezerwacji, ale skoro ten zgubił bagaż, w dodatku zapomniał nazwę swojego hotelu i to z winy brytyjskich linii lotniczych... Przeleciała wzrokiem listę pustych pokoi; większość gości to byli znani jej przyjezdni z prowincji i kilku stałych mieszkańców.

— Mamy tylko ten jeden, panie Russell, mały i z widokiem na tył, więc nie sądzę, by...

— To mi całkiem odpowiada, młoda damo. I mogę zapłacić gotówką, bo na lotnisku wymieniłem już parę dolarów...

— Jutro rano, panie Russell. — Sięgnęła po stary mosiężny klucz. — Schodami, na drugie piętro.

Quinn ruszył do góry po mocno wytartych schodach, odnalazł pokój numer 11 i otworzył go. Mały, czysty i wygodny. Tak jak na to liczył. Rozebrał się do spodenek, nastawił kupiony wcześniej w sklepie technicznym budzik na osiemnastą i zasnął.

— Ale dlaczego, do cholery, on to zrobił? — zapytał sir Harry Marriott, minister spraw wewnętrznych.

Wysłuchał właśnie w swoim gabinecie na najwyższym piętrze Ministerstwa relacji Nigela Cramera o całym zajściu. Po czym odbył dziesięciominutową rozmowę przez telefon z Downing Street. Dama, która tam rezydowała, nie była wcale zachwycona.

— Sądził może, że tu nie ma komu zaufać — odparł delikatnie Cramer.

— Chyba nie nas miał na myśli — zauważył minister. — Uczyniliśmy, co było w naszej mocy.

— Nie, nie nas — zapewnił Cramer. — Był już bliski tej wymiany z Zackiem. A w przypadku porwania jest to zawsze najbardziej niebezpieczna faza. Wymaga szczególnej ostrożności. Po tych obu audycjach radiowych, tutaj i we Francji, woli chyba załatwić sprawę na własną rękę. Ale my nie możemy do tego dopuścić. Musimy go znaleźć, panie ministrze.

Cramer wciąż nie mógł odżałować, że odsunięto go od negocjacji z porywaczami i musiał się ograniczyć do samego dochodzenia.

— Nie umiem sobie naprawdę wyobrazić, jak on się ulotnił? — narzekał minister.

— Gdybym miał dwóch naszych w mieszkaniu — przypomniał mu Cramer — nie zrobiłby tego.

— Niby tak, ale już po fakcie. Niech pan szuka tego faceta, ale dyskretnie, bez rozgłosu.

W duchu minister przyznał, że gdyby temu Quinnowi samemu udało się uwolnić Simona Cormacka, nie byłoby tak źle. Wtedy szybko by ich przewieziono do Ameryki i po sprawie. Jeśli jednak Amerykanie chcą zrobić z tego aferę, to sami będą winni za wszystko.

O tej samej godzinie Irving Moss odebrał telefon z Houston. Zanotował wykaz cen warzyw w Teksasie, odłożył słuchawkę i odkodował informację. Potem zagwizdał ze zdumienia. Im więcej o tym rozmyślał, tym bardziej stawało się jasne, że tylko odrobinę musi zmienić swoje własne plany.

Po niepowodzeniu na drodze przy Mill Hill Kevin Brown dotarł do mieszkania w Kensington mocno rozdrażniony. Towarzyszyli mu Patrick Seymour i Lou Collins. W trójkę ci trzej wysocy rangą przełożeni spędzili kilka godzin na przesłuchiwaniu swych obojga podwładnych.

Sam Somerville i Duncan McCrea zdawali wyczerpujący raport, co i jak wydarzyło się rankiem i dlaczego tego nie przewidzieli. McCrea, jak zwykle, upokarzał się rozbrajająco.

— Jeśli nawiązał znowu kontakt z Zackiem, my już nie mamy nad tym kontroli — orzekł Brown. — Jeśli rozmawiają z publicznych budek, Brytyjczycy nie są w stanie ich podsłuchać. Tym samym nie wiemy, co ci dwaj zamierzają.

— Może przygotowują grunt pod wymianę Simona Cormacka na diamenty — odezwał się Seymour.

Brown burknął z wściekłością: — Dobiorę się do tego cwaniaczka, kiedy ta historia się skończy.

— Jeśli wróci z Simonem Cormackiem — zauważył Collins — to pozostanie nam raczej odnieść mu bagaże na lotnisko...

Uzgodniono, że Somerville i McCrea pozostaną w mieszkaniu na wypadek, gdyby Quinn zadzwonił. Trzy linie telefoniczne będą dalej czynne, i na podsłuchu. Trzej panowie wrócili do ambasady — Seymour, by omówić ze Scotland Yardem rozwój wypadków, w sytuacji, kiedy jeden pościg rozbił się teraz na dwa osobne, a pozostali dwaj, aby nasłuchiwać i czekać.

Quinn wstał o szóstej wieczorem, umył się i ogolił, używając przyborów toaletowych kupionych wcześniej na High Street, zjadł lekką kolację i za dziesięć ósma odważył się na dwustumetrowy spacer do budki przy Chiltern Street. Zajmowała ją akurat starsza kobieta, ale za pięć ósma wyszła stamtąd. Wtedy Quinn ustawił się w środku plecami do ulicy, udając, że szuka w książce jakiegoś numeru. Była 20:02, kiedy aparat zadzwonił.

— Quinn?

— Tak.

— Może jest prawdą, że zwiałeś im, a może i nie. Ale jeśli to jakaś sztuczka, drogo będzie cię kosztować.

— To nie żadna sztuczka. Mów, kiedy i gdzie mam się zjawić.

— Jutro rano o dziesiątej. Zadzwonię o dziewiątej pod ten numer i podam ci gdzie. Będziesz miał wystarczająco czasu, aby dojść do dziesiątej. Moi ludzie od świtu nie spuszczą oka z tego miejsca. Jeśli gliny lub SAS się tam zbliżą, jeśli będzie tam w ogóle jakiś ruch, zauważymy to i się zwiniemy. A Simon Cormack nie dożyje kolejnego telefonu. Ty nas nie zobaczysz, ale my będziemy widzieć ciebie i każdego, kto się tam zjawi. Powiedz to swoim kumplom, jeśli zamierzasz mnie załatwić. Może złapią jednego lub dwóch z nas, ale dla chłopaka będzie już za późno.

— Tak, jak mówiłem, Zack. Przyjdę sam. Żadnych sztuczek.

— I żadnych elektronicznych bajerów, nadajników, mikrofonów. Sprawdzimy cię. Będziesz miał pluskwę, chłopak za to zapłaci.

— Już powiedziałem, bez sztuczek. Tylko ja i diamenty.

— Bądź w tej budce o dziewiątej.

Nastąpiło kliknięcie i na linii był już wolny sygnał. Quinn opuścił budkę i wrócił do hotelu. Siedział trochę przed telewizorem, a potem opróżnił neseser i kolejne dwie godziny spędził nad rzeczami kupionymi wcześniej. O drugiej był wreszcie zadowolony ze swojego dzieła.

Wziął jeszcze raz prysznic, aby pozbyć się zdradliwego zapachu tajemnicy, i potem położył się na łóżku. Leżał wpatrzony w sufit i rozmyślał. Nigdy nie spał dużo przed akcją; dlatego po południu zasnął na trzy godziny. Krótko przed świtem zdrzemnął się, ale o siódmej, kiedy zadzwonił budzik, podniósł się szybko.

Urocza recepcjonistka miała dyżur, gdy o wpół do dziewiątej zszedł na dół — w okularach w grubej oprawce, z kapeluszem tweedowym na głowie i w płaszczu zapiętym pod szyję. Wyjaśnił młodej kobiecie, że jedzie na Heathrow po swój bagaż i chciałby uregulować rachunek.

Kwadrans przed dziewiątą wolnym krokiem zbliżał się do budek telefonicznych. Tym razem nie było tam żadnych starszych pań. Czekał w środku, aż dokładnie o dziewiątej zadzwonił aparat. Głos Zacka był ochrypły z wewnętrznego napięcia.

— Jamaica Road, Rotherhithe — powiedział.

Quinn nie znał tej okolicy, ale słyszał o niej. Stare doki, budynki częściowo przebudowane na eleganckie nowe domy i mieszkania pracujących w City yuppies, a do tego opuszczone nabrzeża i magazyny.

— I co dalej?

Zack objaśnił mu resztę. Z Jamaica Road miał skręcić w uliczkę, która prowadzi do Tamizy.

— Zobaczysz z daleka piętrowy blaszany magazyn, otwarty z obu stron. Nad bramami wciąż jest wymalowane nazwisko: Babbidge. Zapłacisz taksiarzowi na rogu ulicy i ruszysz w stronę południowego wjazdu. Dojdziesz do jego połowy i tam staniesz. Jeśli ktoś będzie za tobą szedł, nie pokażemy się.

Przerwał połączenie. Quinn opuścił budkę telefoniczną, wrzucił pustą torbę z cielęcej skóry do kosza na śmieci i rozejrzał się za taksówką. Poranny szczyt, żadnej nie było na widoku. Dziesięć minut później złapał jedną przy Marylebone High Street i tak dotarł do stacji metra Marble Arch. O tej porze taksówce zajęłoby całą wieczność pokonanie ciasnych ulic starej dzielnicy i dotarcie na drugą stronę Tamizy, do Rotherhithe.

Pojechał metrem w kierunku wschodnim aż do Bank, a stamtąd północną linią przechodzącą pod Tamizą dotarł do London Bridge. Tu, przed stacją kolejową obok, stały taksówki. Pięćdziesiąt pięć minut po telefonie Zacka znalazł się na Jamaica Road.

Ulica, którą miał iść, była wąska, brudna i pusta. Po jednej stronie, frontem ku rzece, stały podupadłe magazyny herbaty. Po drugiej były porzucone obiekty fabryczne i szopy z blachy falistej. Wiedział, że jest obserwowany. Szedł środkiem ulicy. Stalowy hangar z wyblakłą nazwą „Babbidge" nad wejściem stał na końcu. Wszedł do środka.

Sześćdziesiąt metrów długi, dwadzieścia szeroki. Z belek pod sufitem zwisały zardzewiałe łańcuchy; na betonowej posadzce leżały odpady, wmiatane przez wiatr latami, kiedy hala stała już pusta. Drzwi, którymi wszedł, były wystarczająco duże dla człowieka, ale nie dla pojazdu, brama na drugim końcu była tak duża i szeroka, że mogła przejechać przez nią ciężarówka. Dotarł na środek hali i stanął. Zdjął okulary i kapelusz tweedowy, i odrzucił obie rzeczy na bok. Nie były mu już potrzebne. Albo wyjdzie stąd z gwarancją odzyskania Simona Cormacka, albo wręcz potrzebował będzie eskorty policji.

Stał tak godzinę, czekając i nie poruszając się. O jedenastej na drugim końcu hali pokazało się duże volvo i wolno podjeżdżając zatrzymało się w odległości jakichś dwunastu metrów od niego z włączonym silnikiem. Na przedzie siedziało dwóch mężczyzn, tak zamaskowanych, że widoczne były tylko ich oczy przez wycięcia.

Bardziej wyczuł niż usłyszał szurnięcie sportowych butów na betonie i jakby mimochodem zdążył zerknąć przez ramię. Tam był trzeci mężczyzna; czarny dres bez nazwy klubu, kominiarka na głowie. Był czujny, gotów skoczyć w każdej chwili; trzymał pistolet maszynowy niedbale w rękach, ale w razie potrzeby użyłby go błyskawicznie.

Drzwi volvo po stronie pasażera otworzyły się i wysiadł mężczyzna średniego wzrostu i średniej budowy. Zawołał: — Quinn?

Głos Zacka. Niezaprzeczalnie.

— Masz diamenty?

— Jasne, że mam.

— To dawaj je.

— A ty masz chłopaka, Zack?

— Zgłupiałeś! Mamy go wymienić na worek szkiełek? Najpierw przyjrzymy się kamieniom. To trochę czasu zajmie. Jedno szkło, jedna podróbka i ze wszystkim koniec. Jeśli są w porządku, dostaniesz chłopaka.

— Tak myślałem. Nie da rady.

— Nie graj ze mną w kulki, Quinn.

— To żadna gra, Zack. Muszę zobaczyć chłopaka. Obawiasz się, że dostaniesz szkło... rozumiem... chcesz mieć pewność. Ja też mogę dostać trupa.

— Nie dostaniesz.

— Ale chcę być pewny. Dlatego muszę wam towarzyszyć.

Zza swojej maski Zack wpatrzył się w rozmówcę, jakby nie wierzył własnym uszom. Zaśmiał się chrypiąco.

— Widzisz faceta za mną? Jedno słowo i zdmuchnie cię z powierzchni. A kamyki też wtedy zabierzemy.

— Możecie spróbować — zgodził się Quinn. — A widzieliście już coś takiego?

Rozpiął płaszcz, ujął coś, co bujało się przy jego pasie i podniósł to do góry.

Zack patrzył na Quinna i urządzenie, jakie ten umocował sobie na koszuli na piersi plastrem, i zaklął cicho, ale ostro.

Z jednej strony pod mostkiem aż do pasa Quinn miał przyczepione plastrem płaskie drewniane pudełko bez przykrywy, w którym kiedyś były czekoladki z likierem. Teraz pełniło ono rolę płaskiego pojemnika. W środku znajdowała się paczka z diamentami obłożona małymi, ważącymi po kilka dekagramów grudami z lepkiej, beżowej substancji. W jedną wciśnięty był jasnozielony przewód, którego drugi koniec biegł do jednej ze szczęk drewnianych klamerek do bielizny, jakie Quinn trzymał lewą ręką w górze. Przewód prowadził przez mikroskopijny otwór wywiercony w drewnie i znikał między szczękami.

W pudełku po czekoladkach była też bateria dziewięciowoltowa PP3, na której biegunach umocowano dalszy ciąg przewodu. Jeden łączył obydwa małe bloki beżowej substancji z baterią. Drugi prowadził do szczęki klamerek. Obie szczęki oddzielone były zaciśniętym pomiędzy nimi ogryzkiem ołówka. Quinn napiął palce i ołówek głośno spadł na podłogę.

— Podróba — stwierdził Zack. — To nie jest prawdziwe.

Quinn prawą ręką wyskubał trochę beżowej substancji, ulepił ją w kulkę i rzucił po posadzce w kierunku Zacka. Ten schylił się, podniósł ją i powąchał. Zapach marcepanu wypełnił jego nozdrza.

— Semtex — orzekł.

— To czeski wyrób — powiedział Quinn. — Ja preferuję RDX.

Zack wiedział o plastykowych materiałach wybuchowych tyle, że wyglądają i pachną jak zwykły marcepan. Lecz na tym wyczerpywało się już ich podobieństwo. Jeśli jego wspólnik otworzyłby teraz ogień, zginęliby wszyscy. Materiał wybuchowy w tym pudełeczku wystarczał, by wymieść do czysta posadzkę magazynu, wysadzić dach, a diamenty roznieść na drugą stronę Tamizy.

— Wiedziałem, że z ciebie sukinsyn — przyznał Zack. — Czego chcesz?

— Podniosę ołówek, wsadzę go na miejsce, wsiądę do waszego bagażnika i zawieziecie mnie do chłopaka. Nikt za mną nie przybył i nikt nie ruszy za nami. Nie rozpoznam was, ani teraz, ani w przyszłości. Jesteście bezpieczni. Jeśli zobaczę, że chłopak żyje, rozłożę bombę i dam wam te kamienie. Wy je sprawdzicie; jeśli wynik was zadowoli, zwiniecie się. Mnie i chłopaka zamkniecie tam. Dwadzieścia cztery godziny później wykonacie anonimowy telefon. Gliny przyjadą i uwolnią nas. Sprawa jest czysta, prosta i możecie wyjść z niej cało.

Zack sprawiał wrażenie niezdecydowanego. Nie był to jego plan, ale wiedział, że został przyciśnięty do muru. Sięgnął do bocznej kieszeni dresu i wyjął płaskie czarne pudełko.

— Trzymaj ręce w górze, a klamerki otwarte. Przeszukam cię, czy nie masz pluskwy.

Podszedł i objechał urządzeniem ciało Quinna od głowy aż po stopy. Każdy zamknięty obieg prądu czynnego nadajnika lub podsłuchu na ciele Quinna wywołałby w detektorze ostry sygnał. Przez baterię w bombie nie przepływał prąd. A aktówka z urządzeniem kierunkowym od razu wywołałaby sygnał.

— W porządku — stwierdził Zack. Cofnął się o metr. Quinn poczuł zapach jego potu. — Jesteś czysty. Wciśnij ponownie ten ołówek i wskakuj do bagażnika.

Quinn zrobił, jak mu kazano. Ciemność zapadła wokół niego, gdy wielka prostokątna klapa bagażnika zamknęła się. Trzy tygodnie wcześniej wywiercono tam otwory w podłodze, dla Simona Cormacka. Było duszno, ale znośnie; mimo swoich gabarytów miał wystarczająco miejsca, jak długo trzymał się w pozycji embrionalnej; pomijając może tylko duszący zapach migdałów.

Samochód zawrócił, czego on już nie widział, a człowiek z bronią podbiegł i wsiadł z tyłu. Wszyscy trzej zdjęli maski i bluzy od dresu, ukazując swoje koszule, krawaty i marynarki. Bluzy wylądowały na tyle auta, przykrywając pistolet maszynowy Skorpion. Kiedy byli gotowi, volvo prowadzone przez Zacka wynurzyło się z hali magazynu, ruszając w stronę ich kryjówki.

Po półtorej godzinie dotarli do domu z garażem, oddalonego o siedemdziesiąt kilometrów od Londynu. Zack trzymał się cały czas ustalonej przepisami prędkości, a jego wspólnicy siedzieli sztywno i w milczeniu na swoich miejscach. Od trzech tygodni po raz pierwszy obaj opuścili ten dom.

Kiedy drzwi garażu zamknęły się, wszyscy trzej nałożyli górne części swoich dresów i maski. Jeden wszedł do domu, aby zgłosić czwartemu ich przybycie. Dopiero wtedy Zack otworzył bagażnik volvo. Zdrętwiały Quinn zamrugał oczami pod wpływem światła w garażu. Wyjął ołówek z klamerek i wsadził go sobie w zęby.

— Zaraz, spokojnie — odezwał się Zack. — To nie jest konieczne. Pokażemy ci teraz chłopaka. Ale na przejście musisz to założyć.

Pokazał na kaptur. Quinn przytaknął. Zack naciągnął mu go na głowę. Mogli teraz napaść na niego, ale on w ułamku sekundy zdążyłby zatrzasnąć otwarte klamerki. Prowadzili go na lewo krótkim korytarzem, a potem parę stopni w dół do piwnicy. Słyszał jak trzy razy głośno zapukano w drzwi. Potem zaskrzypiały drzwi i wepchnięto go do pomieszczenia. Pozostawiony tu słyszał zgrzytające zasuwy.

— Możesz zdjąć kaptur — usłyszał głos Zacka. Mówił przez wizjer w drzwiach piwnicy.

Quinn prawą ręką ściągnął kaptur. Był w piwnicy z posadzką i ścianami z betonu, zapewne dawnej winiarni. Na łóżku ze stalowych rurek przy ścianie siedziała chuda postać; głowa i ramiona ukryte były również pod czarnym kapturem. Rozległo się podwójne pukanie do drzwi. Wtedy, jak na komendę, postać na łóżku zdjęła kaptur.

Simon Cormack ze zdumieniem przyglądał się wysokiemu mężczyźnie obok drzwi, którego przeciwdeszczowy płaszcz był na wpół rozpięty i który w lewej ręce trzymał klamerkę do bielizny. Quinn odwzajemnił spojrzenie syna prezydenta.

— Cześć, Simon. Wszystko z tobą w porządku? — dotarł do niego głos z ojczyzny.

— Kim pan jest? — wyszeptał.

— Hm.... Negocjatorem. Martwiliśmy się o ciebie. Czujesz się dobrze?

— Tak, czuję się... normalnie.

Przy drzwiach zapukano trzy razy. Młody człowiek naciągnął szybko kaptur na głowę. Wszedł Zack. Z maską na twarzy. Uzbrojony.

— No, widzisz, że żyje. A teraz diamenty.

— Jasne — odparł Quinn — dotrzymałeś umowy. Ja też dotrzymuję mojej.

Wcisnął ołówek pomiędzy szczęki klamerek i druty zawisły na przewodach. Zdjął płaszcz i zerwał z piersi drewniane pudełko. Wyjął z niego płaską aksamitną paczkę i przytrzymał ją w dłoni. Zack wziął ją i przekazał mężczyźnie stojącemu za nim. Jego broń była cały czas skierowana na Quinna.

— Bombę też zabieram — powiedział. — Żebyś nie wysadził sobie drogi na zewnątrz.

Quinn zdjął druty i umieścił je razem z klamerkami w pudełeczku. Z beżowej substancji wyciągnął sznurki, na których nie było żadnych zapalników. Oderwał kawałek masy i wsadził ją do ust.

— Właściwie to marcepan nigdy nie był dla mnie przysmakiem — przyznał. — Za słodki jak na mój gust.

Zack spojrzał na asortyment w pudełeczku trzymanym w wolnej ręce.

— Marcepan?

— Najlepszy jaki mają na Marylebone High Street.

— Powinienem cię załatwić, Quinn.

— Mógłbyś, ale mam nadzieję, że tego nie zrobisz. Nie jest to konieczne, Zack. Otrzymałeś to, czego chciałeś. Zawsze powtarzam, że zawodowcy zabijają tylko wtedy, kiedy muszą. Zbadajcie w spokoju te diamenty i potem się ulotnijcie, a mnie i chłopakowi pozwólcie tu czekać, aż zawiadomicie gliny.

Zack zamknął drzwi za sobą i przesunął zasuwę. A potem dodał przez wizjer:

— Trzeba ci przyznać, jankesie, że jesteś facet z jajami.

Wizjer trzasnął, a Quinn podszedł do łóżka. Zdjął chłopakowi kaptur i usiadł obok.

— Czas chyba na wyjaśnienia, co? Jeśli wszystko pójdzie dobrze, to już za parę godzin będziemy wolni, w drodze do domu. A tak w ogóle, to rodzice bardzo serdecznie cię pozdrawiają.

Przejechał młodemu człowiekowi ręką po potarganych włosach. Oczy Simona Cormacka wypełniły się łzami i rozpłakał się na dobre. Próbował otrzeć twarz rękawem kraciastej koszuli, ale to nie pomagało. Quinn położył mu rękę na chudych ramionach i przypomniał sobie pewien dzień z dalekiej przeszłości w dżungli w Mekongu; pierwszy raz, kiedy był w akcji, i widział, jak inni umierali, i jak potem zwykła ulga doprowadziła go do łez, których nie zdołał wstrzymać.

Kiedy Simon przestał płakać, zaczął bombardować go pytaniami. A Quinn mógł teraz dobrze mu się przyjrzeć. Był zarośnięty, brudny, ale ogólnie w dobrej kondycji. Dawali mu jedzenie, ale też i świeże rzeczy. Koszulę, dżinsy ze skórzanym pasem z kutą klamrą — wszystko jak ze sklepu sportowego, choć na te listopadowe chłody było idealne.

Na górze powstał chyba jakiś spór. Quinn słyszał podniesione głosy, przede wszystkim Zacka. Nie mógł wprawdzie zrozumieć słów, ale ton był wyraźny. Zack wściekał się na coś. Quinn zmarszczył brwi; nie zbadał kamieni, sam nie rozróżniłby prawdziwych diamentów od sztucznych — teraz mógł tylko się modlić, żeby nikt nie był tak bezmyślny, by zmieszać kamienie z imitacjami.

Nie to było jednak przedmiotem sporu. Po kilku minutach wszystko przycichło. W sypialni na górze — bo porywacze unikali za dnia przebywania na dole, mimo szczelnych zasłon — przy stoliku siedział Południowoafrykańczyk. Stolik przykryty był prześcieradłem, rozcięta aksamitna paczuszka leżała opróżniona na łóżku, a czterej mężczyźni wpatrywali się w małą górę nie oszlifowanych diamentów.

Z pomocą małej szpatułki Afrykanin zaczął rozdzielać stos na mniejsze i jeszcze mniejsze stosiki, aż zamienił górę w dwadzieścia pięć pagórków. Gestem pokazał Zackowi, aby wybrał jeden z nich. Zack wzruszył ramionami i zdecydował się na ten w środku — liczący około tysiąca z dwudziestu pięciu tysięcy kamieni na stole.

Bez słowa Afrykanin zaczął wsuwać pozostałe dwadzieścia cztery kopczyki jeden po drugim do mocnej płóciennej torebki, ściąganej od góry sznurkiem. Wybrany kopczyk pozostał na prześcieradle i potem Afrykanin włączył silną lampę nad stołem, wyjął z kieszeni jubilerskie szkło powiększające, wziął pincetę do prawej ręki i uniósł pierwszy kamień do światła.

Po kilku sekundach mruknął coś, skinął głową i wrzucił diament do otwartego woreczka. Potrzebowali sześciu godzin na sprawdzenie tych wszystkich kamieni.

Porywacze nadzwyczaj dobrze to wymyślili. Diamenty najwyższej jakości, nawet małe, są z reguły wprowadzane do sprzedaży przez Centralną Organizację Zbytu, która opanowała handel diamentami na świecie i przez nią przechodzi ponad 85 procent kamieni trafiając z kopalni do sklepów, otrzymując certyfikat, jeśli spełniają wymagania jakościowe. Nawet Związek Radziecki ze swoimi polami diamentowymi na Syberii jest wystarczająco mądry, aby nie wypadać z tego lukratywnego kartelu. Także większe kamienie mniejszej jakości sprzedawane są zwykle ze świadectwem pochodzenia.

Jednak swoim żądaniem mieszanki kamieni średniej jakości, ważących między pięć a pół karata, porywacze wchodzili w segment branży, który prawie w ogóle nie dawał się skontrolować. Te kamienie to codzienny chleb jubilerów na całym świecie, wytwarzających i sprzedających biżuterię w oparciu o diamenty bez certyfikatów. Każdy taki jubiler bez wahania bierze ich dużą ilość, zwłaszcza jeśli ktoś oferuje mu je z piętnastoprocentowym rabatem od ceny rynkowej. Wpasowane dookoła większych kamieni znikają zwyczajnie z branży.

O ile są prawdziwe. Nie oszlifowane diamenty nie błyszczą i nie połyskują, jak te poddawane procesowi obrobienia. Wyglądają jak kawałki zwyczajnego szkła o mlecznej opalizującej powierzchni. Jednak ktoś zręczny i z pewnym doświadczeniem nie pomyli ich ze szkłem.

Diamenty mają niezwykle śliską powierzchnię, na której nie utrzyma się woda. Jeśli kawałek szkła zanurzony zostanie w wodzie, przez kilka sekund pozostaną tam krople na powierzchni; po diamentach woda spływa natychmiast, a kamień pozostaje suchy jak wiór.

Ponadto powierzchnia diamentów pokazuje pod szkłem powiększającym wyraźną trygonalną krystalograficzną postać. Południowoafrykańczyk właśnie jej się przyglądał, chcąc być pewnym, że nie podsunięto im wypolerowanego szkła butelkowego albo jakiegoś substytutu w rodzaju kryształu cyrkonii.

W tym samym czasie senator Bennett R. Hapgood stanął na podium, specjalnie na tę okazję ustawionym pod gołym niebem na terenach Centrum Hanckocka w samym sercu Austin, i powiódł wzrokiem po zebranych.

Na wprost, w przedpołudniowym słońcu widział lśniącą kopułę Kapitolu stanu Texas, drugą co do wielkości po Kapitolu w Waszyngtonie. Publiczność mogłaby być wprawdzie liczniejsza, mając na względzie koszt kampanii, które poprzedziły ten ważny początek, jednak media lokalne, stanowe i narodowe były dobrze reprezentowane i to go cieszyło najbardziej.

Podniósł obie ręce do pozycji zwycięskiego boksera w odpowiedzi na wybuch aplauzu klakierów, jaki rozległ się po zapowiedzi jego wystąpienia. Podczas gdy długonogie dziewczyny wiwatowały, a publiczność im wtórowała, on potrząsnął tylko głową, jak gdyby nie mógł pojąć takiego zaszczytu, i uniósł wysoko ręce dłońmi na zewnątrz, jakby dając do zrozumienia, że taka owacja nie jest stosowna dla młodego stażem i wiekiem senatora z Oklahomy.

Kiedy ucichł aplauz, wziął mikrofon i zaczął mówić. Nie korzystał z żadnych notatek, bo wielokrotnie próbował swojej roli od czasu, gdy wezwano go, aby postawić na nogi nowy ruch, jaki niebawem miał zalać Amerykę pod jego przywództwem.

— Przyjaciele, rodacy, Amerykanie... w całym kraju... — Wprawdzie publiczność przed nim składała się w przeważającej części z Teksańczyków, ale on dzięki telewizyjnym kamerom zwracał się do większego audytorium. — Możemy pochodzić z różnych części tego naszego ogromnego kraju, różnych warstw społecznych, iść różnymi drogami, różnić się mogą nasze nadzieje, obawy i aspiracje. Ale jedno jest nam wspólne, gdziekolwiek żyjemy, gdziekolwiek zarabiamy na chleb: wszyscy — kobiety, mężczyźni i dzieci — jesteśmy patriotami tej wielkiej ziemi... — Wiwaty były tylko potwierdzeniem tych oczywistych prawd. — I przede wszystkim jedno nas łączy: chcemy, aby nasz naród był silny... — Znowu aplauz. — ...i dumny. — Ekstaza.

Mówił tak przez godzinę. Wieczorne wiadomości w całym kraju poświęcały tej mowie, w zależności od gustu, od trzydziestu sekund do dwóch minut. Gdy skończył i usiadł, a lekki wiaterek rozwiewał jego śnieżnobiałe, ułożone i polakierowane włosy okalające opaloną twarz człowieka pogranicza, ruch „Obywatele Silnej Ameryki" miał już mocne podstawy. Upraszczając to, swoim hasłem odnowy dumy narodowej i honoru przy pomocy siły — idea, która właściwie nigdy się nie zestarzała — ruch OSA chciał sprzeciwić się Traktatowi z Nantucket i wymóc na Kongresie jego odrzucenie.

Wróg odnowy amerykańskiej dumy narodowej i honoru za pomocą siły został zidentyfikowany jednoznacznie i niezaprzeczalnie — to komunizm, a raczej socjalizm, przejawiający się w programie opieki zdrowotnej poprzez pomoc socjalną na podwyżkach podatków kończąc. Zwolennicy komunizmu, którzy chcieli wcisnąć amerykańskiemu narodowi kontrolę zbrojeń na najniższym poziomie, nie zostali tu nazwani, lecz było jasne, kogo miano na myśli. Kampanię należało poprowadzić na wszystkich płaszczyznach, przez biura regionalne, komitety mogące wywrzeć wpływ na media, osoby mające coś do powiedzenia w kraju jak i w okręgach wyborczych, do tego publiczne wystąpienia prawdziwych patriotów wznoszących swój głos przeciwko traktatowi i jego antenatom — tu mglista aluzja do słabego człowieka w Białym Domu.

Kiedy publiczność zaproszono do uprzyjemnienia sobie czasu na terenie parku przy sztukach mięsa z rożna — co zawdzięczano filantropii lokalnego patrioty — Plan Crocetta, druga część kampanii mającej zmusić Johna Cormacka do ustąpienia z urzędu, ruszył już na dobre.

Quinn i syn prezydenta spędzili niespokojną noc w piwnicy. Młody człowiek, po naleganiach Quinna, położył się na łóżku, nie mógł jednak zasnąć. Quinn oparty plecami o betonową ścianę zrobiłby sobie drzemkę na siedząco, gdyby nie Simon ze swoimi pytaniami.

— Panie Quinn?

— Quinn, po prostu Quinn.

— Widział pan mojego tatę? Osobiście?

— Naturalnie. Opowiadał mi o ciotce Emily i... Panu Kropce.

— Jak się wtedy czuł?

— Właściwie w porządku. Martwił się, rzecz jasna. To było zaraz po porwaniu.

— A mamę pan widział?

— Nie, akurat lekarz Białego Domu był u niej. Też się zamartwia, ale wytrzymuje to jakoś.

— Wiedzą, że nic mi się nie stało?

— Przed dwoma dniami zawiadomiłem ich, że żyjesz. Teraz spróbuj trochę pospać.

— Dobrze... A kiedy stąd wyjdziemy?

— To zależy. Liczę, że jutro się ulotnią. Jeśli zadzwonią po dwunastu godzinach, policja będzie tutaj parę minut później. Wszystko zależy od Zacka.

— Zacka? Tego ich przywódcy?

— Uhm.

O drugiej wyczerpanemu chłopakowi skończyły się pytania i zasnął. Quinn drzemał, wyłapując stłumione odgłosy z góry. Była już prawie czwarta, kiedy trzy razy zapukano do drzwi.

Simon spuścił nogi z łóżka i szepnął: — Kaptury.

Obaj założyli kaptury uniemożliwiające im oglądanie swych prześladowców. Gdy nic już nie mogli widzieć, Zack wszedł do piwnicy w towarzystwie dwóch mężczyzn. Każdy z nich przyniósł parę kajdanek. Zack wskazał skinieniem głowy na obu więźniów, którym spętano ręce za plecami.

Nie mogli oni wiedzieć, że sprawdzenie diamentów przed północą zakończyło się ku pełnemu zadowoleniu Zacka i jego wspólników. Czterej mężczyźni spędzili noc na tym, aby doprowadzić do porządku ich kwaterę. Każda powierzchnia, na której mógł znajdować się odcisk palca, została dokładnie starta. Każdy możliwy ślad usunięty. Nie zadali sobie jednak trudu, aby usunąć przykręcony stelaż łóżka w piwnicy lub kawałek łańcucha, którym Simon był do niego przymocowany przez ponad trzy tygodnie. Ich troska nie dotyczyła okoliczności, że dom mógłby pewnego dnia zostać zidentyfikowany jako kryjówka porywaczy; nie powinno tylko nigdy się wydać, kim byli porywacze.

Jeden z mężczyzn uwolnił Simona Cormacka od jego łańcucha na stopie, po czym razem z Quinnem został on poprowadzony schodami do góry przez dom do garażu. Tam czekało volvo. Bagażnik tak zapchali torbami, że nie było już w nim miejsca. Quinn musiał położyć się przy tylnym siedzeniu na podłodze i został przykryty kocem. Jego pozycja nie była zbyt wygodna, ale nie tracił optymizmu.

Gdyby porywacze zamierzali ich obu zabić, to piwnica byłaby najlepszym ku temu miejscem. Zaproponował, że powinni jego i Simona zostawić na dole, a potem z zagranicy zatelefonować, żeby policja ich uwolniła. Nie tak miało to jednak być. Porywacze nie chcieli chyba odkrywać swej kryjówki, a na pewno nie w tym momencie. Leżał skulony na podłodze i oddychał ciężko przez gruby kaptur.

Poczuł ugięcie poduszek na tylnym siedzeniu. Gdy Simon Cormack położył się tam na całej długości, też przykryto go kocem. Obaj mniejsi bandyci usiedli z tyłu, mając szczupłe ciało Simona za sobą, a stopy postawili na Quinnie. Olbrzym usiadł na fotelu pasażera, a Zack za kierownicą.

Na jego komendę wszyscy czterej zdjęli maski i bluzy i wyrzucili je przez okna na posadzkę w garażu. Zack włączył silnik i otworzył zdalnie drzwi garażu. Tyłem wyjechał na podjazd, zamknął drzwi garażu, zakręcił w stronę ulicy i ruszył. Nikt nie widział samochodu. Było jeszcze ciemno, dwie i pół godziny przed świtem.

Przez kolejne dwie godziny samochód jechał równo. Quinn nie miał pojęcia dokąd. Wreszcie (jak później ustalono, musiało to być parę minut przed szóstą trzydzieści) pojazd zwolnił i potem się zatrzymał. Nikt nie powiedział nic podczas całej jazdy. Wszyscy siedzieli sztywno, w milczeniu, ubrani w garnitury, koszule i krawaty. Gdy stanęli, Quinn słyszał, jak lewe tylne drzwi się otwierają. Dwie pary stóp podniosły się z jego ciała. Ktoś wyciągnął go za nogi z auta. Poczuł mokrą trawę pod swoimi spętanymi rękoma i odkrył, że leży gdzieś na skraju drogi. Z trudem podniósł się najpierw na kolana, potem wstał. Słyszał, jak dwaj mężczyźni wsiedli do volvo, drzwi się zatrzasnęły.

— Zack! — krzyknął. — Co z chłopakiem?

Zack stał obok otwartych drzwi po stronie kierowcy i patrzył na niego przez dach samochodu.

— Piętnaście kilometrów dalej — odparł — przy drodze, tak jak ty.

Rozległ się warkot dużego silnika i potem zgrzyt żwiru pod kołami. Samochód odjechał. Quinn poczuł chłód listopadowego poranka pod koszulą. Samochód nie zdążył jeszcze zniknąć, kiedy zabrał się do dzieła.

Ciężka praca w winnicy trzymała go w formie. Jego biodra były wąskie jak u człowieka o piętnaście lat młodszego, a ręce długie. Gdy kajdanki ruszyły się, napiął ścięgna na przegubach, aby zostało możliwie dużo przestrzeni po ich rozluźnieniu. Zsunął kajdanki jak tylko było można w dół, a spętane ręce pod pośladki. Wtedy usiadł w trawie, przesunął dłonie pod kolana i zrzuciwszy buty z nóg przełożył przez nie nogi. Najpierw jedną, potem drugą. A kiedy już miał ręce z przodu, ściągnął kaptur. Droga była długa, wąska, prosta i pusta w świetle budzącego się dnia. Wciągnął do płuc chłodne, świeże powietrze i rozejrzał się za ludzkimi zabudowaniami. Nic, kompletne pustkowie. Włożył buty, podniósł się i pobiegł drogą w kierunku obranym przez volvo.

Trzy kilometry dalej trafił na stację paliw po lewej stronie drogi, ze starymi, uruchamianymi ręcznie pompami i małym biurem. Po trzech kopnięciach drzwi puściły, a na regale za krzesłem pracownika stacji znalazł telefon. Podniósł obiema rękami słuchawkę, przystawił ucho, by sprawdzić, czy jest sygnał, potem odłożył ją na bok, wykręcił londyński numer kierunkowy 01, a następnie numer linii w mieszkaniu w Kensington.

W Londynie najpierw zawrzało, a potem wszystko ruszyło na najwyższych obrotach. Angielski technik w centrali telefonicznej w Kensington poderwał się z krzesła i zaczął lokalizować numer. Zajęło mu to dziewięć sekund.

W podziemiach ambasady amerykańskiej pełniący służbę pracownik ELINT wydał okrzyk, kiedy czerwona lampka sygnalizacyjna zabłysła mu prosto w twarz, a w słuchawce usłyszał brzęk dzwonka telefonu. Kevin Brown, Patrick Seymour i Lou Collins wyskoczyli z łóżek polowych, gdzie drzemali, i podbiegli do stacji nasłuchu.

— Dźwięk na głośnik w ścianie — nakazał Seymour.

W mieszkaniu Sam Somerville czuwała na tapczanie, ulubionym miejscu Quinna, ponieważ obok stał aparat linii błyskawicznej. McCrea drzemał w jednym z foteli. Tak spędzali tu już drugą noc.

Dzwoniący telefon wyrwał Sam ze snu, ale potrzebowała jeszcze dwóch sekund, by uświadomić sobie, który aparat dzwoni. Pulsująca czerwona lampka przy telefonie linii błyskawicznej podpowiedziała jej to. Przy trzecim dzwonku podniosła słuchawkę.

— Tak?

— Sam?

Głęboki głos na drugim końcu linii był nie do pomylenia.

— Och, Quinn — powiedziała. — Wszystko w porządku?

— Sraj na Quinna, co z chłopakiem? — rzucił wściekle Brown w podziemiach ambasady, niesłyszalnie dla nich obojga.

— W porządku. Wypuścili mnie. Simona też zaraz wypuszczają, chyba już to zrobili. Kawałek dalej na trasie.

— A gdzie ty jesteś, Quinn?

— Nie wiem. To jakaś stara stacja benzynowa przy długiej prostej drodze, numer na aparacie jest nieczytelny.

— Numer w Bletchley — odezwał się technik w centrali w Kensington. — Jeszcze chwila... jest. Siedem-cztery-pięć-zero-jeden.

Jego kolega podawał go już Nigelowi Cramerowi, który przez całą noc przebywał w Scotland Yardzie.

— Gdzie to, u diabła, jest? — syknął.

— Moment... Mam. Stacja paliw przy Tubbs Cross na A421 między Fenny Stratford a Buckingham.

W tym samym momencie Quinn zauważył bloczek rachunków stacji, gdzie podany był adres, i podał go Sam. A chwilę później połączenie zostało przerwane. Sam i Duncan McCrea pognali na dół, gdzie przy ulicy na polecenie Lou Collinsa stał wóz CIA na wypadek, gdyby podsłuchujący w mieszkaniu potrzebowali go. Ruszyli bez zwłoki — McCrea prowadził, a Sam studiowała mapę.

Nigel Cramer i sześciu policjantów opuściło Scotland Yard dwoma wozami patrolowymi i z wyjącymi syrenami pognali obok Whitehall, przez Mall w kierunku Park Lane, potem na północ. W tym czasie dwie limuzyny pędziły już z ambasady przy Grosvenor Square, wioząc Kevina Browna, Lou Collinsa, Patricka Seymoura i sześciu ludzi Browna z FBI z Waszyngtonu.

Droga numer A421 między Fenny Stratford a miasteczkiem Buckingham, dwadzieścia kilometrów na zachód biegnie prosto, omijając miejscowości, i prowadzi przez rozległą, płaską, rolniczo wykorzystywaną okolicę, gdzieniegdzie urozmaiconą drzewami. Quinn biegł równomiernym tempem na zachód, bo tam odjechał samochód. Pierwsze słabe promienie dziennego światła sączyły się przez szare chmury, a widoczność zwiększała się stopniowo do trzystu metrów. Nagle Quinn zobaczył chudą postać, która zbliżała się do niego w brzasku, jednocześnie słyszał za sobą narastający szybko hałas silników. Odwrócił głowę; brytyjski wóz patrolowy i dwie czarne amerykańskie limuzyny, które go akurat wyprzedziły, a za nimi pojazd CIA bez oznaczeń. Kierowca pierwszego samochodu zobaczył go i zwolnił, a że droga była wąska, auta za nim również musiały przyhamować.

Nikt w samochodach nie widział chwiejącej się postaci daleko z przodu. Simon Cormack także dał radę przełożyć spętane ręce i pokonał już osiem kilometrów, podczas gdy Quinn pozostawił za sobą siedem. Ale Simon nie dzwonił po drodze. Osłabiony przebywaniem w zamknięciu, przejęty jeszcze swoim uwolnieniem, biegł wolno, chwiejąc się na boki. Pierwszy samochód ambasady był teraz obok Quinna.

— Gdzie jest chłopak? — wrzasnął Brown z siedzenia obok kierowcy.

Nigel Cramer wyskoczył z czerwono-białego wozu patrolowego i wykrzyknął to samo pytanie. Quinn przystanął, wciągnął powietrze i wskazał ruchem głowy do przodu.

— Tam — wykrztusił w końcu.

I w tym momencie zobaczyli go. Amerykańscy i angielscy policjanci wyskoczyli ze swoich pojazdów i pognali naprzeciw oddalonej jeszcze o dwieście metrów postaci. Samochód z McCreą i Sam Somerville zahamował ostro przy Quinnie.

Ten stał tylko; nie miał tu już nic więcej do roboty. Poczuł, że Sam zbliżyła się do niego z tyłu i ścisnęła go za rękę. Mówiła przy tym coś, ale nawet później nie umiał sobie przypomnieć co.

Kiedy Simon Cormack dostrzegł zbliżających się wybawicieli, zwolnił, a potem zatrzymał się. Jeszcze tylko sto metrów dzieliło go od policjantów obu krajów, kiedy padł martwy.

Świadkowie mówili potem, że oślepiający biały błysk wzbił się w górę na wiele sekund. Naukowcy orzekliby, że trwało to tylko trzy milisekundy, ale siatkówka ludzkiego oka rejestruje taki błysk jeszcze długo po nim. Wir powietrza wywołany błyskiem na pół sekundy osłonił zataczającą się postać.

Czterech ze świadków, doświadczonych mężczyzn, wręcz zahartowanych na takie sytuacje, musiało się poddać potem leczeniu terapeutycznemu; opisywali, jak ciało młodego człowieka zostało poderwane i odrzucone na dwadzieścia metrów w ich stronę jak szmaciana lalka, najpierw lecąc w powietrzu, potem podrygując i tocząc się z bezwładnie rozrzuconymi kończynami. Wszyscy poczuli napór fali uderzeniowej.

Większość wyjaśniała potem zgodnie, że wszystko podczas i po morderstwie rozegrało się jakby w zwolnionym tempie. Wspomnienia przychodziły fragmentami, a cierpliwi przesłuchujący notowali opisy tych wyrwanych kawałków, by w końcu zebrać sekwencję nakładających się zdarzeń.

Nigel Cramer stał tam jak skamieniały, blady jak prześcieradło i powtarzał w kółko: „O Boże, o mój Boże...", a Mormon z FBI, tak jak stał, padł na kolana i zaczął się modlić. Sam Somerville krzyknęła, wtuliła twarz w plecy Quinna i rozpłakała się. Pod Duncanem McCreą ugięły się kolana, pochylił głowę nad rowem i z rękami zanurzonymi w wodzie zaczął wymiotować.

Quinn, jak mówiono potem, stał tam w bezruchu, otoczony grupą osób i wpatrzony w to, co stało się przed nim na drodze, potrząsał z niedowierzaniem głową i mruczał: „Nie..., nie..., nie!".

Jako pierwszy przerwał to odrętwienie i przerażenie siwowłosy brytyjski sierżant i podbiegł do oddalonego o sześćdziesiąt metrów skręconego ciała. Za nim podążyli ludzie z FBI z Kevinem Brownem, bladym i trzęsącym się, potem Nigel Cramer i trzech funkcjonariuszy Scotland Yardu. Niemo patrzyli na ciało, po chwili jednak doświadczenie i rutyna wzięły górę.

— Proszę opuścić miejsce — odezwał się Nigel Cramer tonem, któremu nikt nie mógł się sprzeciwić. — I poruszajcie się bardzo ostrożnie. Wszyscy wrócili do pojazdów.

— Sierżancie, proszę połączyć się z Yardem. Za godzinę ma tu być helikopter ze specem od materiałów wybuchowych. Do tego ekipa fotografów, lekarzy sądowych, najlepszych z Fulham. Wy — zwrócił się do osób w drugim wozie patrolowym — macie zablokować drogę w obu kierunkach. Postawić na nogi naszych lokalnych chłopaków, ustawić blokady przed stacją paliw i za Buckingham. Aż do odwołania nikt nie wkracza na ten odcinek drogi bez mojej zgody.

Policjanci, którym przydzielono kawałek drogi za leżącymi zwłokami, musieli obejść je przez pola, aby ominąć miejsce eksplozji. Potem pobiegli wzdłuż drogi, aby zbliżającym się samochodom kazać zawrócić. Drugi wóz patrolowy ruszył na wschód, w kierunku stacji paliw Tubbs Cross, aby zablokować tam przejazd. Pierwszy wóz patrolowy był potrzebny na miejscu z uwagi na łączność radiową.

W ciągu godziny policjanci stalowymi barierkami zamknęli wszelki ruch na A421 od Buckingham na zachodzie do Bletchley na wschodzie. Lokalni policjanci rozstawili się po okolicy, by trzymać z dala ciekawskich, którzy próbowaliby dotrzeć na miejsce zdarzenia przez pola. Przynajmniej tym razem nie musieli się tłumaczyć przed dziennikarzami. Zamknięto drogę do przerwanej magistrali wodnej, odciągając tym reporterów z pobliskich miasteczek.

Po pięćdziesięciu minutach, wezwany przez radio w wozie patrolowym, zakołysał się nad polami helikopter ze Scotland Yardu i zawisnąwszy nad drogą obok aut wysadził małego, z twarzą podobną do ptaka, doktora Barnarda, specjalistę od materiałów wybuchowych w Yardzie, który zbadał więcej miejsc eksplozji po zamachach bombowych IRA, niżby mógł sobie zamarzyć. Budząc powszechny respekt zjawił się tu ze swoim „czarodziejskim kramem", jak go zwykle określał.

O doktorze Barnardzie mawiano, że potrafił nawet z fragmencików, niewidocznych wręcz pod szkłem powiększającym, zrekonstruować bombę tak, by zidentyfikować i fabrykę, która wykonała komponenty, i człowieka, który je zmontował. Kilka minut zajęło mu wysłuchanie relacji Nigela Cramera, potem skinął głową i wydał instrukcje grupie mężczyzn, którzy wydostali się z drugiego i trzeciego helikoptera. Był to zespół z laboratoriów medycyny sądowej w Fulham.

Z niewzruszonymi twarzami przystąpili do pracy, a machina naukowego wyjaśnienia przestępstwa została wprawiona w ruch.

Jeszcze przed tym wszystkim Kevin Brown, kiedy już przyjrzał się dobrze zwłokom Simona Cormacka, podszedł do miejsca, gdzie Quinn ciągle jeszcze stał. Był szary na twarzy z oszołomienia i wściekłości.

— Ty gnoju — warknął. Obaj jednakowo wysocy, stali oko w oko. — To twoja wina. Tak czy inaczej do tego się przyczyniłeś, a ja dopilnuję, żebyś za to zapłacił.

Cios pięścią, który nastąpił po tych słowach, zaskoczył obu młodych pracowników FBI stojących obok, którzy chwycili go szybko za ramiona i próbowali uspokoić. Możliwe, że Quinn widział, jak nadchodzi uderzenie, ale nie zrobił nic, by go uniknąć. Mając ciągle jeszcze spętane ręce, dostał prosto w szczękę. Cios odrzucił go do tyłu; głowa trafiła w krawędź dachu samochodu stojącego za nim i padł nieprzytomny.

— Wnieście go do samochodu — mruknął Brown, gdy odzyskał znowu panowanie nad sobą.

Cramer nie miał żadnej możliwości powstrzymania Amerykanów. Seymour i Collins korzystali z dyplomatycznego immunitetu. Piętnaście minut później pozwolił im odjechać do Londynu, zaznaczając jednak, że Quinn, który nie miał takich przywilejów, ma być do jego dyspozycji w Londynie, by złożyć wyczerpujące wyjaśnienia. Seymour dał mu na to słowo. Kiedy odjechali, Cramer skorzystał z telefonu na stacji benzynowej, aby zadzwonić do sir Harry'ego Marriotta pod jego prywatny numer i donieść mu o tym, co miało miejsce. Telefon był tu bezpieczniejszy niż policyjne radio.

Polityk był głęboko wstrząśnięty. Ale politykiem pozostał.

— Panie Cramer, czy my, jako brytyjskie władze, jesteśmy w to jakoś zamieszani?

— Nie, panie ministrze. Po tym, gdy Quinn uciekł z mieszkania, to była już tylko jego sprawa. Decydował sam, nie wciągając w to nas ani swoich ludzi. Działał na własną rękę i nie powiodło mu się.

— Rozumiem — powiedział minister spraw wewnętrznych. — Muszę natychmiast powiadomić panią premier. O całej sprawie... — zaznaczył, mając na myśli, że brytyjskie władze nie maczały w tym wszystkim palców. — Niech pan tymczasem trzyma z daleka media, za wszelką cenę. W najgorszym wypadku będziemy musieli powiedzieć, że Simona Cormacka odnaleziono martwego. Ale jeszcze nie teraz. I oczywiście niech mnie pan informuje o wszystkich, nawet najmniejszych odkryciach w tej sprawie.

Tym razem Waszyngton otrzymał informacje od własnych ludzi w Londynie. Patrick Seymour osobiście zadzwonił do prezydenta Odella na zabezpieczoną przed podsłuchem linię. Ten nie miał za złe telefonu o tak wczesnej porze — była piąta czasu waszyngtońskiego — wychodząc z założenia, że łącznik FBI w Londynie powiadomi go o wypuszczeniu Simona Cormacka. Gdy usłyszał, co Seymour miał mu do powiedzenia, na twarzy zrobił się szary jak popiół.

— Ale jak to? Dlaczego? Na miłość boską, dlaczego?

— Nie wiem, sir — powiedział głos z Londynu. — Chłopak został wypuszczony cały i zdrowy. Biegł już do nas i był oddalony o jakieś sto metrów, kiedy to się stało. Nie wiemy jeszcze nawet, co „to" było. Ale on jest martwy, panie wiceprezydencie.

W ciągu godziny zebrał się komitet. Wszyscy członkowie byli głęboko wstrząśnięci, gdy usłyszeli, co się stało. Problemem było teraz: kto zaniesie wiadomość prezydentowi? Spadło to na Michaela Odella, przewodniczącego komitetu, którego Cormack dwadzieścia cztery dni wcześniej obarczył misją: „Spraw, by on wrócił". Z ciężkim sercem wyruszył on z zachodniego skrzydła do Rezydencji.

Prezydenta Cormacka nie musiał nikt budzić. Przez ostatnie trzy i pół tygodnia spał mało i budził się sam jeszcze przed szarówką; szedł wtedy do prywatnego gabinetu, próbując skoncentrować się na sprawach wagi państwowej. Słysząc, że wiceprezydent chce z nim rozmawiać, przeszedł do Żółtego Owalnego Pokoju i oznajmił, że tam przyjmie Odella.

Żółty Pokój Owalny jest przestronnym pokojem do przyjmowania gości, na drugim piętrze, pomiędzy gabinetem prezydenta a Salą Podpisywania Układów. Za jego oknami, które wychodzą na trawniki Pennsylvania Avenue, jest Balkon Trumana. Tutaj, pod kopułą i nad Południowym Portykiem wypada geometryczny środek Rezydencji.

Odell wszedł. Prezydent Cormack stał pośrodku i patrzył na niego. Odell milczał. Nie mógł zmusić się do wypowiedzenia tej hiobowej wieści. Wyraz oczekiwania na twarzy prezydenta wygasł powoli.

— Tak, Michael? — spytał głucho.

— On... Simon... został znaleziony. Obawiam się, że nie żyje.

Prezydent Cormack nawet nie drgnął. Kiedy przemówił, jego głos był klarowny, ale pozbawiony wyrazu: — Zostaw mnie, proszę...

Odell odwrócił się i wyszedł do Centralnego Holu. Zamknął drzwi za sobą i skierował się ku schodom. Za sobą usłyszał jeden wielki jęk, jak od zranionego zwierzęcia w śmiertelnych mękach. Przeszył go dreszcz, ruszył przed siebie.

Na końcu sali, przy biurku pod ścianą czekał Lepinsky, człowiek z Secret Service, ściskając słuchawkę w ręku.

— To premier Wielkiej Brytanii, panie wiceprezydencie — powiedział.

— Ja odbiorę. Halo, tu Michael Odell. Tak, pani premier, właśnie mu powiedziałem. Nie, madam, nie odbiera teraz żadnych telefonów, naprawdę *żadnych*.

Na linii nastała przerwa.

— Rozumiem. — To pani premier odparła cicho, a potem spytała: — Ma pan ołówek i kawałek papieru?

Odell skinął na Lepinsky'ego, który wyciągnął swój urzędowy notatnik. Odell zapisał tam, co mu przekazano.

Prezydent Cormack dostał kartkę w czasie, kiedy większość ludzi w Waszyngtonie, nieświadomych niczego, przygotowywało sobie śniadanie. Był ciągle jeszcze w swoim jedwabnym szlafroku, w gabinecie, i wyglądał z okna na szarą, poranną mgłę. Jego żona spała; miała dowiedzieć się dopiero później. Pokiwał głową służącemu, a gdy ten wyszedł, rozłożył kartkę z notatnika Lepinsky'ego.

Było na niej tylko: *Samuel II 18, 33.*

Po kilku minutach podniósł się, podszedł do regału, gdzie trzymał kilka własnych książek. Między nimi rodzinną biblię podpisaną przez ojca, a przedtem przez dziadka i pradziadka. Znalazł werset na końcu Drugiej Księgi Samuela:

Wtedy król zadrżał i wstąpiwszy do głównej komnaty nad bramą zaczął płakać. I chodząc tam i z powrotem tak wołał: Absalomie, Absalomie! synu mój! Obym ja był umarł zamiast ciebie! Absalomie, synu mój, synu mój!

ROZDZIAŁ JEDENASTY

Doktor Barnard odrzucił ofertę Policji Doliny Tamizy, aby stu młodych policjantów pomogło mu w tropieniu śladów na drodze i poboczach. Wyznawał on pogląd, że duże akcje poszukiwawcze są w porządku, jeśli chodzi o odnalezienie ukrytego ciała zamordowanego dziecka czy też narzędzia zbrodni, jak nóż, rewolwer albo pałka. Tu jednak potrzeba było sprytu, doświadczenia i wyjątkowej delikatności. Dlatego wyznaczył do tego tylko swoich wyszkolonych specjalistów z Fulham.

Zabezpieczyli oni okrąg o średnicy stu metrów od miejsca eksplozji — o wiele za duży, jak się okazało. Wszelki materiał dowodowy znaleziono na obszarze trzydziestu metrów. Ekipa pełzała dosłownie na rękach i kolanach, z torebkami plastikowymi i pincetami w pogotowiu.

Każdy najmniejszy kawałek materiału czy skóry podnoszono pincetą z ziemi i wkładano do torebki. Na niektórych przyklejone były włosy, kawałki tkanki ludzkiej lub inna materia. Zbierano też zakrwawione źdźbła trawy. Superczułe detektory metali obszukały każdy centymetr kwadratowy drogi, rowów i okolicznych pól, wyciągając na światło dzienne wszelki asortyment gwoździ, puszek blaszanych, zardzewiałych śrub, nakrętek, sworzni, a nawet zardzewiały lemiesz.

Sortowanie było sprawą późniejszą. Osiem dużych pojemników na śmieci z tworzywa napełniono przezroczystymi torebkami plastikowymi i wysłano helikopterem do Londynu. Owalny obszar, od miejsca gdzie Simon Cormack stał przed śmiercią, aż do punktu gdzie jego ciało się potoczyło, w środku większego okręgu, badano ze szczególną dokładnością. Dopiero po czterech godzinach pozwolono ruszyć zwłoki z miejsca.

Najpierw sfotografowano je pod każdym możliwym kątem, w planie ogólnym, szczegółowym i w zbliżeniu. Dopiero kiedy każdy skrawek darniny dookoła ciała został gruntownie przebadany i pozostała do sprawdzenia jeszcze tylko trawa pod samymi zwłokami, doktor Barnard pozwolił ludziom zbliżyć się do zmarłego.

Rozłożono worek obok ciała i to, co zostało z Simona Cormacka, delikatnie podniesiono i ułożono tam. Potem zawinięto brzegi, zaciągnięto zamek błyskawiczny i położono worek na nosze, a te podwieszono pod helikopterem, by trafiły do laboratorium na sekcję.

Syn prezydenta zmarł w Buckingham, jednym z trzech hrabstw podległych Policji Doliny Tamizy. I tak wracał Simon Cormack po śmierci do Oksfordu, do Kliniki Radcliffe, której wyposażenie można porównać nawet z tymi w Guy's Hospital w Londynie.

Z Guy's przybył przyjaciel i kolega po fachu doktora Barnarda, który współpracował już z nim przy wielu przypadkach i nawiązał bliskie kontakty zawodowe. Faktycznie byli traktowani często jako tandem, mimo iż działali w różnych dyscyplinach. Doktor Ian Macdonald był starszym konsultantem z dziedziny patologii przy wielkim londyńskim szpitalu, także jako patolog wykazywał się w Ministerstwie Spraw Wewnętrznych i do tego Scotland Yard korzystał z jego usług, kiedy tylko był wolny. I on też miał dokonać sekcji zwłok Simona Cormacka w Radcliffe.

Podczas gdy sztab ludzi pełzał po trawie obok drogi A421, przez cały dzień między Londynem a Waszyngtonem odbywały się konsultacje, jak poinformować media i świat o wydarzeniu. Porozumiano się co do tego, że wiadomość podana zostanie przez Biały Dom i bezpośrednio po tym potwierdzona będzie w Londynie. W oświadczeniu miało zostać ujęte tylko to, że zgodnie z żądaniem porywaczy wymianę uzgodniono z dochowaniem największej tajemnicy, zapłacono okup (bez podawania wysokości) i że przestępcy nie dotrzymali słowa. Po anonimowym telefonie brytyjska policja znalazła na skraju drogi w hrabstwie Buckingham Simona Cormacka martwego.

Nie trzeba dodawać, że brytyjska królowa, rząd i ludność przekazali prezydentowi i narodowi amerykańskiemu swoje najgłębsze i najszczersze wyrazy współczucia i że trwa intensywne śledztwo mające wytropić i aresztować przestępców.

Sir Harry Marriott nalegał, aby zdanie o uzgodnieniu wymiany uzupełnić o zwrot: „między władzami amerykańskimi i porywaczami", a Biały Dom, choć z oporem, wyraził zgodę.

— Media nas zmasakrują — warknął Odell.

— Hm, przecież chciałeś Quinna — przypomniał Philip Kelly.

— W zasadzie to *wy* obaj chcieliście Quinna — rzucił wiceprezydent do Lee Alexandra i Davida Weintrauba, którzy także siedzieli przy stole w Pokoju Sytuacyjnym. — A właściwie gdzie on teraz jest?

— Został zatrzymany — wyjaśnił Weintraub. — Brytyjczycy odmówili zgody na umieszczenie go na amerykańskim terytorium na obszarze ambasady. Ich MI5 wynajął dom w Surrey. I tam on jest.

— Będzie więc sporo do wyjaśnienia — stwierdził Hubert Reed. —
— Diamenty zniknęły, porywacze też, a biedny chłopak nie żyje. Jak on
właściwie zmarł?

— Brytyjczycy próbują to ustalić — powiedział Brad Johnson. — Kevin Brown mówi, że wyglądało to tak, jakby trafiono go z bazooki tuż
za nim, ale nie widzieli tam niczego podobnego. Albo jakby wdepnął na
minę.

— Na skraju drogi, w opuszczonej okolicy? — spytał Stannard.

— Jak mówiłem, Pani Premier przekaże nam, co się tam rozegrało.

— Uważam, że kiedy Brytyjczycy już go przesłuchają, powinniśmy
go tu ściągnąć — powiedział Kelly. — Musimy z nim porozmawiać.

— Twój zastępca już tego pilnuje — odezwał się Weintraub.

— A jeśli nie zechce przyjechać, czy możemy go wtedy zmusić do
powrotu? — spytał Bill Walters.

— Tak, panie prokuratorze generalny — potwierdził Kelly. — Kevin
Brown uważa, że Quinn mógł być jakoś zamieszany w tę sprawę. Nie
wiemy jak, ale jeśli wezwiemy go na świadka koronnego, Brytyjczycy
wsadzą go chyba do samolotu.

— Odczekajmy jeszcze dwadzieścia cztery godziny i zobaczmy, co
sami Brytyjczycy wymyślą.

Oświadczenie Waszyngtonu wydane zostało o siedemnastej czasu
miejscowego i wstrząsnęło Stanami Zjednoczonymi jak mało co od zamordowania Roberta Kennedy'ego i Martina Luthera Kinga. A media
oszalały, kiedy to rzecznik prasowy Craig Lipton uchylił się od odpowiedzi na dwieście pytań dziennikarzy. Kto ustawiał sprawę okupu? Jak
dużo tego było? W jakiej formie? Jak został przekazany? Przez kogo?
Dlaczego nie podjęto próby schwytania porywaczy przy przekazaniu?
Czy paczka lub pakiet z okupem miały podsłuch? Czy zbyt nieudolnie
tropiono porywaczy i dlatego zabili oni chłopaka podczas ucieczki? Co
zaniedbały władze? Czy Biały Dom wini Scotland Yard, a jeśli nie, to dlaczego? Dlaczego Stany Zjednoczone nie przekazały od samego początku
sprawy Scotland Yardowi? Czy znane są rysopisy porywaczy? Czy brytyjska policja już ich tropi? Te i inne pytania nie miały końca. Craig
Lipton podjął decyzję o złożeniu dymisji, nim zostanie zlinczowany.

W Londynie było pięć godzin później niż w Waszyngtonie, ale reagowano podobnie; telewizyjne programy wieczorne przerywano wiadomościami z ostatniej chwili, wprawiając naród w osłupienie. Centrale
telefoniczne Scotland Yardu, Ministerstwa Spraw Wewnętrznych, na Downing Street 10, w ambasadzie amerykańskiej zostały kompletnie zablokowane. Dziennikarzy, którzy około dziesiątej wieczorem zbierali się

akurat do domów, zatrzymano, aby przygotowali wydania specjalne na piątą rano. O świcie już rzesze reporterów oblegały Klinikę Radcliffe, Grosvenor Square, Downing Street i Scotland Yard. W wynajętych helikopterach krążyli nad pustym odcinkiem drogi między Fenny Stratford i Buckingham, fotografując pusty asfalt, ostatnią parę barierek i stojące tam jeszcze policyjne wozy.

Niewielu spało tej nocy. Na osobistą prośbę samego sir Harry'ego Marriotta, doktor Barnard i jego zespół pracowali do rana. Eksperci od ładunków wybuchowych opuścili przy ostatnich blaskach dnia miejsce zdarzenia w przekonaniu, że nic już tam nie odkryją. Po dziesięciu godzinach ten obszar pięćdziesięciu kilometrów dookoła był najczystym skrawkiem angielskiej ziemi. To co tam wygrzebali, leżało w szarych pojemnikach ustawionych równo przy ścianie w laboratorium. Dla niego i jego zespołu ta noc była nocą z mikroskopem.

Nigel Cramer spędził noc w skromnym, prawie nie umeblowanym pokoju na terenie folwarku z czasów Tudorów w sercu Surrey, osłoniętego od drogi rzędem drzew. Mimo eleganckiego wyglądu stary budynek był idealny do przesłuchań. Brytyjska Służba Bezpieczeństwa wykorzystywała stare piwnice jako miejsca szkoleń dla takich delikatnych zadań.

Brown, Collins i Seymour byli obecni na własne życzenie. Cramer nie miał nic przeciwko temu — sir Harry Marriott polecił mu, aby współpracował z Amerykanami, gdzie i kiedy było to tylko możliwe. A zresztą wszelkie informacje, którymi dysponował Quinn, i tak przedłożone zostałyby obu rządom. Na stole obok nich magnetofony wypełniały się nagranym materiałem.

Quinnowi wykwitł długi wyraźny siniec na dolnej szczęce, a tył jego głowy przyozdabiał guz i wielki plaster. Ciągle miał tę samą, teraz przybrudzoną, koszulę i spodnie. Zabrano mu buty, podobnie jak pasek i krawat. Był nie ogolony i sprawiał wrażenie wyczerpanego. Na pytania odpowiadał jednak wyraźnie i spokojnie.

Zaczął je Cramer: Dlaczego opuścił mieszkanie w Kensington? Quinn wyjaśnił. Brown rzucił mu wściekłe spojrzenie.

— Panie Quinn, czy miał pan jakikolwiek powód, aby przyjąć, że nieznana osoba, względnie osoby, mogły próbować wmieszać się w tę wymianę, zagrażając tym samym bezpieczeństwu Simona Cormacka?

Nigel Cramer formułował to ściśle według przepisów.

— Instynkt — odparł Quinn.

— Tylko instynkt, panie Quinn?

— Czy ja mogę o coś spytać, panie Cramer?

— Nie mogę obiecać, że odpowiem.

— Ta aktówka z diamentami. Była z pluskwą, prawda?

Miny czterech mężczyzn w pomieszczeniu wystarczały za odpowiedź.

— Gdybym przybył na wymianę z tą aktówką — ciągnął Quinn — wyczuliby to i zabili chłopaka.

— Co i tak zrobili, ty cwaniaku — warknął Brown.

— Tak, zrobili to — przyznał Quinn ponuro. — Przyznaję, że nie sądziłem, że coś takiego zrobią.

Cramer chciał, by wrócił do momentu, kiedy opuścił mieszkanie. Quinn opowiedział o Marylebone, nocy w hotelu, warunkach, które Zack ustalił na spotkanie, i jak on sam ledwie tam zdążył. Dla Cramera interesująca była ich konfrontacja w opuszczonej hali magazynu. Quinn opisał mu samochód, limuzynę volvo, i podał numery; obaj uznali jednak, że na tę okazję tablice z numerami zmieniono, a potem znowu przykręcono prawdziwe. Podobnie było z przyklejoną do szyby wewnątrz plakietką o opłaceniu podatku drogowego. Ci ludzie udowodnili, że dokładnie zabierali się za swoje dzieło.

On mógł opisać porywaczy tylko tak, jak ich widział: zamaskowanych i w zwykłych dresach. Jednego nie widział wcale, bo ten pozostawał w kryjówce, by na ich telefon albo gdyby nie wrócili w ustalonym terminie, zabić Simona Cormacka. Podał opis zewnętrzny obu mężczyzn widzianych przez niego w całej okazałości: Zacka i tego z bronią. Średniego wzrostu, średniej postury. I tyle.

Zidentyfikował pistolet maszynowy typu Skorpion i naturalnie hale magazynowe firmy Babbidge. Cramer opuścił pomieszczenie, aby zatelefonować. Drugi zespół ekspertów z Fulham pojechał jeszcze przed świtem do tych magazynów i tam spędził przedpołudnie. Poszukiwania dały tylko kuleczkę marcepanu i odciski opon idealnie odciśnięte w kurzu. Na podstawie tych śladów jednoznacznie rozpoznają porzucone volvo, ale dopiero za dwa tygodnie.

Szczególnie interesowano się domem wykorzystanym przez porywaczy. Żwirowy podjazd, Quinn słyszał zgrzytanie opon na żwirze, długi na jakieś dziewięć metrów od bramy do garażu, automatycznie otwierane drzwi, garaż połączony z domem, który miał ponadto wybetonowaną piwnicę — tu mogli pomóc agenci od nieruchomości. Jaki jednak kierunek to był, nie wiedział. Za pierwszym razem leżał w bagażniku, a drugi raz z kapturem na głowie ułożono go na podłodze przy tylnym siedzeniu. Czas jazdy: najpierw półtorej godziny, ale potem dwie. Jeśli jechali okrężną drogą, dom mógł stać wszędzie — równie dobrze w sercu Londynu, jak i o osiemdziesiąt kilometrów dalej w dowolnym kierunku.

— Nie możemy mu postawić żadnych zarzutów, panie ministrze — orzekł Cramer zdając raport swojemu ministrowi następnego ranka. — Nie możemy go nawet dłużej trzymać. A szczerze mówiąc, uważam, że nie powinniśmy. Jak i nie wierzę, by miał coś wspólnego z tą śmiercią.

— Ale jednak gruntownie spieprzył całą sprawę — zauważył sir Harry. Z Downing Street 10 naciskano, aby pojawiły się nowe tropy.

— Tak to wygląda — przyznał zastępca komisarza. — Ale jeśli przestępcy od początku chcieli zabić chłopaka, a mam takie wrażenie, mogli to zrobić w dowolnym czasie przed i po przekazaniu diamentów, w piwnicy, na drodze czy na bagnach Yorkshire. A i Quinna z nim. Zagadką jest, dlaczego pozostawili Quinna przy życiu i dlaczego najpierw puścili chłopaka, a potem go zabili. To wygląda tak, jakby chcieli stać się najbardziej znienawidzonymi i ściganymi ludźmi świata.

— Dobrze — westchnął minister spraw wewnętrznych — pan Quinn już nam nic nie pomoże. Czy Amerykanie go jeszcze trzymają?

— Formalnie jest u nich gościem z własnej woli — odparł Cramer ostrożnie.

— Mogą mu więc pozwolić wrócić do Hiszpanii, kiedy zechcą...

Podczas gdy odbywała się ta rozmowa, Sam Somerwille próbowała ubłagać Kevina Browna. Razem z Collinsem i Seymourem znajdowali się w eleganckim salonie.

— Dlaczego, u diabła, chce pani z nim rozmawiać? On nas zawiódł. Na całej linii.

— Proszę posłuchać — ciągnęła swoje — w ostatnich trzech tygodniach zbliżyłam się do niego bardziej niż ktokolwiek inny tutaj. Jeśli coś ukrywa, obojętnie co to jest, mogłabym to z niego wyciągnąć, sir.

Brown wydawał się niezdecydowany.

— To niczemu nie zaszkodzi — zauważył Seymour.

Brown kiwnął głową. — Jest na dole. Ma pani pół godziny.

Tego popołudnia Sam Somerville wsiadła do samolotu z Heathrow do Waszyngtonu, lądującego tam krótko po zmroku.

Gdy Sam Somerwille odlatywała z Heathrow, doktor Barnard siedział w swoim laboratorium w Fulham wpatrzony w mały zbiór różnych drobiazgów rozłożonych na białym jak śnieg arkuszu papieru leżącym na biurku. Był bardzo zmęczony. Od czasu pilnego telefonu o świcie do jego domku w Londynie był nieustannie zajęty. Większa część tej pracy ze szkłami powiększającymi i mikroskopami męczyła wzrok, ale jeśli tego późnego popołudnia miałby przecierać oczy, to mniej z wyczerpania, a bardziej z zaskoczenia.

Wiedział już, co się stało, jak to się stało i jaki miało skutek. Plamy na materiale i strzępkach skóry po analizie odkryły przed nim skład chemiczny substancji wybuchowej; zakres działania ognia i fali uderzeniowej pokazał, ile użyto środka wybuchowego, gdzie był umiejscowiony i jak zdetonowany. Naturalnie kilka rzeczy było na zawsze straconych. Kilka kolejnych ujrzy dzienne światło przy obdukcji ciała, a doktor Barnard był w ciągłym kontakcie z Ianem Macdonaldem, który pracował jeszcze w Oksfordzie. Rezultaty stamtąd miały nadejść wkrótce, ale on już wiedział, co leżało przed nim, mimo iż dla niedoświadczonego oka wyglądało to jak mały stosik drobnych fragmentów.

Kilka z nich było resztkami małej baterii, której pochodzenie ustalił, przy innych chodziło o mikroskopijne kawałeczki warstwy izolacyjnej PCW, także zidentyfikowanej. Do tego pasma miedzianego drutu pochodzenia ustalonego, podobnie jak i plątanina poskręcanego mosiądzu, stopiona z tym, co kiedyś było małym, ale czułym odbiornikiem impulsów. Nie znalazł tylko zapalnika. Był wprawdzie w stu procentach pewien, chciał jednak mieć dwieście procent pewności. Może będzie musiał wrócić na drogę i zacząć od początku.

Jeden z jego asystentów wetknął głowę w drzwi.

— Doktor Macdonald dzwoni z Radcliffe.

Także patolog pracował od popołudnia poprzedniego dnia; jego zadanie wielu uznałoby za przerażające, ale dla niego detektywistyczna robota była bardziej fascynująca niż wszystko, co mógł sobie wyobrazić. Żył dla swojego zawodu i to tak bardzo, że nie ograniczał się tylko do tego, aby badać ofiary eksplozji materiałów wybuchowych. Brał także udział w kursach i wykładach o badaniu i rozbrajaniu materiałów wybuchowych, odbywających się dla nielicznych w laboratorium wybuchowym sił zbrojnych Fort Halstead. Nie wystarczało mu wiedzieć, że czegoś szuka, ale także, co to jest i jak wygląda.

Najpierw przez dwie godziny studiował fotografie, nie dotykając jeszcze ciała. Potem usunął ostrożnie kawałki ubrań, przy czym zrezygnował z pomocy asystenta. Pierwsze spadły tenisówki, potem skarpetki. Reszta odcięta została delikatnymi nożycami. Wszystkie kawałki zapakowano do foliowego woreczka i posłano prosto do doktora Barnarda. O wschodzie słońca ten odzieżowy plon dotarł do Fulham.

Gdy ciało było nagie, prześwietlone zostało od głowy do stóp promieniami rentgenowskimi. Przez kolejną godzinę Macdonald przyglądał się obcym dla ciała cząstkom, których naliczył czterdzieści. Następnie natarł ciało klejącym się pudrem, co sprawiło, że tuzin kolejnych, mikroskopijnie małych, przyklejonych do skóry cząstek zostało usuniętych. Kilka z nich okazało się kawałkami traw i błota; inne nie. Drugi wóz patrolowy zawiózł to przeraźliwe żniwo doktorowi Barnardowi w Fulham.

Macdonald przeprowadził do końca oględziny zewnętrzne i dyktował spostrzeżenia na taśmę swoim równomiernym szkockim akcentem. Ciąć zaczął dopiero krótko przed świtem. Najpierw musiały zostać usunięte z ciała wszystkie „ważne tkanki". W tym przypadku dotyczyło to tułowia, który rozerwany był od dolnych żeber aż do samej miednicy. Pośród wyciętych kawałków znajdowały się także drobne odłamki kości, resztki dolnych dwudziestu centymetrów kręgosłupa, jakie przeszły przez tułów i otrzewną, i teraz tkwiły w dżinsach.

Stwierdzenie przyczyny śmierci nie było żadnym problemem. Chodziło o rozległe obrażenia kręgosłupa i jamy brzusznej spowodowane eksplozją. Dla pełnego orzeczenia było to niewystarczające. Doktor Macdonald kazał wycięty materiał jeszcze raz prześwietlić w o wiele delikatniejszym rozdrobnieniu. Faktycznie zawierał on obce ciała, niektóre tak małe, że nie dało się ich chwycić pincetą. Wycięte kawałki tkanki i odłamki kości zostały ostatecznie rozpuszczone w mieszaninie enzymów. A po odwirowaniu zebrał się ostatni odsiew, uncja małych metalowych kawałków.

Z tej uncji doktor Macdonald wybrał największy kawałek, który odkrył na drugim zdjęciu rentgenowskim, mocno wtłoczony w odłamek kości i zagrzebany w śledzionie. Obserwował to przez chwilę, potem gwizdnął i zadzwonił do Fulham. Barnard zgłosił się przy aparacie.

— Cieszy mnie, że dzwonisz, Ian. Czyżbyś miał coś dla mnie?

— Tak, mam tu coś, co powinieneś obejrzeć. Jeśli się nie mylę, to coś, czego jeszcze nigdy nie widziałem. Myślę, że wiem, co to jest, ale nie mogę w to wprost uwierzyć.

— Wezwij wóz patrolowy. I daj im to — ponuro odparł Barnard.

Po dwóch godzinach znów rozmawiali. Tym razem dzwonił Barnard.

— Jeśli myślałeś o tym, o czym, moim zdaniem, myślałeś, to miałeś rację — powiedział. Barnard miał swoje dwieście procent pewności.

— A nie może to pochodzić z innego miejsca? — spytał Macdonald.

— Nie, to może pochodzić tylko z rąk producenta.

— A niech to piekło pochłonie — odezwał się patolog cicho.

— Święte słowa, przyjacielu — zgodził się Barnard. — Wykonać swoje i zginąć, co? Teraz musimy trzymać język za zębami. Złożę z samego rana mój raport u ministra spraw wewnętrznych. Zdążysz do tego czasu?

Macdonald spojrzał na zegarek. Od trzydziestu sześciu godzin był na nogach. Do rana było jeszcze dwanaście.

— „Nie śpijcie już, Barnard morduje sen" — sparodiował Makbeta.

— Dobrze, dostanie to przy śniadaniu na biurko.

Jeszcze wieczorem oddał ciało lub raczej obie jego części urzędnikowi koronera. Ten rano otworzy sądowe postępowanie w celu zbadania przyczyny śmierci i umorzy je, umożliwiając tym samym wydanie ciała najbliższym krewnym, w tym wypadku ambasadorowi Fairweatherowi, jako przedstawicielowi prezydenta Johna Cormacka.

Podczas gdy tej nocy obaj brytyjscy eksperci pisali swoje raporty, Sam Somerville została przyjęta na własną prośbę przez komitet zebrany w Sali Sytuacyjnej za zachodnim skrzydłem. Zwróciła się bezpośrednio do dyrektora Biura, a ten po rozmowie telefonicznej z wiceprezydentem Odellem zgodził się zabrać ją ze sobą.

Kiedy weszła do pokoju, wszyscy już zajęli swoje miejsca. Brakowało jedynie Davida Weintrauba, który prowadził w Tokio rozmowy ze swoim japońskim kolegą z urzędu. Była onieśmielona; zebrani tutaj posiadali największą władzę w kraju, oglądało się ich tylko w telewizji lub w gazetach. Wzięła głęboki oddech, wyprostowała się i podeszła do końca stołu. Wiceprezydent Odell wskazał na krzesło.

— Proszę siadać, młoda damo.

— O ile wiemy, chce pani nas prosić o uwolnienie pana Quinna — powiedział prokurator generalny Bill Walters. — Czy wolno nam spytać o powody?

— Panowie, wiem, że niektórzy podejrzewają, że pan Quinn jest jakoś uwikłany w śmierć Simona Cormacka. Proszę was, abyście mi uwierzyli. Byłam w ścisłym kontakcie z nim przez trzy tygodnie w tym mieszkaniu i jestem przekonana, że szczerze próbował on uwolnić tego młodego człowieka, zdrowego i nie tkniętego. .

— Dlaczego więc uciekł? — zapytał Philip Kelly. Nie odpowiadało mu, że jego młody agent staje tu przed komitetem i sam przedstawia swoją sprawę.

— Ponieważ w ciągu ostatnich czterdziestu ośmiu godzin, nim opuścił on mieszkanie, do mediów dotarły dwa fałszywe meldunki. Ponieważ starał się przez trzy tygodnie pozyskać zaufanie tej bestii, co mu się udało. Ponieważ był przekonany, że Zack spłoszy się i ucieknie, jeśli on nie zjawi się przed nim samotnie, bez broni i śledzących go przedstawicieli brytyjskich czy amerykańskich władz.

Nikt nie wątpił, że przez „amerykańskie władze" rozumiała tu Kevina Browna. Kelly zmarszczył czoło.

— Pozostaje jednak podejrzenie, że w jakiś sposób mógł być zamieszany w to wszystko — powiedział. — Nie wiemy jak, ale sprawa musi być zbadana.

— Nie mógł, sir — zaznaczyła Sam. — Gdyby sam się zgłosił na negocjatora, może. Ale propozycja ta padła tutaj. On nie chciał przecież w ogóle przybyć. A od chwili, kiedy pan Weintraub odszukał go w Hiszpanii, nigdy nie przebywał sam. Każde słowo, jakie wymienił z porywaczami, panowie słyszeli.

— Zapomniała pani o tych czterdziestu ośmiu godzinach, nim pokazał się na drodze — zauważył Morton Stannard.

— Ale po co miałby wtedy układać się z porywaczami? — spytała.

— Poza wynegocjowaniem uwolnienia Simona Cormacka.

— Bo dwa miliony dolarów dla szarego człowieka to duża suma — odparł Hubert Reed.

— Ale gdyby chciał zniknąć z diamentami — upierała się — szukalibyśmy go do tej pory.

— No tak — wtrącił się nieoczekiwanie Odell. — Poszedł więc sam i bez broni do porywaczy, pomijając ten cholerny marcepanowy numer. Jeśli ich wcześniej nie znał, to wykazał wielką odwagę.

— Mimo to podejrzenia pana Browna nie są tak do końca bezpodstawne — odezwał się Jim Donaldson. — Mógł nawiązać z nimi kontakt, ubić interes. Oni zabiją chłopaka, jego zostawią przy życiu, zabiorą diamenty. Potem gdzieś się spotkają i podzielą łup.

— Dlaczego mieliby na to pójść? — spytała Sam, coraz śmielsza, gdy tak wyraźnie miała wiceprezydenta po swojej stronie. — Mieli już diamenty; mogliby zabić ich obu. A nawet jeśli tego nie zrobili, dlaczego mieliby się z nim dzielić? Czy *pan* by im zaufał?

Nikt spośród nich nie zaufałby takim typom, nawet przez chwilę. Zapanowało milczenie, gdy o tym rozmyślali.

— Jeśli pozwoli mu się odejść, co on zamierza? Wróci do swoich winnic w Hiszpanii? — spytał Reed.

— Nie, sir. On chce ruszyć za nimi. Chce ich wytropić.

— Zaraz, chwilę, agentko Somerville — zdenerwował się Kelly. — To zadanie Biura. Panowie, nie mamy już żadnych ograniczeń wynikających z obowiązku ochrony życia Simona Cormacka. To morderstwo według naszego prawa podlega karze, tak jak tamto, na statku *Achille Lauro*. Wyślemy nasze grupy do Anglii i na kontynent europejski i będą miały tam nieograniczoną pomoc policji. Chcemy ich złapać i złapiemy. Pan Brown będzie koordynował te działania z Londynu.

Sam Somerville zagrała swoją ostatnią kartą.

— Ale panowie, jeśli Quinn nie jest w to zamieszany, i tak był bliżej nich niż ktokolwiek inny, widział ich i rozmawiał z nimi. A jeśli *jest* zamieszany, to wie, gdzie ma ich znaleźć. To dla nas najlepszy trop.

— To znaczy, że puszczamy go wolno i potem śledzimy? — spytał Walters.

— Nie, sir, to znaczy, że ja wtedy mogłabym mu towarzyszyć.

— Młoda damo... — Michael Odell pochylił się do przodu, aby lepiej ją widzieć. — Czy jest pani świadoma tego, co mówi? Ten człowiek zabijał już ludzi, jasne, że w czasie wojny, ale jeśli jest w to zamieszany, to i panią może czekać śmierć.

— Wiem o tym, panie wiceprezydencie. To jest właśnie sedno sprawy. Wierzę, że on jest niewinny i jestem gotowa podjąć ryzyko.

— Hmm. Dobrze, proszę nigdzie nie wyjeżdżać, panno Somerville. Damy pani znać. Musimy to przedyskutować... w naszym gronie — powiedział Odell.

Minister spraw wewnętrznych, sir Harry Marriott, spędził niespokojny poranek na lekturze raportów doktora Barnarda i doktora Macdonalda. Potem zabrał je na Downing Street 10. W porze lunchu wrócił do ministerstwa.

Nigel Cramer czekał już na niego.

— Widział pan to? — spytał Harry.

— Czytałem kopie, panie ministrze.

— To przerażające, bardzo niepokojące. Gdyby wyszło na jaw... Czy wie pan, gdzie jest ambasador Fairweather?

— Tak, w Oksfordzie. Koroner przed godziną wydał mu ciało. O ile mi wiadomo, samolot prezydencki czeka w Upper Heyford, skąd przetransportuje trumnę do Stanów. Ambasador będzie przy odprawie, a później wróci do Londynu.

— Hmm. Poproszę Ministerstwo Spraw Zagranicznych, aby mnie z nim umówiło. Nikt nie może dostać kopii tych raportów. Koszmarna sprawa. Czy są jakieś nowe szczegóły o pościgu?

— Niewiele, sir. Quinn zaznaczył, że żaden z dwóch pozostałych porywaczy nie odezwał się. Możliwe, że chodzi tu o obcokrajowców. Koncentrujemy się na poszukiwaniach volvo w portach morskich i lotniczych, które mają połączenia z kontynentem. Obawiam się, że mogliby nam się wymknąć. Trwają też poszukiwania domu. Dyskrecja nie jest już potrzebna. Jeśli pan wyrazi zgodę, jeszcze dziś wieczorem skierujemy apel do społeczeństwa. Wolno stojący dom połączony z garażem, z piwnicą i volvo w tym kolorze... ktoś musiał coś widzieć.

— Tak, oczywiście. I niech mnie pan informuje na bieżąco — zaznaczył minister.

*

Tego wieczoru w Waszyngtonie Sam Somerville w napięciu opuszczała swoje mieszkanie w Alexandrii, kiedy wezwano ją do Budynku Hoovera. Zaprowadzono ją do gabinetu Philipa Kelly'ego, szefa wydziału, w którym pracowała, aby tam usłyszała decyzję Białego Domu.

— Hm, agentko Somerville, dopięła pani swego. Góra orzekła, że wraca pani do Anglii i uwalnia Quinna. Tym razem jednak niech pani będzie przy nim bez przerwy. I na bieżąco niech pani informuje pana Browna, co Quinn robi i dokąd się udaje.

— Tak, sir. Dziękuję, sir.

Zdążyła jeszcze na nocny lot na Heathrow. Odlot tego rejsowego samolotu Dulles International opóźnił się trochę. W pobliskiej bazie Andrews lądował właśnie samolot prezydencki z ciałem Simona Cormacka. W tym czasie wszystkie lotniska w Ameryce wstrzymały pracę, ogłoszono dwie minut ciszy.

Na Heathrow znalazła się o świcie. Wstawał czwarty dzień od chwili morderstwa.

Dzwonek telefonu obudził tego ranka Irvinga Mossa o bardzo wczesnej godzinie. Tylko jedna osoba mogła tu dzwonić, ponieważ znała numer. Zerknął na zegarek, czwarta rano, dziesiąta wieczorem poprzedniego dnia w Houston. Zanotował obszerną listę cen produktów, wszystkie w dolarach i centach, wykreślił zera, które oznaczały przerwy w tekście, i zestawił rzędy liczb z odpowiednimi dla danego dnia miesiąca rzędami liter.

Gdy skończył rozszyfrowywanie, ściągnął policzki. To było coś specjalnego, nieprzewidzianego, o co miał się zatroszczyć. Niezwłocznie.

Aloysius „Al" Fairweather junior, ambasador Stanów Zjednoczonych w Londynie, otrzymał wiadomość z Ministerstwa Spraw Wewnętrznych, kiedy wieczorem wrócił z bazy sił powietrznych USA w Upper Heyford. Był to zły, smutny dzień: zgoda oksfordzkiego koronera na zabranie zwłok syna prezydenta, odebranie trumny z miejscowego przedsiębiorstwa pogrzebowego, które starało się jak mogło, choć mogło niewiele, oraz wysłanie tragicznego ładunku samolotem prezydenckim do Waszyngtonu.

Był już prawie trzy lata na tym stanowisku, mianowany przez nową administrację, i wiedział, że może być z siebie zadowolony, choć był następcą niezrównanego Charlesa Price'a z epoki Reagana. Jednak te cztery minione tygodnie były koszmarem, jaki nie powinien być udziałem żadnego ambasadora.

Prośba ministerstwa zdziwiła go, gdyż tym razem miał się spotkać nie z ministrem spraw zagranicznych, jak to zwykle, ale z ministrem spraw wewnętrznych, sir Harrym Marriottem. Jak większość brytyjskich ministrów znał sir Harry'ego tak dobrze, że mogli w cztery oczy darować sobie tytuły i zwracać się do siebie po imieniu. Jednak samo udanie się do siedziby ministerstwa w porze śniadaniowej było już niezwykłe, a wiadomość nie zawierała żadnego wyjaśnienia. Za pięć dziewiąta jego długi czarny cadillac skręcił w Victoria Street.

— Mój drogi Al — powitał go serdecznie Marriot, choć z należytą powagą, jak nakazywały okoliczności. — Nie muszę ci chyba mówić, jak ostatnie wydarzenia wstrząsnęły naszym krajem.

Fairweather skinął głową. Nie miał wątpliwości, że reakcja rządu i narodu brytyjskiego była szczera. Całymi dniami okrążała Grosvenor Square kolejka osób chcących wpisać się do księgi kondolencji rozłożonej w holu ambasady. Na górze pierwszej strony widniał skromny podpis „Elżbieta R", a dalej następowały nazwiska wszystkich członków gabinetu, obu arcybiskupów, zwierzchników innych kościołów i tysiące nazwisk znanych i nieznanych. Sir Harry podsunął ambasadorowi przez biurko dwa oprawne w tekturę raporty.

— Chciałbym, żebyś przyjrzał się temu na osobności, proponuję, najlepiej od razu. Może powinniśmy porozmawiać o paru rzeczach, zanim później wyjdziesz.

Raport doktora Macdonalda był krótszy; nim zajął się najpierw. Simon Cormack zmarł na skutek rozległych obrażeń kręgosłupa i jamy brzusznej spowodowanych wybuchem niewielkiego ale skumulowanego ładunku umieszczonego w dolnej części pleców. W chwili eksplozji bomba znajdowała się na jego ciele. Było tam jeszcze sporo technicznego żargonu o jego budowie ciała, stanie zdrowia, ostatnio zjedzonym posiłku i tak dalej.

Więcej do powiedzenia miał doktor Barnard. Bomba, którą Simon Cormack niósł na swoim ciele, była ukryta w szerokim pasie ze skóry, jaki dali mu porywacze łącznie z dżinsami.

Pas był szeroki na osiem centymetrów i składał się z dwóch zszytych krawędziami pasów skóry wołowej. Z przodu spinała go masywna klamra ozdobna z mosiądzu, długości dziesięciu centymetrów i trochę szersza niż sam pas, z wykutym wizerunkiem głowy byka z długimi rogami. Takie pasy sprzedawane są w sklepach specjalizujących się w ubiorach w stylu Dzikiego Zachodu. Mimo iż sprzączka wydawała się ciężka, była w rzeczywistości pusta w środku.

Materiał wybuchowy składał się z ważącej dwie uncje płytki Semtexu, złożonej z 45% PETN, 45% RDX i 10% środka zmiękczającego. Płytka była długa na osiem centymetrów i szeroka na cztery; wsunięta została pomiędzy oba pasma skóry pasa, dokładnie w miejscu, które ułożyło się za kręgosłupem młodego człowieka.

W masę plastykową wciśnięty został miniaturowy zapalnik, który odnalazł się potem w odłamku kości zagrzebanym w śledzionie. Był wprawdzie mocno zdeformowany, ale dało się jeszcze rozpoznać jego przeznaczenie — i pochodzenie.

Z masy środka wybuchowego prowadził wzdłuż pasa przewód połączony z baterią litową, podobną do tej w zegarku elektronicznym na rękę. Sama bateria mieściła się w wydrążonym w skórze zagłębieniu w pasie. A przewód prowadził dalej do odbiornika impulsowego ukrytego w sprzączce. Drugi przewód wychodzący z odbiornika był jego anteną poprowadzoną przez całą długość pasa.

Odbiornik impulsowy nie mógł być większy niż pudełko zapałek i przypuszczalnie odbierał sygnały o częstotliwości 72,15 MHz wysyłane z małego nadajnika. Nie znaleziono go, rzecz jasna, na miejscu zdarzenia, ale było to na pewno płaskie pudełko z tworzywa, mniejsze niż paczka papierosów, z jednym przyciskiem, którego naciśnięcie wywoływało detonację. Zasięg — najwyżej trzysta metrów.

Al Fairweather był wyraźnie wstrząśnięty.

— Na Boga, Harry, to... szatańskie dzieło.

— I wysoka technologia — zaznaczył minister. — Największy kaliber jednak jeszcze przed tobą. Przeczytaj wnioski.

— Ale dlaczego? — spytał ambasador, gdy w końcu podniósł wzrok po lekturze. — Na miłość boską, Harry, dlaczego? I jak to zrobili?

— Jeśli chodzi o to „jak", jest tylko jedno wyjaśnienie. Te bestie działały tak, jakby uwalniały Simona Cormacka. Musieli odjechać kawałek dalej, zawrócili i już pieszo zbliżyli się do drogi. Przypuszczalnie ukryli się w jednej z tych kęp drzew, jakie stoją dwieście metrów od drogi, za polami. Zasięg mieli. Nasi ludzie przeczeszą tam teraz teren wokół drzew pod kątem ewentualnych śladów stóp. A w kwestii tego „dlaczego", Al, nie wiem. Nikt z nas nie wie. Ale eksperci wiedzą swoje. I raczej się nie mylą. Sugeruję, by tymczasowo te raporty były traktowane jako poufne. Aż będziemy wiedzieć więcej. Staramy się. Jestem przekonany, że wasi też chcieliby się temu przyjrzeć, nim coś przedostanie się do opinii publicznej.

Fairweather podniósł się, zabierając kopie raportów.

— Nie poślę ich tam przez kuriera — zaznaczył. — Sam z nimi polecę dzisiaj po południu.

Minister spraw wewnętrznych towarzyszył mu aż do samego parteru.

— Jesteś świadomy, jakie skutki może to mieć, jeśli się wyda? — zapytał.

— Nie musisz mi tego mówić — odparł Fairweather. — Doszłoby do rozruchów. Muszę przedłożyć to Jimowi Donaldsonowi, i Michaelowi Odellowi chyba też. *Oni* będą musieli powiedzieć prezydentowi. Mój Boże, co za historia!

Wypożyczony samochód Sam Somerville stał tam, gdzie go zostawiła: na krótkoterminowym parkingu Heathrow. Stamtąd ruszyła nim prosto do dworku w Surrey. Kevin Brown przeczytał list, jaki przywiozła, i aż nim targnęło.

— Robi pani wielki błąd, agentko Somerville — stwierdził. — Podobnie jak i dyrektor Edmonds. Ten człowiek na dole w piwnicy wie więcej, niż mówi; tak było od początku i tak będzie. Wolałbym dać sobie uciąć rękę, niż go wypuścić. Ja wysłałbym go samolotem do Stanów, w bransoletkach.

Jednak podpis pod listem był jednoznaczny. Brown posłał Moxona do piwnicy, by przyprowadził Quinna. Był ciągle w kajdankach, które wreszcie mu zdjęto. Do tego był nie umyty, zarośnięty i głodny. Ekipa FBI zaczęła się właśnie wyprowadzać, zwracając budynek właścicielom. Przy drzwiach Brown odwrócił się do Quinna.

— Nie chcę cię już oglądać, Quinn. Chyba że za kratkami. I myślę, że kiedyś tego doczekam.

W drodze powrotnej do Londynu Quinn milczał, a Sam opowiadała mu o wyniku swej podróży do Waszyngtonu i decyzji Białego Domu, dającej mu wolną rękę, o ile ona będzie mu towarzyszyć.

— Ale bądź ostrożny, Quinn. Te typy to bestie. To, co zrobili z chłopakiem, to dzicz...

— Gorzej jeszcze — orzekł Quinn. — To było nielogiczne. I tego właśnie nie mogę pojąć. To nie ma żadnego sensu. Mieli przecież wszystko. Mogli się zwinąć. Dlaczego wrócili i zabili chłopaka?

— Bo to sadyści — stwierdziła Sam. — Znasz ich, od lat masz do czynienia z takimi typami. Nie mają litości, współczucia. Sprawia im przyjemność, gdy inni cierpią. Od początku chcieli go zabić...

— Dlaczego więc nie w piwnicy? I dlaczego nie mnie przy okazji? Dlaczego nie z pistoletu, nożem albo przez stryczek? Dlaczego w ogóle?

— Tego nie dowiemy się nigdy. Chyba że zostaną złapani. A mogą się zaszyć gdziekolwiek na świecie. Gdzie mamy teraz jechać?

— Do mieszkania — odparł Quinn. — Są tam moje rzeczy.

— Moje także — dodała Sam. — W tym, co mam na sobie, poleciałam do Waszyngtonu.

Po Warwick Road kierowała się na północ.

— Pojechałaś za daleko — powiedział Quinn, który znał Londyn jak miejscowy taksówkarz. — Skręć na prawo przy Cromwell Road, to następne skrzyżowanie.

Mieli czerwone światła. Naprzeciw zatrzymał się długi czarny cadillac z powiewającym gwieździstym proporcem. Na tylnym siedzeniu ambasador Fairweather, w drodze na lotnisko, studiował raport. Podniósł wzrok, spojrzał na nich oboje, nie poznając ich jednak, i ruszył przed siebie.

Duncan McCrea był tam jeszcze, jakby został zapomniany w tym całym zamęcie ostatnich dni. Przywitał Quinna jak młody labrador, który miał znowu swojego pana u boku.

Oznajmił im, że kilka godzin wcześniej Lou Collins przysłał tu sprzątaczy. Nie byli to osobnicy z miotłami i ściereczkami do wycierania kurzu. Usuwali ukryte mikrofony i podsłuchy. Dla CIA mieszkanie było spalone, już go nie potrzebowali. McCrea otrzymał instrukcje, aby spakować wszystko, posprzątać i następnego ranka zwrócić klucze właścicielowi. Właśnie miał pakować rzeczy Sam i Quinna, gdy oni przybyli.

— Więc, Duncan, albo tu, albo do hotelu. Masz coś przeciwko, jeśli zostaniemy na tę noc?

— Oczywiście, że nie, żaden problem. Czujcie się jak goście Agencji. Przykro mi tylko, że jutro wcześnie rano musimy wyjść.

— Rano może być — zgodził się Quinn. Poczuł pokusę, aby ojcowskim gestem potargać mu włosy. Uśmiech McCrei był zaraźliwy. — Potrzebuję się wykąpać, ogolić, najeść i przespać z dziesięć godzin.

McCrea poszedł do sklepu pana Patela naprzeciwko i wrócił z dwiema wielkimi torbami. Przygotował steki, frytki, sałatkę i do tego postawił dwie butelki czerwonego wina. Quinn zauważył, że wybrał nawet hiszpańską Rioję, wprawdzie nie z Andaluzji, ale bardzo blisko.

Sam nie widziała potrzeby, aby dłużej trzymać w tajemnicy swój romans z Quinnem. Poszła za nim do pokoju, jak tylko on tam się znalazł, a że młody McCrea słyszał ich grę miłosną, cóż w tym złego? Po drugim razie zasnęła, leżąc na brzuchu, z twarzą na jego piersi. On położył rękę na jej karku i wtedy zamruczała czując jeszcze to dotknięcie.

Mimo zmęczenia nie mógł jednak zasnąć. Leżał, jak przez wiele minionych nocy, na plecach, i wpatrując się w sufit myślał. Coś umknęło jego uwadze w tych gościach w magazynie. Nad ranem wpadł na to. Ten człowiek za nim, trzymający Skorpiona bez tego napięcia jak u kogoś nie przyzwyczajonego do obchodzenia się z bronią, lecz luźno, odprężony, pewny siebie, jak ktoś wiedzący, że w ułamku sekundy może wycelować i strzelić. Jego postawa, ta poza — Quinn już ją kiedyś widział.

— Był żołnierzem — szepnął w ciemności. Sam mruknęła tylko coś i spała dalej. Było coś jeszcze, gdy przechodził obok drzwi wozu, aby wejść do bagażnika. Tego jednak nie przypomniał sobie i w końcu zasnął.

Rano Sam wstała pierwsza i wróciła do swojego pokoju, aby się ubrać. Jeśli Duncan McCrea widział ją wychodzącą od Quinna, zachował to dla siebie. Ważniejsze było dla niego, żeby jego goście dostali porządne śniadanie.

— Wczoraj wieczorem... zapomniałem o jajkach — rzucił tylko i już zbiegał schodami, do sklepu nabiałowego na rogu.

Sam przyniosła Quinnowi śniadanie do łóżka. Był pogrążony w myślach. Przyzwyczajona już do tego, zostawiła go tam. Ci sprzątacze Lou Collinsa nie spisali się najlepiej, stwierdziła. Po czterech tygodniach wszędzie zdążył osiąść kurz.

Quinna jednak kurz nie martwił. Obserwował pająka w rogu pokoju naprzeciwko. Mały okaz pracowicie łączył ostatnie nici gotowej już siatki, potem przemknął w środek tworu i trwał tam w oczekiwaniu. I ten ostatni ruch pająka naprowadził ostatecznie Quinna na drobny szczegół, jaki wcześniej mu umknął.

Członkowie komitetu w Białym Domu mieli przed sobą obszerne raporty doktora Barnarda i doktora Macdonalda. Uwagę skupiali właśnie na tym pierwszym. Jeden po drugim doczytywali go do końca i odchylali się w fotelach.

— Przeklęte gnojki — ostro rzucił Michael Odell. Mówił to za wszystkich obecnych.

Ambasador Fairweather siedział na drugim końcu stołu.

— Czy istnieje taka możliwość — zapytał sekretarz stanu Donaldson — że brytyjscy eksperci się pomylili? Odnośnie pochodzenia?

— Mówią, że nie — odpowiedział ambasador. — Zapraszają nas, abyśmy przysłali tam kogoś do sprawdzenia wyników, ale to zbędne. Muszę niestety przyznać, że mają rację.

Najmocniejszy kaliber, jak powiedział sir Harry Marriott, tkwił w podsumowaniu. Wszystkie komponenty doktor Barnard za pełną zgodą swoich wojskowych kolegów sprawdził w Fort Halstead — miedziane przewody, ich izolacja z tworzywa, Semtex, odbiornik impulsów, bateria, mosiężna klamra i zszyty pas skórzany były radzieckiej produkcji.

Przyznał, że istnieje możliwość, że takie przedmioty, choć radzieckiej produkcji, mogły dostać się w ręce obcokrajowców. Ale sednem sprawy był miniaturowy zapalnik. Takie małe zapalniki, nie większe niż spinacz do papieru, stosowane były tylko w ramach radzieckiego programu lotów w kosmos na Bajkonurze. Służyły do korygowania sterowności, kiedy statki kosmiczne Salut i Sojuz łączyły się w kosmosie.

— Ale to nie ma sensu — zaprotestował Donaldson. — Dlaczego mieliby coś takiego zrobić?

— W tym bałaganie dużo więcej rzeczy nie ma sensu — odparł Odell. — A jeśli to prawda, nie widzę, jak Quinn mógłby się o tym dowiedzieć. Wygląda na to, że on tak jak i my wszyscy cały czas byliśmy nabierani.

— Pojawia się pytanie, jak na to zareagować? — zauważył minister skarbu Reed.

— Pogrzeb jest jutro — powiedział Odell. — Najpierw załatwimy to. Potem zdecydujemy, jak potraktować naszych rosyjskich przyjaciół.

W ciągu minionych czterech tygodni Michael Odell odkrył, że działanie na miejscu prezydenta coraz bardziej mu odpowiada. Także siedzący dookoła tego stołu zaakceptowali jego przywództwo, jakby rzeczywiście był prezydentem.

— Jak się czuje prezydent? — spytał Walters — od czasu... tych wieści?

— Lekarz mówi, że źle — odpowiedział Odell. — Bardzo źle. Samo porwanie już zrobiło swoje, a śmierć syna, i to w takich okolicznościach, trafiła go jak kula w serce.

Na słowo „kula" każdemu przy stole przemknęła przez głowę ta sama myśl. Nikt jednak nie odważył się jej wypowiedzieć.

Julian Hayman był w tym samym wieku co Quinn i obaj znali się z czasów, kiedy Quinn mieszkał w Londynie i pracował dla firmy ubezpieczeniowej, która specjalizowała się w ochronie i uwalnianiu zakładników. Ich światy miały kilka rzeczy wspólnych. Hayman, wcześniej major SAS, prowadził firmę, która dostarczała systemy alarmowe i dawała ochronę osobistą. Jego klientela była elegancka, zamożna i wysoce ostrożna. Byli to ludzie mający powody, aby być nieufnymi, w przeciwnym razie nie płaciliby tyle za usługi Haymana.

Późnym przedpołudniem, gdy opuścili mieszkanie i pożegnali się z Duncanem McCreą, Quinn i Sam udali się na Victoria Street, gdzie rezydowała firma Haymana, nie rzucająca się w oczy i dobrze strzeżona.

Quinn powiedział Sam, aby usiadła w kawiarni w głębi ulicy i poczekała na niego.

— Dlaczego nie mogę ci towarzyszyć? — spytała.

— Ponieważ nie przyjąłby cię. Mnie także może nie chcieć widzieć.

Choć mam nadzieję, że będzie inaczej; znamy się od dawna. Obcym nie ma nic do zaoferowania, chyba że kładą na stół ciężkie pieniądze, a my ich nie mamy. A co do kobiet z FBI, jest bardzo nieśmiały.

Quinn zapowiedział się przez domofon, wiedząc, że jest obserwowany przez kamerę video nad wejściem. Gdy drzwi szczęknęły, przeszedł prosto do tylnej części, obok dwóch sekretarek, które nawet nie podniosły głowy. Julian Hayman był w swoim biurze na końcu korytarza. Pokój był tak samo elegancki jak jego właściciel. Szczelnie zamknięty; podobnie jak Hayman.

— Popatrzcie, popatrzcie — rzucił śpiewnie. — Kopę lat, stary wiarusie. — Wyciągnął wiotką dłoń. — Co cię sprowadza w moje skromne progi?

— Informacje — odparł Quinn. I podał Haymanowi, czego szuka.

— Dawniej, przyjacielu, nie byłoby problemu. Ale czasy zmieniają się, rozumiesz? I ostatnio nie mówi się dobrze o tobie, Quinn. *Persona non grata*, jak mówią w klubie. Nie znajdujesz się w zbytniej łasce u ludzi, szczególnie swoich. Przykro mi, stary, coś tu źle wygląda, nie pomogę ci.

Quinn złapał słuchawkę aparatu z biurka i wcisnął kilka przycisków. Na drugim końcu linii odezwał się sygnał.

— Co ty robisz? — spytał Hayman. Łagodny ton zniknął.

— Nikt nie widział mnie wchodzącego tutaj, ale połowa Fleet Street zobaczy mnie wychodzącego — odparł Quinn.

— Redakcja „Daily Mail" — odezwał się głos w słuchawce.

Hayman sięgnął ręką i przerwał połączenie. Do jego najlepszych klientów należało wiele oddziałów amerykańskich koncernów w Europie, którym nie chciał składać żadnych wymyślonych sprostowań.

— Jesteś zasrańcem, Quinn — rzucił cicho. — Zawsze byłeś. Dobrze, masz dwie godziny w archiwum, sam cię tam zamknę. I nic nie zabierasz ze sobą.

— Tego przecież ci nie zrobię — odparł Quinn grzecznie.

Hayman poprowadził go schodami do archiwum w suterenie.

Częściowo z powodów zawodowych, częściowo z osobistego interesu Julian Hayman w ciągu paru lat zgromadził obszerne archiwum przestępców wszelkiego rodzaju. Mordercy, rabusie bankowi, gangsterzy, oszuści, handlarze narkotykami i bronią, terroryści, porywacze, skorumpowani bankierzy, księgowi, adwokaci, politycy, policjanci; żyjący, zmarli, przebywający w więzieniu czy też zaginieni — miał tu wszystkich, których nazwiska ukazywały się w druku i nie tylko.

— Jakiś określony dział? — spytał Hayman, gdy włączył oświetlenie.

Pomieszczenie było pełne szaf z aktami, przy czym przechowywane były tutaj tylko karty z kartotek i fotografie. Większość danych była w komputerach.

— Najemnicy — odpowiedział Quinn.

— Jak w Kongo? — dodał Hayman.

— Jak w Kongo, Jemenie, południowym Sudanie, Biafrze, Rodezji.

— Odtąd dotąd — pokazał Hayman na osiem metrów stalowych szaf z aktami sięgającymi mu do podbródka. — Stół jest na końcu.

Quinn potrzebował czterech godzin, ale nikt mu nie przeszkadzał. Fotografia przedstawiała czterech mężczyzn, wszyscy biali. Stali przy dżipie na wąskiej, pokrytej kurzem drodze w afrykańskim buszu. Za nimi widać było czarnych żołnierzy. Biali ubrani byli w kurtki maskujące i buty z cielęcej skóry. Trzech miało hełmy tropikalne. Wszyscy trzymali belgijskie automatyczne karabiny maszynowe FLN. Ich mundury miały wzór lamparci, preferowany przez Europejczyków, w przeciwieństwie do Brytyjczyków i Amerykanów, którzy woleli ubiory w paski.

Quinn podszedł z fotografią do stołu, położył ją pod lampą i znalazł w szufladzie silne szkło powiększające. Pod nim, mimo iż zdjęcie było już pożółkłe, tatuaż na dłoni jednego z mężczyzn był wyraźniejszy. Pajęcza sieć z pająkiem w środku, na wierzchu lewej dłoni.

Przeszukał dalej kartoteki, ale nie znalazł już nic interesującego. Nic mu więcej nie świtało. Nacisnął brzęczyk, aby go wypuszczono.

W swoim biurze Julian Hayman wyciągnął rękę po fotografię.

— Kto to? — spytał Quinn.

Hayman popatrzył na odwrotną stronę zdjęcia. Jak każda karta i fotografia w jego zbiorze, miało ono na odwrocie siedmiocyfrowy numer. Wystukał go na klawiaturze komputera. Na ekranie ukazał się pełny opis.

— No no, wyszukałeś paru niezłych chłoptasiów, przyjacielu. — Odczytał z ekranu: — Zdjęcie prawie na pewno zrobiono w prowincji Maniema, wschodnie Kongo, dzisiaj Zair, zimą 1964 roku. Ten z lewej to Jacques Schramme, Black Jack Schramme, belgijski najemnik... — Rozkręcał się; to był jego konik. — Był jednym z pierwszych. Walczył od 1960 do 1962 roku przeciwko jednostkom ONZ, gdy Katanga chciała uwolnić się od Kongo. Kiedy próba się nie powiodła, musiał uciekać z kraju i znalazł schronienie w sąsiadującej Angoli, wówczas jeszcze portugalskiej i ultraprawicowej. Został wezwany na jesieni 1964 roku do powrotu, aby pomóc w stłumieniu rewolty Simby. Postawił wtedy znowu na nogi swoją starą Grupę Leopard i zajął się uwalnianiem prowincji Maniema. To na pewno on. Coś jeszcze?

— Pozostali — rzucił Quinn.

— Hm. Ten z prawej to również Belg, komandor Wauthier. Dowodził wówczas oddziałem katangijskich poborowych i około dwudziestoma białymi najemnikami w Watsa. Tu musiał być z wizytą. Interesują cię Belgowie?

— Może. — Quinn wrócił myślami do volvo w magazynie. Przechodząc obok otwartych drzwi poczuł dym papierosa. Nie Marlboro ani Dunhill. Raczej francuskie Gauloise albo belgijskie Bastos. Zack nie palił; znał jego oddech.

— Ten bez hełmu, w środku, to Roger Lagaillarde, także Belg. Zabity w zasadzce Simby na drodze do Punia. Na pewno.

— A ten wielki? — spytał Quinn. — Ten olbrzym.

— Tak, wielki jest rzeczywiście — przyznał Hayman. — Ma chyba dwa metry. Zbudowany jak wrota do stodoły. Wygląda na dwudziestolatka. Szkoda, że tak się odwrócił, w cieniu hełmu nie widać za bardzo jego twarzy. Pewnie dlatego nie ma jego nazwiska, tylko pseudonim. „Wielki Paul". Tyle jest tu podane.

Wyłączył ekran. Quinn nagryzmolił coś w swoim notesie. I przesunął go w stronę Haymana.

— Widziałeś to kiedyś?

Hayman zerknął na pajęczynę z pająkiem na środku. Wzruszył ramionami.

— Tatuaż? Noszą go różne łobuzy, punki, pseudokibice. Dość częsty motyw.

— Spróbuj pomyśleć — naciskał Quinn. — Belgia, powiedzmy trzydzieści lat temu.

— A to, zaraz. Jak, u licha, to się nazywało? *Arraignée*, o właśnie. Flamandzkiego określenia pająka nie kojarzę, ale to francuskie tak. — Przez chwilę wystukiwał coś na klawiszach. — Czarna sieć, czerwony pająk w środku, na wierzchu lewej dłoni?

Quinn wysilił pamięć. Przeszedł obok otwartych drzwi od strony pasażera w volvo. Zack za nim. Mężczyzna za kierownicą nachylił się i obserwował go przez szparę w kapturze. Był wielki, siedząc dotykał prawie dachu głową. Pochylony na bok, podpierał się lewą ręką, bez rękawiczki, bo trzymał w niej papierosa.

— Tak — potwierdził Quinn. — To było to.

— Nieznacząca grupka — powiedział Hayman lekceważąco, czytając z ekranu. — Organizacja skrajnie prawicowa utworzona w Belgii pod koniec lat pięćdziesiątych, początek sześćdziesiątych. Była przeciw dekolonizacji Kongo, jedynej kolonii belgijskiej. I przeciwko czarnym i Żydom... Co tu mamy jeszcze? Rekrutowała młodych uciekinierów i chuliganów, pałkarzy i inną hołotę. Specjalizowała się w wybijaniu okien wystawowych żydowskich sklepików i wygwizdywaniu lewicowych mówców. Pobili nawet kilku liberalnych posłów. Potem o niej ucichło. To rozpad europejskich imperiów kolonialnych sprawiał, że powstawały takie grupy.

— To był ruch flamandzki czy waloński? — spytał Quinn.

Wiedział, że w Belgii są dwie duże grupy narodowościowe, po flamandzku mówiący Flamandzi, przede wszystkim w północnej, graniczącej z Holandią połowie kraju, i Walończycy na południu, którzy mówią po francusku. Belgia jest krajem dwujęzycznym.

— Dokładnie biorąc jedno i drugie — odparł Hayman, kiedy zerknął na ekran. — Ale tu jest napisane, że powstał on w Antwerpii i tam był zawsze najsilniejszy. A więc przyjmuję, że flamandzki.

Każda inna kobieta kipiałaby z wściekłości, gdyby kazano jej czekać cztery i pół godziny. Na szczęście dla Quinna Sam była wyszkoloną agentką, a w czasie treningów dostawała przeważnie zadania polegające na obserwacji, od których nic nie mogło być bardziej nużące. Siedziała akurat przy piątej filiżance okropnej kawy.

— Kiedy masz oddać samochód? — zapytał.

— Dzisiaj wieczorem. Ale mogę to przedłużyć.

— A możesz go zwrócić na lotnisku?

— Pewnie. Dlaczego?

— Bo lecimy do Brukseli.

Wyglądała na mało ucieszoną.

— Proszę, Quinn, musimy lecieć? Zrobię to, jeśli nie można inaczej, ale gdyby się dało... Ostatnio naprawdę za dużo latałam.

— Dobrze — zgodził się. — Oddaj auto w Londynie. Pojedziemy pociągiem, a dalej poduszkowcem. I tak musimy w Belgii wynająć samochód. Może więc to być i w Ostendzie. I będziemy potrzebowali pieniędzy. Ja nie mam kart kredytowych.

— Że co? — Sądziła, że się przesłyszała.

— W Alcantara del Rio ich się nie używa.

— W porządku, pójdziemy do banku. Wypiszę czek i będę tylko prosić, żeby miał pokrycie w moim banku.

W drodze do banku włączyła radio, muzyka była żałobna. O czwartej po południu w Londynie robiło się już ciemno. A po drugiej stronie Atlantyku rodzina Cormacków chowała o tej godzinie syna.

ROZDZIAŁ DWUNASTY

Pochowali go na Prospect Hill, cmentarzu wyspy Nantucket, a chłodny północny wiatr listopadowy od zatoki Sound dołączył ze swoim lamentem.

Nabożeństwo odbyło się w skromnym episkopalnym kościele przy Fair Street, o wiele za małym, aby pomieścić wszystkich, którzy chcieli wziąć w nim udział. Rodzina prezydencka siedziała w obu przednich rzędach ławek, za nią członkowie gabinetu, a z tyłu reszta dostojników. Na życzenie rodziny nabożeństwo odbyło się w małym kręgu — ambasadorzy i wysłannicy z zagranicy zostali poproszeni o wzięcie udziału w nabożeństwie za duszę zmarłego, które miało się odbyć potem w Waszyngtonie.

Prezydent prosił też media, aby uszanowały prywatność tej uroczystości, ale mimo to były one licznie reprezentowane. Wyspiarze — wczasowiczów nie było o tej porze roku — przyjęli jego prośbę dosłownie. Zaskoczeni byli nawet ci z Secret Service, nie słynący przecież z delikatności, kiedy posępni, małomówni mieszkańcy Nantucket bez ceregieli usunęli z drogi kilku kamerzystów, a dwóch użalało się gorzko nad resztką swoich naświetlonych filmów.

Trumnę przeniesiono do kościoła z jedynego domu pogrzebowego wyspy przy Union Street, gdzie czekała od chwili przybycia wojskowym C-130 — małe lotnisko nie mogło przyjąć Boeinga 747.

W połowie nabożeństwa spadły pierwsze krople deszczu, zaśniły na szarym dachu łupkowym, spłukały witraże okien i różowoszare kamienne płyty budowli.

Gdy ceremonia dobiegła końca, trumnę podniesiono na karawan, a ten wolno pokonał prawie kilometrowy odcinek do Hill — obok Fair Street po wyboistym bruku Main Street i w górę New Mill Street do Cato Lane. Żałobnicy szli w deszczu, za prezydentem, który w otępieniu nie odrywał wzroku od przykrytej flagą trumny, wiezionej parę kroków przed nim. Jego młodszy brat wspierał szlochającą Myrę Cormack.

Drogę konduktu oblegali mieszkańcy Nantucket, z odkrytymi głowami i w milczeniu. Stali tam ci, którzy dostarczali rodzinie ryby, mięso, jajka i warzywa, właściciele restauracyjek, którzy Cormackom serwowali dania w swoich dobrych lokalach na wyspie. Byli i starzy rybacy o ogorzałych twarzach, którzy jasnowłosego chłopaka z New Haven uczyli pływania, nurkowania i łowienia ryb lub zabierali go na małże pieczone przed latarnią morską Sankaty.

Dozorca i ogrodnik stali płacząc na rogu Fair Street i Main, by spojrzeć raz jeszcze na tego chłopca, który biegania nauczył się na ubitych twardo przypływami plażach od Coatue do Great Point i z powrotem do Siasconset. Ofiary zamachów bombowych nie są jednak widokiem dla oczu żyjących i dlatego trumna była zamknięta.

Na Prospect Hill żałobnicy skręcili do protestanckiej połowy cmentarza, przechodząc obok stuletnich grobów mężczyzn, którzy z małych, otwartych łodzi atakowali wieloryby, a w długie zimowe wieczory przy świetle lamp olejowych rzeźbili ozdoby z ich zębów. Kondukt dotarł do nowej części cmentarza, gdzie grób był już przygotowany.

Ludzie stanęli dookoła grobu, tworząc rząd za rzędem, a wiatr od Sound wdarł się na to wzniesienie, by targać ich włosy i szale. Żaden sklep, stacja paliw czy bar nie były otwarte tego dnia. Nie wylądował żaden samolot, nie zawinął do portu żaden prom. Wyspiarze odcięli się od świata, aby pożegnać jednego ze swoich, nawet jeśli adoptowanego. Kaznodzieja zaczął intonować stare jak świat słowa, a wiatr rozniósł je dalej.

Wysoko w górze samotny sokół islandzki, szybujący z Arktyki jak płatek śniegu na prądach powietrznych, powiódł swym niewiarygodnie bystrym wzrokiem w dół, ogarniając każdy szczegół, a wiatr rozniósł krzyk jego samotnej zagubionej duszy.

Deszcz, który przestał padać w czasie nabożeństwa, znowu dał znać o sobie, przechodząc w nagłą ulewę, smagany przez porywy wiatru. Z dołu od drogi skrzypiały zatrzymane skrzydła starego młyna. Goście z Waszyngtonu drżąc z zimna otulali się swymi grubymi płaszczami. Prezydent stał bez ruchu i spoglądał z góry na ziemskie szczątki swego syna, niewrażliwy na zimno i deszcz.

O krok od niego stała Pierwsza Dama, z twarzą mokrą od deszczu i łez. Gdy kaznodzieja doszedł do słów „zmartwychwstanie i życie wieczne", zachwiała się, jakby miała upaść. Stojący obok agent Secret Service — krótko przycięte włosy, zbudowany jak środkowy napastnik, w rozpiętym płaszczu, aby w razie konieczności sięgnąć po broń pod pachą — nie bacząc na protokół i zasady, jakich go uczono, objął ją prawym ramieniem. Oparła się o niego i płakała w jego przemoczony płaszcz.

John Cormack stał samotnie, odizolowany od reszty swoim umysłem i bólem, niezdolny sięgnąć poza siebie, jak samotnik.

Fotograf, sprytniejszy niż inni, przytargał drabinę z podwórza prawie pół kilometra dalej i wspiął się na stary młyn na rogu South Prospect Street i South Mill Street. Nim ktoś zobaczył, że użył on teleobiektywu, w słabym promyku zimowego słońca, jaki samotnie przedarł się przez chmury, zrobił ponad głowami tłumu zdjęcie grupy stojącej przy grobie.

I to właśnie zdjęcie obiegło Amerykę i świat. Pokazało twarz Johna Cormacka, jakiej nikt jeszcze nie widział — oblicze człowieka postarzałego ponad swoje lata, chorego, zmęczonego, wycieńczonego. Człowieka, którego siły wyczerpały się, gotowego ustąpić ze stanowiska.

Później Cormackowie stali przy wyjściu z cmentarza, kiedy żałobnicy przechodzili wolno obok. Nikt nie potrafił znaleźć odpowiedniego słowa. Prezydent kiwał tylko głową, jakby rozumiał, i potrząsał sztywno wyciągnięte dłonie.

Po niewielu osobach z najbliższej rodziny przyszła kolej na najbliższych przyjaciół i kolegów prezydenta, z sześcioma członkami gabinetu na czele, tworzącymi sztab próbujący przezwyciężyć kryzys za niego.

Michael Odell stanął na chwilę, próbując znaleźć jakieś słowo, ale w końcu potrząsnął tylko głową, odwrócił się i odszedł. Deszcz spływał po jego pochylonej głowie, przylepiając mu gęste siwe włosy do czoła.

Jim Donaldson, chłodny dyplomata z krwi i kości, również pokonany został przez swoje uczucia; także i on mógł tylko popatrzeć na przyjaciela z niemym współczuciem, uścisnąć mu wiotką, suchą dłoń i odejść.

Bill Walters, młody prokurator generalny, skrył za formalną sztywnością to, co odczuwał. Rzucił tylko cicho: — Panie prezydencie, moje wyrazy współczucia. Przykro mi, sir.

Morton Stannard, bankier z Nowego Jorku, przeniesiony do Pentagonu, był najstarszy z obecnych. Brał już udział w wielu pogrzebach, przyjaciół, kolegów, ale nigdy w takim jak ten. Chciał powiedzieć coś konwencjonalnego, ale wydostało się z niego tylko: — Mój Boże, tak mi przykro, John.

Brad Johnson, ciemnoskóry naukowiec i doradca do spraw bezpieczeństwa narodowego, potrząsnął tylko głową, jakby nie mógł tego wszystkiego pojąć.

Hubert Reed ze Skarbu zaskoczył tych, którzy stali w pobliżu małżeństwa Cormacków. Nie należący do osób wylewnych, zbyt nieśmiały na otwarte mówienie o uczuciach, kawaler, który nie czuł nigdy potrzeby posiadania żony i dzieci. Przez swoje mokre od deszczu szkła okularów spojrzał na Johna Cormacka, wyciągnął prawą rękę, a potem impulsywnie objął starego przyjaciela ramionami. Jakby sam zaskoczony tym spontanicznym gestem, odwrócił się zaraz i pospieszył do pozostałych, którzy wsiadali już do oczekujących aut, by dotrzeć na lotnisko.

Deszcz znowu osłabł, a dwóch silnych mężczyzn zaczęło wrzucać łopatami mokrą ziemię do dołu. Było po wszystkim.

Quinn sprawdził odjazdy promów z Dover do Ostendy, stwierdzając, że spóźnili się na ostatni z nich. Spędzili noc w zacisznym hoteliku i rano wsiedli do pociągu na dworcu Charing Cross.

Podróż przez Kanał przebiegała bez specjalnych wrażeń i późnym rankiem Quinn wynajął niebieskiego forda średniej klasy, którym ruszyli w stronę starego flamandzkiego miasta portowego nad Skaldą, gdzie handlowe interesy ubijano, nim Kolumb rozwinął żagle.

Belgia jest poprzecinana nowoczesną siecią doskonałych autostrad; odległości są małe, a czasy podróży jeszcze krótsze. Za Ostendą Quinn obrał E5 na wschód, ominął od południa Brugię i Gandawę, skręcił na E3 na północny wschód i dotarł do centrum Antwerpii na czas późnego lunchu.

Kontynent europejski był dla Sam nieznanym terytorium; Quinn za to wydawał się czuć tu jak w domu. Podczas tych paru godzin, które byli w Belgii, słyszała go mówiącego płynnie po francusku. Nie rozumiała tylko, że za każdym razem Quinn pytał Flamandów najpierw, czy mieliby coś przeciw, jeśli mówiłby po francusku. Flamandowie mówią z reguły trochę po francusku, lubią jednak być wcześniej spytani — tak, żeby było jasne, że nie są Walończykami.

Zatrzymali się w małym hotelu przy Italie Lei i poszli na róg do jednego z wielu lokalików po obu stronach De Keyser Lei.

— Czego ty właściwie szukasz? — zapytała Sam przy jedzeniu.

— Pewnego mężczyzny — odparł Quinn.

— Jakiego mężczyzny?

— Będę wiedział, kiedy go zobaczę.

Po lunchu Quinn postawił taksówkarzowi kilka pytań po francusku i wyruszyli na pieszą wycieczkę. Zatrzymali się przy sklepie malarskim, Quinn kupił tam dwie rzeczy, potem w kiosku z gazetami zaopatrzył się w plan miasta i zasięgnął rady u kolejnego taksówkarza. Sam wyłapała słowa „Falcon Rui" i „Schipperstraat". A kierowca rzucił jej dwuznaczne spojrzenie.

Falcon Rui była, jak się okazało, podupadłą uliczką, okoloną wieloma tanimi sklepami, także z konfekcją. W jednym z nich Quinn wypatrzył dla siebie marynarski sweter, drelichowe spodnie i ciężkie buty. Wepchnął wszystko do brezentowego worka i poszli w stronę Schipperstraat. Ponad dachami widać było dzioby żurawi, co znaczyło, że są blisko portu.

Skręcili z Falcon Rui w labirynt wąskich, nędznych ulic, tworzących dzielnicę starych podupadłych domów między Falcon Rui a Skaldą. Minęli kilku przysadzistych typków wyglądających na marynarzy ze statków handlowych. Po lewej stronie Sam było podświetlone okno wystawowe. Zerknęła tam. W fotelu leżała rozparta młoda kobieta o bujnych kształtach, które ledwie przykrywała seksowna bielizna.

— Jezu, Quinn, to przecież dzielnica kurewek! — zaprotestowała.

— Wiem — przyznał. — O to pytałem przecież taksówkarza.

Szedł dalej, zerkając na prawo i lewo na szyldy. Poza knajpami i oświetlonymi oknami, gdzie siedzące prostytutki kiwały do klientów, niewiele było tu sklepików. W końcu trafił na trzy takie, jakich szukał, wszystkie na przestrzeni dwustu metrów.

— Chodzi ci o tych, co robią tatuaże? — spytała Sam.

— O doki — odparł krótko. — Doki to marynarze, a marynarze to tatuaże. I także knajpy, dziewczynki i zbiry żyjące z nich. Wrócimy tu wieczorem.

Senator Bennett Hapgood podniósł się, kiedy przyszedł jego czas, i sztywnym krokiem dotarł do podium. W dzień po pogrzebie Simona Cormacka obie izby amerykańskiego Kongresu raz jeszcze dały wyraz szoku i dezaprobaty po tym, co się wydarzyło tydzień wcześniej na odludnej drodze w dalekiej Anglii.

Mówca za mówcą wzywali usilnie do działania i zaprowadzenia sprawiedliwości — amerykańskiej sprawiedliwości, rzecz jasna — bez względu na koszty. Przewodniczący zastukał swoim młoteczkiem w pulpit.

— Senator z Oklahomy ma głos — oznajmił monotonnie.

Bennett Hapgood nie był uważany za „wagę ciężką" w senacie. Gdyby nie temat debaty, podczas jego mowy sala świeciłaby pustkami. Nie przypuszczano, aby nowo wybrany senator z Oklahomy mógł dodać wiele nowego. A jednak dodał. Złożył zwyczajowe kondolencje prezydentowi, wyrażając przy tym odrazę wobec zbrodni i mając nadzieję, że winni wkrótce staną przed obliczem sprawiedliwości. Potem zrobił przerwę, aby poskładać w myśli to, co miał powiedzieć.

Wiedział, że ryzykuje, diabelnie ryzykuje. Podano mu to i tamto, ale nie miał żadnych dowodów. Jeśli się mylił, jego koledzy w senacie skreślą go jak zwykłego prowincjusza, którego wielkich słów nie należy brać poważnie. Ale wiedział, że musi kontynuować, nie chcąc stracić wsparcia swojego nowego i bardzo ważnego sponsora.

— Może nie musimy wcale daleko szukać winnych tego szatańskiego czynu...

Szmer głosów na sali zamarł. Kierujący się do wyjścia przystanęli pomiędzy rzędami i obrócili się.

— Chciałbym zapytać tu o jedno. Czy nie jest prawdą, że bomba, jaka uśmierciła tego młodego człowieka, syna naszego prezydenta, została wymyślona, stworzona i zmontowana w Związku Radzieckim, i że są na to dowody? Czy to urządzenie nie pochodziło z Rosji?

Jego wrodzony talent do demagogii porwałby go może jeszcze dalej, ale posiedzenie zmieniło się już w dziki tumult. Media w ciągu dziesięciu minut przeniosły jego pytanie w eter. Kolejne dwie godziny rząd uchylał się od wyjaśnień, ale w końcu musiał wyjawić treść podsumowania raportu doktora Barnarda.

Już wieczorem tego dnia wściekłość wobec nieznanego winnego, która poprzedniego dnia jak wzbierająca fala pociągnęła mieszkańców Nantucket, znalazła ujście. Tłumy gromadzące się spontanicznie ruszyły na nowojorski oddział radzieckich linii lotniczych Aeroflot przy Piątej Alei 630 i zdemolowały tam wszystko, zanim policji udało się ochronić budynek kordonem. W panicznym strachu pracownicy oddziału szukali schronienia wyżej, ale odsyłani byli szorstko przez personel tamtejszych biur. Wymknęli się stamtąd, z innymi osobami, dzięki straży pożarnej, wezwanej do podpalonego biura Aerofłotu, kiedy to cały budynek należało ewakuować.

W samą porę policja dotarła do misji radzieckiej przy Organizacji Narodów Zjednoczonych przy Sześćdziesiątej Siódmej Wchodniej 136. Wzbierający tłum nowojorczyków próbował siłą wedrzeć się na zamkniętą kordonem policji ulicę; na szczęście dla Rosjan niebiescy wytrzymali szturm. A wielu z tych nowojorskich policjantów musiało odpierać tłum, mimo że prywatnie z nim sympatyzowało.

Podobnie było w Waszyngtonie. Policja stolicy została wcześniej ostrzeżona i mogła w porę zabezpieczyć radziecką ambasadę i konsulat przy Phelps Place. A w odpowiedzi na telefony zdenerwowanego radzieckiego ambasadora Departament Stanu zapewniał, że raport z Anglii jest obecnie sprawdzany i niewykluczone, że może się okazać mylny.

— Chcielibyśmy ten raport zobaczyć — zażądał ambasador Jermakow. — To kłamstwo. Kategorycznie stwierdzam, że to kłamstwo.

Agencje TASS i Nowosti, jak i ambasady radzieckie na całym świecie wydały późnym wieczorem oświadczenie zaprzeczające wynikom raportu Barnarda i posądzały Londyn i Waszyngton o złośliwe i planowane oszczerstwo.

— Jak to, do cholery, wyszło na jaw? — chciał wiedzieć Michael Odell. — Jak, do diabła, ten Hapgood się o tym dowiedział? Odpowiedzi nie było. Żadna duża organizacja, nie wspominając już o aparacie rządowym, nie daje sobie rady bez armii sekretarek, stenografów, urzędników, posłańców i każde z nich mogło być źródłem przecieku poufnego dokumentu.

— Jedno jest pewne — zamyślił się Stannard z Obrony. — Po tej historii Traktat z Nantucket poległ śmiercią naturalną. Musimy zrewidować nasze wydatki z budżetu na obronę, bo cięć nie będzie, i żadnych limitów także nie.

Quinn zabrał się do przeczesywania knajp w labiryncie wąskich uliczek odchodzących od Schipperstraat. Trafił tam o dziesiątej wieczorem i pozostał do zamknięcia ich tuż przed świtem — wałęsający się marynarz, mocno podpity, bełkoczący po francusku i sączący w knajpie za knajpą po małym piwku.

Na dworze było zimno i skąpo ubrane prostytutki drżały przy swoich piecykach lub dmuchawach za oknami wystawowymi. Czasem opuszczały stanowisko pracy, narzucały płaszcz i mknęły wzdłuż chodnika do jednego z lokali, aby wypić szklaneczkę i wymienić zwyczajową porcję prostackich grepsów z barmanem i stałymi gośćmi.

Większość z tych knajp nazywała się „Las Vegas", „Hollywood", albo „California", bo ich właściciele w duchu liczyli, że nazwy o tak egzotycznym wydźwięku zwabią wychodzących na ląd marynarzy wizją, że za drzwiami, od których odpryskiwała farba, czeka na nich tylko określony przepych. W gruncie rzeczy były to obskurne speluny, ale miały swój klimat i serwowały dobre piwo.

Quinn kazał Sam poczekać w hotelu albo wozie zaparkowanym dwa skrzyżowania dalej, przy Falcon Rui. Zdecydowała się na samochód, co nie przeszkodziło, by przez okno nie otrzymała wielu jednoznacznych propozycji.

Quinn siedział w kolejnej knajpce, popijał piwo i obserwował fale przypływu i odpływu tubylców i obcokrajowców, które zalewały uliczkę z jej knajpami. Na jego lewej dłoni wykonany hinduskim tuszem ze sklepu malarskiego i lekko rozmazany, aby wyglądał starzej, widniał motyw czarnej pajęczyny z jaskrawoczerwonym pająkiem pośrodku. Całą noc obserwował inne lewe ręce, nie zauważył jednak nic podobnego.

Przeszedł tak Guit Straat i Pauli Plein, zaliczając w każdej knajpie małe piwo, potem wrócił do Schipperstraat i zaczął od nowa swój obchód. Dziewczyny sądziły, że szuka kobiety, ale nie może się zdecydować.

Męscy klienci przeoczyli go, bo sami długo nigdzie nie zamarudzili. Wielu barmanów kiwało głowami i uśmiechało się, gdy wchodził po raz trzeci, dodając: „Wróciłeś, nie trafiło ci się, co?"

Mieli rację, ale inaczej niż sądzili. Nie trafiło mu się i wrócił przed świtem do Sam, czekającej na niego w samochodzie. Drzemała, silnik pracował, dmuchawa utrzymywała ciepło wewnątrz.

— Co teraz? — spytała, gdy dowiozła go do hotelu.

— Jemy, śpimy, jemy, a wieczorem od początku — powiedział.

Przez cały ranek była szczególnie namiętna w łóżku, bo myślała, że któraś z dziewczyn na Schipperstraat swoim wyglądem mogłaby go zwabić. Nie zwabiłaby, ale on nie widział powodu, by wyprowadzać ją z błędu.

Tego samego dnia Lionel Cobb odszukał z własnej inicjatywy Cyrusa V. Millera na szczycie wieżowca Pan-Global w Houston.

— Chcę się wycofać — oznajmił bez ceregieli. — To posunęło się za daleko. To, co stało się z chłopakiem, było straszne. Cyrus, mówiłeś, że do tego nie dojdzie. Powiedziałeś, że samo uprowadzenie wystarczy, żeby..., no, żeby nastąpił zwrot sytuacji. Nigdy by nam nie przyszło do głowy, że chłopak może umrzeć..., a to, co zrobiły z nim te bestie, to... to odrażające... niemoralne...

Miller podniósł się zza biurka, a jego oczy piorunująco przeszyły młodszego mężczyznę.

— Nie waż mi się tu robić wykładów o moralności, chłopcze. Nigdy więcej. Ja też nie chciałem, żeby to się stało, ale wszyscy wiedzieliśmy, że to może się wydarzyć. Także ty, Lionelu Cobb, będziesz musiał to przyznać, gdy staniesz przed swoim najwyższym sędzią, także ty. Tak musiało być. W przeciwieństwie do ciebie modliłem się, aby On zechciał mnie oświecić, w przeciwieństwie do ciebie spędziłem noce na kolanach i modliłem się za tego młodzieńca. I Pan mi odpowiedział, przyjacielu. Pan rzekł do mnie: „Lepiej, że to jagnię pójdzie na rzeź, niż cała trzoda ma wyginąć". Tu nie chodzi o jednego człowieka, Cobb, tutaj gra się z bezpieczeństwem, przetrwaniem, wręcz istnieniem całego amerykańskiego narodu. I Pan mówił do mnie, że co ma być, niech się stanie. Tego komunistę w Waszyngtonie musimy obalić, nim zniszczy świątynię Pana, a jest nią cały nasz kraj. Wracaj do fabryki, Lionelu Cobb, i przekuj lemiesze na miecze, których potrzebujemy, by obronić nasz kraj i zniszczyć Antychrysta w Moskwie. I milcz, przyjacielu. Nie mów mi już więcej o moralności, gdyż jest to dzieło Pana, a On do mnie przemówił.

Lionel Cobb odjechał do swojej fabryki głęboko wstrząśnięty.

*

Michaił Siergiejewicz Gorbaczow miał tego dnia również poważną konfrontację. Na stole konferencyjnym, który był tak długi jak jego pokój, leżały rozpostarte gazety z zachodu, zdjęcia w nich opowiadały część historii, krzyczące tytuły resztę. Tylko te ostatnie trzeba było przekładać na rosyjski. Do każdej gazety przypięte było tłumaczenie z Ministerstwa Spraw Zagranicznych.

Na biurku leżały raporty nie wymagające żadnego tłumaczenia. Sporządzone były po rosyjsku przez ambasadorów i konsulów generalnych z całego świata i radzieckich korespondentów zagranicznych. Nawet we wschodnioeuropejskich państwach satelickich doszło do antysowieckich demonstracji. Moskwa nieustannie i szczerze dementowała, a jednak...

Jako Rosjanin i partyjny *aparatczik* z wieloletnią praktyką, Gorbaczow nie był zielony w sprawach *realpolitik*. Wiedział, co to dezinformacja. Czyż nie po to Kreml stworzył cały własny wydział? I w KGB istniała komórka, której zadaniem było podsycanie za pomocą trafnych kłamstw lub jeszcze bardziej szkodliwych półprawd antyzachodnich nastrojów. Jednak ten akt dezinformacji był nieprawdopodobny.

Z niecierpliwością czekał na człowieka, którego do siebie wezwał. Była już prawie północ i musiał on odwołać polowanie na kaczki nad północnymi jeziorami, które zaplanował na ten weekend — obok zamiłowania do pikantnych gruzińskich dań była to jego druga wielka namiętność. Przyszedł tuż po północy.

Sekretarz generalny KC Komunistycznej Partii Związku Radzieckiego nie powinien oczekiwać, że przewodniczący KGB będzie kimś o miłej i uprzejmej powierzchowności, ale twarz generała pułkownika Władimira Kriuczkowa miała rysę zimnego okrucieństwa, którą Gorbaczow osobiście uważał za niesympatyczną.

To on wyniósł tego człowieka z jego stanowiska pierwszego zastępcy przewodniczącego przed trzema laty na szczyt, gdy udało mu się usunąć z urzędu swojego starego przeciwnika Czebrikowa. Jeden z czterech zastępców przewodniczącego miał prawo do zwolnionego stanowiska i Gorbaczow pod wrażeniem prawniczego wykształcenia Kriuczkowa przydzielił mu je. Od tamtej pory jednak zaczął żywić wobec niego pewne zastrzeżenia.

Był świadom, że zwiodła go chęć przemiany Związku Radzieckiego w „socjalistyczne państwo prawa", gdzie prawo stoi ponad wszystkim, idea, która wcześniej uchodziła na Kremlu jako burżuazyjna. Był to gorączkowy okres, owe pierwsze dni października 1988 roku, gdy niespodziewanie zwołał nadzwyczajne posiedzenie Komitetu Centralnego i zaprowadził swoją Noc Długich Noży wobec antagonistów. Może w pośpiechu przeoczył parę rzeczy. Jak na przykład przeszłość Kriuczkowa.

Ten pracował podczas stalinowskich czystek w prokuraturze — zadanie z pewnością nie było dla wrażliwych natur — w 1956 roku uczestniczył w brutalnym stłumieniu powstania na Węgrzech, w 1967 roku wstąpił do KGB. Na Węgrzech także poznał Andropowa, który potem przez piętnaście lat stał na czele KGB. To Andropow zaproponował Czebrikowa na swego zastępcę, a ten Kriuczkowa zrobił szefem pionu wywiadu zagranicznego, Zarządu Pierwszego. Może on, sekretarz generalny, nie docenił starych więzów lojalności.

Podniósł wzrok na wysokie czoło, lodowo zimne oczy, gęste siwe baczki i zjadliwe usta o opadających w dół kącikach. Stało się dla niego jasne, że ten człowiek może być mimo wszystko jego przeciwnikiem.

Gorbaczow przeszedł dookoła biurka i podał mu rękę — uścisk był mocny i formalny. Jak zawsze, gdy z kimś rozmawiał, utrzymywał konsekwentnie kontakt wzrokowy, jakby doszukiwał się podstępu lub strachu. W przeciwieństwie do większości swoich poprzedników cieszyło go, gdy ich nie odkrył. Wskazał ruchem dłoni na zagraniczne doniesienia. Generał skinął głową. Widział już je wszystkie i nie tylko te. Unikał spojrzenia Gorbaczowa.

— Podsumujmy to — powiedział Gorbaczow. — Wiemy, co piszą. To kłamstwo. Dementujemy je dalej. Nie wolno dopuścić, aby to kłamstwo się zakorzeniło. Ale skąd się wzięło? Jakie ma podstawy?

Kriuczkow pogardliwie stukał palcem w zachodnie doniesienia. Mimo że wcześniej był rezydentem KGB w Nowym Jorku, nienawidził Ameryki.

— Towarzyszu sekretarzu generalny, one opierają się niby na raporcie brytyjskiego eksperta, który przeprowadził urzędowe badanie okoliczności śmierci tego Amerykanina. Albo ten człowiek kłamał, albo jego raport został przez kogoś przejęty i zmieniony. Sądzę, że chodzi tu o jakąś sztuczkę Amerykanów.

Gorbaczow wrócił za swoje biurko i usiadł. Zaczął teraz starannie dobierać słowa.

— Czy mogłoby... byłoby możliwe... że w tym oskarżeniu jest jednak coś z prawdy?

Władimir Kriuczkow wzdrygnął się. W kierowanej przez niego organizacji cały wydział zajmował się wymyślaniem, projektowaniem i produkowaniem w swoich laboratoriach najbardziej diabelskich aparatur do uśmiercania lub przynajmniej unieszkodliwiania ludzi. Ale z tą historią nie miał nic wspólnego, tam nie zmajstrowano żadnej bomby, która później miałaby zostać ukryta w pasku Simona Cormacka.

— Nie, towarzyszu sekretarzu, z całą pewnością nie.

Gorbaczow pochylił się do przodu i stuknął palcem w suszkę.

— Sprawdźcie to — rozkazał — raz a dobrze, sprawdźcie to.

Generał skinął głową i wyszedł. Sekretarz generalny zapatrzył się w drugi koniec gabinetu. Traktatu z Nantucket — jeśli w ogóle taki będzie — potrzebował teraz bardziej niż w Pokoju Owalnym sądzono. Bez tej umowy jego kraj był zagrożony widmem niewykrywalnego dla radarów bombowca B-2 Niewidzialnego i koszmarem zebrania 300 miliardów rubli na odnowę systemu obrony powietrznej. Nim wyschną źródła ropy.

Quinn zobaczył go trzeciej nocy. Był niski, krępy, z popuchniętymi uszami i spłaszczonym nosem wiecznego rozrabiaki. Siedział samotnie przy końcu baru w „Montanie", obskurnej spelunce przy Oude Mann Straat, która słusznie nosiła swoją nazwę: Ulica Starego Człowieka. W knajpie było jeszcze z tuzin innych ludzi, ale nikt z nim nie rozmawiał, a on sprawiał wrażenie, jakby tego też nie chciał.

Prawą ręką obejmował szklankę z piwem, lewa trzymała własnoręcznie skręconego papierosa, a na wierzchu dłoni widać było czerwonego pająka na czarnej sieci. Quinn przeszedł wolno wzdłuż baru i zajął stołek obok.

Chwilę siedzieli milcząc. Tamten obrzucił Quinna przelotnym spojrzeniem z ukosa, nadal jednak jakby go nie zauważał. Tak minęło dziesięć minut. Mężczyzna skręcił sobie znowu papierosa. Quinn podał mu ogień. Podziękował skinieniem, ale bez słowa. Ponury, nieufny typ, nie dający się tak łatwo wciągnąć w rozmowę.

Quinn złapał spojrzenie barmana i wskazał na swoją szklankę. Ten podał mu nową butelkę. Wtedy wskazał ruchem dłoni na pustą szklankę mężczyzny siedzącego obok i podniósł do góry brwi. Mężczyzna potrząsnął głową, sięgnął ręką do kieszeni i zapłacił za swoje piwo.

Quinn westchnął ciężko. Twardy orzech. Typ wyglądał na pijaczynę i drobnego opryszka, z rozumem zbyt małym, aby zostać alfonsem, do czego nie wymaga się przecież mózgowców. Szansa, że mówi po francusku, była niewielka, ale mrukiem był na pewno. Wiek jednak zgadzał się z grubsza, dobrze po czterdziestce, i miał tatuaż. Tym musiał się zadowolić.

Opuścił knajpę i odszukał Sam skuloną w wozie, dwie przecznice dalej. Powiedział jej po cichu, czego oczekuje od niej.

— Straciłeś rozum? — powiedziała. — To niemożliwe. Niech pan raczy zauważyć, panie Quinn, jestem córką pastora z Rockcastle! — Uśmiechnęła się przy tym.

Dziesięć minut później Quinn siedział znowu na swoim stołku barowym, gdy weszła do środka. Podciągnęła spódniczkę tak wysoko, że jej pasek musiała mieć pod pachami, ale pulower polo dobrze to ukrywał. Zużyła całe opakowanie chusteczek ze skrytki na rękawiczki w wozie, aby biustowi, choć i bez tego był bujny, nadać jeszcze okazalsze proporcje. Podeszła sztywno do Quinna i usiadła na stołku pomiędzy nim a pijaczkiem. Ten zlustrował ją wzrokiem. Podobnie jak wszyscy mężczyźni w lokalu. Tylko Quinn ją zignorował.

Przysunęła się i pocałowała go w policzek. Potem wsadziła mu język w ucho. Cały czas ją ignorował. Tamten przyglądał się znowu swojej szklance, ale ukradkowo zerkał na biust, który sterczał nad barem. Barman podszedł, uśmiechnął się i spojrzał na nią pytająco.

— Whisky — powiedziała. To słowo znane jest na całym świecie i sposób jego artykulacji nie zdradza czyjegoś pochodzenia. Zapytał ją po flamandzku, czy życzy sobie lód do tego; nie zrozumiała go, skinęła jednak ochoczo głową. Otrzymała lód. Kiwnęła szklanką ku Quinnowi, który dalej ją ignorował. Wzruszyła więc ramionami, odwróciła się do tamtego i uniosła szkło. Zaskoczony bywalec mordowni poszedł na to.

Z pełną premedytacją Sam otworzyła usta i przejechała językiem po jaskrawo uszminkowanej dolnej wardze. Bezwstydnie podrywała go teraz. Uśmiechnął się do niej pieńkami zębów. Nie czekając dłużej, nachyliła się i pocałowała go.

Jednym ruchem Quinn zmiótł ją ze stołka na podłogę, wstał i pochylił się nad pijaczkiem.

— Co też przychodzi ci do głowy, zasrańcu, żeby przystawiać się do mojej starej? — rzucił bełkotliwie do niego po francusku. I nie czekając na odpowiedź wyprowadził lewy sierpowy, który trafił tamtego prosto w szczękę i odrzucił do tyłu na trociny posadzki.

Mężczyzna padł jak długi, zamrugał oczami, podniósł się mozolnie i rzucił na Quinna. Sam, jak uzgodnili, zaraz zniknęła. Gospodarz knajpy sięgnął za telefon pod barem, wybrał 101, numer policji, a gdy ktoś się zgłosił, mruknął tylko: „Bijatyka w knajpie" i dodał adres.

W tej dzielnicy, zwłaszcza nocami, zawsze w pobliżu kręcą się wozy policyjne i pierwsza biała sierra z niebieskimi literami POLITIE po bokach była na miejscu już po czterech minutach. Wysiadło dwóch umundurowanych policjantów, do których dwadzieścia sekund później dołączyło dwóch kolejnych z drugiego wozu patrolowego.

Zdumiewające jest jednak, jak wielkie szkody może wyrządzić dwóch ostrych rozrabiaków w ciągu czterech minut w knajpie. Quinn wiedział, że od tamtego, któremu alkohol i papierosy osłabiły refleks, będzie nie tylko szybszy, ale i ma większy zasięg ciosu. Pozwolił mu, dla ośmielenia, na parę ciosów w żebra, a potem trafił go ciężkim lewym sierpowym pod serce, aby go trochę przyhamować. Gdy wyglądało na to, że typ mógłby się poddać, Quinn zbliżył się do niego.

W podwójnym klinczu obaj mężczyźni większość umeblowania knajpy rozbili doszczętnie. W bezładnym bałaganie porozrzucanych nóg od krzeseł, płyt stołów, szkieł i butelek tarzali się na pokrytej trocinami posadzce.

Gdy pojawiła się policja, obaj ujęci zostali na miejscu. Za tę dzielnicę odpowiedzialna była policja strefy Zachód P/1, a najbliższy komisariat znajdował się na Blindenstraat. Oba wozy patrolowe dostarczyły tam oddzielnie obu mężczyzn i przekazały ich pod opiekę pełniącego służbę sierżanta Kloppera. Barman oszacował wyrządzone szkody i złożył zeznania zza baru. Nie było konieczne zatrzymywanie go, musiał przecież zająć się swoim interesem. Policjanci podzielili jego oszacowanie szkody na dwa i polecili mu złożyć swój podpis.

Zatrzymani awanturnicy są zawsze oddzielani na Blindenstraat. Sierżant Klopper wsadził pijaczka, którego dobrze znał z wcześniejszych spotkań, do pustej i przestronnej *Wachtkamer* znajdującej się z tyłu, za jego biurkiem; Quinn miał zająć miejsce na twardej ławce, podczas gdy sprawdzano jego paszport.

— Amerykanin, co? — rzucił Klopper. — Nie powinien pan wdawać się w bijatyki, panie Quinn. Znamy tego Kuypera, zawsze coś urządzi. Tym razem to jemu się dostało. To on zaczął, nie?

Quinn potrząsnął głową.

— Właściwie to ja się na niego rzuciłem.

Klopper przejrzał zeznanie knajpiarza.

— Hm. *Ja*, właściciel mówi, że obaj jesteście winni. Szkoda. Muszę więc obu was tu zatrzymać. Jutro przed południem staniecie przed *Magistraatem*. Z uwagi na zniszczenia w lokalu.

Magistraat oznaczał mnóstwo papierkowej pracy. Kiedy więc o piątej rano bardzo elegancka Amerykanka w nienagannym, gustownym kostiumie ukazała się na posterunku z plikiem banknotów na pokrycie wyrządzonych w barze „Montana" szkód, sierżantowi Klopperowi wyraźnie ulżyło.

— Pani płaci połowę, za tego Amerykanina, *ja*? — zapytał.

— Zapłać wszystko — odezwał się Quinn ze swojej ławki.

— Chce pan zapłacić i za Kuypera, panie Quinn? To zwykły oprych, trafia tu ciągle od czasu kiedy wyrósł z krótkich spodenek. Ma długi rejestr, choć tylko drobne wykroczenia.

— Zapłać i za niego — powiedział Quinn do Sam. Zrobiła to. — Skoro nikt nikomu już nie jest nic winien, czy chce pan nadal wnosić oskarżenie, sierżancie?

— Właściwie to nie. Możecie państwo odejść.

— A on? — Quinn wskazał na *Watchkamer* i pochrapującego Kuypera, którego postać można było zobaczyć przez otwarte drzwi.

— Chce pan go zabrać?

— Jasne, jesteśmy przecież kumplami.

Sierżant uniósł brwi, potrząsnął Kuypera budząc go i powiedział mu, że Amerykanin uiścił zapłatę za wyrządzone przez niego szkody i że bardzo dobrze się stało, bo inaczej znowu poszedłby na tydzień za kratki. A tak jest wolny. Gdy sierżant Klopper podniósł wzrok, damy już nie było. Amerykanin położył rękę na ramieniu Kuypera i razem chwiejąc się zeszli schodami przed komisariat policji. Ku wielkiej uldze sierżanta.

W Londynie dwóch niepozornych mężczyzn spotkało się w porze lunchu w zacisznej restauracji, gdzie kelnerzy zostawili ich samych po podaniu wybranych dań. Obaj znali się z widzenia, a dokładniej ze zdjęć. Każdy wiedział, z czego ten drugi żyje. Gdyby jakiś bezczelny ciekawski zapytał o to, dowiedziałby się, że Anglik jest urzędnikiem Ministerstwa Spraw Zagranicznych, a jego kolega zastępcą attaché kulturalnego ambasady Związku Radzieckiego.

Nigdy jednak nie dowiedziałby się, sprawdzając nawet stosy dokumentów, że urzędnik jest zastępcą szefa sekcji radzieckiej w Century House, siedzibie brytyjskiego wywiadu, SIS, ani tego, że mężczyzna, który rzekomo aranżował występy Gruzińskiego Chóru Państwowego, był zastępcą rezydenta KGB w ambasadzie. Obaj wiedzieli, że są tu za zgodą ich rządów, że Rosjanie prosili o to spotkanie i że szef SIS długo się zastanawiał, nim udzielił swojej zgody. Brytyjczycy wiedzieli z góry, o co będą ich prosić Rosjanie.

Gdy kotlety baranie zostały zjedzone, a kelner miał przynieść im kawę, Rosjanin postawił swoje pytanie.

— Obawiam się, że tak to wygląda, Witaliju Iwanowiczu — odparł z powagą Anglik.

Kolejne minuty zajęło mu streszczenie wyników badań z raportu Barnarda. Rosjanin wydawał się głęboko wstrząśnięty.

— To niemożliwe — powiedział ostatecznie. — Dementujące głosy mojego rządu są absolutnie szczere.

Pracownik angielskiego wywiadu zamilkł. Mógł powiedzieć, że jeśli podało się tyle kłamstw, a nagle mówi prawdę, to ciężko jest dotrzeć do słuchaczy. Ale zachował to dla siebie. Wyjął z wewnętrznej kieszeni marynarki zdjęcie. Rosjanin wpatrzył się w nie.

Przedmiot wielkości spinacza został tu silnie powiększony. Miał dziesięć centymetrów długości. Miniaturowy zapalnik z Bajkonuru.

— To znaleziono w ciele?

Anglik kiwnął głową.

— Wciśnięte w kawałek kości, która utkwiła w śledzionie.

— Nie mam technicznych kwalifikacji — przyznał Rosjanin. — Czy wolno mi to zatrzymać?

— Dlatego je przyniosłem — odparł pracownik SIS.

Rosjanin westchnął w odpowiedzi i sam z kolei wyjął kartkę papieru. Anglik rzucił na nią okiem i uniósł brwi. To był adres w Londynie. Rosjanin wzruszył ramionami.

— Mały gest — powiedział. — Coś, co dotarło do naszej wiadomości.

Mężczyźni wstali i pożegnali się. Cztery godziny później grupa z kontrwywiadu razem z brygadą antyterrorystyczną przeprowadziły obławę na bliźniak w Mill Hill, aresztując czterech członków IRA i konfiskując tyle materiałów wybuchowych, że wystarczyłoby ich na kilka zamachów bombowych w stolicy.

Quinn zaproponował Kuyperowi, by poszukali jakiejś otwartej jeszcze knajpy i uczcili stosownie ich zwolnienie. Tym razem nie napotkał sprzeciwu. Kuyper nie miał do niego żalu za bójkę w spelunce; trochę już nawet się nudził i takie starcie go robudziło. A to, że ktoś płacił za jego szkody, dawało mu fory. Na dodatek takie piwo mogło wyleczyć jego kaca, a skoro ten duży facet stawiał...

Po francusku mówił wolno, ale zrozumiale. I sprawiał wrażenie, że rozumie dużo więcej niż umie powiedzieć. Quinn przedstawił mu się jako Jacques Degueldre, Francuz belgijskiego pochodzenia, który wiele lat spędził za granicą, na statkach francuskiej floty wojennej.

Przy drugim piwie Kuyper zauważył tatuaż na wierzchu dłoni Quinna i dumnie przystawił swój do porównania.

— To były czasy, co? — wyszczerzył zęby Quinn.

Kuyper zarechotał błogo.

— Rozwaliłem wtedy trochę łbów — rzucił z rozrzewnieniem. — Gdzie się zaciągnąłeś?

— W Kongo, w sześćdziesiątym drugim — odpowiedział Quinn.

Czoło Kuypera zmarszczyło się, jakby próbował skojarzyć, jak ktoś w Kongo mógł dołączyć do Organizacji Pająka. Quinn nachylił się do niego konspiracyjnie.

— Walczyłem tam od sześćdziesiątego drugiego do siódmego — objaśnił. — Pod Schrammem i Wauthierem. Wtedy byli tam sami Belgowie. Głównie Flamandowie. Najlepsi wojownicy świata.

To spodobało się Kuyperowi. Skinął głową melancholijnie. Wszystko mu się zgadzało.

— I daliśmy tym czarnuchom nieźle popalić, mnie możesz wierzyć.

To podobało się Kuyperowi jeszcze bardziej.

— Ja też o mało co bym tam trafił — rzucił ze smutkiem. Wyraźnie żal mu było tej wielkiej szansy wybijania Afrykanów. — Tylko że akurat kiblowałem.

Quinn rozlał kolejną butelkę piwa, siódmą.

— Mój najlepszy kumpel w Kongo był stąd — powiedział. — Czterech ich miało wytatuowanego pająka. Ale on był najlepszy. Jednej nocy wyskoczyliśmy razem do miasta, znaleźliśmy speca od tatuaży i przyjęli mnie, że niby przeszedłem już wszelkie sprawdziany, rozumiesz. A może go skojarzysz? Wielki Paul.

Kuyper pozwolił, aby nazwisko zapadło mu w pamięć, pogłówkował przez chwilę, zmarszczył czoło i potrząsnął przecząco głową.

— Paul, a dalej jak?

— Zabij, nie pamiętam. Mieliśmy wtedy po dwadzieścia lat. Taki szmat czasu minął. Mówiliśmy do niego Wielki Paul, i tyle. Ogromne chłopisko, ponad dwa metry. Zbudowany jak ta lala. A ważył chyba ze sto kilo. Cholera... jak to on się nazywał?

Czoło Kuypera wygładziło się.

— Teraz go sobie przypominam — powiedział. — Tak, łapę to on miał niezłą. Musiał pryskać, rozumiesz. Gliny deptały mu po piętach. Dlatego wyjechał do Afryki. Szukali go za gwałt. Czekaj no... Marchais. Tak się nazywał. Paul Marchais.

— O właśnie — potwierdził Quinn. — Dobry stary Paul.

Steve Pyle, generalny dyrektor Investment Bank w Rijadzie, otrzymał list Andy'ego Lainga dziesięć dni po nadaniu. Przeczytał go w spokoju w swoim biurze, a kiedy go odkładał, ręka mu drżała. Ta cała historia to był istny koszmar.

Wiedział, że nowe dane w komputerze bankowym stawią czoła elektronicznej kontroli — pułkownik, wymieniając zestaw danych na inny, objawił niby swój geniusz — ale... Przyjmując, że ministrowi, księciu Abdulowi, coś się zdarzy? Albo że po kwietniowej rewizji ministerstwa książę nie potwierdzi, że aprobował podniesienie funduszu? A on, Steve Pyle, miał na to tylko słowo pułkownika...

Próbował dotrzeć do Easterhouse'a telefonicznie, ale pułkownik wyjechał. Przebywał on na górzystej północy w okolicy Ha'il, gdzie snuł plany z szyickim imamem, ufnym, że ręka Allaha spoczęła na jego czole, a na stopach buty Proroka. Pyle o tym nie wiedział i musiały minąć trzy dni, nim trafił wreszcie na pułkownika.

Quinn wlewał w Kuypera piwo aż do wczesnego popołudnia. I musiał być ostrożny. Za mało nie rozwiązałoby mu języka, by przezwyciężył wrodzoną ostrożność i mrukliwy upór, za dużo i by mu padł. Takim to już był pijaczkiem.

— W sześćdziesiątym siódmym straciłem go z oczu — mówił Quinn o ich wspólnym zaginionym kumplu, Paulu Marchais. — Zwinąłem się, gdy paskudnie się tam zaczęło robić dla nas, najemników. Jemu pewnie się nie udało. I padł w jakimś rowie przy drodze.

Kuyper zarechotał, rozejrzał się dookoła i potarł nos palcem, jak jakiś głupek sądzący, że wie coś szczególnego.

— On tu wrócił — rzucił ucieszony. — Zwinął się i wrócił tutaj.

— Do Belgii?

— No tak. To było chyba w sześćdziesiątym ósmym. Wyszedłem akurat z pudła. Widziałem go.

Dwadzieścia trzy lata, pomyślał Quinn, Bóg wie, gdzie Marchais był dzisiaj.

— Zrobiłbym niejedno piwo z Wielkim Paulem za stare czasy... — westchnął, zamyślając się.

Kuyper potrząsnął głową.

— Nie da się — dodał bełkotliwie. — Znikł. Musiał, przez te gliny, i w ogóle. Ostatni raz, kiedy to słyszałem o nim, ktoś mówił, że pracuje gdzieś na południu w wesołym miasteczku.

Pięć minut później spał.

Quinn wrócił, też już lekko się chwiejąc, do hotelu. On również potrzebował snu.

— Czas, byś zarobiła na siebie — powiedział do Sam. — Pójdziesz do informacji turystycznej i dowiesz się o wesołe miasteczka, parki rozrywkowe i podobne. Na południu kraju.

Była osiemnasta. Przespał dwanaście godzin.

— Są dwa — zdała mu sprawozdanie, gdy siedzieli przy śniadaniu w ich pokoju. — Bellewaerde, na przedmieściach Ieper, na samym zachodzie, blisko wybrzeża i francuskiej granicy. Drugie to Walibi koło Wavre. To na południe od Brukseli. Przyniosłam foldery.

— Nie sądzę, by w nich podali, że zatrudniają byłego najemnika

z Kongo — zauważył Quinn. — Ten kretyn mówił „gdzieś na południu".
Spróbujmy najpierw z Walibi. Sprawdź, jak tam dotrzeć, i wymeldowujemy się stąd.

Przed dziesiątą wrzucał już do samochodu swoją brezentową torbę,
nowy jutowy worek i pokaźniejsze bagaże Sam. Kiedy dotarli do autostrady, wszystko poszło im dużo szybciej: na południe, obok Mechelen,
obwodnicą dookoła Brukseli i na E40 znowu na południe, do Wavre.
Potem widać już było znaki kierujące do parku rozrywki.

Naturalnie był zamknięty. Wszystkie wesołe miasteczka w zimie były
opustoszałe i sprawiały smutne wrażenie. Skutery samochodowe tkwiły
w lnianych pokrowcach, pawilony rozrywkowe były zimne i puste, deszcz
spływał z belek diabelskiej kolejki, a wiatr zmiatał mokre, brązowe liście
do jaskini Ali Baby. Ponieważ padało, zaprzestano nawet prac konserwacyjnych. Także w biurach administracji nikogo nie można było spotkać.
Uratowała ich dopiero kafejka przy drodze w pobliżu.

— I co teraz? — zapytała Sam.

— Odwiedzimy pana Van Eycka — zdecydował Quinn i poprosił
o lokalną książkę telefoniczną.

Jowialna twarz Bertie Van Eycka, dyrektora parku rozrywki, promieniała uśmiechem z okładki folderu, na tle jego pozdrowień dla wszystkich gości. Ponieważ nazwisko było flamandzkie, a Wavre leży w głębi
obszaru francuskojęzycznego, w spisie było tylko trzech Van Eycków.
Jeden z nich miał na imię Albert-Bertie. I mieszkał poza miastem. Zjedli
lunch i pojechali tam. Quinn kilka razy musiał pytać o drogę.

Był to zadbany, wolno stojący dom przy długiej wiejskiej drodze nazywanej Chemin des Charrons. Otworzyła im pani Van Eyck i zawołała
męża, który ukazał się wkrótce w kardiganie i kapciach. Za nim słychać
było odgłosy sportowego programu w telewizji.

Bertie van Eyck wprawdzie był Flamandem, działał jednak w branży
turystycznej i z tej racji był dwujęzyczny, znał francuski i flamandzki.
Choć i jego angielski był perfekcyjny. Jednym spojrzeniem sklasyfikował
gości jako Amerykanów i powiedział: — Tak, jestem Van Eyck, czy mogę
państwu w czymś pomóc?

— Mam taką nadzieję, sir. Bo tylko pan może nam tu pomóc —
odezwał się Quinn. Przyjął znowu pozę nieokrzesanego Amerykanina,
jaką zmylił dziewczynę w hotelu Blackwooda. — Ja i moja narzeczona
chcemy tu w Belgii odszukać krewnych ze starej ojczyzny. Widzi pan,
dziadek mój ze strony matki był Belgiem, więc mam krewnych w tej
okolicy i pomyślałem sobie, że gdybym tak znalazł jednego czy drugiego,
to mógłbym potem uradować taką opowieścią rodzinę w Stanach...

Z telewizora dobiegał hałas. Van Eyck zdawał się wyraźnie zakłopotany. Tournai, liderzy belgijskiej ligi, grali z mistrzami Francji, Sainte-Etienne i żaden prawdziwy kibic piłki nie mógł tego przegapić.

— Ale ja nie mam żadnych amerykańskich krewnych... — zaczął.

— Nie, sir, źle mnie pan zrozumiał. Powiedziano mi w Antwerpii, że siostrzeniec mojej matki pracuje w tych stronach, w parku rozrywki. Paul Marchais.

Van Eyck zmarszczył czoło i potrząsnął głową.

— Znam wszystkich moich ludzi. Nie mamy nikogo o tym nazwisku.

— Wielkie, silne chłopisko, nazywają go Wielki Paul. Ponad dwa metry, szeroki jak szafa, i ma tatuaż na lewym ręku...

— Ja ja, ale on się nie nazywa Marchais. Ma pan na myśli Paula Leforta.

— Hm, może i tak — zgodził się Quinn. — Bo jego matka, to znaczy siostra mojej matki, wyszła drugi raz za mąż i on pewnie nosi to drugie nazwisko. Nie wie pan czasem, gdzie on mieszka?

— Niech pan zaczeka chwilę.

Dwie minuty później Bertie van Eyck dał Quinnowi kartkę. A potem pospieszył do swojego meczu. Tournai strzeliło gola, a on to przeoczył.

Kiedy wjechali ponownie do Wavre, Sam powiedziała: — Jeszcze nigdy nie widziałam tak odrażającej karykatury amerykańskiego kretyna w podróży po Europie.

Quinn zaśmiał się drwiąco.

— Ale wyszło chyba nieźle, co?

Znaleźli pensjonat Madame Garnier za dworcem kolejowym. Zrobiło się właśnie ciemno. Zasuszona mała wdowa od razu zaznaczyła Quinnowi, że nie ma żadnych wolnych pokoi, ale stała się przyjaźniejsza, kiedy powiedział, że nie szuka kwatery, tylko chce porozmawiać ze swoim starym przyjacielem, Paulem Lefortem. Jego francuski był tak płynny, że wzięła go za Francuza.

— Ale jego nie ma, monsieur. Poszedł do pracy.

— W parku rozrywki Walibi?

— Naturalnie. Przy diabelskim młynie. Grzebie tam przy jakimś silniku, jak to zimą.

Quinn okazał rozczarowanie.

— Ciągle się z nim rozmijam — skarżył się. — Kiedy na początku zeszłego miesiąca trafiłem tam, on był akurat na urlopie.

— Och, nie na urlopie, monsieur. Jego biedna matka zmarła. Po długiej chorobie. Do ostatniej chwili pielęgnował ją w Antwerpii.

To tak się wytłumaczył. I drugą połowę września i cały październik mogło go tu nie być. Sprytne, przyznał w myślach Quinn. Podziękował madame Garnier promieniującym uśmiechem, a potem cofnęli się cztery kilometry do parku rozrywki.

Był tak samo opuszczony jak sześć godzin wcześniej, jednak teraz w ciemności sprawiał wrażenie miasta duchów. Quinn wspiął się na ogrodzenie i potem pomógł Sam je pokonać. Na tle ciemnego aksamitu nocy rysowały się podpory diabelskiego młyna, najwyższej budowli na tym terenie.

Przeszli obok rozłożonej karuzeli, której stare drewniane koniki zmagazynowane były z pewnością gdzieś indziej, obok pustej huśtawki i zabitej na głucho budki z kiełbaskami. Nad tym wszystkim górował w mroku nocy diabelski młyn.

— Poczekaj tu — mruknął Quinn.

Zostawił Sam w cieniu i ruszył w stronę diabelskiego młyna.

— Lefort! — zawołał. Bez odpowiedzi.

Podwójne siedzenia umocowane na stalowych prętach przykryte były brezentowymi pokrowcami. W dolnych nikogo nie było. Może mężczyzna przyczaił się gdzieś w ciemności i czekał na nich. Quinn rzucił spojrzenie za siebie.

Z boku konstrukcji znajdowała się maszynownia, wielka blaszana zielona szopa z silnikiem i nad tym żółta kabina maszynisty. Drzwi do obu pomieszczeń dały się otworzyć bez problemu. Generator nie wydawał żadnego odgłosu. Quinn dotknął go lekko. Maszyna była jeszcze ciepła.

Wspiął się do kabiny maszynisty, włączył lampkę nad pulpitem, popatrzył na dźwignie i zwolnił jeden z przycisków. Silnik w dole ożywił się. Wrzucił bieg i ustawił dźwignię jazdy do przodu na „wolno". Ogromne koło przed nim zaczęło obracać się w ciemności. Znalazł przełącznik oświetlenia, nacisnął go i obszar wokół dolnej konstrukcji zanurzył się w jaskrawym świetle.

Quinn zszedł na dół i zatrzymał się przy rampie do wsiadania, a siedzenia cicho prześlizgiwały się obok niego. Sam stanęła przy nim.

— Co robisz? — zapytała szeptem.

— W maszynowni był jeden wolny pokrowiec — powiedział.

Na prawo od nich ukazało się siedzenie, które wcześniej było na samej górze. Mężczyzna siedzący w nim nie miał jednak żadnej radości z tej przejażdżki.

Leżał skulony na ławce, a jego masywne ciało wypełniało prawie całe pomyślane dla dwóch osób miejsce. Ręka z tatuażem oparła się o brzuch, głowa odrzucona była do tyłu, błędne oczy wpatrywały się w górę na podpory i niebo. Wolno przesuwał się obok nich. Usta miał wpół rozchylone, ciemne od nikotyny zęby błyszczały w świetle. Pośrodku czoła była dziura, ze śladami osmalenia na brzegach. Minął ich i wspiął się znowu w nocne niebo.

Quinn wszedł jeszcze raz do kabiny maszynisty i zatrzymał młyn diabelski we wcześniejszej pozycji i jedyne zajęte siedzenie było znowu wysoko, poza zasięgiem wzroku. Wyłączył silnik, wygasił lampy i zamknął oboje drzwi; zebrał razem kluczyk zapłonu i obydwa klucze do drzwi i rzucił je daleko do ozdobnego stawku. Wolny pokrowiec pozostawił zamknięty w kabinie. Zamyślił się głęboko, a kiedy zerknął w stronę Sam, zobaczył, że była blada.

W drodze z Wavre do autostrady mijali znowu Chemin des Charrons i dom dyrektora parku rozrywkowego, który właśnie stracił pracownika. Znowu zaczęło padać.

Kilometr dalej wypatrzyli hotel „Domaine des Champes", którego światła spoglądały na nich zapraszająco przez deszcz i ciemność.

Kiedy tam się zameldowali, Quinn zaproponował Sam, by pierwsza skorzystała z łazienki. Nie sprzeciwiała się. Podczas gdy ona leżała w wannie, przeszukał jej bagaż. Worek na ubrania firmy Valpak nie stanowił żadnego problemu; torba podróżna była z miękkiej skóry i skontrolowanie jej zajęło mu pół minuty.

Kwadratowy kuferek na kosmetyki był ciężki. Quinn wyrzucił na łóżko całą kolekcję lakierów do włosów, szamponów, perfum, puderniczek, lusterek, szczotek i grzebieni. Nadal był ciężki. Odmierzył wysokość od górnej krawędzi do podłoża, najpierw wewnątrz, potem zewnątrz. Są różne powody, że ludzie niezbyt chętnie latają, a jednym z nich może być prześwietlanie bagażu. Różnica w kuferku wynosiła pięć centymetrów. Quinn wziął swój kieszonkowy nóż i odszukał szczelinę między wewnętrznym dnem a ścianą.

Dziesięć minut później Sam wyszła z łazienki, szczotkując swoje mokre włosy. Chciała właśnie coś powiedzieć, gdy zobaczyła, co leży na łóżku, i zamilkła. Jej twarz wykrzywiła się.

Nie było to coś, co tradycyjnie określane jest jako damski pistolet. To był Smith & Wesson, kaliber .38 z długą lufą, a kule leżące obok na narzucie miały spłaszczone czubki. Broń, która zatrzyma każdego człowieka.

ROZDZIAŁ TRZYNASTY

— Quinn, przysięgam, że to Brown mi go wcisnął, gdy zgodził się, bym ci towarzyszyła. Mówił, że to na wypadek, jakby zrobiło się gorąco.

Quinn skinął głową, mieszając w jedzeniu; było wyśmienite, ale on stracił już apetyt.

— Sam widziałeś, że nie strzelano z niego. A od Antwerpii byłam cały czas z tobą, razem.

To naturalnie odpowiadało prawdzie. Choć minionej nocy spał dwanaście godzin, co by wystarczyło komuś na podróż z Antwerpii do Wavre i z powrotem, i to ze sporą rezerwą, ale ta madame Garnier mówiła, że jej lokator po śniadaniu wyszedł do pracy przy diabelskim młynie. A Sam leżała w łóżku, kiedy obudził się o siódmej. Chociaż w Belgii też są przecież telefony...

Sam nie była przed nim u Marchais, ale ktoś inny dotarł. Brown i jego ludzie z FBI? Quinn wiedział, że działali w Europie, przy pełnym wsparciu policji tych krajów. Ale Brown wolałby chyba mieć tamtego żywym, by poznać nazwiska jego wspólników. Może. Odsunął talerz.

— To był długi dzień — orzekł. — Chodźmy spać.

Ale potem leżał w ciemności i spoglądał w górę na sufit. Około północy zasnął. Postanowił, że jej uwierzy.

Rano wyjechali zaraz po śniadaniu. Sam usiadła za kierownicą.

— Dokąd teraz, mój mistrzu?

— Do Hamburga — odparł Quinn.

— Do Hamburga, czemu akurat tam?

— Znam tam kogoś. — Tyle miało jej wystarczyć.

Ruszyli znowu siecią autostrad, najpierw na południe, aby dostać się na E41 za Namur, potem prosto jak strzelił autostradą na wschód, minęli Liége i przekroczyli niemiecką granicę w Aachen. Belgijskie autostrady przeszły płynnie w niemieckie *autobahny*, skręcili na północ, minęli gigantyczny kompleks przemysłowy Ruhry, Düsseldorf, Duisburg i Essen, docierając w końcu na rolnicze równiny Dolnej Saksonii.

Quinn zamienił Sam po trzech godzinach przy kierownicy, a po kolejnych dwóch zatrzymali się na lunch złożony z chrupiących westfalskich kiełbasek i sałatki ziemniaczanej w jednej z licznych *Gasthauser*, rozstawionych co parę kilometrów przy niemieckich drogach. Zmierzchało już, gdy włączyli się w kolumny aut poruszających się po południowych przedmieściach Hamburga.

Stare miasto hanzeatyckie było niemal takie, jakim Quinn zachował je w pamięci. Znaleźli mały, cichy, ale komfortowy hotelik za Steindammtor i tam się ulokowali.

— Nie wiedziałam, że mówisz i po niemiecku — zauważyła Sam, gdy byli już w pokoju.

— Nie pytałaś mnie nigdy o to — odparł Quinn.

Przed laty przyswoił sobie ten język, kiedy to szalała terrorystyczna grupa Baader-Meinhof i jej następcy z Frakcji Czerwonej Armii i kiedy to porwania w Niemczech były i częste, i krwawe. W końcu lat siedemdziesiątych trzy razy zajmował się takimi przypadkami w Republice Federalnej.

Wykonał dwa telefony, ale okazało się, że mężczyzna, z którym chciał rozmawiać, będzie w swoim biurze dopiero następnego dnia.

Generał Wadim Wasiliewicz Kirpiczenko czekał w sekretariacie. Mimo że sprawiał wrażenie spokojnego, czuł rosnące zdenerwowanie. Nie dlatego, że człowiek, z którym chciał rozmawiać, był nieprzystępny; określano go wręcz odwrotnie, a do tego spotkali się już kilka razy, choć zawsze formalnie i publicznie. Jego niepokój miał inną przyczynę. Ominięcie przełożonych w KGB i proszenie o osobistą i poufną rozmowę z sekretarzem generalnym, nie informując ich o tym, było sprawą ryzykowną. Jeśli coś pójdzie źle, jego kariera zawiśnie na włosku.

Sekretarz otworzył drzwi prywatnego gabinetu i stanął przed nimi.

— Sekretarz generalny teraz was przyjmie, towarzyszu generale — oznajmił i zrobił krok w bok. A kiedy Kirpiczenko wszedł, zamknął za nim drzwi.

Zastępca szefa Zarządu Pierwszego, najwyższy rangą zawodowy oficer wywiadu w szpiegowskiej robocie, przeszedł przez długi gabinet do człowieka siedzącego za biurkiem. Jeśli Michaił Gorbaczow był zdumiony prośbą o tę rozmowę, to nie pokazał tego po sobie. Powitał generała KGB po koleżeńsku, zwracając się do niego po imieniu i patronimikum, i poczekał, aż gość przystąpi do konkretów.

— Otrzymaliście raport z naszej londyńskiej placówki dotyczący tych niby dowodów, jakie Brytyjczycy wyjęli z ciała Simona Cormacka.

Było to stwierdzenie, a nie pytanie. Kirpiczenko wiedział, że sekretarz generalny musiał widzieć ten raport. Kazał przedłożyć sobie wyniki spotkania w Londynie, jak tylko się pojawią. Gorbaczow tylko nieznacznie skinął głową.

— I wiecie, towarzyszu sekretarzu generalny, że nasi wojskowi koledzy zaprzeczają, jakoby przedmiot ze zdjęcia pokazywał coś z ich wyposażenia.

Programy rakietowe Bajkonuru podlegały wojsku. Ponowne skinięcie głową. Kirpiczenko uczynił ryzykowny krok.

— Cztery miesiące temu złożyłem raport od mojego rezydenta w Belgradzie, który uznałem za tak ważny, że zaznaczyłem na nim, aby towarzysz przewodniczący przedstawił go wam.

Gorbaczow znieruchomiał. To tak się sprawy mają. Oficer przed nim, choć wysoki rangą, działał za plecami Kriuczkowa. Lepiej dla was, żeby chodziło tu o coś naprawdę ważnego, towarzyszu generale, pomyślał. Ale na twarzy nie drgnął mu żaden mięsień.

— Sądziłem, że otrzymam polecenie, aby zająć się tą sprawą. Nie dostałem go. Przyszło mi więc do głowy, że może nie otrzymaliście do wglądu tego sierpniowego raportu. To był czas urlopów i...

Gorbaczow przypomniał sobie przerwany urlop, kiedy to Żydzi, którym odmówiono wyjazdu, zostali spałowani na jednej z moskiewskich ulic na oczach zachodnich mediów.

— Macie kopię tego raportu przy sobie, towarzyszu generale? — zapytał spokojnie.

Kirpiczenko wyciągnął dwie złożone kartki z wewnętrznej kieszeni marynarki. Zawsze nosił cywilne ubranie, nie cierpiał mundurów.

— Może to nie ma związku, towarzyszu generale. Mam taką nadzieję. Ale nie lubię zbiegów okoliczności. Nauczono mnie, aby ich nie lubić...

Michaił Gorbaczow przeczytał raport majora Kerkoriana z Belgradu i jego czoło się zmarszczyło.

— Kim są ci mężczyźni? — spytał.

— Pięciu amerykańskich przemysłowców. Ten Miller ma u nas etykietkę skrajnego prawicowca, człowieka, który nienawidzi naszego kraju i wszystkiego, co on symbolizuje. Scanlon to przedsiębiorca z gatunku tych, których Amerykanie nazywają „rekinami biznesu". Pozostali trzej produkują wysokiej klasy broń dla Pentagonu. Ze wszystkimi technicznymi szczegółami, jakie mają w głowach, nie odwiedziliby naszego kraju, aby nie wystawić się czasem na groźbę przesłuchania.

— Ale mimo to przyjechali? — spytał Gorbaczow. — Po cichu, wojskowym samolotem? I wylądowali w Odessie?

— To właśnie ten zbieg okoliczności — odparł szef szpiegów. — Sprawdziłem w kontroli powietrznych sił zbrojnych. Gdy Antonow opuścił rumuński obszar powietrzny i wleciał w strefę kontroli Odessy, zmienił swój plan lotu, ominął Odessę i wylądował w Baku.

— W Azerbejdżanie? Czego, u licha, oni szukają w Azerbejdżanie?

— Baku, towarzyszu sekretarzu generalny, to kwatera główna Naczelnego Dowództwa Okręgu Południe.

— Ale to ściśle tajna baza. Czego tam mieliby szukać?

— Nie wiem. Zniknęli po wylądowaniu, spędzili szesnaście godzin na terenie bazy i odlecieli tym samym samolotem do tej samej jugosłowiańskiej bazy powietrznej. Potem obrali lot powrotny do Ameryki. Żadnego polowania na dziki, żadnego urlopu.

— Macie coś jeszcze?

— Dodatkowy zbieg okoliczności. Tego dnia marszałek Kozłow miał inspekcję w dowództwie w Baku. Rutynową. Tak to w każdym razie podano.

Po wyjściu generała Michaił Gorbaczow polecił, by z nikim go nie łączono, i skupił myśli na tym, czego właśnie się dowiedział. Źle to wyglądało, bardzo źle, prawie wszystko. Poza jednym. Jego przeciwnik, twardogłowy generał od KGB, popełnił właśnie bardzo poważny błąd.

Złe wiadomości spadły nie tylko na Plac Nowy w Moskwie. Przeniknęły też do luksusowego gabinetu Steve'a Pyle'a na najwyższym piętrze banku w Rijadzie. Pułkownik Easterhouse odłożył list Andy'ego Lainga.

— No tak — powiedział.

— Na Boga, ten gnojek może jeszcze nas wszystkich usadzić — biadolił Pyle. — Dane w komputerze pokazują niby coś innego niż on twierdzi. Jeśli jednak zostanie przy swoim, księgowi rewizorzy z ministerstwa mogą chcieć dokładnie przyjrzeć się sprawie. Jeszcze przed kwietniem. Wiem, że to wszystko jest za osobistą aprobatą księcia Abdula, ale, do cholery, zna pan tych ludzi. A jeśli on wycofa swoje poparcie, powie, że nic o tym nie wiedział... Wie pan, że oni są zdolni do czegoś takiego. I tak sobie myślę, że może byłoby lepiej zwrócić te pieniądze i spróbować zdobyć środki gdzieś indziej...

Easterhouse spoglądał swoimi jasnoniebieskimi oczyma na pustynię. To znacznie gorsza historia, przyjacielu. Nie ma żadnego udziału księcia Abdula, żadnej zgody dworu. I nie ma też połowy tych pieniędzy, wydanych na sfinansowanie puczu, jaki wkrótce ma wnieść porządek i dyscyplinę — określony porządek i dyscyplinę — do gospodarczego chaosu i niestabilnych politycznych struktur całego Bliskiego Wschodu.

Dom saudyjski, rzecz jasna, nie widziałby tego w ten sposób; podobnie jak i Departament Stanu.

— Tylko spokojnie, Steve — powiedział. — Wiesz przecież, kogo tu reprezentuję. Sprawa będzie wyczyszczona. Zapewniam cię.

Pyle odprowadził go do drzwi, ale nie był uspokojony. Nawet CIA zdarzały się wpadki, przypomniał sobie, chyba jednak za późno. Gdyby posiadał więcej wiedzy, a czytał mniej literatury sensacyjnej, byłby świadom, że wyższy rangą pracownik CIA nie może mieć stopnia pułkownika. Langley nie przyjmuje byłych wojskowych. Ale on tego nie wiedział. Martwił się tylko bardzo.

A zjeżdżając w dół Easterhouse uznał, że musi polecieć na konsultacje do Stanów. I tak był już na to czas. Wszystko zostało przygotowane, tykało jak bomba zegarowa. Wyprzedził nawet swoje plany i był winien protektorom raport ze stanu sytuacji. A przy okazji wspomni o Andym Laingu. Ten człowiek da się z pewnością kupić, przekonać, by siedział cicho, przynajmniej do kwietnia. Nie miał pojęcia, jak bardzo się mylił.

— Dieter, jesteś mi coś winny i teraz przyszedł czas to spłacić.

Quinn siedział ze swoim kontaktem w barze, dwie przecznice od biura, gdzie ten pracował. Kontakt wyglądał na zmartwionego.

— Spróbuj jednak zrozumieć, Quinn. Tu nie chodzi o zasady w naszej firmie. Dostępu niezatrudnionym do naszego archiwum zabrania samo prawo federalne.

Dieter Lutz był dziesięć lat młodszy od Quinna, ale powodziło mu się nieporównywalnie lepiej. Blask pełnej sukcesów kariery aż bił od niego. Był członkiem kolegium redakcyjnego *Der Spiegel*, największego i najbardziej prestiżowego tygodnika niemieckiego, zajmującego się aktualnymi wydarzeniami.

Nie zawsze jednak tak było. Wcześniej jako wolny strzelec wybijał się dopiero, chcąc zawsze być o krok przed konkurencją, gdy wybuchały jakieś afery. Wtedy to dokonano porwania, które na wiele dni opanowało też nagłówki niemieckich gazet. I kiedy negocjacje z porywaczami dotarły do najbardziej gorącego momentu, on wyjawił nieumyślnie informację do gazet, która o włos nie zawaliła sprawy.

Rozsierdzona policja chciała wiedzieć, gdzie nastąpił przeciek. Ofiarą porwania był wielki przemysłowiec, dobroczyńca partii politycznej, i Bonn pokładało wielkie nadzieje w policji. Quinn wiedział, kto był winny tego przecieku, ale milczał. Szkoda już po prostu się stała, musiała zostać naprawiona, a młodemu reporterowi ze zbyt dużym zapałem i z niedostateczną ostrożnością popsułoby to karierę.

— Ja nie chcę się włamywać — powiedział Quinn cierpliwie. — Należysz do redakcji. Masz prawo tam wejść i wyciągnąć materiał, jeśli go w ogóle mają.

Biura *Der Spiegel* mieszczą się przy Brandstwiete 19, krótkiej uliczce między kanałem Dovenfleet i Ost-West-Strasse. W podziemiach jedenastopiętrowego nowoczesnego wieżowca drzemie największe archiwum gazetowe w Europie. Zmagazynowano tu ponad osiemnaście milionów dokumentów. Komputeryzowanie tych zasobów trwało już od dziesięciu lat, gdy Quinn i Lutz siedzieli przy piwie tego listopadowego popołudnia w barze przy Dom Strasse. Lutz westchnął.

— No dobrze — powiedział. — Jak on się nazywa?

— Paul Marchais — odparł Quinn. — Belgijski najemnik. Był w Kongo od sześćdziesiątego czwartego do ósmego. I wszystko, co się da o wydarzeniach z tego okresu.

Archiwum Juliana Haymana w Londynie mogło zawierać coś o Marchais, ale wtedy Quinn nie mógł mu podać żadnego nazwiska.

Lutz wrócił po godzinie z teczką dokumentów.

— Nie mogę tego wypuścić z ręki — zaznaczył. — A do wieczora musi wrócić na miejsce.

— Bez przesady — rzucił Quinn z uśmiechem. — Wracaj do swojej pracy. I przyjdź tu za cztery godziny. Oddam ci je.

Lutz zostawił go. Sam nic nie rozumiała z rozmowy prowadzonej po niemiecku, ale teraz nachyliła się do Quinna, aby zobaczyć, co otrzymał.

— Czego szukasz? — zapytała.

— Chcę się dowiedzieć, czy ten sukinsyn miał jakichś kumpli, kogoś, kto był blisko niego — odpowiedział Quinn. I zaczął czytać.

Pierwszy był artykuł z antwerpskiej gazety z 1965 roku o Belgach, którzy zaciągnęli się, by walczyć w Kongo. Dla Belgów był to wtedy temat budzący sporo emocji — opisy ekscesów rebeliantów Simby wobec księży, zakonnic, właścicieli plantacji, misjonarzy, kobiet i dzieci, w większości Belgów, przysporzyły najemnikom tłumiącym rewoltę chwały. Artykuł napisany był po flamandzku, z załączonym niemieckim tłumaczeniem.

Marchais, Paul, urodzony jako syn walońskiego ojca i flamandzkiej matki w 1943 roku w Liegé — to wyjaśniło francusko brzmiące nazwisko dorastającego w Antwerpii chłopaka. Ojciec zginął podczas wyzwalania Belgii na przełomie 1944 i 1945 roku. Matka wróciła do swej rodzinnej Antwerpii.

Młodzieńcze lata spędzone w portowej dzielnicy nędzy. Już w wieku dorastania miał kłopoty z policją. Seria wyroków za drobne przestępstwa do wiosny 1964 roku. W Kongo wypłynął u Jacquesa Schramme'a w jego Grupie Leopard... Nie wspomniano nic o oskarżeniu o gwałt; może antwerpska policja milczała w nadziei, że wróci i wtedy go aresztują. Drugi wycinek był tylko krótką wzmianką. W 1966 roku opuścił najwyraźniej Schramme'a i przyłączył się do Piątego Commando, któremu przewodził wówczas John Peters, jako następca Mike'a Hoare'a. Składało się ono z Południowoafrykańczyków — Peters szybko pozbył się brytyjskich najemników Hoare'a. Marchais w przetrwaniu pomógł chyba jego flamandzki, bo afrikaans i flamandzki są do siebie bardzo podobne.

Dwa pozostałe wycinki wspominały o Marchais lub po prostu o olbrzymim Belgu zwanym Wielkim Paulem, który pozostał w Kongo, po rozwiązaniu Piątego Commando i odjeździe Petersa, i przyłączył się znowu do Schramme'a przed buntem w Stanleyville w 1967 roku i długim marszem do Bukavu.

Lutz dołączył też odbitki pięciu stron z klasycznej *Historii najemnictwa* Anthony'ego Mocklera, z których pomocą Quinn mógł zrekonstruować wydarzenia z ostatnich miesięcy Marchais w Kongo.

Po stłumieniu rewolty Simby w kongijskiej stolicy doszło do puczu i władzę objął generał Mobutu. Próbował on od razu rozwiązać i wydalić różne oddziały białych najemników. Piąte Commando, brytyjsko--południowoafrykańskie, pozwoliło się rozwiązać bez oporu. Szóste, pod wodzą Francuza, Boba Denarda, stawiło opór. W czerwcu 1967 roku podnieśli bunt w Stanleyville; Denard został postrzelony w głowę i ewakuowany do Rodezji. Dowódcą został wtedy Jacques Schramme. Pozbierał resztki Piątego Commando, Francuzów z Szóstego, którzy nie mieli już dowódcy, i własnych Belgów, a do tego kilkuset żołnierzy z Katangi.

W końcu lipca, gdy Stanleyville nie mogło dłużej się utrzymać, ruszyli w kierunku granicy i wycinając wszystko w pień dotarli do Bukavu, uroczego niegdyś kąpieliska dla Belgów nad brzegiem jeziora. Tam się obwarowali.

Wytrzymali trzy miesiące, aż skończyła im się amunicja. Wtedy przemaszerowali mostem na drugą stronę jeziora, do sąsiadującej republiki Ruandy.

Resztę Quinn już znał. Nawet bez amunicji wywołali strach i przerażenie w oczach rządu Ruandy, który obawiał się, że najemnicy zrujnują cały kraj, jeśli nie zrobi żadnych ustępstw na ich korzyść. Belgijski konsul był przyparty do muru. Wielu belgijskich najemników zgubiło przypadkowo, czy z premedytacją, swoje dokumenty. Usidlony konsul wystawił im więc tymczasowe belgijskie dowody na nazwiska, jakie mu podali. I tak Paul Marchais stał się Paulem Lefort. A potem nie było już większych problemów z wymianą tych dokumentów na normalne, zwłaszcza jeśli jakiś Paul Lefort faktycznie tam był i zginął.

23 kwietnia 1968 roku dwa samoloty Czerwonego Krzyża zabrały najemników ostatecznie do ich ojczyzny. Pierwszy poleciał prosto do Brukseli, z kompletem Belgów na pokładzie, oprócz jednego. Belgijska opinia publiczna była gotowa przyjąć najemników jak bohaterów, w przeciwieństwie do policji. Ta sprawdziła na podstawie listy ściganych wszystkich, którzy opuścili samolot. Marchais musiał przylecieć drugim DC-6, który wysadził swój ludzki ładunek po części w Pizie, Zurychu i Paryżu. Obydwa samoloty przewiozły z powrotem do Europy stu dwudziestu trzech najemników europejskich i południowoafrykańskich.

Quinn był przekonany, że Marchais przyleciał drugim samolotem i na dwadzieścia trzy lata zniknął, bez perspektyw na awans społeczny, pracując w wesołych miasteczkach, aż zwerbowany został do jego ostatniej operacji za granicą. Teraz potrzebne mu było nazwisko tego drugiego, który wykonywał z nim to zlecenie. Materiał nie zawierał nic, co mogło dostarczyć wskazówkę. Lutz wrócił.

— Jeszcze jedno — powiedział wtedy Quinn.

— Nie mogę — zaprotestował Lutz. — I tak już przebąkują, że siedzę nad jakąś historią o najemnikach. A to bzdura. Piszę właśnie o konferencji ministrów rolnictwa krajów Wspólnego Rynku.

— Mów, że poszerzasz swoje horyzonty — zasugerował Quinn. — Sprawdź, ilu niemieckich najemników brało udział w buncie w Stanleyville, w marszu do Bukavu i jego oblężeniu i w obozie internowania w Ruandzie.

Lutz zapisał to.

— Żona i dzieci na mnie czekają...

— No to jesteś szczęściarzem — stwierdził Quinn.

Tym razem dotarcie do informacji było prostsze i Lutz wrócił z archiwum po dwudziestu minutach. Czekał cierpliwie, kiedy Quinn odczytywał dane.

To, co Lutz mu przyniósł, było kompletną dokumentacją o niemieckich najemnikach od roku 1960. Było ich kilkunastu. Wilhelm uczestniczył w wydarzeniach w Kongo, w Watsa. Zmarł wskutek ran odniesionych w zasadzce na drodze do Paulis. Rolf Steiner był w Biafrze, żył obecnie w Monachium, nigdy jednak nie był w Kongo. Quinn odwrócił kartkę. Siegfried „Kongo" Muller był w Kongo od początku do końca; zmarł w Afryce Południowej w 1983 roku.

Dwaj inni Niemcy mieszkali w Norymbergii, ich adresy były podane, ale wiosną 1967 roku, kiedy Piąte Commando zostało rozwiązane, opuścili Kongo i nie brali udziału w buncie Szóstego w Stanleyville, w lipcu. I tak pozostał jeden.

Werner Bernhardt należał do Piątego Commando, ale gdy zostało rozwiązane, dołączył do Schramme'a. Uczestniczył w buncie, marszu do Bukavu i oblężeniu kąpieliska nad jeziorem. Jego adresu nie podano.

— Gdzie może być teraz? — zapytał Quinn.

— Jeśli nie podali, to znaczy, że zniknął — odparł Lutz. — W końcu było to w sześćdziesiątym ósmym roku. A teraz mamy dziewięćdziesiąty pierwszy. Mógł umrzeć... i być wszędzie. Takie typy... sam rozumiesz... Ameryka Środkowa albo Południowa, Afryka Południowa...

— Albo i tu, w Niemczech — wtrącił Quinn.

Na te słowa Lutz przyniósł z baru lokalną książkę telefoniczną. Były cztery kolumny Bernhardtów. I to w samym Hamburgu. Republika Federalna składa się z dziesięciu landów i każdy ma po kilka książek telefonicznych.

— Rejestry policyjne? — podsunął Quinn.

— Pomijając federalnych, trzeba by zwrócić się do dziesięciu różnych władz policyjnych — odparł Lutz. — Od wojny, gdy alianci wkłuli nam do łbów w uprzejmy sposób demokratyczne zasady, wszystko jest zdecentralizowane. Abyśmy nie mogli jeszcze raz wyszukać jakiegoś Hitlera. To olbrzymia przyjemność tropić tu kogoś. Wiem to, bo sam tak pracuję. Ale facet taki jak ten... marne szanse. Jeśli chce zniknąć, to znika. A ten chciał, bo inaczej w ciągu tych dwudziestu trzech lat jego nazwisko pokazałoby się wcześniej czy później w gazetach. A tu cisza. I nie ma go w naszym archiwum.

Quinn miał jeszcze jedno pytanie. Skąd pochodził ten Bernhardt? Lutz przerzucił kartki.

— Z Dortmundu — odparł. — Tam się urodził i wychował. Może tamtejsza policja coś wie. Ale nie powiedzą ci. Ochrona danych, rozumiesz, bardzo rygorystycznie podchodzimy do tego w Niemczech.

Quinn podziękował mu i pożegnał go. Potem pospacerowali z Sam w głąb ulicy, rozglądając się za jakąś restauracją.

— Gdzie jedziemy teraz? — spytała.

— Do Dortmundu — odpowiedział. — Znam kogoś w Dortmundzie.

— Kochany, ty chyba wszędzie znasz kogoś!

W połowie listopada Michael Odell spotkał się sam na sam z prezydentem w Pokoju Owalnym. Wiceprezydent był wstrząśnięty tym, jak bardzo jego stary przyjaciel się zmienił. Po pogrzebie John F. Cormack nie doszedł do siebie, sprawiał wrażenie, jakby się skurczył.

Jednak nie tylko jego wygląd zewnętrzny niepokoił Odella; zniknęła dawna siła koncentracji, ulotniła się błyskotliwość umysłu. Próbował zwrócić uwagę prezydenta na terminarz.

— Ach, tak — powiedział Cormack, próbując się ożywić. — Co tam jest na dzisiaj?

Zaczął przyglądać się stronie poniedziałkowej.

— John, mamy wtorek — odezwał się delikatnie Odell.

Po przewróceniu strony, wiceprezydent widział przekreślone szerokim czerwonym pisakiem terminy. Przywódca jednego z państw, członka NATO, przybywał do Waszyngtonu i prezydent miał przywitać gościa na trawniku przed Białym Domem; nie musiał dyskutować z nim — Europejczyk by to zrozumiał — lecz tylko go przywitać. Nie chodziło o to, czy gość z Europy to zrozumie, problemem było, czy media zrozumieją, jeśli prezydent się nie pokaże. Odell obawiał się, że zrozumieją aż za dobrze.

— Zastąp mnie, Michael — prosił Cormack.

Wiceprezydent skinął głową.

— Naturalnie — odparł z przygnębieniem. Było to dziesiąte odwołane spotkanie w ciągu tygodnia. Ze stosem dokumentów radził sobie sztab Białego Domu; Cormack wyszukał dobry zespół. Ale naród amerykański obdarza dużą władzą jednego człowieka, który jest prezydentem, głową państwa, szefem władzy wykonawczej. Najwyższym dowodzącym sił zbrojnych, człowiekiem z palcem na przycisku jądrowym. To wszystko pod określonymi warunkami... A jednym z nich jest prawo do oglądania go; w miarę często. I prokurator generalny godzinę później w Pokoju Sytuacyjnym podzielił niepokój Odella.

— Nie może wiecznie siedzieć w rezydencji — powiedział Walters.

Odell zdał im relację, w jakiej kondycji spotkał godzinę wcześniej prezydenta. Obecnych było tylko sześciu zaufanych: Odell, Stannard, Walters, Donaldson, Reed i Johnson oraz doktor Armitage, który miał wziąć udział w tym posiedzeniu jako doradca.

— On jest strzępem człowieka, cieniem niedawnego siebie. Do cholery, tego sprzed pięciu tygodni zaledwie — stwierdził Odell. Jego słuchacze posępnie spojrzeli po sobie.

Doktor Armitage wyjaśnił, że prezydent Cormack cierpi na głęboko traumatyczny szok pourazowy, z którego nie potrafi się, jak widać, otrząsnąć.

— Co to oznacza, jeśli pominąć cały żargon? — burknął Odell.

— Oznacza to — cierpliwie odparł doktor Armitage — że głowa państwa cierpi na tak ciężką wewnętrzną depresję, że jego wola, aby działać dalej, została sparaliżowana.

Zaraz po porwaniu, relacjonował psychiatra, dotknął prezydenta podobny, jednak nie aż tak ciężki uraz. Problemem wówczas były obciążenia i strach — ponieważ nie wiedział, co stało się z jego synem, czy żyje, czy nie, czy jest w dobrej kondycji, czy nie był źle traktowany, i kiedy będzie znowu wolny.

Potem obciążenie trochę zelżało. Prezydent dowiedział się, drogą okrężną przez Quinna, że jego syn żyje. Gdy zbliżał się moment wymiany, jego stan się nawet polepszył.

Śmierć jedynego syna i brutalny sposób, w jaki ją zadano, trafiły go jak cios poniżej pasa. Zbyt zamknięty w sobie z natury, aby łatwo mógł porozumiewać się z innymi, zbyt zahamowany, aby dać wyraz swoim wewnętrznym uczuciom, zamknął swój ból w sobie i popadł w stan trwałej melancholii, która pogrzebała jego duchową i moralną siłę, owe właściwości, które określa się jako wolę człowieka.

Członkowie komitetu przysłuchiwali mu się w przygnębieniu. Polegali na wyjaśnieniach psychiatry mówiącego, w jakim stanie była psychiczna kondycja prezydenta, choć przy tych niewielu okazjach, kiedy go widzieli, nie potrzebowali eksperta, który by ich zorientował. Przygaszony i niezdolny do koncentracji, zmęczony aż do wyczerpania, przedwcześnie postarzały, bez śladu energii i zainteresowania życiem. Już wcześniej byli prezydenci, którzy chorowali, aparat rządowy dawał sobie z tym radę. Ale to teraz było nowe. Nawet pomijając wzbierające niepokoje w środkach masowego przekazu, wielu obecnych zaczęło stawiać sobie pytanie, czy John Cormack może i czy powinien sprawować dalej swój urząd.

Bill Walters przysłuchiwał się psychiatrze z kamienną twarzą. Ze swoimi czterdziestoma czterema latami był w Gabinecie najmłodszy, zahartowany w walce, błyskotliwy, elokwentny adwokat specjalizujący się w prawie gospodarczym, pochodzący z Kalifornii. John Cormack ściągnął go na stanowisko prokuratora generalnego do Waszyngtonu, aby wykorzystać jego talenty do zwalczania zorganizowanej przestępczości, która obecnie kryła się często za fasadą wielkich przedsiębiorstw. Ci, którzy podziwiali Waltersa, przyznawali, że mógł być bez skrupułów, głównie po to, aby dochodzić sprawiedliwości, jego wrogowie natomiast, a kilku miał, obawiali się jego uporu.

Miał miłą aparycję i czasem sprawiał wrażenie chłopca — ubrany jak młodzieniaszek z modnie ściętymi włosami. Jednak za zyskującym sympatię wyglądem mógł kryć się chłód, który bronił dostępu do jego wnętrza. Kto miał do czynienia z Waltersem, wiedział, że kiedy zmierzał on do celu, można było poznać to tylko po tym, że przestawał mrugać oczami. A jego skostniałe spojrzenie potrafiło wtedy odebrać resztki energii. Gdy doktor Armitage opuścił pomieszczenie, to właśnie Walters przerwał ponure milczenie.

— Moi panowie, będziemy chyba musieli poważnie spojrzeć na Dwudziestą Piątą...

Wszyscy to wiedzieli, ale on był pierwszy, otwarcie wskazał na tę możliwość. Według Dwudziestej Piątej poprawki do konstytucji wiceprezydent i najwyżsi rangą członkowie Gabinetu mogą przekazać prezydentowi państwa i rzecznikowi Izby Reprezentantów w formie pisemnej swoją opinię, że prezydent nie jest w stanie sprawować władzy i spełniać obowiązków swojego urzędu. Dokładnie jest to paragraf czwarty Dwudziestej Piątej poprawki.

— Z pewnością nauczyłeś się jej na pamięć, Bill — ofuknął go Odell.

— Poczekaj, Michael — wtrącił się John Donaldson. — Bill tylko o tym wspomniał.

— On sam zrezygnuje, nim do tego dojdzie — powiedział Odell.

— Tak — potwierdził Walters uspokajająco — ze względów zdrowotnych i to z całym usprawiedliwieniem, zrozumieniem i wdzięcznością narodu. My możemy mu tylko złożyć propozycję. To wszystko.

— Ale, rzecz jasna, jeszcze nie teraz — zaprotestował Stannard.

— Racja. Mamy czas — powiedział Reed. — Depresja z pewnością przejdzie. Odpocznie od tego i znowu będzie takim, jakim był.

— A jeśli nie? — podsunął Walters. Jego sztywne, skostniałe spojrzenie przesunęło się po każdej twarzy w pokoju. Michael Odell podniósł się natychmiast. W swoim czasie i on brał udział w politycznych rozgrywkach, ale Walters miał w sobie coś zimnego, co mu się nie podobało. Nigdy nie pił, a po żonie można było zauważyć, że seks u nich istniał tylko według podręcznika.

— Dobrze, będziemy mieli tę sprawę na oku — orzekł. — Tymczasem przesuwamy tę decyzję. Zgoda?

Wszyscy obecni skinęli głowami i podnieśli się. Nie chciano na razie rozważać możliwości zastosowania Dwudziestej Piątej poprawki do konstytucji. Na razie.

Żyzne pszeniczne i jęczmienne pola Dolnej Saksonii i Westfalii na północy i wschodzie, wraz z krystaliczną wodą, tryskającą ze źródeł pobliskich wzgórz, uczyniły z Dortmundu miasto piwa. Był rok 1293, kiedy to król Adolf z dynastii Nassau przyznał mieszczanom tego małego miasteczka w południowym zakątku Westfalii prawo warzenia piwa.

Stal, ubezpieczenia, banki i handel dołączyły później, dużo później. Piwo było podstawą dobrobytu, dziesiątki lat mieszkańcy Dortmundu w przeważającej części pili sami, co warzyli. Rewolucja przemysłowa drugiej połowy i końca XIX wieku dostarczyła trzeciego czynnika poza ziarnem i wodą — spragnionych robotników fabryk, które wyrastały jak grzyby po deszczu wzdłuż rzeki Ruhry. Położone u szczytu doliny, z widokiem na południowy zachód aż po górujące nad miastami kominy Essen, Duisburga i Düsseldorfu, miasto rozłożyło się pomiędzy uprawnymi obszarami zboża a konsumentami. Ojcowie miasta wykorzystali to położenie i Dortmund stał się piwną stolicą Europy.

Siedem gigantycznych browarów opanowało branżę: Brinkhoff, Kronen, DAB, Stifts, Ritter, Thier i Moritz. Hans Moritz był szefem przedostatniego co do wielkości browaru i głową dynastii, która sięgała osiem pokoleń wstecz. Ale był on ostatnim piwowarem, którego imperium należało do niego samego i dlatego nader zamożnym. Po części z powodu bogactwa i po części z powodu sławnego nazwiska grupa Baader-Meinhof uprowadziła jego córkę Renatę. Dziesięć lat temu.

Quinn i Sam zakwaterowali się w hotelu Roemischer Keiser w centrum miasta i wtedy to Quinn z niewielką nadzieją zajrzał do książki telefonicznej. Prywatny numer, rzecz jasna, był zastrzeżony. Napisał na hotelowym papierze list, zatelefonował po taksówkę i kazał zawieźć go do biura zarządu browaru.

— Sądzisz, że ten twój przyjaciel jeszcze tu mieszka? — spytała Sam.

— Na pewno — odparł Quinn. — Może najwyżej przebywać gdzieś za granicą lub w którejś ze swoich sześciu posiadłości.

— Lubi więc podróżować — zauważyła Sam.

— Tak. W ten sposób czuje się bezpiecznie. Francuska Riviera, Karaiby, chatka narciarska, jacht...

Miał rację sądząc, że willa nad Jeziorem Bodeńskim została już dawno sprzedana; tam właśnie dokonano porwania.

I miał też szczęście. Siedzieli właśnie przy obiedzie, gdy Quinna poproszono do telefonu.

— Herr Quinn?

Rozpoznał głos, głęboki i kulturalny. Tamten mówił czterema językami, mógł zostać wielkim pianistą. Może powinien.

— Herr Moritz. Jest pan w Dortmundzie?

— Pamięta pan mój dom? Właściwie powinien pan. Spędził pan w nim kiedyś dwa tygodnie.

— Tak, sir. Pamiętam. Nie wiedziałem tylko, czy pan go jeszcze ma...

— Mam. Renata go uwielbia i nie pozwoliłaby go zmienić na inny. Co więc mogę dla pana zrobić?

— Chciałbym się z panem spotkać.

— Jutro rano. Przy kawie o wpół do jedenastej.

— Będę.

Ruszył przez Ruhrwald Strasse na południe od Dortmundu, aż mieli za sobą rozrastającą się przemysłową i handlową dżunglę miasta i dotarli do podmiejskiej dzielnicy Syburg. Tu zaczynały się wzgórza, falujące i zalesione, a posiadłości położone pośród tych lasów skrywały domy bogaczy.

Rezydencja Moritza stała w czteroakrowym parku przy końcu alejki odchodzącej od Hohensyburg Strasse. Po drugiej stronie doliny pomnik obywatela Syburga spoglądał wzdłuż Ruhry na wieże kościelne Saurelandu.

Willa była prawdziwą fortecą. Ogrodzenie z grubej siatki otaczało cały teren, a brama z hartowanej stali była zdalnie sterowana i nadzorowana przez kamerę umieszczoną dyskretnie na pobliskiej sośnie. Ktoś obserwował Quinna, gdy wysiadł z samochodu i oznajmił swe przybycie do metalowej kratki z boku bramy. Dwie sekundy później skrzydła bramy otworzyły się, a gdy samochód przejechał, zamknęły się ponownie.

— Herr Moritz ceni sobie prywatność — zauważyła Sam.

— Ma powody — odparł Quinn.

Zaparkował na brązowym żwirze przed białą, ozdobioną sztukaterią willą, a kamerdyner w liberii wprowadził ich do środka. Hans Moritz czekał w eleganckim salonie, gdzie w dzbanku ze starego srebra stała kawa. Jego włosy posiwiały od czasów, jakie Quinn zachował w pamięci, twarz ukazywała więcej zmarszczek, ale uścisk dłoni był równie silny, a uśmiech tak samo poważny jak dawniej.

Ledwie zajęli miejsca, kiedy drzwi się otworzyły i na progu z wahaniem przystanęła młoda kobieta. Twarz Moritza rozjaśniła się. Quinn się odwrócił.

Była ładna, ale w sposób pozbawiony wyrazu, nieśmiała aż do obawy przed ludźmi. Jej obie dłonie kończyły się kikutami małych palców. Musi mieć teraz dwadzieścia pięć lat, pomyślał Quinn.

— Renato, skarbeńku, to Quinn. Pamiętasz go? Nie, naturalnie, że nie.

Moritz wstał, podszedł do córki, mruknął jej parę słów do ucha i pocałował ją w głowę. Odwróciła się i odeszła. Moritz zajął ponownie swoje miejsce. Jego twarz nie ukazywała żadnego uczuciowego wzruszenia, tylko niespokojne palce zdradzały wewnętrzną burzę.

— Ona... hm... nie przyszła jeszcze do siebie. Terapia jeszcze trwa. Najchętniej siedzi w domu, rzadko go opuszcza. Nie wyjdzie za mąż... po tym, co te bestie jej zrobiły...

Na fortepianie Steinbecka stała fotografia: śmiejąca się niesforna czternastolatka na nartach. Rok po tym Moritz znalazł żonę w garażu w zamkniętym aucie, do którego przez gumowy przewód płynęły spaliny. Quinn dowiedział się o tym w Londynie. Moritz starał się odzyskać panowanie nad sobą.

— Niech pan wybaczy. Co mogę dla pana zrobić?

— Próbuję znaleźć kogoś. Urodził się w Dortmundzie sporo lat temu. I może żyć tu nadal albo gdzieś indziej w Niemczech. Możliwe też, że umarł lub jest za granicą. Nie wiem.

— Hm, są różne agencje, fachowcy. Mogę komuś to zlecić... — Moritz sądził, że Quinn potrzebuje pieniędzy, aby zaangażować prywatnych detektywów. — Mógłby pan też zapytać w urzędzie meldunkowym.

Quinn potrząsnął głową. — Wątpię, żeby tam coś wiedzieli. Niemal na pewno ten ktoś niezbyt chętnie obcuje z władzami. Ale myślę, że policja może mieć na niego oko...

Technicznie rzecz biorąc niemieccy obywatele, którzy się przeprowadzają, muszą zgłosić to urzędom meldunkowym wraz ze starym i nowym adresem. Jednak jak większość administracyjnych procedur także i ta funkcjonuje w teorii lepiej niż w praktyce. Właśnie ci, którymi interesuje się policja, urząd skarbowy lub oba te urzędy na raz, często tego obowiązku nie dopełniają.

Quinn nakreślił przeszłość Wernera Bernhardta.

— Jeśli jest ciągle w Niemczech, to w wieku przedemerytalnym — powiedział. — Jeśli nie przybrał żadnego innego nazwiska, płaci składki socjalne i podatek dochodowy; chyba że ktoś płaci to za niego. Z uwagi na swą przeszłość popadł w konflikt z prawem.

Moritz przemyślał te uwagi.

— Jeśli postępuje zgodnie z prawem, a nawet były najemnik mógł nie popełnić żadnego czynu karalnego na niemieckim obszarze, to nie ma kartoteki policyjnej — odezwał się po chwili. — Co do podatków i ubezpieczenia socjalnego, to władze uznają te informacje za poufne i nie odpowiedzą na pytanie ani pana, ani moje.

— Zareagowaliby jednak, gdyby to policja chciała takiej informacji — podsunął Quinn. — Myślałem, że pana przyjaciele w miejskiej lub w federalnej policji...

— Ach tak — powiedział Moritz. Tylko on sam wiedział, jak wiele już ofiarował na fundusze wspierania policji miasta Dortmund i krajową Westfalii. Jak w każdym kraju świata pieniądze to władza, a mając jedno i drugie dochodzi się do informacji. — Niech pan mi da dwadzieścia cztery godziny. Zadzwonię do pana.

Dotrzymał słowa, ale w jego tonie słychać było rezerwę, jakby ktoś go ostrzegł, kiedy to nazajutrz rano zadzwonił do Roemischer Keiser.

— Werner Richard Bernhardt — mówił, jakby czytał z notatek — lat czterdzieści osiem, były najemnik z Kongo. Tak, żyje i mieszka tu, w Niemczech. Członek osobistego personelu Horsta Lenzlingera, handlarza bronią.

— Wielkie dzięki. A gdzie znajdę Herr Lenzlingera?

— To nie takie proste. Ma biuro w Bremie, ale mieszka blisko Oldenburga, w okręgu Ammerland. Tak jak ja, ceni sobie spokój, z dala od świata. Ale to jedyne podobieństwo. Niech pan uważa na tego Lenzlingera, Herr Quinn. Moje źródła donoszą, że za szacowną fasadą kryje się w nim ciągle zwyczajny gangster.

Podał Quinnowi oba adresy.

— Dziękuję — powiedział Quinn, notując. Potem na linii nastąpiła kłopotliwa przerwa.

— Jeszcze jedno. Przykro mi. To od dortmundzkiej policji. Chcą, by pan opuścił Dortmund. I nie wracał tu. To wszystko.

Wiadomość o udziale Quinna w tym, co stało się na poboczu drogi w hrabstwie Buckingham, rozprzestrzeniała się. Już wkrótce wiele drzwi zacznie się przed nim zamykać.

— Masz ochotę prowadzić? — zapytał Sam, gdy spakowali się i opuścili hotel.

— Jasne. A dokąd?

— Do Bremy.

Sprawdziła na mapie.

— Mój Boże, to w połowie trasy z powrotem do Hamburga.

— Dwie trzecie, dokładnie biorąc. Wyjedziesz na E37 w stronę Osnabrück i dalej trzymaj się drogowskazów. Będziesz zachwycona.

Tego wieczora pułkownik Robert Easterhouse odleciał z Dżuddy do Londynu, tam przesiadł się na inny samolot i tak dotarł do Houston. W Boeingu miał do dyspozycji podczas lotu przez Atlantyk wszystkie amerykańskie gazety i magazyny.

W trzech znajdowały się artykuły na ten sam temat, a tok rozumowania każdego z autorów był niezwykle podobny. Do elekcji prezydenckiej w listopadzie 1992 roku pozostał już tylko rok. Przy normalnym biegu rzeczy byłoby już teraz pewne, kogo wystawi partia republikańska. Prezydent Cormack zapewniłby sobie drugą kadencję bez żadnej konkurencji.

Jednak bieg wydarzeń w minionych sześciu tygodniach nie był normalny, wyjaśniali autorzy swoim czytelnikom, jakby ci potrzebowali takiego oświecenia. Potem relacjonowali, że śmierć syna miała urazowy i paraliżujący skutek na urząd prezydenta.

Wszystkie trzy artykuły wyliczały listę jego słabości: odwołane przemówienia i publiczne wystąpienia w minionych dwóch tygodniach po pogrzebie na Nantucket. Jeden z dziennikarzy nazwał prezydenta niewidzialnym człowiekiem.

Wszystkie trzy dochodziły do podobnego wniosku. Czy nie byłoby lepiej, pytano, gdyby prezydent zrezygnował ze swojego urzędu na rzecz Odella, dając wiceprezydentowi możliwość wdrożenia się przez ten rok i przygotowania do wyborów w listopadzie 1992 roku?

Ostatecznie, jak argumentował *Time*, szanse na główny punkt programu polityki zagranicznej, obronnej i ekonomicznej Cormacka — radykalne cięcie budżetu obronnego o sto miliardów dolarów w połączeniu z odpowiednią redukcją ze strony ZSRR — już zostały pogrzebane.

„Ratowaniem topielca" określił *Newsweek* szansę na ratyfikowanie umowy po przerwie bożonarodzeniowej przez Kongres.

Easterhouse wylądował w Houston krótko przed północą, spędzając dwanaście godzin w powietrzu i dwie w Londynie. Nagłówki gazet w kiosku na lotnisku w Houston były jeszcze bardziej szczere — Michael Odell był Teksańczykiem i jeśliby zajął miejsce Cormacka, byłby pierwszym teksaskim prezydentem od czasów Johnsona.

Narada z Grupą Alamo była wyznaczona na pojutrze w budynku Pan-Global. Firmowe auto zawiozło Easterhouse'a do Remington, gdzie zarezerwowany był dla niego apartament. Zanim położył się spać, wysłuchał jeszcze aktualnych wiadomości. Tu także stawiano *to* pytanie.

Pułkownika nie poinformowano o Planie Travisa. Nie musiał o nim wiedzieć. Ale wiedział, że zmiana na stanowisku prezydenta usunęłaby ostatnią przeszkodę na drodze jego wszystkich zamierzeń: nowy prezydent nakazałby zapewne zabezpieczyć Rijad i pola naftowe Hasa siłom szybkiego reagowania.

Taki przypadek, pomyślał jeszcze zapadając w sen. Taki szczęśliwy przypadek.

Mała mosiężna tabliczka na ścianie obok obitych boazerią drzwi zaadaptowanego magazynu podawała zwyczajnie: *Firma Spedycyjna Thor AG*. Lenzlinger krył swoje prawdziwe interesy za kamuflażem firmy przewozowej, choć nigdzie nie widać było żadnych ciężarówek, a zapach oleju napędowego nie przeniknął do wyłożonych grubymi dywanami pomieszczeń biurowych na czwartym piętrze, gdzie schodami dotarł Quinn.

Tak jak przy wejściu z ulicy, i tu był przycisk z domofonem i kamerą.

Adaptacja starego magazynu przy bocznej uliczce wiodącej od starych doków, tam gdzie Wezera przystaje na swej drodze do Morza Północnego, dając tym możliwość powstania starej Bremy, nie była tania.

Sekretarka, na którą trafił w pierwszym pokoju, pasowała lepiej do rzekomej firmy spedycyjnej. Gdyby Lenzlinger posiadał ciężarówki, mogłaby bez trudu uruchamiać je na popchnięcie.

— *Ja, bitte?* — spytała, choć jej przenikliwe spojrzenie mówiło jasno, że to on, nie ona, jest tu petentem.

— Chciałbym rozmawiać z Herr Lenzlingerem — powiedział Quinn.

Kazała podać sobie nazwisko i zniknęła w prywatnym sanktuarium, zamykając za sobą drzwi. Quinn miał wrażenie, że lustro w ścianie działowej jest dwustronne. Wróciła po trzydziestu sekundach.

— A o co chodzi, Herr Quinn?

— Chciałbym zobaczyć się z jednym z pracowników Herr Lenzlingera, niejakim Wernerem Bernhardtem — odparł.

Znowu zniknęła za kulisami. Tym razem nie było jej ponad minutę. Gdy wróciła, zamknęła energicznie drzwi między sobą i tym, kto siedział wewnątrz.

— Przykro mi, ale Herr Lenzlinger nie może teraz z panem rozmawiać — oznajmiła. Brzmiało to ostatecznie.

— Zaczekam — zdecydował Quinn.

Obrzuciła go spojrzeniem, z którego bił żal, że była zbyt młoda, aby być komendantką obozu koncentracyjnego, gdzie on byłby więźniem, i zniknęła po raz trzeci. Gdy ponownie usiadła za biurkiem, zachowywała się tak, jakby on był nieobecny, i zaczęła zajadle walić w klawisze maszyny do pisania.

Drugie drzwi otworzyły się po chwili i wyszedł z nich mężczyzna. Typ, który mógł być dobrym kierowcą ciężarówki, chodząca lada chłodnicza. Jasnoszary garnitur był tak dobrze skrojony, że prawie skrywał zwały mięśni; krótko ścięte, ułożone włosy, woda po goleniu i przybrana grzeczność — też kosztowały go trochę. Pod tym wszystkim krył się jednak zwyczajny pałkarz.

— Herr Quinn — odezwał się spokojnie. — Herr Lenzlinger nie może ani pana przyjąć, ani odpowiedzieć na pańskie pytania.

— W tym momencie nie — zauważył Quinn.

— Ani w tym, ani w innym, Quinn. Proszę odejść.

Quinn uznał, że nic tu po nim. Zszedł na dół i wyłożoną brukiem ulicą wrócił do Sam czekającej w samochodzie.

— Nie da się z nim porozmawiać w biurze — powiedział. — Będę musiał odszukać go w domu. Ruszamy do Oldenburga.

Oldenburg to kolejne stare miasto, które od wieków prowadziło handel na rzece Hunte, niegdyś siedziba hrabiów Oldenburga. Starówka otoczona jest jeszcze dzisiaj fragmentami dawnych murów obronnych i fosy tworzonej przez ciąg połączonych kanałów.

Quinn znalazł taki hotel, jaki zawsze lubił — cichy zajazd z wewnętrznym podwórzem „Graf von Oldenburg" przy ulicy Świętego Ducha.

Nim zamknięto sklepy, zdążył jeszcze do takiego z artykułami gospodarstwa domowego i sprzętem turystycznym; w kiosku kupił mapę okolic w największej możliwej skali. Po kolacji zdumiał Sam spędzając godzinę na tym, aby na kupionej wcześniej piętnastometrowej linie w odstępach co pół metra spleść węzły, a na koniec przymocować na niej trójzębną kotwiczkę.

— Gdzie ty się wybierasz? — zapytała.

— Chyba na drzewo. — Więcej nie chciał powiedzieć. Opuścił ją przed nastaniem świtu, twardo śpiącą.

Znalazł posiadłość Lenzlingera godzinę później, dokładnie na zachód od miasta, na południe od wielkiego jeziora Bad Zwischenahn, pomiędzy wioskami Portsloge i Janstrat. Był to płaski obszar ciągnący się bez żadnych wzniesień po obu brzegach Ems, by sto kilometrów dalej na zachód stać się północną Holandią.

Poprzecinana miriadami rzeczek i kanałów, które osuszają podmokłe równiny, ta kraina między Oldenburgiem a granicą usiana jest lasami bukowymi, dębowymi i iglastymi. Posiadłość Lenzlingera leżała pomiędzy lasami, był to dawny obwarowany dwór szlachecki, otoczony własnym pięcioakrowym parkiem, a całość okolona była wysokim na dwa i pół metra murem.

Quinn spędził cały ranek, ubrany w maskujący zielony kombinezon, z twarzą przysłoniętą płócienną siatką, na gałęzi potężnego dębu naprzeciw drogi, która prowadziła do posiadłości. Dzięki lornetce na podczerwień zobaczył wszystko, co chciał widzieć.

Zbudowany z kamienia piaskowego dwór tworzył wraz ze swoimi przybudówkami literę L, której krótsze ramię stanowił budynek główny, piętrowy, z poddaszem. W dłuższym umieszczone były dawniej stajnie, które przebudowano na mieszkania dla personelu. Quinn naliczył czworo służby: kamerdynera, kucharza i dwie sprzątaczki. Jego szczególną uwagę przykuły urządzenia zabezpieczające. Były liczne i kosztowne.

Lenzlinger zaczął jako młody cwaniak w końcu lat pięćdziesiątych od sprzedawania każdemu chętnemu za bezcen broni z demobilu. Nie mając licencji na taką działalność, fałszował wszelkie dokumenty ostatniego nabywcy i nie stawiał żadnych pytań. Był to czas kolonialnych wojen wyzwoleńczych i rewolucji w Trzecim Świecie. Ale jako pionek w tym biznesie mógł za to nieźle żyć, nic więcej.

Jego wielka godzina wybiła wraz z wojną domową w Nigerii. Oszukał wtedy Biafrańczyków na ponad pół miliona dolarów; zapłacili za bazooki, a otrzymali żeliwne rynny. I nie mylił się uznając, że są oni zbyt zajęci walką o swoje przeżycie, by wyruszać na północ dla policzenia się z nim.

Na początku lat siedemdziesiątych zdobył licencję na ten handel — ile go musiała kosztować, Quinn mógł się tylko domyślać — i zaopatrzył pół tuzina prowadzących wojnę stron w Afryce, Ameryce Środkowej i na BliskimWschodzie, a poza tym ukręcił jeszcze okazyjny brudny interes (znacznie bardziej intratny) z ETA, IRA i paroma innymi organizacjami terrorystycznymi. Kupował od Czechosłowacji, Jugosławii i Korei Północnej, dostawców potrzebujących twardych walut, i sprzedawał wszystkim sfrustrowanym. Do 1985 roku zdążył opchnąć nowoczesną broń z Korei Północnej obu stronom w wojnie pomiędzy Iranem a Irakiem. Nawet niektóre rządowe agencje wywiadowcze korzystały z jego zapasów, gdy szukały broni nieznanego źródła dla cichego wspierania różnych rewolucji.

To wszystko zrobiło z niego bardzo zamożnego człowieka. Obdarowało go również mnóstwem wrogów. A chciał korzystać z pierwszego i pokrzyżować plany drugim.

Wszystkie okna na dole i na piętrach były zabezpieczone elektronicznie. Mimo iż Quinn nie mógł widzieć tych urządzeń, wiedział, że tak samo było przy drzwiach. To był wewnętrzny pierścień umocnień. Zewnętrzny tworzył mur. Biegł on dookoła posiadłości, bez przerw, na górze zabezpieczony dwoma pasmami ostrej jak brzytwa metalowej taśmy, a drzewa tak przycięto, by żadne gałęzie nie wystawały poza mur. I było coś jeszcze, błyskające w promieniach zimowego słońca. Napięty drut, cienki jak struna od fortepianu, niesiony przez ceramiczne sworznie wzdłuż krawędzi muru, pod napięciem, połączony z urządzeniem alarmowym, czuły na każde dotknięcie.

Pomiędzy murem a domem był wolny teren, w najwęższym miejscu o szerokości czterdziestu metrów, kontrolowany przez kamery, strzeżony przez psy. Widział dwa dobermany w kagańcach i na smyczy wyprowadzone na poranny spacer. Ich opiekun nie mógł być Bernhardtem. Był za młody.

Quinn obserwował, jak za pięć dziewiąta mercedes 600 z przyciemnionymi szybami odjechał w kierunku Bremy. Ten od lady chłodniczej odprowadził na tylne siedzenie postać osłoniętą płaszczem, w czapce futrzanej na głowie, a sam usiadł na miejscu pasażera obok kierowcy, który ruszył szybko i minąwszy stalową bramę pognał na drogę, by po chwili przemknąć pod konarem, gdzie leżał Quinn.

Quinn liczył się z czterema, może pięcioma ochroniarzami. Sądząc po aparycji, kierowca mógł być jednym, ten od lady nie przedstawiał wątpliwości. Zostawał wyprowadzający psy i pewnie jakiś czwarty w środku domu. Bernhardt?

Centrum systemu zabezpieczającego było, jak się wydawało, na parterze, tam gdzie skrzydło służbowych mieszkań personelu stykało się z budynkiem głównym. Wyprowadzający psy wchodził i wychodził tam wiele razy, korzystając z małych drzwi, które prowadziły prosto na trawniki. Quinn przypuszczał, że nocny strażnik mógł ustawiać od środka reflektory, kamery telewizyjne i wypuszczać psy. Do południa Quinn miał już ułożony plan, zszedł z drzewa i wrócił do Oldenburga.

Popołudnie spędzili na zakupach. Quinn wypożyczył furgonetkę i skompletował narzędzia, a Sam załatwiała resztę rzeczy z listy, jaką jej dał.

— Czy mogę pojechać z tobą? — zapytała. — Poczekam na zewnątrz.

— Nie. Już jeden wóz na tej wiejskiej drodze w środku nocy jest wystarczająco podejrzany. Dwa to prawie korek... — Wyjaśnił jej, czego od niej oczekuje, i dodał: — Czekaj tutaj, kiedy się pojawię, nic więcej. Czuję, że może mi się śpieszyć.

O drugiej w nocy zatrzymał furgonetkę przy murze. Wysoka nadbudówka skrzyni sprawiała, że mógł patrzeć za mur, gdy stał na dachu. Dla ciekawskich oczu z boku pojazdu był naklejony emblemat firmy zajmującej się antenami telewizyjnymi. Co było także wyjaśnieniem dla wysuwanej drabiny aluminiowej, przymocowanej do bagażnika na dachu.

Gdy zajrzał przez mur, widział w świetle księżyca pozbawione liści drzewa w parku, trawniki ciągnące się aż do domu i przyćmione światło padające z pomieszczenia kontrolnego strażnika.

Obiektem, który wybrał na akcję dywersyjną, było pojedynczo stojące drzewo, oddalone tylko o dwa i pół metra od muru. Ustawił się na dachu furgonetki i zamachnął dookoła pudełkiem z tworzywa sztucznego umocowanym na żyłce. Gdy nabrało odpowiedniej prędkości, wypuścił żyłkę. Pudełko zatoczyło lekki łuk, poleciało między gałęzie drzewa i zaczęło spadać. Żyłka zatrzymała je nagle. Quinn popuścił jej tyle, by huśtające się pudełko zawisło prawie trzy metry nad murawą parku, i wtedy przywiązał żyłkę.

Włączył silnik i furgonetka przetoczyła się cicho wzdłuż muru około dwudziestu metrów, aż do miejsca naprzeciw pokoju strażnika. Furgonetka miała na bokach stalowe uchwyty, co rano miało wywołać zdumienie w wypożyczalni aut. Quinn wsunął w nie drabinę tak, że sięgała ona wysoko ponad mur. Z najwyższego szczebla mógł zeskoczyć do parku nie dotykając ostrej jak brzytwa taśmy i drutu czujnika. Wszedł na drabinę, umocował linę na najwyższym szczeblu i czekał. Widział, jak cień dobermana przemknął przez oświetlony przez księżyc skrawek parku.

Hałasy, które zaczęły się rozlegać, były tak ciche, że on nie mógł ich słyszeć, ale psy słyszały. Zobaczył, jak jeden przystaje, zamiera, nasłuchuje i potem biegiem rzuca się na miejsce, gdzie czarne pudełko zwisa z gałęzi na żyłce. Inny doberman przybiegł kilka sekund później. Dwie kamery przy ścianie domu obróciły się w ich kierunku. I tak zostały.

Pięć minut później wąskie drzwi otworzyły się i stanął w nich mężczyzna. Nie ten od psów z minionego rana, tylko nocny strażnik.

— Lothar, Wotan, *was ist denn los?* — rzucił cicho.

Teraz obaj z Quinnem słyszeli, jak dobermany warczą gdzieś pomiędzy drzewami. Mężczyzna wrócił do środka, zerknął na swoje monitory, ale nie widział nic. Pokazał się znowu z latarką, wyjął rewolwer i ruszył za psami. Drzwi zostawił otwarte.

Quinn skoczył jak cień z końca drabiny ponad murem cztery metry w dół. Wylądował jak skoczek spadochronowy z obrotem do przodu, podniósł się, przebiegł pomiędzy drzewami przez trawnik i do pokoju kontrolnego, zatrzaskując za sobą drzwi.

Spojrzenie na monitory powiedziało mu, że strażnik ciągle jeszcze próbuje odciągnąć dobermany od muru sto metrów dalej. W końcu odkryje magnetofon kasetowy, który kiwał się nad ziemią, a dobermany wściekały się podskakując do urządzenia, które nęciło je strumieniem warczenia i prychania. Godzinę spędził Quinn w pokoju hotelowym na tym, aby przygotować tę taśmę, ku zdumieniu reszty gości. Nim strażnik zorientuje się, że został oszukany, będzie już za późno.

W pokoju kontrolnym były drugie drzwi, które łączyły się z głównym domem. Quinn schodami dotarł na piętro. Było tu sześć par drzwi dębowych z rzeźbionymi wzorami i przypuszczalnie wszystkie wiodły do sypialni. Jednak światła, które widział wczesnym rankiem, wskazywały, że właściciel sypiał na drugim końcu. I tak było.

Horst Lenzlinger obudził się, gdy poczuł, że coś ciężkiego wciska mu się w ucho powodując ból. Potem zapaliła się lampka nocna. Wydał z siebie oburzający okrzyk i i zamilkł wpatrzony niemo w twarz przed nim. Dolna warga drżała mu. To był ten człowiek, który wszedł do jego biura i którego twarz już wtedy mu się nie podobała. Teraz podobała mu się jeszcze mniej, a także to, że lufa pistoletu tkwiła dobry centymetr w jego uchu.

— Bernhardt — odezwał się mężczyzna w kombinezonie maskującym. — Chciałbym rozmawiać z Wernerem Bernhardtem. Niech pan zadzwoni. I każe mu tu przyjść. Natychmiast.

Lenzlinger gorączkowo poszukał domofonu, wybrał numer i zaspany głos zgłosił się po chwili.

— Werner — zawołał piskliwie do mikrofonu — rusz dupę i przychodź tu. Natychmiast. Tak, do mojej sypialni. Pospiesz się.

Podczas gdy czekali, Lenzlinger spoglądał na swojego nieproszonego gościa z mieszanymi uczuciami strachu i złości. Obok niego na czarnym jedwabnym prześcieradle posapywała we śnie młodziutka, sprowadzona na noc Wietnamka, przeraźliwie chuda, prawie dziecko, zbrukana laleczka. Ukazał się Bernhardt w swetrze polo założonym na pidżamę. Ogarnął wzrokiem sytuację i stanął jak osłupiały.

Był w odpowiednim wieku, pod pięćdziesiątkę. Okropna, bladawa twarz, piaskowe włosy, które na skroni były już siwe, oczy jak paciorki.

— *Was ist denn hier*, Herr Lenzlinger?

— Pytania stawiam ja — zaznaczył Quinn po niemiecku. — Niech pan mu poleci, aby odpowiadał na nie zgodnie z prawdą i bez ogródek. W przeciwnym razie może pan zeskrobywać swój mózg łyżką z abażuru. To dla mnie małe piwo. No już.

Lenzlinger powtórzył mu. Bernhardt skinął głową.

— Byłeś w Piątym Commando pod Johnem Petersem?

— *Ja*.

— Potem pozostałeś tam w czasie buntu w Stanleyville, marszu na Bukavu i podczas oblężenia?

— *Ja*.

— Spotkałeś kiedykolwiek wielkiego Belga o nazwisku Paul Marchais? Wielki Paul, tak go nazywali.

— Tak, przypominam go sobie. Przyszedł z Dwunastego Commando, od Schramme'a. Kiedy Denard dostał postrzał w głowę, wszyscy przeszliśmy pod Schramme'a. A o co chodzi?

— Opowiedz mi o Marchais.

— Ale co?

— Wszystko. Jak wyglądał?

— Wielki, zbudowany, ponad metr dziewięćdziesiąt, dobry żołnierz, wcześniej był mechanikiem samochodowym.

Tak, pomyślał Quinn, ktoś musiał wyszykować tego forda transita, ktoś, kto znał się na silnikach i na spawaniu. A więc to Belg robił tu za mechanika.

— Kto był wtedy jego najbliższym kumplem? — Quinn wiedział, że najemnicy, podobnie jak policjanci na patrolu, tworzą pary i liczą raczej na określonego kumpla niż na kogoś innego, kiedy rzeczywiście robi się gorąco.

Bernhardt zmarszczył czoło, koncentrując się.

— Tak, miał jednego. Zawsze trzymali się razem. Zaprzyjaźnili się, gdy Marchais był w Piątym. Z Afryki Południowej. Mogli się dogadać w tym samym języku. Flamandzkim lub afrykańskim.

— Jak się nazywał?

— Pretorius, Janni Pretorius.

Quinnowi zamarło serce. Południowa Afryka była daleko, a Pretorius to bardzo popularne nazwisko.

— Co się z nim stało? Wrócił do Afryki Południowej? Zmarł?

— Nie, ostatnio słyszałem, że osiadł w Holandii. Ale to było już sporo czasu temu. I nie wiem, gdzie on teraz przebywa. Naprawdę, Herr Lenzlinger. Z dziesięć lat temu to słyszałem.

— On nie wie — biadolił Lenzlinger. — Niech pan zabierze teraz tę rzecz z mojego ucha.

Quinn uznał, że od Bernhardta niczego już się nie dowie. Chwycił Lenzlingera za koszulę nocną i wyciągnął go do góry z łóżka.

— Idziemy do frontowych drzwi — powiedział. — Wolno i spokojnie. Bernhardt, ręce na głowę. Ruszasz pierwszy. Jeden ruch i załatwię twojemu szefowi drugi pępek.

Schodzili jeden za drugim ciemnymi schodami. Przy wejściu głównym słyszeli walenie z zewnątrz — to strażnik, który próbował dostać się z powrotem do domu.

— Do tylnego wyjścia — nakazał Quinn.

Byli w połowie korytarza do pokoju kontrolnego, gdy Quinn wpadł po ciemku na dębowe krzesło i potknął się. Wtedy Lenzlinger wyśliznął mu się. W oka mgnieniu ten mały, korpulentny mężczyzna pobiegł do głównego holu, krzycząc z całych sił na swoich ochroniarzy. Quinn uderzeniem kolby unieszkodliwił Bernhardta, pognał w stronę pokoju kontrolnego i wybiegł na zewnątrz.

Był w połowie trawnika, kiedy w drzwiach pojawił się wrzeszczący Lenzlinger przywołując psy sprzed frontowego wejścia. Quinn odwrócił się, wycelował, strzelił i pobiegł dalej. Handlarz bronią wydał z siebie przeraźliwy krzyk bólu i zniknął w domu.

Quinn wcisnął broń za pasek spodni i zdążył parę metrów przed dobermanami chwycić linę. Wdrapał się na mur, gdy psy podskakiwały wysoko i już go niemal chwytały. Stąpnął na drut alarmowy — co wywołało w domu przeraźliwe dzwonienie urządzeń alarmowych — i zeskoczył na dach furgonetki. Wrzucił bieg i ruszył aleją, nim jakikolwiek pościg mógł pognać za nim.

Sam, zgodnie z umową, po spakowaniu bagaży i zapłaceniu rachunku, czekała w samochodzie naprzeciwko „Grafa von Oldenburg". Quinn zatrzymał furgonetkę i usiadł obok niej na miejscu pasażera.

— Kierunek zachód — powiedział. — E22 na Lier i Holandię.

Ludzie Lenzlingera mieli dwa samochody i kontakt ze sobą i z rezydencją drogą radiową. Stamtąd ktoś zadzwonił do najlepszego hotelu w mieście, City Club, gdzie podano mu, że pośród gości nie było nikogo o nazwisku Quinn. Dziesięć minut później z listy hoteli trafił na recepcję „Grafa von Oldenburg" i dowiedział się, że Herr i Frau Quinn już się wymeldowali. Otrzymał tylko orientacyjny opis ich samochodu.

Sam miała już za sobą Ofener Strasse i dotarła do obwodnicy 293, gdy za nimi pokazał się szary mercedes. Quinn zsunął się w dół tak, że głowę miał równo z krawędzią okna. Sam skręciła z obwodnicy na autostradę E22. Mercedes był za nimi.

— Podjeżdża z lewej — powiedziała.

— Jedź normalnie — mruknął Quinn ze swojej kryjówki. — Uśmiechaj się przyjaźnie i pomachaj im.

Mercedes zbliżył się i pozostał na tej samej wysokości. Było jeszcze na tyle ciemno, że wnętrze forda z zewnątrz było niewidoczne. Sam obróciła głowę. Nie znała ani lady chłodniczej, ani porannego opiekuna psów.

Posłała im promienny uśmiech i pomachała lekko. Mężczyźni patrzyli w jej kierunku bez wyrazu. Zastraszeni ludzie, którzy uciekają, nie uśmiechają się i nie kiwają. Po kilku sekundach mercedes przyspieszył, skręcił przy następnym zjeździe i wrócił do miasta. Dziesięć minut później Quinn wysunął się znowu na miejsce pasażera.

— Ten Herr Lenzlinger, jak mi się wydaje, nie darzy cię sympatią — powiedziała Sam.

— Chyba tak — odparł Quinn ze smutkiem w głosie. — Właśnie odstrzeliłem mu siusiaka.

ROZDZIAŁ CZTERNASTY

— Potwierdzono już, że obchody diamentowego jubileuszu powołania królestwa saudyjskiego odbędą się czternastego kwietnia tego roku — referował tego samego ranka pułkownik Easterhouse Grupie Alamo. Siedzieli w przestronnym gabinecie Cyrusa Millera na najwyższym piętrze Pan-Global w centrum Houston.

— Stadion za pół miliarda zadaszony dwustumetrową kopułą akrylową wykonano przed terminem. Drugie pół miliarda, przeznaczone na ten spektakl gloryfikacji kraju, wydane zostanie na jedzenie, ozdoby, upominki, przyjęcia, hotele i gościnne rezydencje dla osobistości ze świata oraz na samo widowisko. Siedem dni przed tym widowiskiem, nim przybędzie oczekiwane pięćdziesiąt tysięcy zagranicznych gości, przewidziano próbę generalną. Gwoździem czterogodzinnego programu będzie zdobywanie modelu Twierdzy Musmak naturalnej wielkości, w jej kształcie z 1902 roku. Budowlę tę wzniosą najzdolniejsi scenografowie Hollywoodu. „Obrońcy" zostaną oddelegowani z królewskiej gwardii i nosić będą tureckie stroje z tamtych czasów. „Atakującymi" będzie grupa złożona z pięćdziesięciu młodszych książąt dynastii, na koniach, prowadzona przez młodego krewnego króla, który jest podobny do szejka Abdula Azisa z 1902 roku.

— Świetnie — rzucił Scanlon. — Uwielbiam koloryt lokalny. A co z puczem?

— To właśnie ma być czas puczu — odparł pułkownik. — W wieczór próby generalnej na tym stadionie. Publiczność składać się będzie z sześciuset najwyższych członków królewskiej dynastii, prowadzonej osobiście przez panującego. Wszyscy będą ojcami, wujkami, matkami i ciotkami uczestników. Wszyscy będą siedzieć w loży królewskiej. Gdy ostatni uczestnicy wcześniejszej prezentacji opuszczą stadion, zamknę komputerowo wyjścia. Bramy wjazdowe otworzą się, by wpuścić pięćdziesięciu jeźdźców. Nikt poza mną nie wie, że za nimi wjedzie szybko dziesięć ciężarówek przerobionych na pojazdy armiii, które zatrzymają się przy

—— 294 ——

bramach. Po wjeździe ostatniej ciężarówki te bramy także zostaną zamknięte przez komputer. I nikt już stamtąd nie wyjdzie. A zamachowcy wyskoczą z ciężarówek, podbiegną do loży królewskiej i zaczną strzelać. Tylko jedna grupa pozostanie na samej arenie, aby załatwić pięćdziesięciu książąt, „obrońców" makiety Twierdzy Musmak, uzbrojonych tylko w ślepe naboje. Pięciuset członków królewskiej gwardii otaczających lożę królewską będzie próbowało bronić swoich panów, ale ich amunicja będzie eksplodować w magazynkach, zabijając każdego trzymającego tę broń w rękach. A innym broń się zablokuje. Zniszczenie królewskiej dynastii zajmie około czterdziestu minut. Każda scena będzie filmowana i przekazywana na żywo do telewizji większości państw Zatoki Perskiej.

— A jak skłoni pan królewską straż do wymiany amunicji? — zapytał Moir.

— Bezpieczeństwo w Arabii Saudyjskiej to już obsesja — odpowiedział pułkownik — i dlatego ciągle zmienia się procedurę. Gdy podpis pod jakimś rozkazem jest prawomocny, jest on ściśle przestrzegany. A ten zawarty jest w dokumencie, jaki sam sporządziłem, z autentycznym podpisem ministra spraw wewnętrznych, który uzyskałem na czystym blankiecie. Mniejsza o to jak. Arsenał podlega generałowi majorowi Al-Shakry z Egiptu i on dostarczy wadliwą amunicję; później Egipt otrzyma udział w saudyjskiej ropie po cenie, na jaką może sobie pozwolić.

— A regularna armia? — spytał Salkind. — To pięćdziesiąt tysięcy żołnierzy.

— Tak, ale nie wszyscy stacjonują w Rijadzie. Jednostki garnizonu będą brać udział w manewrach daleko od stolicy i powinny wrócić na dzień przed próbą generalną w Rijadzie. Pojazdy armii są konserwowane przez Palestyńczyków, członków imańskiego zagranicznego kontyngentu techników, wykonujących prace, do których niezdolni są Saudyjczycy. Oni sprawią, że pojazdy nie ruszą dalej i zatrzymają dziewięć tysięcy żołnierzy z Rijadu na pustyni.

— Co dostaną za to Palestyńczycy?

— Możliwość obywatelstwa — odparł Easterhouse. — Mimo iż techniczna infrastruktura Arabii Saudyjskiej zdana jest na ćwierć miliona Palestyńczyków, zatrudnianych na wielu płaszczyznach, konsekwentnie odmawia się im obywatelstwa. Bez względu na to, jak lojalnie służą temu krajowi. A w reżimie po usunięciu imama mogliby je uzyskać na podstawie półrocznego pobytu. Samo takie działanie odciągnie z Zachodniego Brzegu Jordanu i strefy Gazy, Jordanii i Libanu milion Palestyńczyków, którzy osiedlą się w swojej nowej ojczyźnie na południe od Nefud, co w północnej części Bliskiego Wschodu zapewni pokój.

— A po masakrze? — spytał Cyrus Miller. Nie miał czasu na eufemizmy.

— Pod koniec strzelaniny stadion stanie w ogniu — odpowiedział szybko pułkownik Easterhouse. — Zatroszczono się o to. Płomienie obejmą szybko budowlę i pochłoną to, co pozostanie z królewskiego dworu i puczystów. Kamery będą działały, aż się stopią, a potem na ekranie pojawi się sam imam.

— I co powie? — dociekał Moir.

— Tyle, żeby przerazić cały Bliski Wschód i Zachód. W odróżnieniu od zmarłego Chomeiniego, który zawsze mówił bardzo cicho, ten człowiek żarliwie wygłasza mowy. Gdy mówi, daje się ponieść emocjom, bo głosi posłanie Allaha i Mahometa i chce, aby go słuchano.

Miller ze zrozumieniem skinął głową. On także wiedział, co znaczy być głosem Boga.

— Gdy zagrozi on wszystkim świeckim i sunnickim reżimom sąsiadującym z Arabią, gdy oświadczy, że cały dochód w wysokości czterystu pięćdziesięciu milionów dolarów dziennie posłuży Świętemu Terrorowi, bo inaczej zniszczy pola naftowe w Hasa, to wtedy wszystkie arabskie królestwa, emiraty, szejkanaty czy republiki, od Omanu na południu aż do tureckiej granicy na północy, będą o pomoc prosić Zachód. Czyli Amerykę.

— A co z tym prozachodnim księciem saudyjskim, który ma zająć miejsce króla? — zapytał Cobb. — Jeśli zawiedzie...?

— Nie zawiedzie — odparł pewnie pułkownik. — Tak jak ciężarówki armii i bombowce sił powietrznych, które też zostaną unieruchomione, aby nie mogły przeszkodzić w masakrze, ale w odpowiednim czasie będą znowu gotowe, na wezwanie księcia. Palestyńczycy już się o to zatroszczą. Książę Chalidi bin Sudairi odwiedzi mnie po drodze na próbę generalną. Na pewno wypije drinka, bo jest alkoholikiem. Do drinka domieszany zostanie środek usypiający. Dwaj moi jemeńscy słudzy przetrzymają go przez trzy dni w piwnicy. Tam nakręcona zostanie taśma wideo i nagranie radiowe, mówiące, że on żyje, jest prawomocnym następcą swojego wuja i apeluje do Amerykanów, aby przywrócili praworządność. Zwróćcie panowie uwagę na to wyrażenie: Stany Zjednoczone będą interweniować nie po to, by dokonać kontrpuczu, lecz aby przywrócić *praworządność* z pełnym poparciem arabskiego świata. Potem przekażę księcia pod opiekę ambasady amerykańskiej, przez co Stany wciągnięte zostaną w sprawę, czy chcą, czy nie, gdyż ambasada będzie musiała bronić się przed hordami szyitów żądających wydania im księcia. Policja Religijna, armia i naród potrzebować będą wtedy tylko hasła, by napaść na szyickich uzurpatorów i wybić ich do ostatniego. Będzie nim przybycie pierwszych amerykańskich jednostek desantowych.

— A co będzie potem, pułkowniku — zapytał spokojnie Miller. — Otrzymamy to, czego potrzebujemy? Ropę dla Ameryki?

— Wszyscy otrzymają to, czego potrzebują, panowie. Palestyńczycy ojczyznę, Egipcjanie wystarczający kontyngent ropy, aby wyżywić swoje masy. Wuj Sam otrzyma kontrolę nad sudyjskimi i kuwejckimi rezerwami i tym samym ustalać będzie światowe ceny ropy dla dobra ludzkości. A książę będzie nowym królem, pijak mający mnie dzień i noc do dyspozycji. Jedynie Saudyjczycy stracą dziedzictwo i wrócą do swoich kóz. A sunnickie kraje arabskie wyciągną z tego swoją naukę. W obliczu pieniących się szyitów, którzy byli tak blisko triumfu, a jednak zostali pokonani, nie pozostanie zachodnim państwom nic innego jak wytępić fundamentalizm w samym rdzeniu, nim same padną jego ofiarą. W ciągu pięciu lat pokój i dobrobyt rozciągnie się od Morza Kaspijskiego po Zatokę Bengalską.

Pięciu Alamo zamilkło. Dwóch z nich myślało tylko o tym, aby skierować strumień ropy z Arabii Saudyjskiej do Ameryki. Pozostałych trzech deklarowało swoje poparcie. To, co właśnie usłyszeli, było planem nowego ukształtowania jednej trzeciej świata. Moirowi i Cobbowi — choć nie trzem pozostałym i na pewno nie pułkownikowi — przyszło na myśl, że Easterhouse musi być kompletnie zbzikowanym megalomanen. Zbyt późno spostrzegli, że siedzą już w diabelskiej karuzeli i nie mogą zwolnić ani wysiąść.

Cyrus Miller zaprosił Easterhouse'a na prywatny lunch do sąsiadującej jadalni. — Nie ma żadnych problemów, pułkowniku? — dowiadywał się, gdy jedli świeże brzoskwinie z jego cieplarni. — Naprawdę żadnych problemów?

— Jeden mógłby wyniknąć, sir — odparł Easterhouse ostrożnie. — Pozostało sto czterdzieści dni do godziny zero. Wystarczająco dużo czasu, aby jakaś celna informacja doprowadziła wszystko do upadku. Jest taki młodzieniec, były urzędnik bankowy... mieszka teraz w Londynie. Nazywa się Laing. Chciałbym, aby ktoś zamienił z nim kilka słów.

— Proszę mi więc powiedzieć — odezwał się Miller — coś więcej o tym panu Laingu.

Quinn i Sam, dwie i pół godziny po ucieczce z Oldenburga, dotarli do północnoholenderskiego miasta Groningen. Stolica prowincji o tej samej nazwie ma, podobnie jak niemieckie miasto po drugiej stronie granicy, średniowieczny rodowód, a jej sercem jest Stare Miasto chronione pierścieniem kanału. W dawnych czasach mieszkańcy mogli wycofać się do środka, podciągnąć swoje czternaście mostów, by obwarować się za tym wodnym wałem obronnym.

Rada miejska postanowiła w swej mądrości, że Stare Miasto nie zostanie zeszpecone przez bujnie rozrastające się budowle przemysłowe i betonową obsesję dwudziestego wieku. Odnowiono więc i odrestaurowano cały krąg uliczek, rynków, ulic, placów, kościołów, restauracji, hoteli i pasaży, które prawie bez wyjątku wybrukowane były kamieniami. Pilotowana przez Quinna Sam dotarła do hotelu De Doelen przy Grote Markt, gdzie się zameldowali.

Do niewielu nowoczesnych obiektów na Starym Mieście należy pięciopiętrowy gmach z czerwonej cegły przy Rade Markt, gdzie urzędowała policja.

— Znasz tu kogoś? — spytała Sam, gdy dochodzili tam.

— Znałem swego czasu — odparł Quinn. — Mógł już odejść na emeryturę. Ale miejmy nadzieję, że nie.

Nie był jeszcze emerytem. Młody, jasnowłosy oficer w dyżurce powiedział Quinnowi, że inspektor De Groot jest teraz komendantem i dowodzi Gemeente Politie. Kogo ma zameldować?

Quinn usłyszał krzyk radości w słuchawce, gdy policjant zadzwonił na górę. Młody mężczyzna uśmiechnął się.

— Chyba pana zna, *mijnheer*.

Poprowadzono ich niezwłocznie do biura naczelnika De Groota. Ten wyszedł im na powitanie — wielki, rumiany, misiowaty mężczyzna z przerzedzonymi włosami, w mundurze, ale i w kapciach chroniący jego stopy, które przez trzydzieści lat pokonały wiele kilometrów brukowanych ulic.

Holenderska policja ma dwa rodzaje służb: Gemeente czyli policję municypalną i policję kryminalną zwaną Recherche.

De Groot pasował do roli szefa policji municypalnej ze swoją wujkowatą posturą i zachowaniem, które przyniosły mu już dawno pośród kolegów po fachu i mieszkańców przydomek Papa De Groot.

— Quinn, Boże drogi, to ty! Dużo wody upłynęło od czasów Assen.

— Czternaście lat — policzył Quinn, podając mu rękę i przedstawiając Sam, ale bez zaznaczania o jej przynależności do FBI. Nie miała w królestwie Holandii żadnych uprawnień, a do tego zatrzymali się tu nieoficjalnie. Papa De Groot zamówił kawę, skoro było to akurat po śniadaniu, i wtedy zapytał, co przywiodło ich do miasta.

— Szukam pewnego mężczyzny — wyjaśnił Quinn. — I sądzę, że mieszka w Holandii.

— Jakiś stary przyjaciel? Ktoś z dawnych czasów?

— Nie, nigdy go nie poznałem.

Błysk w mrugających oczach De Groota nie ustał, ale jakby wolniej mieszał kawę.

— Słyszałem, że odszedłeś z Lloyda... — powiedział.

— To prawda — potwierdził Quinn. — Moja przyjaciółka i ja chcemy tylko pomóc znajomym.

— Szukacie zaginionych osób? — zauważył De Groot. — To coś nowego u ciebie. To jak nazywa się delikwent i gdzie mieszka?

De Groot był winien Quinnowi przysługę. W maju 1977 roku grupa fanatyków z południowych Moluków, chcąc odzyskać prawa w ich starej ojczyźnie, w Indonezji, byłej kolonii holenderskiej, próbowała zwrócić uwagę publiki porywając pociąg i okupując szkołę w pobliskim Assen. W pociągu znajdowało się pięćdziesięciu czterech pasażerów, w szkole setka dzieci. Sytuacja ta była czymś nowym dla Holandii, która wówczas nie dysponowała jeszcze szkolonymi grupami odbijania zakładników.

Quinn pracował wtedy pierwszy rok w firmie Lloyda, która specjalizowała się w takich sprawach. Został oddelegowany w charakterze doradcy razem z dwoma sierżantami z brytyjskiego SAS, jako oficjalna pomoc Londynu. Assen leży w prowincji Groningen, a De Groot kierował lokalną policją; pracownicy SAS współpracowali z armią holenderską.

De Groot przysłuchiwał się szczupłemu Amerykaninowi, który wydawał się rozumieć motywy ludzi w pociągu i w szkole, i opisywał, co by się stało, gdyby wojsko przeszło do ataku, a terroryści otworzyli ogień. Potem poinstruował swoich ludzi, aby działali zgodnie ze wskazaniami Amerykanina, i dlatego jakoś to przeżyli. Pociąg i szkoła zostały wzięte szturmem; w wymianie ognia poległo sześciu terrorystów i dwóch pasażerów pociągu. Żołnierze i policjanci uniknęli śmierci.

— Nazywa się Pretorius, Janni Pretorius — powiedział Quinn.

De Groot ściągnął usta.

— Pretorius to popularne nazwisko — orzekł. — A wiesz chociaż, gdzie mieszka?

— Nie. Ale nie jest Holendrem. Urodził się w Afryce Południowej i raczej nigdy nie dostał waszego obywatelstwa.

— To jeszcze większy problem — przyznał De Groot. — Nie mamy rejestru centralnego wszystkich żyjących w Holandii cudzoziemców. Rozumiesz, prawa obywatelskie...

— Był najemnikiem w Kongo. Sądziłem, że z taką przeszłością i pochodząc z kraju, któremu Holandia nie bardzo sprzyja, sprawiono mu kartę w jakimś rejestrze.

De Groot potrząsnął głową.

— Niekoniecznie. Jeśli przebywa tu nielegalnie, nie będzie miał żadnych akt, w przeciwnym razie wydalilibyśmy go za ten fakt. A jeśli przybył legalnie, został ślad przy wjeździe, ale potem mógł poruszać się bez przeszkód, jeśli nie popełnił tutaj żadnych wykroczeń. To gwarantują mu prawa obywatelskie.

Quinn skinął głową. Wiedział, jaką obsesją są dla Holendrów te prawa. Dla praworządnych obywateli były one wprawdzie bardzo korzystne, ale złemu i brudnemu elementowi także dawały przyjemniejsze życie. Dlatego to uroczy stary Amsterdam stał się europejską stolicą handlarzy narkotyków, terrorystów i producentów filmów pornograficznych z udziałem dzieci.

— Jak taki typ mógł otrzymać wizę i prawo pobytu w Holandii? — spytał.

— Hm, otrzymałby je poślubiając Holenderkę. To dawałoby mu nawet prawo do obywatelstwa. Potem mógł po prostu zniknąć.

— A ubezpieczenie społeczne, urząd skarbowy, urząd imigracyjny?

— Nic ci nie powiedzą — zaznaczył De Groot. — Ten człowiek miał prawo do prywatności. Nawet ja musiałbym przedstawić najpierw zarzuty o popełnieniu przestępstwa, aby dostać takie informacje. Wierz mi, nie mogę tu nic zdziałać.

— I nie pomożesz mi w żaden sposób? — naciskał Quinn.

De Groot zapatrzył się w okno.

— Mam bratanka w BVD — odezwał się po chwili. — Musiałby zrobić to nieoficjalnie... Może jest tam zarejestrowany.

— Zapytaj go, proszę — powiedział Quinn. — Będę ci bardzo wdzięczny.

Podczas gdy Quinn i Sam spacerowali Osterstraat rozglądając się za lokalem, gdzie zjedliby obiad, De Groot zadzwonił do swojego bratanka w Hadze. Młody Koos De Groot był niższym oficerem w Binnenlandse Veiligheids Dienst, małej holenderskiej Służbie Bezpieczeństwa Wewnętrznego. Mimo iż był bardzo przychylny wujowi, od którego w dzieciństwie dostawał dziesięcioguldenowe banknoty, długo trwało, nim dał się namówić. Nie była to zwyczajna sytuacja, kiedy policjant municypalny z Groningen prosił o podłączenie się do komputera BVD.

Nazajutrz rano De Groot zadzwonił do Quinna i w godzinę później spotkali się w komendzie.

— To niezły typek ten twój Pretorius — powiedział De Groot, zerkając do notatek. — Nasi z BVD, kiedy on przybył tu dziesięć lat temu, tak nim się zainteresowali, że na wszelki wypadek zachowali jego dane. Kilka danych pochodzi od niego samego i te stawiają go w dobrym świetle;

inne są z wycinków gazet. Jan Pieter Pretorius, urodzony w 1942 roku w Bloemfontein, a więc na dzisiaj czterdzieści dziewięć lat. Jako zawód podał: malarz szyldów.

Quinn skinął głową, ktoś przemalował forda transita, dodał znak firmowy Barlowa na boku i skrzynki na jabłka z wewnętrznej strony tylnych okien. Przyjął też, że to Pretorius zmajstrował bombę, która spaliła transita w stodole. Wiedział, że to nie Zack. W magazynie Babbidge Zack wywąchał zapach marcepanu i myślał, że to Semtex. A Semtex jest bezzapachowy.

— Po tym, gdy w 1968 roku opuścił Ruandę, wrócił do RPA i pracował dłuższy czas jako członek ochrony w kopalni diamentów De Beersa w Sierra Leone.

Tak, ten człowiek mógł rozróżnić prawdziwe diamenty od fałszywych i znał się na cyrkonach.

— Przed dwunastoma laty dotarł do Paryża, poznał tam młodą Holenderkę, która pracowała u francuskiej rodziny, i ożenił się z nią. Dało mu to prawo do pobytu w Holandii. Jego teść, właściciel dwóch lokali, zatrudnił go jako barmana. Pięć lat temu małżeństwo się jednak rozpadło, ale Pretorius odłożył wystarczająco, aby kupić sobie własny lokal. Prowadzi go i mieszka nad nim.

— Gdzie? — spytał Quinn.

— W miasteczku Denn Bosch. Znasz je?

Quinn potrząsnął głową.

— A knajpa?

— „De Goude Leeuw", Złoty Lew — powiedział De Groot.

Quinn i Sam podziękowali mu serdecznie i pożegnali się. Gdy wyszli, De Groot podszedł do okna i spoglądał, jak idą przez Rade Markt do hotelu. Lubił Quinna, ale niepokoiła go jego dociekliwość. Może wszystko było zgodnie z prawem i niepotrzebnie się tym przejmuje. Nie byłoby jednak dobrze, gdyby Quinn polował na jakiegoś południowoafrykańskiego najemnika w *jego* mieście. Westchnął i sięgnął po słuchawkę telefonu.

— Znalazłaś? — spytał Quinn jadąc na południe od Groningen.

Sam studiowała mapę drogową. — Tak. Drogą na południe, blisko granicy z Belgią. Tylko z Quinnem poznasz kraje Beneluksu — dodała.

— Mamy szczęście — zauważył Quinn. — Gdyby Pretorius był *drugim* porywaczem w gangu Zacka, jechalibyśmy teraz pewnie do Bloemfontein.

Droga E35 biegła prosto jak strzała z południa na południowy wschód do Zwolle, gdzie Quinn skręcił na A50, która prowadziła na południe do

Apeldoorn, Arnhem, Nijmegen i Den Bosch. W Apeldoorn Sam usiadła za kierownicą. Quinn rozłożył oparcie fotela pasażera jak tylko mógł i zasnął. A podczas zderzenia to pas uratował mu życie.

Na północ od Arnhem i na zachód od autostrady znajduje się klub szybowcowy Terlet. Mimo pory roku był to słoneczny dzień, rzadkość w Holandii w listopadzie, który znęcił fanów szybowania. Kierowca ciężarówki ciągnącej po prawym pasie tak zapatrzył się na szybowiec przechylający się akurat na skrzydło do lądowania obok autostrady, że nie zauważył, jak powoli ściąga go na lewo.

Sam została zaklinowana między drewnianymi palikami, które okalały wrzosowisko, a olbrzymią ciężarówką, którą ściągało na jej pas. Hamowała i już prawie dała sobie radę. Ostatni metr wijącej się przyczepy zahaczył jednak o bok sierry i zmiótł ją z drogi, tak jak kciukiem i wskazującym palcem strzepuje się muchę z bibularza. Kierowca ciężarówki nic nie zauważył i pojechał dalej.

Sierra wjechała na krawężnik, Sam próbowała ją skierować na drogę, co może by jej się udało, gdyby nie pionowe słupki przy krawężniku. Na jeden z nich trafiło przednie koło i tak straciła kontrolę nad pojazdem. Sierra pognała w dół skarpy, mało brakowało, by przekoziołkowała, odzyskała jednak pozycję i wylądowała po osie w miękkim mokrym piachu wrzosowiska.

Quinn wyprostował siedzenie i spojrzał na Sam. Oboje byli głęboko przerażeni, ale cali. Wyszli jakoś z samochodu, trochę wyżej inne auta pędziły w kierunku Arnhem. Teren dookoła był płaski; łatwo ich było zauważyć z drogi.

— Spluwa — powiedział Quinn.

— Że co?

— Smith & Wesson. Daj mi go.

Zawinął pistolet i naboje w jedną z jej jedwabnych apaszek z kuferka z kosmetykami i zakopał parę metrów dalej pod krzakiem, zapamiętując to miejsce. Dwie minuty później stanął nad nimi na żwirowej skarpie czerwono-biały range rover patrolu drogowego municypalnych.

Policjanci wykazali troskę, odetchnęli widząc, że nikomu nic się nie stało i poprosili o dokumenty. Pół godziny później Quinn i Sam razem z bagażem wysadzeni zostali na tylnym dziedzińcu przy szarym betonowym budynku policji z Arnhem na Beek Straat. Sierżant zaprowadził ich do pokoju przesłuchań, gdzie sporządził dokładny raport. Kiedy skończył, było już popołudnie.

Przedstawiciel firmy wynajmującej samochody nie miał tego dnia nic szczególnego do roboty — turyści w połowie listopada są rzadkością

— był więc bardzo ucieszony z telefonu Amerykanki w swoim biurze przy Heuvelink Boulevard, kiedy spytała o samochód z wypożyczalni. Jego radość opadła, gdy dowiedział się, że na A50 przy Terlet załatwiła sierrę z jego agencji, ale pamiętając o dewizie firmy, by starać się jeszcze bardziej, trzymał się jej.

Kiedy przybył do budynku komendy policji porozmawiał najpierw z sierżantem. Ani Quinn, ani Sam nie rozumieli z tego słowa. Na szczęście obaj Holendrzy znali też angielski.

— Ekipa policyjna sprowadzi tu sierrę stamtąd, gdzie jest... zaparkowana. Zabiorę ją wtedy do warsztatu naszej firmy. Z państwa papierów wynika, że macie pełne ubezpieczenie. Czy to auto wypożyczone było w Holandii?

— Nie, w Ostendzie, w Belgii — odparła Sam. — Podróżowaliśmy trochę.

— Rozumiem — powiedział mężczyzna, myśląc już o kupie papierkowej roboty. — Chcą państwo wynająć nowy samochód?

— Tak, chcielibyśmy — powiedziała Sam.

— Mogę mieć niezłego opla asconę, ale dopiero rano. Teraz jest na przeglądzie. Mają państwo hotel?

Nie mieli, ale pomocny sierżant policji zadzwonił do hotelu Rijn, gdzie zarezerwowano dla nich dwuosobowy pokój. Niebo znowu się zachmurzyło i zaczął padać deszcz. Mężczyzna z wypożyczalni odwiózł ich do hotelu i obiecał, że opel będzie stał przed wejściem o ósmej rano.

Hotel w dwóch trzecich był pusty i dostali duży pokój od frontu z widokiem na rzekę. Krótkie popołudnie przeszło w wieczór, deszcz zacinał o szyby, wielka szara masa Renu płynęła w dole ku morzu. Quinn usiadł w fotelu z oparciem przy oknie i wyglądał na zewnątrz.

— Powinnam zadzwonić do Kevina Browna — odezwała się Sam. — Powiedzieć mu, co odkryliśmy.

— Odradzałbym — odparł Quinn.

— Będzie wściekły.

— A ty opowiesz mu, że znaleźliśmy porywacza na górze na diabelskim młynie z kulką w czaszce i tak go zostawiliśmy. Opowiesz, że przez Niemcy, Belgię i Holandię wlokłaś się z nielegalną bronią. Chcesz to wszystko powiedzieć przez zwykłą linię?

— No tak, masz rację. Ale zrobię przynajmniej parę notatek.

— To możesz — przytaknął Quinn.

Przeszukała minibarek, znalazła małą butelkę czerwonego wina i przyniosła mu szklankę. Potem usiadła przy biurku i zaczęła pisać na papierze listowym hotelu.

Pięć kilometrów w górę rzeki Quinn dostrzegł jeszcze w zapadającym zmierzchu wielkie, czarne dźwigary starego mostu w Arnhem. Mostu, o jeden za daleko, gdzie we wrześniu 1944 roku pułkownik John Frost i garstka angielskich spadochroniarzy ponieśli śmierć po tym, gdy przez cztery dni próbowali powstrzymać czołgi SS, mając do dyspozycji zwykłe karabiny i maszynowe pistolety, podczas gdy Trzydziesty Korpus walczył daremnie od południa, by przyjść im z pomocą na północnym końcu mostu. Quinn podniósł szklankę w kierunku dalekich dźwigarów mostu, sterczących w deszczowe niebo.

Sam zauważyła ten gest i podeszła do okna. Spojrzała na bulwar w dole.

— Widzisz tam kogoś znajomego? — spytała.

— Nie — odparł Quinn. — Już poszli sobie.

Wyciągnęła szyję, aby spojrzeć na ulicę.

— Nikogo nie widzę.

— To było dawno temu.

Zaintrygowana zmarszczyła czoło.

— Zagadkowy facet z ciebie, Quinn. Co tam widać, czego ja nie mogę dojrzeć?

— Niezbyt wiele — stwierdził Quinn, wstając. — I nic, co dawałoby nadzieję... Zobaczmy lepiej, co mają do zaoferowania w restauracji.

O ósmej ascona stała przed hotelem razem z sierżantem i eskortą dwóch policjantów na motocyklach.

— Dokąd teraz, panie Quinn? — zapytał sierżant.

— Do Vlissingen, Flushing — odparł Quinn, ku zaskoczeniu Sam. — Tam złapiemy prom.

— Świetnie — dodał sierżant — życzę więc miłej podróży. Moi koledzy poprowadzą państwa do autostrady.

Przy wjeździe na autostradę zmotoryzowani policjanci zatrzymali się i patrzyli za znikającym oplem. Quinn miał znowu to samo uczucie jak w Dortmundzie.

Generał Zwi ben Szaul siedział za biurkiem i spoglądał znad raportu na dwóch mężczyzn przed nim. Jeden kierował wydziałem Mossadu zajmującym się Arabią Saudyjską i całym półwyspem od irackiej granicy na północy aż do wybrzeża południowego Jemenu. Był to obszar wpływów. Zakres zadań drugiego człowieka nie miał żadnych granic i w pewnym sensie był ważniejszy, szczególnie dla bezpieczeństwa Izraela. Obejmował on wszystkich Palestyńczyków, gdzie tylko mogliby przebywać. Od niego był raport leżący na biurku dyrektora.

Niektórzy z tych Palestyńczyków daliby dużo, aby wiedzieć, gdzie odbywała się ta narada. Jak wielu ciekawskich, łącznie z rządami kilku obcych państw, Palestyńczycy ciągle sądzili, że centrala Mossadu znajduje się na północnych przedmieściach Tel Awiwu. Jednak od 1968 roku rezydowali oni w wielkim nowoczesnym budynku w samym środku centrum Tel Awiwu, na rogu od Rehow Szlomo Ha'melech (ulicy Króla Salomona) i blisko budynku, który zajmował AMAN, wojskowa służba wywiadowcza.

— Mógłbyś dowiedzieć się więcej? — zapytał generał eksperta od Palestyny, Dawida Gur Arieha.

Ten uśmiechnął się, wzruszając ramionami.

— Zawsze chcesz więcej, Zwi. Mój informator to niski szczebel, technik w warsztatach samochodowych saudyjskich wojsk. To wszystko, czego się dowiedział. Armia ma być w kwietniu przez trzy dni przetrzymana na pustyni.

— To śmierdzi puczem — orzekł mężczyzna kierujący wydziałem saudyjskim. — Mamy wyjąć za nich kasztany z ognia?

— Ale kto chciałby obalić króla Fahda i przejąć władzę, tak na zdrowy rozum? — zapytał dyrektor.

Ekspert od Arabii Saudyjskiej wzruszył ramionami.

— Jakiś książę — powiedział. — Żaden z braci. Bardziej ktoś z młodszego pokolenia. Ci są chciwi. Chociaż już teraz, dzięki swoim udziałom, spijają jak śmietankę wiele milionów, chcą jeszcze więcej. Może nawet marzy im się wszystko. I ci młodsi są nastawieni raczej... nowocześnie, bardziej prozachodnio. Mogłoby to mieć i pozytywny skutek. Czas, żeby ci starzy ustąpili.

Nie to jednak, że młodzi mogli zapanować w Rijadzie, zajmowało myśli Bena Szaula. Raczej to, co ujawnił palestyński technik informatorowi Gur Arieha. W przyszłym roku, oznajmił triumfująco, my, Palestyńczycy, otrzymamy prawa do tutejszego obywatelstwa.

Jeśli to była prawda, jeśli taki był zamiar nienazwanych spiskowców, otwierały się zdumiewające perspektywy. Taka oferta Rijadu pod nowym rządem skłoniłaby milion Palestyńczyków bezdomnych i pozbawionych ojczyzny do opuszczenia Izraela, strefy Gazy, Zachodniego Brzegu Jordanu i Libanu i do stworzenia sobie nowego życia daleko na południu. A kiedy ten wrzód palestyński zostałby wypalony, Izrael mógłby ze swoją energią i technologią nawiązać korzystne i dochodowe układy z sąsiadami. Tak chcieli przecież założyciele państwa; Weizmann i Ben Gurion marzyli o tym. Ben Szaul słyszał już o tym jako chłopiec, nigdy jednak nie myślał, że mogłoby się spełnić. Ale...

— Chcesz wtajemniczyć w to polityków? — zapytał Gur Arieh.

Dyrektor myślał o tym, jak sprzeczali się w Knessecie, teologicznie dzieląc włos na czworo, podczas gdy jego wywiad próbował uzmysłowić im, po której stronie wschodzi słońce. Do kwietnia było tak daleko. Sprawa przycichłaby, gdyby już teraz ją zdradził. Zamknął raport.

— Jeszcze nie — orzekł. — Wiemy zbyt mało. Jak tylko dowiemy się czegoś więcej, powiem im.

Jednak w głębi ducha postanowił zachować tę sprawę dla siebie.

Aby odwiedzający Den Bosch nie zasnęli, planiści miasta wymyślili im na powitanie łamigłówkę. Nazywa się ona: „Znajdź samochodem drogę do śródmieścia". Kto wygrywa, trafia na rynek i ma możliwość zaparkowania. Przegrywający myli się w labiryncie ulic jednokierunkowych i ponownie ląduje na pierścieniu drogi okalającej miasto.

Śródmieście ma kształt trójkąta; północny zachód ogranicza rzeka Dommel, południowy wschód kanał Willemsvaart, na południu mury miejskie. Sam i Quinn przechytrzyli system przy trzeciej próbie. Dotarli do rynku i zdobyli swoją nagrodę: pokój w hotelu Centralnym przy Rynku.

W pokoju Quinn od razu przewertował książkę telefoniczną. Wymieniała tylko jeden bar „Złoty Lew", przy Jans Straat. Poszli tam pieszo. W recepcji dostali mapkę centrum, ale Jans Straat nie była zaznaczona. Mieszkańcy pytani na rynku też jej nie znali. Nawet policjant na rogu ulicy musiał posłużyć się wytartym planem. W końcu ją znaleźli.

Był to wąski zaułek pomiędzy St Jans Singel, wąską dróżką wzdłuż rzeki Dommel, a równoległą Molenstraat. Dzielnica była stara, istniała w większej części już od trzech stuleci. Wiele domów było ze smakiem odrestaurowanych i odnowionych — piękne stare fasady z cegły zachowano ze starymi drzwiami i oknami, a wewnątrz powstały eleganckie, nowe mieszkania. Nie odnosiło się to jednak do Jans Straat.

Była ledwie na szerokość samochodu, a domy wspierały się nawzajem, jakby szukając podpory. Były i dwa lokale, gdyż niegdyś flisacy, którzy na Dommel i kanałach wykonywali swoją pracę, zawijali tu, aby zaspokoić pragnienie.

„Goude Leeuw" znajdował się na południowej stronie ulicy, piętnaście metrów od dróżki flisackiej; wąski dwupiętrowy dom z wyblakłym szyldem. Na parterze był wykusz z małą szybą z nieprzezroczystego kolorowego szkła. Obok znajdowały się drzwi, którymi wchodziło się do knajpy. Były zamknięte. Quinn zadzwonił i czekał. Żadnego odgłosu i żadnego ruchu. Drugi lokal na ulicy był otwarty. Jak każdy lokal w Den Bosch.

— Co teraz? — zapytała Sam.

W głębi ulicy siedzący w tamtym barze mężczyzna opuścił swoją gazetę, zauważył ich oboje i podniósł gazetę do oczu.

Obok „Złotego Lwa" były drewniane wrota wysokie na dwa metry, prowadzące zapewne do tylnej części domu.

— Zaczekaj tu — zdecydował Quinn. Sam wspiął się w ciągu sekundy na wrota i przeskoczył. Parę minut później Sam usłyszała brzęk szkła, zbliżające się kroki i drzwi lokalu otworzyły się od wewnątrz. Stał w nich Quinn.

— Wskakuj szybko — powiedział.

Kiedy weszła, zamknął za nią drzwi. Bar był ponury, rozjaśniony tylko światłem dziennym wciskającym się do środka oknem wykuszu.

Był to mały lokal w kształcie litery L, której podstawą był wykusz z oknem. Od drzwi przejście wzdłuż baru skręcało tak jak litera L, ku tylnej części, gdzie było więcej miejsca dla gości. Za barem ustawiona była bateria znanych butelek, na kontuarze odwrócone kufle stały na ręczniku, a obok dystrybutor piwa z trzema rączkami z porcelany w Delft. Całkiem z tyłu były drzwi, którymi wszedł Quinn.

Drzwi prowadziły do małej toalety, gdzie Quinn wybił okno, aby tu się dostać. Schody obok prowadziły w górę do mieszkania.

— Może jest na górze — podsunęła Sam. Ale nie było go.

Mieszkanie też było małe i składało się z sypialni i salonu zarazem, wnęki z kuchnią i małej łazienki z toaletą. Na ścianie wisiał obraz z widokiem chyba z Transwalu; do tego kilka pamiątek z Afryki, telewizor i nie posłane łóżko. Żadnych książek. Quinn sprawdził szafki i mały pawlacz pod sufitem. Ani śladu Pretoriusa. Wrócili na dół.

— Ponieważ już włamaliśmy się do knajpy, możemy sobie też pozwolić na piwo — podsunęła Sam. Weszła za kontuar, wzięła dwa kufle, nacisnęła jedną z porcelanowych rączek i pieniące się piwo polało się do szkła.

— Skąd płynie to piwo? — zainteresował się Quinn.

Sam sprawdziła pod kontuarem.

— Rury przechodzą przez podłogę — powiedziała.

Quinn znalazł klapę w podłodze pod dywanikiem w rogu baru. Drewniane stopnie prowadziły w dół, a obok był wyłącznik światła. W odróżnieniu od lokalu piwnice były obszerne.

Cały dom, a także sąsiednie domy stały na łukowatych sklepieniach z cegieł tworzących piwnicę. Rury prowadzące do góry ku dystrybutorowi wychodziły z nowoczesnych stalowych beczułek wtaczanych tu przez klapę w podłodze. Wcześniej działo się to inaczej.

W jednym końcu piwnicy widoczna była wysoka stalowa krata. Pod nią był kanał Dieze przepływający pod Molenstraat. Dawniej tym kanałem na płytkich łodziach przewożono wielkie beczki piwa i toczono je potem przez otwartą kratę na miejsce pod lokalem. W owych czasach właściciele szynków biegali w górę i w dół schodami, aby podać gościom na górze piwo w glinianych dzbankach.

W największej, utworzonej przez łuki krypcie stały jeszcze trzy takie wiekowe beczki na ceglanych podstawach, każda z kurkiem u dołu. Quinn przekręcił jeden z nich; skwaśniałe stare piwo trysnęło na ziemię w świetle lampy. Z drugim było to samo. Trącił palcem trzeci kranik i najpierw wyciekła ciemnożółta struga, ale potem przeszła w różową.

Quinn musiał trzy razy pchnąć beczkę, aby przewrócić ją na bok. Rozpadła się przy tym, a zawartość wytoczyła na ceglaną podłogę. Część tej zawartości to były ostatnie litry wiekowego piwa, które nie dotarło już na górę do knajpy. A w kałuży leżał na plecach mężczyzna, z otwartymi oczami błyskającymi w świetle żarówki zwisającej z sufitu. W jednej skroni miał dziurę, a w drugiej dużą ranę wylotową. Po jego wielkości i posturze Quinn uznał, że mógł to być mężczyzna stojący za nim w magazynie. Ten ze Skorpionem. Jeśli był nim, to zastrzelił brytyjskiego sierżanta i dwóch agentów amerykańskiej Secret Service na Shotover Plain.

Ktoś inny w piwnicy wymierzył pistolet w plecy Quinna i powiedział coś po holendersku. Quinn odwrócił się. Tamten musiał zejść do piwnicy, kiedy beczka się przewróciła tłumiąc odgłos jego kroków. W swoim języku powiedział: — Dobra robota, *mijnheer*, znalazł pan swojego przyjaciela. Nam się nie udało.

Dwóch innych, w mundurach policji holenderskiej, zeszło po schodach. Mężczyzna z bronią, ubrany po cywilnemu, był sierżantem z Recherche.

— Zastanawiam się — mówiła Sam, gdy prowadzeni byli na posterunek przy Tolbrug Straat — czy byłoby dużo chętnych na taki katalog holenderskich kamienic...

Przypadkowo komenda policji w Den Bosch znajduje się naprzeciw Groot Zieken Gasthaus, dosłownie: Wielkiego Domu dla Chorych — do którego kostnicy zabrano na sekcję zwłoki Jana Pretoriusa.

Dzień wcześniej nadinspektor Dykstra nie przejął się zbytnio telefonem Papy De Groota. Amerykanin, który chciał wytropić Południowoafrykańczyka, niekoniecznie oznaczał kłopoty. W porze lunchu wysłał na miejsce jednego z sierżantów. Ten stwierdził, że „Złoty Lew" jest zamknięty, i zameldował o tym.

Ślusarz z dzielnicy załatwił im wejście, ale z pozoru wszystko było w porządku. Nic nie wskazywało na jakąś awarię lub walkę. Jeśli Pretorius miał ochotę zamknąć swój lokal i wyjść, miał do tego prawo. Właściciel baru po drugiej stronie ulicy mówił, że „Złoty Lew" był otwarty od rana, ale przy takiej pogodzie normalne było, że drzwi zamykano. Nie widział wchodzących i wychodzących potem ze „Złotego Lwa", ale to nic szczególnego, bo interes nie szedł rewelacyjnie.

To sierżant podsunął, by poobserwować knajpę, i Dykstra przystał na to. Opłaciło się; dwadzieścia cztery godziny później pojawił się Amerykanin.

Dykstra zawiadomił Gerechtelijk Laboratorium w Voorburgu, centralne laboratorium patologii. Na wiadomość, że chodzi o ranę postrzałową i obcokrajowca, przysłano doktora Veermana, najlepszego patologa sądowego w Holandii.

Po popołudniu nadinspektor Dykstra cierpliwie przysłuchiwał się opowieści Quinna, że poznał Pretoriusa czternaście lat wcześniej w Paryżu i chciał spotkać się z nim, by pogadać o starych czasach, skoro akurat podróżował po Holandii. Jeśli Dykstra w tę historię nie uwierzył, nie dał po sobie tego poznać. Ale prześledził sprawę. Z BVD potwierdzono, że Południowoafrykańczyk przebywał wówczas w Paryżu; byli pracodawcy Quinna z Hartford potwierdzili, że prowadził on ich paryski oddział w tym czasie.

Wypożyczony samochód sprowadzono spod hotelu Centralnego i gruntownie przeszukano. Nie znaleziono żadnej broni. Sierżant potwierdził, że ani Quinn, ani Sam nie byli uzbrojeni, gdy trafił na nich w piwnicy. Dykstra przyjął, że Quinn zabił tamtego dzień wcześniej, nim sierżant podjął obserwację, a wrócił dlatego, że zostawił coś w kieszeniach ofiary. Ale jeśli tak było, to dlaczego sierżant widział Quinna próbującego wejść do knajpy głównymi drzwiami? Jeśli po morderstwie na Południowoafrykańczyku zamknął je, potrafiłby także i otworzyć. Tu się coś nie zgadzało. Jedno tylko było dla Dykstry pewne; tej paryskiej znajomości nie należało traktować poważnie jako powodu odwiedzin.

Profesor Veerman przybył o szóstej i skończył około północy. Przeszedł ulicę i wypił z mocno zmęczonym nadinspektorem Dykstrą filiżankę kawy.

— I cóż tam, profesorze?

— Otrzyma pan niedługo mój pełny raport — odparł profesor.

— A tak w zarysach...

— No cóż. Przyczyną śmierci było rozległe zmiażdżenie mózgu przez kulę, przypuszczalnie dziewięć milimetrów, wystrzeloną z bliskiej odległości, która przeszyła lewą skroń i wydostała się prawą. Szukałbym dziury gdzieś w drewnie w tej knajpie.

Dykstra kiwnął głową.

— A czas śmierci? — spytał. — Zatrzymałem dwoje Amerykanów, którzy odkryli ciało. Chcieli go podobno odwiedzić, bo był ich znajomym. Włamali się jednak do lokalu...

— Wczoraj około południa — określił profesor. — Jakąś godzinę wcześniej lub później. Powiem więcej po wynikach badań.

— Wczoraj w południe ci Amerykanie byli na komendzie policji w Arnhem — powiedział Dykstra. — Temu nikt nie zaprzeczy. O dziesiątej mieli wypadek samochodowy, a o czwartej pozwolono im odejść i spędzili noc w hotelu Rijn. Mogli opuścić nocą hotel, przyjechać tu, popełnić czyn i przed świtem być z powrotem.

— Niemożliwe — stwierdził profesor, podnosząc się. — Ten człowiek umarł nie później niż wczoraj o drugiej po południu. Jeśli byli w Arnhem, są niewinni. Przykro mi. Tak wyglądają fakty.

Dykstra zaklął. Jego sierżant musiał podjąć obserwację pół godziny po tym, jak morderca opuścił knajpę!

A zwalniając Sam i Quinna w nocy, zaznaczył: — Koledzy z Arnhem mówili mi, że chcieliście państwo dostać się do Vlissingen na prom, gdy wczoraj stamtąd odjeżdżaliście...

— Zgadza się — przyznał Quinn, odbierając swój przetrząśnięty dokładnie bagaż.

— Będę wdzięczny, gdyby zechcieli państwo tam się teraz udać — zaznaczył nadinspektor. — Panie Quinn, mój kraj serdecznie wita zagranicznych gości, ale wszędzie, gdzie państwo kierują swoje kroki, holenderska policja ma mnóstwo dodatkowej pracy...

— Przykro mi — odparł wymownie Quinn. — Ale nie zdążyliśmy na tamten prom, a teraz jesteśmy głodni i zmęczeni. Czy moglibyśmy pozostać jeszcze przez resztę nocy w hotelu i wyjechać rano?

— Oczywiście — powiedział Dykstra. — Każę moim ludziom eskortować was do granic miasta...

A wchodząc do łazienki, już w hotelu Centralnym, Sam zauważyła:

— Z tymi eskortami powoli czuję się jak królewska matrona!

Gdy stamtąd wyszła, Quinna nie było. Wrócił o piątej, ukrył Smith & Wessona znowu na dnie kosmetycznego kuferka Sam i położył się na dwie godziny, nim podano im poranną kawę.

Podczas podróży do Flushing nie przydarzyło się nic szczególnego. Quinn był zatopiony w myślach. Ktoś zabijał najemników, jednego po drugim, i on nie wiedział już, gdzie teraz się zwrócić. A może... znowu do archiwum. Może coś jeszcze wyciągnie, choć było to mało prawdopodobne. Po śmierci Pretoriusa ślad był tak zimny, jak dorsz martwy od tygodnia, i równie jak on cuchnący.

Obok rampy na prom do Anglii stał samochód patrolowy policji z Flushing, obaj siedzący w nim widzieli, jak opel ascona wjeżdża powoli w kadłub trejlerowca, ale czekali, aż wrota się zamkną i prom wypłynie do ujścia Skaldy, i wtedy dopiero poinformowali centralę.

Ta podróż minęła spokojnie. Sam uporządkowała notatki w raport, który rozrósł się do opisu europejskich posterunków policji. Quinn czytał pierwszą od dziesięciu dni londyńską gazetę. Umknęła mu przy tym informacja z nagłówkiem *KGB w posadach drży?* Jak donosił z Moskwy wysłannik agencji Reutera, dobrze poinformowane źródła wróżyły właśnie duże zmiany kadrowe we władzach tajnej policji radzieckiej.

W ciemnym ogródku przy Carlyle Square Quinn czekał od dwóch godzin, nieruchomy jak posąg. Cień złotokapu chronił go przed światłem ulicznej latarni. Jego czarna wiatrówka na zamek błyskawiczny i nieruchoma pozycja dokonały reszty. Ludzie przechodzili parę metrów od niego i nikt nie zauważył człowieka w cieniu.

Było wpół do jedenastej; mieszkańcy eleganckich domów w Chelsea wracali o tej porze z restauracji w Knightsbridge i Mayfair. David i Carina Frostowie przejechali akurat do domu na tylnym siedzeniu swojego podstarzałego bentleya. Mężczyzna, na którego czekał Quinn, zjawił się o jedenastej.

Zaparkował samochód w zatoczce zastrzeżonej dla mieszkańców domu po drugiej stronie ulicy. Pokonał trzy stopnie do drzwi wejściowych i wsadził klucz do zamka. Nim zdążył go obrócić, Quinn już był przy nim.

— Julian...

Julian Hayman odwrócił się przerażony.

— Na Boga, Quinn, nie rób tak nigdy. Mógłbym cię powalić.

Mimo że Hayman lata temu pożegnał się ze swoim oddziałem, fizycznie był jeszcze bardzo sprawny. Choć miejskie życie osłabiło chyba trochę jego refleks. Quinn harował przez te lata w winnicach pod palącym słońcem. Nie miał jednak zamiaru sugerować, że takie starcie mogłoby skończyć się inaczej.

— Muszę jeszcze raz zajrzeć do twojego archiwum, Julian.

Hayman odzyskał już równowagę. Zdecydowanie potrząsnął głową.

— Przykro mi, stary. Niestety, nie ma mowy, mówi się, że jesteś spalony. Krążą też plotki... w naszych kręgach, rzecz jasna... o sprawie Cormacka. Nie mogę ryzykować. I tyle.

Quinn zrozumiał, że to koniec. Ślad się urwał. Odwrócił się, aby odejść.

— A tak na marginesie — zawołał Hayman od drzwi. — Wczoraj byłem na lunchu z Barneyem Simkinsem. Przypominasz sobie starego Barneya?

Quinn przytaknął. Barney Simkins był dyrektorem Broderick-Jons, jednego z towarzystw ubezpieczeniowych Lloyda, które zatrudniało Quinna przez dziesięć lat w całej Europie.

— Mówił, że ktoś dzwonił do nich i pytał o ciebie.

— Kto?

— Nie mam pojęcia. Barney mówił, że tamten był bardzo ostrożny. Powiedział tylko, że jeśli chcesz się z nim skontaktować, to daj małe ogłoszenie w paryskim wydaniu *International Herald Tribune* w ciągu dziesięciu dni z podpisem „Q".

— I nie podał żadnego nazwiska? — dopytywał się Quinn.

— Tylko jedno, stary. Takie dziwne. Zack.

ROZDZIAŁ PIĘTNASTY

Quinn usiadł obok Sam, która czekała w samochodzie na rogu w Mulberry Walk. Wydawał się bardzo zamyślony.

— Nie chce współpracować?

— Że co?

— Hayman. Nie chce cię już wpuścić do swojego archiwum?

— Nie, z tym już koniec. I to ostatecznie. Ale chyba ktoś inny chce współpracować. Zack dzwonił.

Osłupiała. — Zack? A czego on chce?

— Spotkać się ze mną.

— Jak, do diabła, cię znalazł?

Quinn nacisnął na gaz i odjechał z chodnika.

— Miał farta. Przed wieloma laty, gdy pracowałem u Brodericka-Jonesa, byłem od czasu do czasu wymieniany w prasie. Znał moje nazwisko i zawód. Okazuje się, że nie tylko ja przeglądam wycinki gazet. Przez jakiś szalony przypadek Hayman jadł obiad z kimś z mojej starej firmy, kiedy padło to hasło...

Skręcił w Old Church Street, a po chwili w King's Road.

— Quinn, on chce cię zabić. Załatwił już dwóch wspólników. Teraz może zatrzymać cały okup; sprzątnie jeszcze tylko ciebie i nikt go nie dopadnie. Bo dobrze wie, że ty szybciej byś go wytropił niż FBI.

Quinn zaśmiał się.

— Gdyby wiedział, że nie mam pojęcia ani gdzie jest, ani kim jest!

Postanowił przemilczeć, że nie wierzy już, aby Marchais i Pretorius padli ofiarą Zacka. Chociaż ktoś taki jak Zack nie zawahałby się przed sprzątnięciem nawet swojego człowieka za odpowiednią opłatą. W Kongo wielu najemników zostało sprzątniętych przez podobnych sobie. Tu martwił go podwójny zbieg okoliczności.

Do Marchais trafili z Sam parę godzin po jego śmierci; na ich szczęście w pobliżu nie było policji, ale gdyby nie wypadek przed Arnhem, byliby w godzinę po śmierci Pretoriusa z nabitą bronią w jego knajpie. Tygodniami siedzieliby wtedy w areszcie, podczas gdy policja z Den Bosch prowadziłaby żmudne śledztwo.

Skręcił z King's Road w lewo, w Beaufort Street, jadąc w kierunku Battersea Bridge, i trafił w środek korka. Duży ruch uliczny w Londynie nie jest niczym zaskakującym, ale o tej godzinie w zimowy wieczór wydostanie się z miasta na południe powinno być prostsze.

Rząd samochodów, w którym się znaleźli, poruszał się powoli; widział policjanta kierującego ruchem wokół pachołków, którymi zablokowany był drugi pas. Samochody jadące na północ i na południe musiały na zmianę używać jednego pasa.

Gdy dotarli do blokady, Quinn i Sam widzieli dwa patrolowe samochody z włączonymi kogutami. Pomiędzy nimi stała karetka z otwartymi drzwiami. Wysiadało z niej dwóch sanitariuszy z noszami i zbliżyli się do bezkształtnej masy leżącej na chodniku, przykrytej kocem.

Policjant kierujący ruchem skinął na nich niecierpliwie. Mieli jechać dalej. Sam rzuciła spojrzenie w kierunku budynku, przed którym na chodniku leżała przykryta postać. Okna na najwyższym piętrze były otwarte i z jednego wychylał się policjant spoglądając w dół.

— Zdaje się, że ktoś wypadł z ósmego piętra — zauważyła. — Gliniarz wygląda z otwartego okna.

Quinn mruknął coś i skoncentrował się na tym, aby nie najechać na samochód przed nim, którego kierowca również spoglądał w kierunku miejsca wypadku. Kilka minut później droga była wolna i Quinn przyspieszył swoim oplem, przejeżdżając przez most na Tamizie, a za nim pozostało ciało mężczyzny, o którym nigdy nie słyszał i nie miał usłyszeć — ciało Andy'ego Lainga.

— Dokąd teraz jedziemy? — spytała Sam.

— Do Paryża — odparł Quinn.

Powrót do Paryża był dla Quinna jak powrót do domu. Mimo że w Londynie przebywał dłużej, Paryż w jego sercu zajmował szczególne miejsce. Tu starał się o Jeannette i ją zdobył, tu ją poślubił. Dwa błogie lata przeżyli w małym mieszkaniu, parę kroków od rue de Grenelle; w amerykańskim szpitalu w Neuilly przyszła na świat ich córka.

Znał w Paryżu wiele lokali, dziesiątki barów, w których po śmierci Jeannette i ich małej Sophie na autostradzie do Orleanu próbował stępić alkoholem swój ból. Był w Paryżu szczęśliwy, przeżył w Paryżu piekło, budził się w jego rynsztoku — znał to miasto.

Noc spędzili w hotelu niedaleko Ashford, złapali poduszkowiec, który odchodził o dziewiątej z Folkestone do Calais i w południe przybyli do Paryża.

Quinn wziął pokój niedaleko Pól Elizejskich i zniknął z samochodem, aby go gdzieś zaparkować. VIII *arrondissement* w Paryżu ma sporo uroku, ale parkowanie nie należy do nich. Zostawienie auta przed hotelem du Colisee na ulicy o tej samej nazwie byłoby wyzwaniem dla policji. Pojechał więc do całodobowego podziemnego parkingu na rue Chauveau--Lagarde, tuż za Madeleine, i wrócił do hotelu taksówką. I bez tego miał zamiar poruszać się taksówkami. W okolicy Madeleine zauważył dwie rzeczy, których może potrzebować.

Po obiedzie Quinn i Sam pojechali do redakcji *International Herlad Tribune* w Neuilly przy Avenue Charles de Gaulle 181.

— Niestety, na jutrzejsze wydanie jest już za późno — powiedziała dziewczyna przy biurku. — Będą musieli państwo zadowolić się kolejnym. Ogłoszenia tylko wtedy mogą się ukazywać następnego dnia, gdy zostały nadane do jedenastej trzydzieści...

— W porządku — odparł Quinn i zapłacił gotówką. Wziął gratisowy egzemplarz gazety i przewertował go w taksówce, kiedy wracali na Pola Elizejskie.

Tym razem nie uszły jego uwadze wieści z Moskwy pod nagłówkiem: *Generał Kriuczkow usunięty z urzędu*. A niżej mniejszą czcionką: *Szef KGB spalony podczas wielkiej czystki*. Quinn czytał te informacje z zainteresowaniem, ale nic mu one nie mówiły.

Korespondent agencji informacyjnej donosił, że radzieckie Biuro Polityczne „z żalem" przyjęło rezygnację przewodniczącego KGB, generała Władimira Kriuczkowa. Jego zastępca będzie tymczasowo pełnić obo-·wiązki szefa, dopóki Biuro Polityczne nie mianuje następcy. W artykule wyrażono przypuszczenie, że zmiany wystąpiły z powodu niezadowolenia Biura Politycznego — w szczególności osiągnięciami Zarządu Pierwszego, którego szefem był sam Kriuczkow. Dziennikarz kończył swój artykuł sugestią, że Biuro Polityczne — cienko zawoalowana aluzja do Gorbaczowa — chciałoby widzieć na czele wywiadu zagranicznego ZSRR nowe i młodsze twarze.

Ten wieczór i cały kolejny dzień Quinn był przewodnikiem dla Sam, która nigdy przedtem nie znalazła się w Paryżu. Obejrzeli Luwr, ogrody Tuileries w deszczu, Łuk Triumfalny i wieżę Eiffla, a wolny dzień zakończyli w kabarecie Lido.

Ogłoszenie ukazało się następnego ranka. Quinn wstał wcześnie i kupił gazetę od sprzedawcy ulicznego na Polach Elizejskich, aby sprawdzić, czy tam się znajdowało. Tekst był krótki: *Z. Jestem. Zadzwoń pod... Q.* Podał numer hotelu i powiedział telefonistce z małej centrali, że oczekuje telefonu. Wrócił do pokoju. Była 9:30, kiedy telefon zadzwonił.

— Quinn? — głos nie pozostawiał wątpliwości.

— Zack, nim coś ustalimy, to jest hotelowy telefon. Ja za nimi nie przepadam. Zadzwoń za pół godziny do budki...

Podyktował mu numer blisko Place de la Madeleine.

Wychodząc krzyknął do Sam:

— Za godzinę będę z powrotem.

Była jeszcze w koszuli nocnej i została w hotelu.

Telefon w budce zabrzęczał dokładnie o dziesiątej.

— Quinn, chciałbym z tobą porozmawiać.

— Rozmawiamy przecież, Zack.

— Mam na myśli w cztery oczy.

— Jasne, żaden problem. Powiedz tylko kiedy i gdzie.

— Żadnych sztuczek, Quinn. Bez broni i obstawy.

— Zgoda.

Zack podyktował czas i miejsce spotkania. Quinn niczego nie notował; nie było potrzeby. Wrócił do hotelu. Sam była już ubrana, czekała na dole. Znalazł ją w barze przy rogaliku i kawie z mlekiem. Spojrzała na niego z ciekawością.

— Czego chciał?

— Spotkania w cztery oczy.

— Quinn, kochanie, uważaj. Ten facet to morderca. Kiedy i gdzie?

— Nie tutaj — zaznaczył. Kilku turystów jadło także późne śniadanie.

— W naszym pokoju.

A kiedy byli już na górze, powiedział: — W pokoju hotelowym. Jutro o ósmej rano. W jego pokoju w hotelu Roblin. Zarezerwowanym na nazwisko... No, pomyśl jakie... Smith.

— Muszę tam być, Quinn. Ta sprawa mi się nie podoba. Nie zapominaj, że też dobrze strzelam. A ty nie powinieneś ruszać się nigdzie bez Smith & Wessona.

— Tak jest — odparł Quinn.

Parę minut później Sam zeszła jeszcze do baru. Wróciła po dziesięciu minutach. Quinn przypomniał sobie, że w rogu baru stał aparat telefoniczny.

Spała mocno, gdy wychodził o północy, zostawiając budzik nastawiony na szóstą rano. Jak cień przemknął przez pokój, w biegu zbierając buty, skarpetki, spodenki, spodnie, sweter, kurtkę i rewolwer. Na korytarzu nie było nikogo. Tam się ubrał, schował broń za pasek, poprawiając wiatrówkę, żeby zasłoniła kolbę, i cicho zszedł na dół.

Na Polach Elizejskich znalazł taksówkę i dziesięć minut później był w hotelu Roblin.

— *La chambre de Monsieur Smith, s'il vous plaît* — powiedział do nocnego portiera. Ten sprawdził na liście i dał mu klucz. Numer dziesięć, drugie piętro. Quinn wszedł po schodach i otworzył drzwi.

Łazienka najlepiej nadawała się na zasadzkę. Drzwi znajdowały się w rogu pokoju i stąd miał wszystko w polu strzału, szczególnie drzwi do korytarza. Wykręcił z lampy przy suficie żarówkę, wziął krzesło i postawił je w łazience. Zostawił szczelinę w drzwiach i zaczął swoją nocną wachtę. Gdy oczy przyzwyczaiły się do ciemności, widział wyraźnie cały pokój, skąpo oświetlony przez światło z ulicy wpadające przez okna, w których nie zaciągnął zasłon.

Do szóstej nikt się nie zjawił. Nie słyszał żadnych kroków w korytarzu. O wpół do siódmej nocny portier przyniósł kawę rannemu ptaszkowi w pokoju bliżej schodów. Quinn słyszał jego kroki za drzwiami, a potem wracające w dół. Nikt nie wszedł i nikt nie próbował wejść.

O ósmej ogarnęło go uczucie ulgi. Dwadzieścia minut później wyszedł, zapłacił rachunek i wziął taksówkę z powrotem do hotelu du Colisee. Sam była w pokoju, nieprzytomna ze strachu.

— Quinn, do diabła, gdzie byłeś? Martwiłam się strasznie. Obudziłam się o piątej... Ciebie nie było... Mój Boże, przegapiliśmy spotkanie.

Mógł skłamać, ale poczuł wyrzuty sumienia. Opowiedział jej, co zrobił. Patrzyła, jakby uderzył ją w twarz.

— Myślałeś, że to ja? — szepnęła.

Tak, przyznał, po śmierci Marchais i Pretoriusa prześladowała go myśl, że ktoś poinformował mordercę lub morderców. Jak inaczej zdołali oni dopaść najemników przed nim i Sam? Przełknęła ciężko ślinę, pozbierała się w sobie skrywając, jak bardzo była dotknięta.

— Dobrze, to kiedy jest prawdziwe spotkanie, jeśli wolno spytać? To znaczy, jeśli teraz wystarczająco mi ufasz.

— Za godzinę, o dziesiątej — powiedział. — W knajpie przy rue de Chalon, blisko Gare de Lyon. Spory kawałek stąd, musimy już iść.

Znowu pojechali taksówką. Sam siedziała w milczeniu, kiedy jechali wzdłuż północnego brzegu Sekwany z północno-zachodniej do południowo-wschodniej części miasta. Quinn poprosił kierowcę, aby zatrzymał się na rogu rue de Chalon i pasażu de Gatbois, i resztę drogi pokonali pieszo.

Rue de Chalon biegnie równolegle do torów kolejowych, które prowadziły ze stacji na południe Francji. Zza muru dochodził do nich szczęk pociągów, które przez liczne zwrotnice opuszczały stację. Była to obskurna ulica.

Z rue de Chalon odchodziło wiele ciasnych uliczek, każda zwana pasażem, do ruchliwej Avenue Daumesnil. Ulicę dalej od miejsca, gdzie Quinn zapłacił taksówkarzowi, znalazł tę, której szukał — pasaż de Vautrin. Skręcił w nią.

— To jakaś parszywa dzielnica — zauważyła Sam.

— Tak, to on taką wybrał. Spotkanie jest w knajpie.

Były tu dwa lokale i żaden nie stanowił konkurencji dla Ritza.

„Chez Hugo" znajdował się po drugiej stronie ulicy, dobre czterdzieści metrów od pierwszego. Quinn pchnął drzwi. Bar był na lewo od niego. Na prawo stały dwa stoliki przy oknie od ulicy, zasłoniętym grubymi koronkowymi firanami. Oba stoliki były puste. Cała knajpa była pusta, pomijając nie ogolonego właściciela, krzątającego się za barem przy ekspresie do kawy. Stojąc w otwartych drzwiach z Sam obok, Quinn był doskonale widoczny i wiedział o tym. Tak jak ktoś siedzący w ciemnościach z tyłu byłby z kolei trudny do zauważenia. Ale był tam, jedyny klient baru. Siedząc samotnie przy stoliku z filiżanką kawy przed sobą, zerkał na Quinna.

Quinn przeszedł salę, a Sam za nim. Mężczyzna nie poruszył się. Poza tym, że rzucił krótkie spojrzenie na Sam, nie spuszczał Quinna z oczu. Wreszcie Quinn stanął przed nim. Zack miał na sobie sztruksową marynarkę i rozpiętą pod szyją koszulę. Przerzedzone rudawe włosy, dobrze po czterdziestce, chuda, nieciekawa twarz, zeszpecona bliznami po ospie.

— Zack? — spytał Quinn.

— Tak, siadaj. Kim ona jest?

— Moją partnerką. Jeśli ja zostanę, ona też. To ty chciałeś się spotkać. Więc mów.

Usiadł naprzeciwko Zacka kładąc ręce na stole. Żadnych sztuczek. Tamten spoglądał na niego wrogo. Quinn widział już gdzieś tę twarz. W myślach pospiesznie przerzucił zdjęcia z archiwum Haymana i tego w Hamburgu. I znalazł. Sidney Fielding, jeden z grupy Johna Petersa w Piątym Commando w Paulis, w byłym Kongo belgijskim. Tamten drżał, nie mógł powstrzymać swojego wzburzenia. Po kilku sekundach Quinn odkrył, że to wściekłość, ale nie tylko. Widział już taki wyraz oczu, w Wietnamie i gdzie indziej. Zack bał się, był rozgoryczony i zły, ale również bardzo przerażony. Nie potrafił dłużej się powstrzymać.

— Quinn, jesteś zasrańcem. Ty i twoi ludzie to zwykłe kłamliwe zasrańce. Obiecaliście, że nie będziemy ścigani, mówiliście, że mamy tylko zniknąć, i po paru tygodniach miało wszystko ucichnąć... I gówno! Teraz słyszę, że Wielki Paul zaginął, a Janni leży w kostnicy w Holandii. I żadnego pościgu za nami, co? Przyciskacie nas.

— Zaraz, spokojnie, Zack. Ja nie należę do tych, którzy ci to mówili, jestem z drugiej strony. Zacznijmy może od początku. Dlaczego uprowadziliście Simona Cormacka?

Zack zerknął na Quinna, jakby ten spytał, czy słońce jest gorące, czy zimne.

— Bo zapłacono nam za to — odparł.

— Zapłacono wam wcześniej? To nie było dla okupu?

— Nie, okup był ekstra. Dostaliśmy pół miliona dolarów. Dwieście tysięcy dla mnie i po sto tysięcy dla trzech pozostałych. Podano nam, że okup jest ekstra; mogliśmy żądać, ile się da, i zatrzymać to sobie.

— Dobrze. A kto wam płacił? Przysięgam, że ja do nich nie należę. Ściągnięto mnie dzień po porwaniu, abym spróbował odzyskać chłopaka. Kto to zorganizował?

— Nazwiska nie znam. Nigdy go nie podawał. To Amerykanin, tyle wiem. Mały, gruby facet. Tu mnie znalazł. Bóg wie jak, musi mieć swoje układy. Spotykaliśmy się zawsze w pokoju hotelowym. Kiedy tam przychodziłem, on miał zawsze maskę. Ale płacił z góry, gotówką.

— A wydatki? Porwania są kosztowne.

— Dodatkowo do ceny, gotówką. Musiałem wydać jeszcze sto tysięcy dolarów.

— Był w tym domu, gdzie się schowaliście?

— Nie, oddano nam go do dyspozycji. Spotkaliśmy się na miesiąc przed robotą w Londynie. Dał klucze, powiedział, gdzie jest i że mam go urządzić na kryjówkę.

— Daj mi ten adres.

Zack podał. Quinn zanotował. Nigel Cramer i jego eksperci z laboratorium Scotland Yardu pojadą tam później, postawią dom na głowie w poszukiwaniu śladów. Śledztwo wykaże, że dom nie był wynajęty. Angielska firma adwokacka kupiła go za dwieście tysięcy funtów na zlecenie spółki, która miała swoją siedzibę w Luksemburgu.

Spółka ta miała się okazać „skrytką pocztową" właścicieli, zupełnie legalnie reprezentowaną przez bank luksemburski, gdzie nigdy nie spotkano właściciela tej firmy. Pieniądze na zakup domu dotarły do Luksemburga w formie wystawionego przez szwajcarski bank weksla. Szwajcarzy wyjaśnili później, że weksel został kupiony w ich genewskim oddziale, zapłacony gotówką. Ale nikt nie mógł sobie przypomnieć kupca.

Poza tym dom nie znajdował się na północ od Londynu, lecz na południu hrabstwa Sussex, w pobliżu East Grinstead. Zack po prostu objeżdżał Londyn obwodnicą M 25, aby dzwonić z budek od północnej strony stolicy.

Ludzie Cramera mieli przetrząsnąć dom z góry do dołu, znajdując kilka przeoczonych odcisków palców, ale należały one do Marchais i Pretoriusa.

— A co z volvo? — pytał dalej Quinn. — Sam za niego płaciłeś?

— Tak, i za furgonetkę także, i większość innych rzeczy. Tylko Skorpiona dał nam grubas. W Londynie.

Volvo zostało właśnie odkryte poza Londynem, o czym Quinn nie wiedział. Opłacony czas parkowania na wielopiętrowym parkingu londyńskiego Heathrow minął. Po tym, gdy najemnicy przed południem w dniu morderstwa minęli Buckingham, zawrócili na południe i dotarli do Londynu. Na Heathrow wsiedli do autobusu kursującego do innego londyńskiego lotniska Gatwick, ale tam wsiedli do pociągu, który jechał do Hastings, na wybrzeże. Taksówkami, każdy inną, dotarli do Newhaven, aby tam w południe złapać prom do Dieppe. We Francji rozdzielili się i ukryli.

W volvo, odkrytym przez policjantów z Heathrow, trafiono w bagażniku, lekko pachnącym migdałami, na wywiercone dwa otwory służące do oddychania. Wtedy Scotland Yard włączył się do sprawy i ustalono pierwszego właściciela pojazdu. Okazało się, że sprzedał on auto za gotówkę, bez formalności papierkowych, a opis kupującego odpowiadał mężczyźnie z rudymi włosami, który kupował forda transita.

— I to od tego grubego dostawałeś też dodatkowe informacje? — spytał Quinn.

— Co za dodatkowe informacje? — wtrąciła się nagle Sam.

— Jak na to wpadłeś? — nerwowo zapytał Zack.

Najwyraźniej podejrzewał ciągle, że Quinn mógł być jednym z jego zleceniodawców, przeobrażonych w ścigających.

— Byłeś zbyt dobry — odparł Quinn. — Wiedziałeś, że masz zaczekać, aż ja się tam pojawię, a potem chciałeś rozmawiać z konkretnym negocjatorem. Tego jeszcze nigdy nie przeżyłem. Wiedziałeś, kiedy zagrać wściekłość, a kiedy musisz znowu się uspokoić. Zamieniłeś dolary na diamenty, wiedząc, że sprawi to opóźnienie, kiedy my byliśmy już gotowi do wymiany.

Zack skinął głową.

— Tak, instruowano mnie przed porwaniem, co, kiedy i jak mam robić. Gdy siedzieliśmy w kryjówce, musiałem wykonywać serię dalszych telefonów, wyjeżdżając zawsze z domu, zawsze z jednej do drugiej budki według uzgodnionej listy. To był gruby; poznawałem go już po głosie. Czasem coś zmieniał, nazywał to „delikatnym dostrajaniem". Robiłem, co mi zlecił.

— Jasne — powiedział Quinn. — I to gruby powiedział ci, że nie będzie żadnych problemów po wszystkim. Z miesiąc potrwa wielki pościg, ale bez punktów zaczepienia, zakończy się fiaskiem, a wy będziecie potem żyć długo i szczęśliwie. Naprawdę w to wierzyłeś? Naprawdę wierzyłeś, że możesz uprowadzić syna amerykańskiego prezydenta i wyjść z tego bez poniesienia kary? To dlaczego zabiłeś tego chłopaka? Nie było to przecież konieczne.

Mięśnie twarzy Zacka wykrzywiły się, jak gdyby chwycił go atak. Oczy wyolbrzymiły mu się ze złości.

— Właśnie o to chodzi, dupku! My go nie zabiliśmy. Zostawiliśmy go przy drodze, zgodnie z ustaleniami. Był zdrowy i w pełni sił, nie dotknęliśmy go nawet. I odjechaliśmy. O tym, że nie żyje, dowiedzieliśmy się następnego dnia z wiadomości. Nie mogłem uwierzyć. To było kłamstwo, że my to zrobiliśmy.

Na zewnątrz za rogiem z rue de Chalon skręcił samochód. Jeden mężczyzna siedział za kierownicą, drugi na tylnym siedzeniu, ze strzelbą w ręku. Samochód przejechał wzdłuż ulicy, jakby mężczyźni rozglądali się za kimś, stanął przed pierwszą knajpą, potem dotarł aż do drzwi „Chez Hugo", cofnął się i zatrzymał pomiędzy barami. Z włączonym silnikiem.

— Chłopak zginął od bomby umieszczonej w pasku skórzanym, który nosił — wyjaśnił Quinn. — Nie miał go, kiedy został porwany na Shotover Plain. Ty mu go dałeś.

— Nie — wrzasnął Zack. — Kurwa mać! To Orsini.

— Dobrze, to opowiedz mi o Orsinim.

— Korsykanin, zabójca. Młodszy od nas. Gdy w trójkę pojechaliśmy spotkać się z tobą w magazynie, chłopak miał swoje ubranie. Kiedy wróciliśmy, był już w nowych ciuchach. Zbeształem Orsiniego za to niemiłosiernie. Głupiec opuścił dom, wbrew rozkazom, i kupił te rzeczy.

Quinn przypomniał sobie wrzask, jaki słyszał z góry, gdy najemnicy kłócili się, aby zbadać diamenty. Myślał wtedy, że chodziło im o kamienie.

— Dlaczego on to zrobił? — spytał Quinn.

— Powiedział, że chłopak skarżył się na zimno. Myślał, że to nic takiego, kiedy wyruszy do East Grinstead, do sklepu sportowego, i kupi tam parę rzeczy. Byłem wściekły, bo on nie tylko nie mówi po angielsku, ale i wyglądem zwraca na siebie uwagę ludzi.

— A więc te ubrania kupiono pod twoją nieobecność — powiedział Quinn. — No dobrze, jak on wygląda, ten Orsini?

— Ma trzydzieści trzy lata, zawodowiec, ale bez doświadczenia w walkach. Bardzo ciemna broda, czarne oczy, blizna od noża na policzku.

— Dlaczego go wziąłeś?

— To nie ja. Ja skontaktowałem się z Wielkim Paulem i Jannim, bo znałem ich ze starych czasów i mieliśmy ze sobą kontakt. Korsykanina przysłał mi gruby. A teraz słyszę, że Janni nie żyje, a Wielki Paul zniknął.

— A dlaczego chciałeś spotkać się ze mną? — dociekał Quinn. — Czego oczekujesz ode mnie?

Zack pochylił się do przodu i chwycił Quinna za ramię.

— Chcę się z tego wyrwać — odparł. — Jeśli należysz do ludzi, którzy mnie załatwili, powiedz im, że mogą odwołać pościg za mną. Ja nigdy nie powiem ani słowa. Na pewno nie gliniarzom. Oni są bezpieczni.

— Ale ja do nich nie należę — przypomniał mu Quinn.

— To powiedz swoim ludziom, że ja nie zabiłem chłopaka — ciągnął Zack. — Tego nie było w umowie. Przysięgam na swoje życie, ja nigdy nie zamierzałem zabić tego chłopaka.

Quinn pomyślał, że jeśli Nigel Cramer czy Kevin Brown dostaną kiedyś w swoje ręce Zacka, to ma on zagwarantowane, że resztę życia spędzi za kratami, albo jako gość Jej Wysokości, albo Wuja Sama.

— Jeszcze parę kwestii, Zack. Diamenty. Jeśli chcesz prosić o łaskę, to na początek oddaj te kamienie. Spieniężyłeś je?

— Nie — odparł szybko Zack. — Nawet jednego. Są tutaj. Co do sztuki, każdy pieprzony diament... — Sięgnął ręką pod stół i po chwili położył na nim ciężki lniany woreczek.

Sam wytrzeszczyła oczy.

— A ten Orsini... — pytał dalej Quinn niewzruszonym tonem. — Gdzie teraz jest?

— Bóg jeden wie. Pewnie znowu na Korsyce. Stamtąd przybył dziesięć lat temu, aby przyłączyć się do gangów w Marsylii, Nicei i później w Paryżu. To wszystko, co z niego wyciągnąłem. I jeszcze, że pochodził z wioski o nazwie Castelblanc.

Quinn wstał, wziął woreczek i spojrzał z góry na Zacka.

— Tkwisz w gównie, człowieku. Aż po same uszy. Porozmawiam z władzami. Może zaakceptują, że wystąpisz jako świadek koronny. Choć szansa na to jest wręcz nikła. Ale powiem im, że inni stali za tobą, a za nimi jeszcze ktoś. Jeśli uwierzą, a ty wyznasz wszystko, co wiesz, może zostawią cię przy życiu. Inni, dla których pracowałeś... nie mają takiej szansy.

Odwrócił się do wyjścia. Sam ruszyła za nim. Zack wstał również, jakby znalazł osłonę w Amerykaninie, i udali się do drzwi. Tu Quinn przystanął.

— Ostatnie pytanie. Dlaczego nazwałeś się Zack?

Wiedział, że w czasie przetrzymywania porwanego Simona Cormacka psychiatrzy i łamacze kodów głowili się nad tym imieniem i szukali wskazówki co do tożsamości mężczyzny, który je sobie obrał. Próbowali z wariacjami od Zachary, Zachariasz i śledzili pokrewnych wśród znanych przestępców, którzy mieli takie imiona lub inicjały.

— Właściwie to Z-A-K — odparł Zack. — Kombinacja liter na tablicy rejestracyjnej pierwszego samochodu, jaki miałem.

Quinn zmarszczył brwi. I licz tu na psychiatrów. Wyszedł z baru. Zack szedł za nim. Sam była jeszcze w drzwiach, kiedy strzały z broni rozdarły ciszę bocznej uliczki.

Quinn nie widział auta ani strzelca. Ale słyszał świst kuli przelatującej obok jego twarzy i poczuł chłodny powiew na policzku. Kula zbłądziła obok jego ucha o dobry centymetr, ale Zacka trafiła. Najemnik dostał w gardło.

To wyćwiczone reakcje uratowały Quinnowi życie. Fakt, że znał ten świst, był dla niego atutem. Ciało Zacka zostało rzucone na framugę drzwi i odbite rykoszetem do przodu. Quinn był z powrotem w drzwiach, nim kolana Zacka zaczęły się uginać. W tej sekundzie, kiedy ciało najemnika było jeszcze wyprostowane, posłużyło jako tarcza pomiędzy Quinnem a stojącym trzydzieści metrów dalej samochodem.

Quinn wpadł tyłem do wejścia, obrócił się, chwycił Sam i runął razem z nią na podłogę, wszystko w jednym ruchu. Gdy padali na brudne kafelki, druga kula syknęła nad nimi przez zamykające się drzwi i zdarła tynk z bocznej ściany lokalu. Potem drzwi zamknęły się pod naciskiem sprężyny.

Quinn przeczołgał się na łokciach i kolanach po podłodze knajpy, ciągnąc za sobą Sam. Samochód zbliżył się, aby polepszyć kąt strzelania i grad kul zamienił w gruzy okno wystawowe, a z drzwi zrobił sito. Barman, przypuszczalnie Hugo, był powolniejszy. Stał z otwartymi ustami za barem, aż deszcz odłamków z jego rozstrzelanego zapasu butelek nie rzucił go na podłogę.

Strzelanie ustało — zmiana magazynka. Quinn skoczył w stronę tylnego wyjścia, lewą ręką cały czas trzymając Sam za przegub ręki, a prawą ściskając woreczek z diamentami. Drzwi za barem wychodziły na korytarz z toaletami po obu stronach. Na wprost była brudna kuchnia. Quinn przeleciał przez kuchnię, kopnął nogą drzwi na drugim końcu i wylądowali na tylnym podwórzu.

Tu poukładane były jedna na drugiej skrzynki z butelkami po piwie, czekające na wywóz. Quinn i Sam wykorzystali je jako schody, wspięli się przez tylny mur na drugie podwórze, które należało do rzeźni przy równoległej ulicy, pasażu de Gatbois. Trzy sekundy później byli już na ulicy. Na szczęście trzydzieści metrów dalej stała taksówka. Z tyłu niepewnie wysiadała starsza dama i sięgała do torebki, aby wyjąć drobne. Quinn dopadł taksówki, przeniósł kobietę na chodnik i powiedział do niej: — *C'est payé, madame.*

Trzymając Sam za nadgarstek, wsiadł na tylne siedzenie, rzucił woreczek obok, wyciągnął plik banknotów i podsunął je kierowcy pod nos.

— Szybko, jedźmy stąd — powiedział. — Mąż mojej małej właśnie zjawił się z paroma wynajętymi mięśniakami.

Marcel Dupont był starszym mężczyzną z sumiastymi wąsami, który od czterdziestu pięciu lat jeździł taksówką po ulicach Paryża. Wcześniej walczył w ruchu oporu. I parę razy uciekał, unikając rozstrzelania. Był także prawdziwym Francuzem i miał oko na takie blondynki, jak ta wciągnięta właśnie do jego taksówki. I wreszcie był paryżaninem umiejącym docenić taki plik banknotów. Wieki temu Amerykanie dawali dziesięciodolarowe napiwki. Teraz przyjeżdżając do Paryża, te dziesięć dolarów potrafili przeznaczyć na całodzienne utrzymanie. Pozostawił po sobie dymiące ślady opon, gdy ruszył pasażem do Avenue Daumesnil.

Quinn sięgnął ręką przez Sam i chciał silnym szarpnięciem domknąć furkoczące drzwi. Trafiły na jakąś przeszkodę i zamknęły się dopiero za drugim razem. Sam padła do tyłu, biała jak płótno. Potem rzuciła spojrzenie na torbę z krokodylej skóry, kupioną u Harrodsa. Drzwi zamknięte z ogromną siłą zgniotły metalową ramkę od spodu i rozpruły szwy. Sprawdziła uszkodzenia i nagle zmarszczyła czoło.

— Quinn, co to, u diabła, jest?

„To" było wystającym końcem baterii, czarno-pomarańczowej, cienkiej jak moneta, jakich używa się w aparatach polaroida. Quinn naciął swoim nożykiem resztę szwów wzdłuż dna torebki, przez co okazało się, że bateria połączona była z dwiema innymi w ciąg szeroki na sześć i długi na dziesięć centymetrów. Nadajnik także znajdował się na spodzie torebki. Drut prowadził do mikrofonu w metalowym bolcu. Antenę ukryto w pasku. Było to miniaturowe urządzenie wykonane według najnowszej techniki i pobudzane głosem, aby oszczędzać energię.

Quinn obejrzał poszczególne części rozłożone na tylnym siedzeniu między nimi. Nawet jeśli urządzenie jeszcze funkcjonowało, niemożliwe stało się użycie go teraz do dezinformacji. Okrzyk Sam z pewnością zwrócił uwagę podsłuchujących. Quinn wysypał z torebki wszystkie rzeczy Sam, poprosił kierowcę o zatrzymanie się przy chodniku i wrzucił torbę razem z pluskwą do śmietnika.

— To wyjaśnia przypadki Marchais i Pretoriusa — orzekł Quinn. —

Musiało ich być dwóch; jeden, który cały czas deptał nam po piętach, słuchał, co wykryliśmy i dzwonił do swojego kumpla, który przez to był u celu przed nami. Ale dlaczego, u diabła, nie przybyli rano na zmyślone spotkanie?

— Bo jej nie miałam — stwierdziła nagle Sam.

— Czego nie miałaś?

— Nie miałam ze sobą torebki. Siedziałam na dole przy śniadaniu, ty chciałeś porozmawiać na górze w pokoju. Zapomniałam o torebce, zostawiłam ją w barze. Musiałam potem zejść po nią. Obawiałam się nawet, że już ją skradziono. Tylko dobry Bóg mógł to sprawić...

— Tak. Słyszeli jedynie, że mówiłem do taksówkarza, aby nas wysadził na rogu rue de Chalon. I słowo „bar". Są dwa na tej ulicy.

— Ale jak dostali się do mojej torebki? — zastanawiała się. — Zawsze przecież miałam ją przy sobie.

— To nie była torba, którą kupiłaś, to był duplikat — orzekł Quinn. — Ktoś ją widział, kupił taką samą, wyposażył i zamienił z twoją. Jak wielu ludzi wchodziło do tego mieszkania w Kensington?

— Po tym, gdy ty się ulotniłeś? Cały świat. Cramer i inni Brytyjczycy, Brown, Collins, Seymour, do tego trzech czy czterech ludzi z FBI. Byłam z nią w ambasadzie, w tym domku wiejskim w Surrey, gdzie cię przetrzymywali, poleciałam do Stanów i z powrotem, do diabła, wszędzie miałam ją ze sobą! A potrzeba dobrych pięciu minut na takie opróżnienie torebki i jej zamianę.

— Dokąd, kolego? — spytał taksówkarz.

Hotel du Colisee nie wchodził w grę, zabójcy już o nim wiedzieli. Ale nie o parkingu, gdzie odstawił opla. Tam przecież pojechał bez Sam i jej fatalnej torebki.

— Na Place de la Madeleine — rzucił. — Róg Chauveau-Lagarde.

— Quinn, czy ja nie powinnam z tymi informacjami, które właśnie otrzymaliśmy, polecieć do Stanów? Mogłabym pójść do naszej ambasady tutaj i zażądać eskorty dwóch goryli. Waszyngton musi się dowiedzieć, co Zack nam opowiedział.

Quinn przyglądał się ulicom, które mijali. Taksówka jechała wzdłuż rue Royale, dookoła Madeleine, i wysadziła ich przy wejściu do parkingu. Quinn dał kierowcy królewski napiwek.

A kiedy siedzieli już w oplu, jadąc na południe, przez Sekwanę, w stronę Dzielnicy Łacińskiej, Sam zapytała: — Dokąd teraz?

— Ty pojedziesz na lotnisko — odparł Quinn.

— I polecę do Waszyngtonu?

— W żadnym wypadku do Waszyngtonu. Posłuchaj, Sam, właśnie

teraz nie powinnaś bez ochrony lecieć do domu. Kimkolwiek by nie byli ludzie, którzy za tym stoją, są o wiele grubszymi rybami niż zgraja byłych najemników. Ci byli tylko wynajętymi zbirami. Wszystko, co się stało po naszej stronie, zostało przypisane Zackowi. Był informowany o dochodzeniu policji, o decyzjach, które zapadały w Waszyngtonie, Scotland Yardzie i Londynie. Wszystko było zaaranżowane, nawet zabójstwo Simona Cormacka. Gdy chłopak biegł wzdłuż skraju drogi, ktoś musiał siedzieć z zapalnikiem na drzewie. Skąd wiedział, że musi tam być? Bo Zack dostawał precyzyjne wskazówki, co ma robić w każdej fazie, włącznie z wypuszczeniem nas obu. Mnie nie zabił, bo nie zlecono mu tego. Nie sądził nawet, że będzie musiał kogoś zabić.

— Ale on podał nam, że to ten Amerykanin wszystko uknuł i go opłacił — zaprotestowała Sam. — Ten, którego nazwał grubasem.

— A kto nim dyryguje?

— No, pewnie ktoś za nim stoi.

— Stoi — zgodził się Quinn. — I to wysoko. Bardzo wysoko. Wiemy, co i jak się stało, ale nie wiemy, kto i dlaczego za tym stoi. Jeśli teraz polecisz do Waszyngtonu i opowiesz im, co usłyszeliśmy od Zacka, co mamy w ręku? Relacje porywacza, przestępcy i najemnika, który w dodatku nie żyje, który drżał ze strachu przed skutkami tego, co zrobił i który chciał kupić sobie wolność za wydanie wspólników i zwrot diamentów, wymyślając bajeczkę, że to ktoś sobie z nim zagrywał.

— To co teraz?

— Ty się ukryjesz. Ja poszukam Korsykanina. Jest kluczową figurą, narzędziem grubasa, facetem, który załatwił śmiercionośny pas i zapiął go Simonowi. Stawiam dziesięć do jednego, że Zackowi zlecono, aby przewlec negocjacje o sześć dni i najpierw żądać gotówki, a potem diamentów, bo nowe ciuchy nie były jeszcze gotowe. Plany mogły zawieść, wszystko działo się zbyt szybko i należało wyhamować. Jeśli uda mi się dostać Orsiniego i zmusić go do mówienia, przypuszczalnie poda nazwisko swojego zleceniodawcy. Jak tylko będziemy mieli nazwisko grubasa, możemy lecieć do Waszyngtonu.

— Pozwól mi jechać z tobą, Quinn. Taka była umowa...

— Taką umowę przeforsował Waszyngton. I już się skończyła. Wszystko, co Zack nam opowiedział, dotarło gdzieś dzięki pluskwie w twojej torebce. Wiedzą, że my też wiemy. Teraz będą ścigać ciebie i mnie. Chyba że zdobędziemy nazwisko grubego, wtedy ścigający staną się ściganymi. O to zatroszczy się FBI. I CIA także.

— Gdzie mam zniknąć i na jak długo?

— Aż zadzwonię i powiem ci, że powietrze stało się dla nas czyste.

A gdzie? W Maladze. Mam przyjaciół w południowej Hiszpanii, którzy zaopiekują się tobą.

Paryż, podobnie jak Londyn, ma dwa lotniska. Dziewięćdziesiąt procent lotów międzynarodowych startuje z Charles de Gaulle, w północnej części stolicy. Do Hiszpanii i Portugalii natomiast leci się ze starego Orly na południu. Aby zwiększyć zamieszanie, Paryż ma także dla każdego z obu lotnisk własny dworzec autobusowy w mieście. Autobusy do Orly odchodzą z Maine-Montparnasse w Dzielnicy Łacińskiej. Quinn podjechał tam pół godziny po opuszczeniu parkingu przy Madeleine, zaparkował i odprowadził Sam do hali głównej.

— A moje ubrania, rzeczy w hotelu? — narzekała.

— Zapomnij o nich. Jeśli gangsterzy nie obserwują hotelu, to są idiotami. A raczej nie są. Masz swój paszport i karty kredytowe?

— Tak. Zawsze mam je przy sobie.

— Ja też. Podejdź do okienka bankowego i podejmij tyle pieniędzy, ile wydają z twojego konta kredytowego.

Podczas gdy Sam stała przy okienku, Quinn kupił jej za swoją resztę gotówki bilet na lot z Paryża do Malagi. Nie zdążyła na ten o 12:45, ale o 17:35 odlatywał jeszcze jeden samolot.

— Pańska przyjaciółka ma pięć godzin czekania — oznajmiła dziewczyna przy okienku z biletami. — Autobusy na Orly odchodzą co dwanaście minut spod bramki „J".

Quinn podziękował jej, podszedł do okienka bankowego i podał Sam bilet. Podjęła pięć tysięcy dolarów, z których Quinn wziął cztery.

— Zaprowadzę cię do autobusu — powiedział. — Na Orly jest bezpieczniej niż tutaj, na wypadek gdyby mieli kontrolować odloty. Kiedy tam już będziesz, przejdź natychmiast przez kontrolę paszportów do strefy wolnocłowej. Tam trudniej się dostać. Kup sobie nową torebkę, torbę podróżną, parę rzeczy do ubrania. To, co potrzebujesz. Potem zaczekaj na lot i nie przegap go. Każę odebrać cię w Maladze.

— Quinn, ja nie mówię po hiszpańsku.

— To nie problem, oni wszyscy mówią po angielsku.

Stojąc na stopniach autobusu Sam objęła Quinna ramieniem.

— Quinn, przykro mi. Sam więcej byś zrobił.

— Nie twoja wina, skarbie. — Quinn podniósł jej głowę i pocałował. Nikt nie zwracał na nich uwagi, codzienna scena w takim miejscu. — Poza tym bez ciebie nie miałbym Smith & Wessona. A sądzę, że mogę go potrzebować.

— Uważaj na siebie — szepnęła.

Chłodny wiatr dmuchał przez Boulevard de Vaugirard. Ostatnie ciężkie bagaże zostały umieszczone na dole w autobusie, ostatni pasażerowie wsiedli. Sam zadrżała w jego ramionach. On głaskał jej błyszczące blond-włosy spoczywające na jego piersi.

— Nic mi nie będzie. Naprawdę. Za parę dni zadzwonię. Potem będziemy mogli, bez względu na wszystko, bezpiecznie wrócić do domu.

Popatrzył za ruszającym autobusem i machał długo do małej dłoni w tylnym oknie. Aż autobus skręcił za rogiem i zniknął.

Dwieście metrów od dworca autobusowego, po drugiej stronie Boulevard de Vaugirard, znajduje się duży urząd pocztowy. Quinn kupił w sklepie papierniczym karton, do tego papier pakowy i wszedł na pocztę. Przy użyciu nożyka kieszonkowego, taśmy klejącej, papieru i sznurka zmajstrował mocną paczkę dla diamentów i wysłał ją przesyłką poleconą, ekspresem, do ambasadora Fairweathera w Londynie.

Z budki zadzwonił do Scotland Yardu i zostawił wiadomość dla Nigela Cramera. Był to adres domu w pobliżu East Grinstead w Sussex. Na koniec zadzwonił do baru w Esteponie. Mężczyzna, z którym rozmawiał, nie mówił po hiszpańsku, ale londyńskim slangiem.

— Dobra, zrobi się, kumplu — mówił głos na drugim końcu linii. — Będziemy trzymali oko na twoją małą damę.

Po załatwieniu tej sprawy Quinn wrócił do samochodu, napełnił bak do pełna na najbliższej stacji i w gęstym ruchu w porze obiadowej skierował się na paryską obwodnicę. Godzinę po telefonie do Hiszpanii był już na A6 i jechał na południe w kierunku Marsylii. W Beaune zrobił przerwę na kolację, a potem rozchylił w samochodzie oparcie, by przespać się trochę. Była trzecia rano, kiedy ruszył dalej na południe.

Podczas gdy on spał, w restauracji „San Marco", naprzeciw hotelu du Colisee siedział mężczyzna i obserwował wejście do hotelu. Siedział tam już od południa, ku zaskoczeniu a potem i zdenerwowaniu personelu. Zamówił obiad, przesiedział tak popołudnie i potem zjadł kolację. Kelnerom zdawał się być zatopionym w lekturze.

O jedenastej wieczorem zamykano lokal. Wtedy mężczyzna poszedł do hotelu Royal obok, gdzie wyjaśnił, że musi zaczekać na znajomego. Usiadł w recepcji przy oknie i kontynuował swoją obserwację. O drugiej rano uległ ostatecznie.

Pojechał do całodobowego urzędu pocztowego przy rue de Louvre, wszedł po schodach do kabin na pierwszym piętrze i zamówił rozmowę z przywołaniem. Został w kabinie, dopóki telefonistka nie oddzwoniła.

— *Allo, monsieur.* Jest połączenie. Proszę mówić. Na linii Castelblanc.

ROZDZIAŁ SZESNASTY

Costa del Sol od dawna jest ulubionym miejscem zaszywania się ściganych członków brytyjskiego półświatka. Wielu opryszków, którzy opróżnili bankom konta albo ich opancerzone furgonetki czy też ograbili inwestorów, pożegnało się z ziemią ojców i umknęło przed Scotland Yardem pod słońce południowej Hiszpanii, aby tam rozkoszować się nowo nabytym dostatkiem. Ktoś dowcipny zauważył nawet kiedyś, że w Esteponie w pogodny dzień widzi się więcej chłopaków z przeszłością niż w Królewskim Więzieniu Parkhurst podczas apelu.

Tego wieczora czterech z nich czekało na lotnisku w Maladze po telefonie z Paryża. Byli tam: Ronnie, Bernie i Arthur — do którego należało mówić per „Arfur" — wszyscy trzej w wieku dojrzałym, i Terry, małolat, bardziej znany jako „Tel". Mężczyźni ci, oprócz Tela, mieli na sobie letnie garnitury i kapelusze panama oraz, mimo wieczoru, słoneczne okulary. Z tablicy odczytali, że samolot z Paryża właśnie wylądował, i ustawili się dyskretnie obok wyjścia z komory celnej.

Sam pojawiła się wśród pierwszych pasażerów. Była bez bagażu poza nową, kupioną na Orly, torebką i małą skórzaną torbą podróżną, również nową, z kosmetykami i rzeczami na zmianę. Na sobie miała kostium, w którym brała udział w spotkaniu z Zackiem w barze „Chez Hugo".

Ronnie otrzymał wprawdzie jej opis, ale nie zdradzał on wszystkiego. Podobnie jak Bernie i Arthur także i on był żonaty i podobnie jak żony innych także jego „stara" była tlenioną blondynką, rozjaśnioną jeszcze przez stałe przebywanie na słońcu, ze skórą jak jaszczurka, którą zawdzięczała promieniom ultrafioletowym. Dlatego Ronnie docenił jasną, północną cerę i figurę, przypominającą klepsydrę, młodej zbliżającej się kobiety.

— Patrzcie no — mruknął Bernie.

— Wyborna — dodał Tel. Był to jego ulubiony, jeśli nie jedyny, przymiotnik. Wszystko, co go zaskakiwało lub co mu się podobało, określał jako „wyborne".

Ronnie ruszył do przodu. — Panna Somerville?

— Tak.

— ...bry wieczór. Jestem Ronnie. To Bernie, Arf i Tel. Quinn prosił nas o opiekę nad panią. Samochód czeka.

Quinn dotarł do Marsylii w ostatni dzień listopada, zimny i deszczowy. Miał do wyboru: lecieć z lotniska Marignane do Ajaccio, stolicy Korsyki, i być tam za parę godzin albo wejść na nocny prom i zabrać samochód.

Zdecydował się na prom. Po pierwsze, nie będzie musiał w Ajaccio wynajmować samochodu, a po drugie, bez kłopotu przewiezie wtedy Smith & Wessona, ciągle zatkniętego za paskiem, a po trzecie czuł, że przezornie musi zrobić parę zakupów na czas pobytu na Korsyce.

Drogowskazy poprowadziły go jakoś do Quai de la Joliette. Port świecił pustkami. Prom, który przybył rano z Ajaccio, stał przycumowany, pasażerowie opuścili go przed godziną. Kasa biletowa na Boulevard des Dames była jeszcze zamknięta. Zdążył zaparkować samochód i zjeść śniadanie.

O dziewiątej kupił bilet na wieczorny prom *Napoleon*, który odpływał o dwudziestej, a o siódmej rano przybywał na miejsce. Z biletem w ręku mógł odstawić asconę na parking dla pasażerów, w pobliżu nabrzeża J4, skąd odpływał prom.

Kiedy to wszystko załatwił, wrócił pieszo do miasta, aby zrobić zakupy. Torbę płócienną dostał bez problemu, a w drogerii kupił nowe przybory do mycia i golenia, bo stare zostawił przy rue de Colisée w Paryżu. W sklepach z galanterią męską kręcono tylko głowami na jego pytanie, ale w końcu znalazł taki w dostępnej tylko dla pieszych St-Ferreol, na północ od Starego Portu.

Młody sprzedawca postarał się i nabycie butów, dżinsów, pasa, koszuli i kapelusza nie stanowiło tu problemu. Gdy Quinn przedstawił mu swoje ostatnie życzenie, młody człowiek uniósł brwi.

— Co takiego podać, *m'sieur?*

Quinn powtórzył, co jeszcze potrzebuje.

— Przykro mi, ale nie sądzę, by dało się to kupić...

Zmierzył wzrokiem dwa banknoty o dużym nominale przewijające się nęcąco pomiędzy palcami Quinna.

— Może w magazynie? Jakaś stara, niepotrzebna? — podpowiedział Quinn.

Młody człowiek rozejrzał się.

— Zobaczę, proszę pana. Mogę wziąć pańską torbę?

Zniknął na dziesięć minut w magazynie na zapleczu. Kiedy wrócił, rozchylił torbę, żeby Quinn mógł zajrzeć.

— Znakomicie — powiedział Quinn. — O to mi chodziło.

Spakował wszystko, dał sprzedawcy napiwek zgodnie z obietnicą i wyszedł. Niebo się rozchmurzyło, zjadł więc lunch w kawiarnianym ogródku niedaleko Starego Portu i nad filiżanką kawy spędził godzinę studiując szczegółową mapę Korsyki. Z wykazu nazw dowiedział się tylko, że Castelblanc leży w górach Ospedale, daleko na południu wyspy.

O ósmej *Napoleon* odbił od nabrzeży Gare Maritime i cofając się kierował na wytyczoną trasę. Quinn w tym czasie delektował się już lampką wina w barze „Des Aigles", prawie pustym o tej porze roku. A prom wziął kurs na morze i światła Marsylii znikały powoli za oknem, ustępując miejsca panoramie starej fortecy-więzienia Chateau d'If, przesuwającej się kilkadziesiąt metrów od burty.

Kwadrans później prom zostawił za sobą przylądek Croisette i wypłynął na ciemne morze. Quinn zjadł wtedy kolację w Malmaison, wrócił do kabiny na pokładzie D i o jedenastej wieczorem już spał, przy budziku nastawionym na szóstą rano.

Około jedenastej Sam siedziała z opiekunami w małym, położonym na uboczu chłopskim domku wysoko pośród wzgórz za Esteponą. Żaden z nich nie mieszkał tutaj; dom służył za magazyn lub od czasu do czasu jako kryjówka, jeśli któryś z ich przyjaciół chciał zażyć odosobnienia z daleka od nachalnych detektywów wymachujących wnioskami o ekstradycję.

W pięcioro siedzieli w pomieszczeniu z zamkniętymi okiennicami, w smugach papierosowego dymu i grali w pokera. To był pomysł Ronniego. Grali już od trzech godzin, wszyscy poza Ronnie i Sam odeszli już od stołu. Tel w ogóle nie grał; podawał piwo i sam popijał z bogatego zapasu w skrzyniach stojących wzdłuż ściany. Także pozostałe ściany zastawione były pakami, ale te mieściły egzotyczne liście wprost z Maroka, eksportowane do krajów położonych dalej na północ.

Arthur i Bernie byli potwornie wyczerpani i ponuro gapili się na ostatnich graczy siedzących przy stole. Pokaźna pula tysiącpesetowych banknotów na środku stołu zawierała wszystko, co ze sobą przynieśli, i połowę tego, co miał Ronnie, i połowę dolarów Sam wymienionych według aktualnego kursu.

Sam obrzuciła spojrzeniem resztę kapitału Ronniego, przesunęła większość własnych banknotów na środek i podbiła stawkę. Uśmiechnął się, dołożył do puli i chciał sprawdzić jej karty. Odwróciła cztery pierwsze. Dwa króle, dwie dziesiątki. Ronnie wyszczerzył zęby i pokazał, co ma w ręku; ful: trzy damy, dwa walety. Sięgnął po stos, który zawierał wszystko, co sam miał, i co przynieśli Bernie i Arthur, plus dziewięć setek z tysiąca dolarów Sam. Wtedy odwróciła piątą kartę. Trzeci król.

— Co za diabeł! — rzucił i klapnął na krzesło.

Sam zgarnęła kupkę banknotów.

— Można i tak to określić — zauważył Bernie.

— Powiedz, z czego ty właściwie żyjesz, Sam? — zapytał Arthur.

— Quinn wam nie mówił? — zdziwiła się. — Jestem agentem specjalnym FBI.

— Popatrz no — mruknął Ronnie.

— Wyborna — dodał Tel.

Napoleon przybił punktualnie o siódmej do nabrzeża Gare Maritime w Ajaccio, między molami Capucins i Citadelle. Dziesięć minut później wóz Quinna razem z innymi opuścił ładownię i po pochylni zjechał do starożytnej stolicy tej dziko romantycznej, tajemniczej wyspy.

Z jego mapy jasno wynikało, jaką trasą powinien jechać: na południe, wzdłuż Boulevard Sampiero aż do lotniska, potem w góry na lewo, drogą N196. Po dziesięciu minutach teren zaczął się wznosić, jak to bywa na Korsyce, która jest niemal w całości górzysta. Droga skręcała nagle i wiła się serpentyną przez Cauro aż do Col St-Georges, gdzie przez moment mógł zerknąć na wąski pas równiny wybrzeża daleko z tyłu w dole. Potem znowu otoczyły go góry: zbocza i urwiska przyprawiające o zawrót głowy, pagórki porośnięte gajem oliwnym, dąbrową i buczyną. Za Bicchisano droga znowu skręcała w dół, do wybrzeża Propriano. Nie dało się uniknąć jazdy w góry Ospedale bez ciągłych niebezpiecznych zakrętów — w prostej linii jechałoby się przez dolinę Baraci, okolicę tak dziką, że żaden kierowca nie zdołałby się przedrzeć.

Za Propriano znowu przejechał kawałek trasy wzdłuż wybrzeża, aż drogą D268 mógł skręcić w kierunku Ospedale. Tu zbaczał z drogi N (krajowej) w strefę dróg D (lokalnych), nieco szerszych od polnej ścieżki, ale robiących wrażenie wielopasmowych autostrad w porównaniu z górskimi szlakami, które go jeszcze czekały. D268 ciągnęła się północnym obrzeżem doliny rzeki Fiumicicoli, jaka znikała mu już z oczu daleko w dole po prawej.

Przejeżdżał przez małe, przycupnięte wioski z domkami z lokalnego szarego piaskowca na stokach pagórków i skarp, skąd rozciągał się widok przyprawiający o mdłości, i zastanawiał się, jak ci farmerzy utrzymują się ze swych małych sadów i łąk.

Droga wznosiła się stromymi zakrętami, czasem zapadała się w fałdach terenu, by po chwili już piąć się w górę. Za St-Luciede de Tallano skończył się zagajnik i góry pokryły gęste zarośla wrzosów i mirtu zwanego tu *maquis*. Podczas drugiej wojny światowej uciekanie z domu w góry przed aresztowaniami gestapo nazywało się „rzucaniem w maquis"; stąd też Francuzów z ruchu oporu znano jako *maquisards*, albo zwyczajnie *Maquis*.

Korsyka jest tak stara jak jej góry, pośród których ludzie żyją od prehistorycznych czasów. Podobnie jak Sardynia i Sycylia, była nękana tak wieloma wojnami, że stracono wręcz rachubę, i obcy zawsze przybywali tu jako najeźdźcy, zdobywcy i poborcy podatkowi, aby panować i brać, ale nigdy dawać. Jako że sami biedni, Korsykanie odpowiadali ucieczką w góry, do swych naturalnych schronień. Pokolenia rebeliantów i bandytów, buntowników i partyzantów ciągnęły w góry, by uciec przed władzą nacierającą od wybrzeża, aby nakładać podatki i daniny na lud, który nie był w stanie ich spłacić.

Z tego wielowiekowego doświadczenia górski naród ukształtował swoją filozofię; konspiracja wobec obcych i wierność swoim. Władza zawsze oznaczała niesprawiedliwość, a Paryż ściągał daninę tak samo brutalnie jak każdy inny zdobywca. Mimo że Korsyka jest częścią Francji i dała jej Napoleona Bonapartego z setką innych mężów, obcy dla mieszkańców gór zawsze będzie obcym, zwiastunem krzywdy i podatków, nieważne, czy przybywa z Francji, czy innego kraju. Korsyka wysyłała i swoich synów do pracy na kontynent, do Francji, ale gdy któryś popadał tam w tarapaty, zawsze dawała mu schronienie.

To góry, bieda i obawa przed prześladowaniem dały początek solidarności niewzruszonej jak skała i Związkowi Korsykańskiemu, w oczach niektórych bardziej tajnemu i groźniejszemu niż mafia. I do tego świata, którego nie zmienił dwudziesty wiek z jego Wspólnym Rynkiem i Parlamentem Europejskim, wkraczał Quinn w ostatnim miesiącu 1991 roku.

Przed samą wioską Levie wjeżdżało się w wąską drogę D59 z drogowskazem na Carbini. Droga biegła prosto na południe i siedem kilometrów dalej przecinała tu będącą jeszcze strumykiem rzekę Fiumicicoli, biorącą swój początek w górach Ospedale. W Carbini, długiej wiosce, gdzie mężczyźni w granatowych fartuchach przesiadują przed swymi domami z kamienia, a kury grzebią w pyle, indeks nazw przy mapie Quinna urywał się. Prowadziły stąd dwie drogi. D148 biegła z powrotem na zachód, skąd przyjechał, tylko wzdłuż południowego obrzeża doliny. Na wprost była D59, w stronę Orone i dalej na południe, do Sotta. Widział tu sięgający chmur szczyt góry Cagna na południowym zachodzie, po lewej spokojny masyw Ospedale, z najwyższym wzniesieniem na Korsyce. Punta della Vacca Morta, zwanym tak, bo pod określonym kątem mógł on przypominać zdechłą krowę. Zdecydował się ruszyć na wprost. Zaraz za Orone góry po lewej zaczęły się zbliżać i trzy kilometry dalej mógł skręcić do Castelblanc. Trasa przypominała tu raczej ślepą dróżkę, ale inne drogi nie przecinają gór Ospedale. Stąd widział wielką jasnoszarą skałę na obrzeżu masywu, która kiedyś komuś wydała się białym zamkiem, co z kolei dało nazwę osadzie. Quinn wolno jechał górską drogą. Po dalszych pięciu kilometrach, wysoko nad D59, dotarł do Castelblanc.

Droga kończyła się przy placu na krańcu wioski przyległej do górskiego zbocza. Wąska uliczka prowadziła do tego placu obok niskich domów kamiennych pozamykanych na głucho, razem z okiennicami. Żadnych kur grzebiących w piasku. Żadnych staruszków przed domostwami. Tylko cisza. Dotarł na plac, wysiadł i przeciągnął się. Wtedy to, w głębi uliczki zaterkotał silnik. Między dwoma domami pojawił się traktor, wjechał na środek drogi i stanął. Kierowca wyjął kluczyki, zeskoczył z fotela i zniknął pośród domów. Między traktorem a ścianą przecisnąłby się teraz motocykl, ale nie samochód.

Quinn rozejrzał się wokoło. Plac miał kształt trójkąta. Na prawo stały cztery domy, dalej kościółek. Na lewo od niego była — zapewne centrum życia w Castelblanc — dwupiętrowa tawerna pokryta dachówką, a z boku biegła uliczka do pozostałej części wioski — grupy domków z szopami i podwórzami, ograniczonymi przez obrzeża góry. Z kościoła wychodził akurat mały, stareńki ksiądz i nie zauważając Quinna odwrócił się, aby zaryglować drzwi za sobą.

— Bonjour, mon père — zawołał Quinn wesoło.

Duchowny podskoczył jak ustrzelony królik, rzucił na Quinna przerażone spojrzenie, przekuśtykał przez plac i zniknął w uliczce przy tawernie. Przeżegnał się przy tym.

Wygląd Quinna zaskoczyłby każdego korsykańskiego księdza, bo sklep w Marsylii wyposażył go okazale. Miał ręcznie robione kowbojskie buty, jasnoniebieskie dżinsy, koszulę w czerwoną kratę, kurtkę z frędzlami, a na głowie wysokiego stetsona. Jako karykatura wyjęta z rancho dla turystów był tu idealny. Zabrał kluczyki od auta i płócienną torbę i ruszył prosto do baru.

Wewnątrz było ciemno. Właściciel stał za kontuarem i z poważną miną przecierał szklanki — coś nowego, uznał Quinn. Dalej stały cztery proste stoły dębowe z czterema krzesłami przy każdym. Tylko jeden był zajęty, przez czterech mężczyzn, wgapionych we własne karty.

Quinn podszedł do baru, postawił torbę, ale kapelusza nie zdejmował. Barman zerknął na niego.

— *Monsieur?*

Żadnej ciekawości, żadnego zdziwienia. Quinn udał, że nie zauważa tego; błysnął szerokim uśmiechem.

— Szklankę czerwonego wina, jeśli łaska — zaczął formalnym tonem. Wino było z okolicy, cierpkie, ale dobre. Quinn kosztował je z uznaniem. Za barem ukazała się pulchna żona barmana, rozstawiła talerze z oliwkami, serem i chlebem, nie obdarzając Quinna nawet spojrzeniem, i po krótkim poleceniu męża w lokalnym dialekcie zniknęła w kuchni. Gracze karciani także nie raczyli zerknąć na niego.

Quinn zwrócił się do barmana.

— Szukam kogoś, mieszkającego tutaj, o ile wiem — powiedział. — Orsini. Zna go pan?

Barman rzucił spojrzenie na grających, jakby szukał podpowiedzi. Nie padła.

— Czy to ma być *monsieur* Dominique Orsini? — spytał w końcu.

Quinn powoli spojrzał na niego. Zablokowali drogę z wioski i przyznali, że Orsini tu jest. A więc chcieli, by został. Do kiedy? Rzucił spojrzenie za siebie. Niebo na zewnątrz było bladobiałe. Zapewne do zmroku. Quinn stanął przodem do baru i przeciągnął palcem po policzku.

— Ma bliznę od noża? Ten Dominique Orsini? — spytał.

Barman przytaknął.

— A poda mi pan, jak trafić do jego domu?

Barman znowu zerknął na graczy, szukającym pomocy wzrokiem. Tym razem była reakcja. Mężczyzna, który jako jedyny z grupy miał garnitur, spojrzał znad kart i odezwał się.

— *Monsieur* Orsini wyjechał dzisiaj, *monsieur*. Wraca jutro. Gdy pan poczeka, zobaczy go.

— Dobrze. Dziękuję, przyjacielu. Jestem wielce zobowiązany — odparł. A barmana zapytał: — Czy dostanę tu pokój na noc?

Tamten kiwnął tylko głową. Dziesięć minut później Quinn miał swój pokój, do którego zaprowadziła go żona gospodarza, ciągle unikając jego spojrzenia. Kiedy odeszła, Quinn zbadał pomieszczenie. Było na tyłach domu; z okna widział podwórze otoczone przez szopy bez drzwi, pod jednym dachem. Materac na łóżku był cienki, ale jemu to wystarczało. Kieszonkowym nożem obluzował dwie deski pod łóżkiem i ukrył tam to, co miał w torbie. Pozostałe rzeczy zostawił na wierzchu. Zamknął torbę, zostawił ją na łóżku, wyrwał sobie włos i przykleił go śliną w poprzek zamka błyskawicznego.

Wróciwszy do baru uraczył się sytym obiadem z sera koziego, świeżego, chrupiącego chleba, pasztetu wieprzowego domowej roboty i łagodnych oliwek. Potem wyruszył na spacer przez wieś. Wiedział, że do zachodu słońca był bezpieczny, jego gospodarze otrzymali swoje instrukcje i rozumieli je.

Nie było tu wiele do oglądania. Nikt nie wychodził z domów, aby go pozdrowić. Widział tylko małe dziecko wciągane przez spracowane kobiece ręce do środka domu. Traktor ciągle stał swoimi wielkimi, tylnymi kołami tak ciasno przy uliczce, którą tu dotarł, że pozostała tylko półmetrowa luka. Przód pojazdu przylegał do szopy.

Około piątej po południu powietrze stało się chłodniejsze. Quinn wrócił do baru, gdzie w kominku trzaskały oliwkowe polana. Poszedł do pokoju po książkę i ucieszył się, że torbę podróżną przeszukano, nic z niej nie zabierając, i że poluzowane deski pod łóżkiem nie zostały odkryte.

Kolejne dwie godziny spędził w barze nad książką, cały czas w kapeluszu, potem znowu coś jadł: wieprzowe *ragoût* z fasolą i ziołami górskimi, a do tego była soczewica, chleb, jabłecznik i kawa. Zamiast wina pił wodę. O dziewiątej wrócił do pokoju. Godzinę później w wiosce zgasło ostatnie światło. Nikt nie siedział tego wieczoru w barze przed telewizorem, jednym z trzech we wsi. Nikt też nie grał w karty. O dziesiątej wieś pogrążyła się w ciemności, poza żarówką palącą się w pokoju Quinna.

Była to słaba żarówka, bez oprawy, zwisająca z sufitu na zakurzonym drucie, pośrodku pokoju. Najlepsze światło padało bezpośrednio pod nią i tam widać było postać z wysokim stelsonem, w fotelu z oparciem, pochyloną nad książką.

Księżyc wszedł o wpół do drugiej, wspiął się za masyw Ospedale i pół godziny później skąpał Castelblanc w niesamowicie jasnym świetle. Chuda postać poruszała się bezszelestnie w mroku nocy, jak ktoś dobrze znający drogę. Prześlizgnęła się przez dwie wąskie uliczki i dotarła do grupy szop i podwórzy za barem.

Tu bezszelestnie wdrapała się na wózek z sianem ustawiony na jednym z podwórzy, a stamtąd na mur. Biegła lekko, stąpając wzdłuż muru i wylądowała sprawnie na dachu szopy, na wprost okna Quinna.

Zasłony były zaciągnięte tylko do połowy, na tyle wystarczały. Przez ten otwór Quinn był wyraźnie widoczny; książka leżała mu na udach, głowa lekko schylona ku przodowi, aby w słabym świetle żarówki lepiej widzieć litery, ramiona w koszuli w czerwoną kratę były wyżej niż parapet okna, na głowie miał ciągle białego stetsona.

Młody mężczyzna na dachu uśmiechnął się: taka lekkomyślność oszczędzała mu wskakiwania przez okno pokoju, aby wykonać robotę.

Zdjął dubeltówkę *lupara*, przewieszoną do tej pory na skórzanym pasku przez ramię, odbezpieczył i wycelował. Z odległości dwunastu metrów głowa w kapeluszu wypełniła przestrzeń nad obiema lufami; spusty były sprzężone drutem, aby z obu luf wystrzelić jednocześnie.

Huk strzału musiał zbudzić całą wieś, ale nigdzie nie zabłysły światła. Gruby śrut z obu luf roztrzaskał szybę i postrzępił cienkie bawełniane zasłony. Głowa za oknem wydała się eksplodować. Strzelec widział, jak wybuch rozrywa jasny kapelusz, roztrzaskuje czaszkę, a jasna krew tryska wokoło. Bezgłowy tors w koszuli w czerwoną kratkę przewrócił się na bok, na podłogę, i już nie było go widać.

Zadowolony młody kuzyn klanu Orsinich, który właśnie przysłużył się rodzinie, zbiegł z dachu i wzdłuż muru dotarł do wózka z sianem, skoczył nań, potem zsunął się na ziemię i wrócił do uliczki, jaką przybył. Dalej kroczył bez pośpiechu, pewien swojego triumfu, przez wioskę do domu na skraju, gdzie oczekiwał go mężczyzna, który był jego idolem. Nie zauważył, jak postać, bardziej cicha i większa niż on sam, wysunęła się z ciemnego wejścia i ruszyła za nim.

W pokoju nad barem gospodyni zaprowadzi porządek nad ranem. Z materaca nic już nie uratuje, bo po rozcięciu jego zawartość usztywniła koszulę w kratkę na szmacianej kukle, by ta utrzymała się na krześle. Kobieta znajdzie tam długie paski przezroczystej taśmy klejącej, jakie mocowały tors do oparcia, i resztki stetsona i książki.

Pozbiera po kawałku także resztki polistyrenowej głowy manekina, jaką sprzedawca w Marsylii, namówiony przez Quinna, wyciągnął z magazynu i mu sprzedał. Po obu kondomach, napełnionymi keczupem z lokalu na promie, zawieszonych potem na głowie kukły, zostaną tylko czerwone bryzgi w całym pokoju, które jednak dadzą się usunąć mokrą ścierką.

Barman będzie się dziwił, czemu głowa manekina uszła jego uwadze, gdy przeszukiwał bagaż Amerykanina, i w końcu odkryje poluzowane deski pod łóżkiem, gdzie Quinn ukrył ją zaraz po swoim przybyciu.

Pokaże też gniewnemu mężczyźnie w ciemnym garniturze, który po południu grał w barze w karty, porzucone kowbojskie buty, dżinsy, zamszową kurtkę z frędzlami i opowie miejscowemu *capu*, że Amerykanin ma teraz na sobie z pewnością inne rzeczy: ciemne spodnie, czarną wiatrówkę z zamkiem błyskawicznym, buty z grubą podeszwą i pulower. Wszyscy przeszukają płócienną torbę i stwierdzą, że nic tam nie ma. To wszystko wydarzy się na godzinę przed świtem.

Młodzieniec dotarł do domku, który był jego celem, zapukał cicho do drzwi. Quinn ukrył się pięćdziesiąt metrów z tyłu, w ciemnej wnęce.

Ktoś kazał mu chyba wejść, bo chłopak nacisnął klamkę i wszedł. Gdy drzwi się zamknęły, Quinn podszedł bliżej, okrążył dom i trafił na szparę w okiennicy, wystarczającą, by zajrzeć do środka.

Dominique Orsini siedział przy stole z surowego drewna i ostrym jak brzytwa nożem odkrawał plasterki tłustego salami. Chłopak z dubeltówką stał przed nim. Rozmawiali korsykańskim, który nie miał nic wspólnego z francuskim i był niezrozumiały dla obcokrajowca. Chłopak opisywał przebieg ostatnich wypadków; Orsini potakiwał głową.

Gdy chłopak skończył, Orsini wstał, obszedł stół i uścisnął go. Chłopak niemal płonął z dumy. Orsini obrócił się i światło lampy padło na sinawą bliznę biegnącą przez cały policzek. Wyjął z portfela plik pieniędzy; chłopak potrząsnął odmownie głową. Orsini wcisnął mu banknoty do kieszeni koszuli, poklepał po plecach i odesłał go. Młody człowiek zniknął w jednej chwili.

Zabicie korsykańskiego zabójcy byłoby dziecinnie proste. Quinn chciał jednak go mieć żywego, z tyłu w swoim samochodzie, a o wschodzie słońca w celi komendy policji w Ajaccio. Zauważył potężny motor w przybudówce z opałem.

Pół godziny później, czekając w cieniu szopy i traktora, Quinn słyszał, że motor został uruchomiony. Orsini wyjechał powoli z bocznej uliczki na plac wioski i ruszył do miasta. Pomiędzy tylnymi kołami traktora i najbliższą ścianą domu było wystarczająco miejsca na motor. Był akurat w oświetlonym jasno przez księżyc punkcie, gdy Quinn wyszedł z cienia, wycelował i strzelił. Przednia opona motoru została w strzępach, maszyna zatoczyła się, przewróciła na bok, wyrzucając kierowcę, i potoczyła się jeszcze kawałek.

Orsini siłą rozpędu poleciał na traktor, podniósł się jednak zdumiewająco szybko. Quinn stał dziesięć metrów od niego, Smith & Wesson był wycelowany w pierś Korsykanina. Orsini oddychał ciężko, wykrzywiając się z bólu; jedna noga wyraźnie go bolała, gdy stał tak oparty o wielkie koło traktora. Quinn widział żarzące się czarne oczy, ciemny zarost dookoła podbródka. Orsini powoli podniósł ręce.

— Orsini — odezwał się Quinn spokojnie. — *Je m'appelle Quinn. Je veux te parler.*

Orsini zareagował przełożeniem ciężaru na zranioną nogę, westchnął z bólu i zsunął lewą rękę do kolana. Był naprawdę dobry. Lewa ręka zaczęła powoli masować kolano i tym odwrócił uwagę Quinna na sekundę. Prawa ręka poruszała się o wiele szybciej, przesunęła się błyskawicznie do dołu i wyjęła w tej samej sekundzie schowany w rękawie nóż. Quinn zauważył w blasku księżyca błyszczące ostrze i uskoczył w bok. Ostrze nie trafiło go w gardło, trafiło w jego skórzaną kurtkę na ramieniu i wcisnęło się głęboko w deski szopy stojącej za nim.

Potrzebował tylko sekundy, aby chwycić rękojeść noża, wyrwać go z drewna i uwolnić kurtkę. Ta sekunda wystarczyła Orsiniemu. Znalazł się za traktorem i prysnął wzdłuż ulicy jak kot. Jak zraniony kot.

Gdyby Orsini nie był ranny, Quinn zgubiłby go. Choć Amerykanin miał krzepę, to niewielu mogło nadążyć, gdy Korsykanin uciekał w *maquis*. Twarde liście krzewu, sięgające aż po pas, czepiają się ubrań i rozdzierają jak tysiące pazurów. Podobnie jak to się ma z przeprawą w bród. Po dwustu metrach jest się pozbawionym sił, w stopach czuje się ołów. W morzu *maquis* człowiek może paść i zniknąć, już trzy metry dalej nie widać go.

Orsini był jednak coraz wolniejszy. A jego drugim wrogiem był księżyc. Quinn widział jego cień na końcu uliczki, przy ostatnich domach, a potem patrzył, jak ten zbliża się do wrzosów na zboczu góry. Pognał za nim drogą, która zmieniła się w ścieżkę, i dotarł do *maquis*. Słyszał szelest gałęzi i kierował się za odgłosem.

Dwadzieścia metrów z przodu dostrzegł głowę Orsiniego, poruszającą się w poprzek zbocza, ale stale w górę. Sto metrów dalej odgłosy ucichły. Orsini skrył się. Quinn się zatrzymał i uczynił to samo. Z księżycem za plecami byłoby szaleństwem biec dalej.

Gonił już nocą przeciwników. W gęstych zaroślach przy Mekongu w zbitej, nieprzerwanej dżungli na północ od KheSan, w górach z *montagnards* jako przewodnikami. Wszyscy tubylcy znają bardzo dobrze własne tereny, Vietcong swoją dżunglę, a buszmeni ich Kalahari. Orsini znajdował się na swoim terytorium, gdzie się urodził i dorastał, wprawdzie z rannym kolanem i bez noża, ale z pewnością był uzbrojony. A Quinn potrzebował go żywego. I obaj czaili się pośród wrzosu, nasłuchując szelestów nocy, aby rozpoznać każdy, który nie pochodził od cykady, królika lub trzepocącego ptaka, tylko powodowany był przez człowieka. Quinn spoglądał na księżyc; za godzinę zajdzie. Potem aż do szarówki nic nie zobaczy, a o świcie z wioski w dole przy zboczu przyjdzie pomoc dla Korsykanina.

Z tej pozostającej godziny obaj mężczyźni nie poruszali się przez czterdzieści pięć minut. Każdy nasłuchiwał i czekał na ruch drugiego. Gdy Quinn usłyszał szczęk metalu, wiedział, że odgłos pochodzi od rysowania po kamieniu. Próbując ulżyć bólowi w kolanie, Orsini oparł się ręką z bronią o kamień. Był tylko jeden kamień, pięćdziesiąt metrów na prawo od Quinna; a za nim był Orsini. Quinn powoli i przy samej ziemi zaczął czołgać się przez wrzosy. Nie w kierunku kamienia — dostałby kulkę w twarz — ale w kierunku wyższej kępy krzaków dziesięć metrów od skały.

W tylnej kieszeni spodni miał jeszcze resztę żyłki, której użył w Oldenburgu, aby przerzucić magnetofon przez gałąź. Umocował jeden koniec na wysokim krzaku, pół metra nad ziemią, a potem wycofując się rozwijał żyłkę. Gdy uznał, że ta odległość wystarczy, lekko zaczął pociągać za żyłkę.

Krzak poruszył się i zaszeleścił. Poluzował i pozwolił, by odgłos zapadł w nasłuchujące uszy. Pociągnął znowu i jeszcze raz. I usłyszał, jak Orsini zaczął się czołgać.

Trzy metry od krzaka Korsykanin podniósł się w końcu na kolana. Quinn widział tył jego głowy; pociągnął jeszcze raz, mocno. Krzakiem zatrzęsło. Orsini podniósł oburącz swoją broń i wystrzelił siedem kul w ziemię dookoła krzaka. Gdy oddał ostatni strzał, Quinn stał już za nim, ze Smith & Wessonem wycelowanym w plecy Orsiniego.

Kiedy w dole przebrzmiały echa ostatniego strzału, Korsykanin odkrył, że został przechytrzony. Obrócił się powoli i zobaczył Quinna.

— Orsini...

Miał dodać: „Chcę tylko z tobą porozmawiać".

Każdy inny w sytuacji Orsiniego musiałby być szalony, aby tego spróbować. Albo zrozpaczony. Albo przekonany, że jeśli nie spróbuje, to oznaczać to będzie jego śmierć. Obrócił się i wystrzelił ostatnią kulę. Na próżno. Kula poszła w niebo, bo pół sekundy przedtem Quinn zrobił to samo. Nie miał wyboru. Jego kula trafiła Korsykanina w pierś i odrzuciła w tył, plecami na *maquis*.

Nie trafił w serce, ale i tak wystarczyło. Nie miał kiedy wymierzyć w ramię, a na połowiczne rozwiązanie odległość była za mała. I Orsini leżał na plecach wpatrzony w Amerykanina stojącego nad nim. Jego klatka piersiowa napełniała się krwią, która wypływała z przestrzelonego płuca i podchodziła mu do gardła.

— Powiedzieli ci, że przyjdę cię zabić, tak? — zapytał Quinn.

Korsykanin skinął powoli głową.

— Okłamali cię. On cię okłamał. Tak jak z ubraniem dla chłopaka. Przyszedłem, by dostać jego nazwisko. Grubego. Tego, który wszystko uknuł. Nie jesteś mu już nic winien. Żaden kodeks cię nie obowiązuje. Kim on jest?

Czy Dominique Orsini w ostatnich chwilach życia trzymał się zasad, czy też wzbierająca mu w gardle krew uniemożliwiała mu mówienie, Quinn nigdy nie miał się dowiedzieć. Leżący na plecach mężczyzna otworzył usta, może próbując przemówić, a może był to tylko grymas.

Zakaszlał tylko gardłowo, a usta wypełniła mu jasnoróżowa, pieniąca się krew, która spłynęła mu na piersi. Do Quinna dotarł odgłos, który już słyszał i znał dobrze: cichy pomruk płuc, oddających ostatnie tchnienie. Głowa Orsiniego przechyliła się na bok i Quinn widział, jak z jego czarnych oczu ulatuje twardy, jasny blask.

Wieś pogrążona była jeszcze w ciemności i ciszy, gdy skradał się drogą do placu. Musieli słyszeć huk dubeltówki, głośny strzał rewolweru, echo strzałów na zboczu góry. Mieli jednak pozostać w domach i trzymali się tego. Tylko ktoś, młody chłopak, nie wytrzymał. Może widział leżący obok traktoru motor i obawiał się najgorszego. W każdym razie czaił się nasłuchując.

Quinn wsiadł do opla na placu. Nikt nie dotykał samochodu. Zapiął pas, wykręcił przodem do drogi i dodał gazu. Gdy walnął w stare deski szopy obok przednich kół traktora, te się rozsypały. Potem nastąpił stłumiony odgłos, kiedy ascona najechała na bele siana w szopie i ponownie trzasnęło drewno przy demolowaniu drugiej ściany.

Ładunek śrutu trafił tył wozu przy wyjeździe z szopy, wybijając dziurę w bagażniku, ale nie trafił w bak. Przed Quinnem zawirowały kawałki drewna i pęki siana, a potem wyjechał już na drogę, skontrował i obrał trasę na Orone i Carbini. Była czwarta rano i miał przed sobą trzy godziny jazdy na lotnisko w Ajaccio.

Sześć stref czasowych na zachód, w Waszyngtonie, była dziesiąta wieczór poprzedniego dnia i ministrowie, których wezwał Odell, by przemaglowali policyjnych ekspertów, nie byli w pojednawczym nastroju.

— Co ma znaczyć to „żadnych postępów"? — chciał wiedzieć wiceprezydent. — Od miesiąca macie nieograniczony dostęp do wszelkich środków, personelu, a do tego gotowych do współpracy Europejczyków. I co?

Pytanie było do Dona Edmondsa, dyrektora FBI, siedzącego obok szefa wydziału śledczego FBI, Philipa Kelly'ego, i Lee Alexandra z CIA, któremu towarzyszył David Weintraub. Edmonds chrząknął, zerknął na Kelly'ego i skinął głową.

— Panowie, jesteśmy o wiele dalej niż miesiąc temu — usprawiedliwiał się Kelly. — Ludzie ze Scotland Yardu badają właśnie dom, gdzie więziono Simona Cormacka. Mamy sporo materiału dowodowego, w tym dwa rodzaje odcisków palców, które są obecnie identyfikowane.

— Jak znaleźli ten dom? — zapytał Jim Donaldson z Departamentu Stanu.

Philip Kelly spojrzał do swoich notatek.

— Quinn zadzwonił z Paryża i powiedział im — wyjaśnił szybko Weintraub.

— Wspaniale — sarkastycznie rzucił Odell — może Quinn coś jeszcze im podsunie?

— Działał ostatnio sporo w Europie — powiedział Kelly dyplomatycznie. — Oczekujemy w każdym momencie pełnego raportu o tym.

— Co znaczy to „działał ostatnio"? — spytał Bill Walters, prokurator generalny.

— Mamy problem z panem Quinnem — przyznał Kelly.

— Z panem Quinnem ciągle mamy problemy — zauważył Morton Stannard z Obrony. — Jak wygląda ten nowy?

— Jak może panowie już wiedzą, mój kolega, Kevin Brown, od dawna podejrzewa, że pan Quinn od początku wiedział o tej sprawie więcej niż przyznawał; że w jakiejś fazie mógł być nawet uwikłany w tę historię. Teraz wydaje się, że zebrany materiał dowodowy potwierdza tę teorię.

— Jaki zebrany materiał dowodowy? — zapytał Odell.

— Od kiedy za zgodą tego komitetu Quinn zaczął prowadzić własne śledztwo dla odkrycia tożsamości porywaczy, stwierdzano jego obecność przy okazji różnych zdarzeń w Europie, znikał jednak potem, za każdym razem. Zatrzymano go w Holandii na miejscu morderstwa, ale zwolniono z braku dowodów...

— Zwolniono go — wtrącił się Weintraub — bo udowodnił, że w czasie gdy popełniono morderstwo, był daleko od tego miejsca.

— Tak, ale denat okazał się najemnikiem z Kongo, a jego odciski palców odkryto w domu, gdzie był przetrzymywany Simon Cormack — powiedział Kelly. — W naszych oczach jest to podejrzana okoliczność.

— Coś jeszcze wiadomo o Quinnie? — zaciekawił się Hubert Reed ze Skarbu.

— Tak, sir. Belgijska policja właśnie zameldowała, że na diabelskim młynie znaleziono trupa z kulą w głowie. Śmierć nastąpiła przed trzema tygodniami. Mniej więcej wtedy, gdy ten mężczyzna nagle zniknął, była u jego pracodawcy para, opisem odpowiadająca Quinnowi i agentce Somerville, wypytując o miejsce pobytu denata. Potem w Paryżu zastrzelono na chodniku innego najemnika. Taksówkarz opowiadał, że dwoje Amerykanów, do których pasuje ten sam opis, uciekało w owym czasie w jego taksówce z miejsca zdarzenia.

— Wspaniale — stwierdził Stannard. — Cudownie. Wypuszczamy go, żeby mógł prowadzić dochodzenie, a on zostawia po sobie w Europie Zachodniej same trupy. A mamy... albo może mieliśmy tam sprzymierzeńców.

— Trzy trupy w trzech krajach — zauważył Donaldson. — Czy jeszcze o czymś powinniśmy wiedzieć?

— W szpitalu w Bremie jest na rekonwalescencji niemiecki biznesmen po nagłej operacji. Twierdzi, że Quinn jest temu winien — powiedział Kelly.

— A co on mu zrobił? — zapytał Walters.

Kelly opowiedział.

— Mój Boże, to wariat! — krzyknął Stannard.

— Dobrze, wiemy, co Quinn robił ostatnio — odezwał się Odell. — Usuwa członków bandy, nim puszczą parę. Albo może zmusza ich do mówienia. Co na to FBI?

— Panowie — powiedział Kelly — pan Brown podąża najlepszym śladem, jaki mamy: diamenty. Każdy handlarz diamentów i jubiler w Europie i Izraelu, nie mówiąc o Stanach, ma na te kamienie oczy otwarte. Są wprawdzie małe, ale nakryjemy sprzedawcę w tej samej chwili, gdy tylko się ujawnią.

— Cholera, Kelly, one już się ujawniły! — podniósł głos Odell. Dramatycznym gestem podniósł płócienny woreczek z podłogi obok swoich stóp i wysypał zawartość na stół konferencyjny. Strumień kamieni rozprysł się po mahoniowym blacie. Wszyscy osłupieli. — Wysłane przed dwoma dniami pocztą do ambasadora Fairweathera w Londynie. Z Paryża. Na paczce zidentyfikowano pismo Quinna. Co, u diabła, tam się dzieje? Niech pan sprowadzi Quinna tu, do Waszyngtonu, aby opowiedział nam, co się stało z Simonem Cormackiem, kto to zrobił i z jakiego powodu. Mam wrażenie, że on jest jedynym, który coś w ogóle wie. Mam rację, panowie?

Ministrowie zgodnie pokiwali głowami.

— Tylko że, panie wiceprezydencie — zaczął Kelly — my... hm... możemy mieć z tym pewne problemy.

— Jakie niby problemy? — zapytał Reed ironicznie.

— On znowu nam zniknął — wyznał Kelly. — Wiemy, że był w Paryżu, wiemy, że w Holandii wynajął opla. Poprosimy francuską policję o odszukanie go, a także naszych kolegów w całej Europie o zwrócenie uwagi na porty i lotniska jutro od samego rana. Jego auto lub jego paszport muszą się pojawić gdzieś w ciągu kolejnej doby. Wtedy ściągniemy go tutaj.

— A dlaczego nie skontaktuje się pan z agentką Somerville? — zapytał Odell podejrzliwie. — Ona jest przy nim, pilnuje go przecież...

Kelly chrząknął zakłopotany.

— Także w tym przypadku mamy mały problem, sir.

— Nie straciliście jej chyba z oczu? — spytał Stannard z niedowierzaniem w głosie.

— Europa to duży obszar, sir. Chwilowo utraciliśmy z nią kontakt. Francuzi potwierdzili dzisiaj, że odleciała z Paryża na południe Hiszpanii. Quinn ma tam dom, który sprawdziła policja hiszpańska. Ale ona tam nie dotarła. Przypuszczalnie przebywa w hotelu. Sprawdzają to.

— Proszę posłuchać — powiedział Odell. — Znajdzie pan Quinna i za mordę sprowadzi go tutaj. I pannę Somerville także. Już my porozmawiamy z panną Somerville...

Na tym narada zakończyła się.

— Oni nie są tu jedyni — mruczał Kelly, gdy odprowadzał swojego niepocieszonego dyrektora do limuzyny.

Quinn w nastroju przygnębienia pokonywał ostatnie trzydzieści kilometrów z Cauro na wybrzeże. Wiedział, że po śmierci Orsiniego ślad się urywa. Było ich czterech i wszyscy stali się trupami. Grubas, kimkolwiek był, i jego zausznicy — jeśli byli jeszcze inni zleceniodawcy — już mogli być pewni, że ich tożsamość nigdy nie wyjdzie na jaw. Dlaczego jedyny syn prezydenta został zabity, jak i kto był mordercą, pozostanie tajemnicą we mgle historii, jak zabójstwo Kennedy'ego i tajemnica *Mary Celeste*. Oficjalny raport zamknie akta sprawy, pozostaną tylko teorie, ponawiane będą próby wyjaśnień... i tak na okrągło.

Na południowy wschód od lotniska Ajaccio, gdzie górska droga dochodzi do autostrady wzdłuż wybrzeża, Quinn minął Prunelli, która po jesiennych opadach w górach silnie wezbrała. Smith & Wesson przysłużył się mu w Oldenburgu i Castelblanc, ale teraz Quinn nie mógł czekać na prom i musiał lecieć — bez bagażu. Pożegnał się więc ze służbową bronią FBI i rzucił ją w nurt rzeki, potęgując tym problemy biurokratom w Hoover Building. Potem pokonał ostatnie siedem kilometrów do lotniska.

Był to niski, przestronny, nowoczesny budynek, jasny i z dobrą wentylacją, podzielony na dwa połączone tunelem obszary dla maszyn lądujących i odlatujących. Odstawił opla asconę na parking i wszedł do hali odlotów. Na prawo, zaraz za stoiskiem gazetowym znalazł informację i zapytał o pierwszy lot z Ajaccio. Nie było żadnego do Francji w ciągu następnych dwóch godzin, ale było dla niego coś lepszego. W poniedziałki, wtorki i niedziele o dziewiątej Air France latał prosto do Londynu. I tak miał tam polecieć, aby złożyć Kevinowi Brownowi i Nigelowi Cramerowi wyczerpujący raport; uznał, że Scotland Yard ma takie samo prawo jak FBI wiedzieć, co stało się w październiku i listopadzie, z czego połowa odbyła się w Anglii, reszta na kontynencie europejskim. Kupił bilet w jedną stronę na Heathrow i spytał o budki telefoniczne. Stały w rzędzie, tuż za informacją. Potrzebował drobnych, podszedł więc do stoiska z gazetami, aby rozmienić banknot. Minęła siódma; pozostały jeszcze dwie godziny czekania.

Idąc do budek, po rozmienieniu pieniędzy, nie zwrócił uwagi na brytyjskiego biznesmena, który wszedł akurat do hali odlotów. Tamten również wydawał się go nie zauważać. Strzepnął parę kropel deszczu z ramion wspaniale skrojonego ciemnego, trzyczęściowego garnituru, przełożył swój grafitowoszary płaszcz Crombie przez ramię, powiesił złożony parasol w zgięciu łokcia i poszedł obejrzeć gazety na wystawie. Po paru minutach wybrał którąś, rozejrzał się i usiadł na jednej z okrągłych ławek, jakie otaczały osiem słupów podtrzymujących dach.

Z tej ławki miał w polu widzenia drzwi głównego wejścia, stanowisko odpraw, rząd budek telefonicznych i drzwi prowadzące do odprawy przed odlotem.

Elegancki mężczyzna założył nogę na nogę i zabrał się do lektury, a Quinn w tym czasie odszukał numer w książce telefonicznej i dzwonił już do firmy wypożyczającej samochody. Mimo wczesnej pory agent urzędował przy biurku. On też się starał.

— Jasne, *monsieur*. Przy lotnisku, mówi pan? Kluczyki pod siedzeniem kierowcy? Zabierzemy go stamtąd. A co do opłaty... Jaki to samochód, mówi pan?

— Opel ascona — odparł Quinn.

Nastała cisza, jakby tamten niezbyt dobrze zrozumiał.

— *Monsieur*, my tu nie mamy opli ascona. Jest pan pewien, że wypożyczył go u nas?

— Oczywiście, ale nie w Ajaccio.

— Aha, czyli w naszej agencji w Bastii? Czy w Calvi?

— Nie, w Arnhem.

Teraz tamten naprawdę się starał.

— A gdzie jest Arnhem, *monsieur*?

— W Holandii — wyjaśnił Quinn.

W tym momencie mężczyzna przestał się starać.

— To niby jak mam sprowadzić tego opla do Holandii z lotniska w Ajaccio?

— Może pan nim pojechać — zauważył Quinn. — Jak się go trochę naprawi, dojedzie na pewno.

Teraz nastąpiła długa przerwa.

— Naprawi? A co się popsuło?

— Widzi pan, on sforsował przodem szopę, a z tyłu trafiło go parę kulek.

— A co z zapłatą za to wszystko? — wykrztusił mężczyzna.

— Niech pan prześle rachunek do amerykańskiego ambasadora w Paryżu — poradził Quinn. I odłożył słuchawkę. To wydało mu się najrozsądniejsze.

Potem zadzwonił do baru w Esteponie i rozmawiał z Ronniem, który podał mu numer do domku w górach, gdzie Bernie i Arthur strzegli Sam, nie godząc się jednak grać z nią jeszcze kiedykolwiek w pokera. Quinn zadzwonił tam i Arthur przywołał ją do telefonu.

— Quinn, kochanie, co z tobą? — jej głos był słaby, ale wyraźny.

— Dobrze. Posłuchaj, skarbie, już po wszystkim. Możesz lecieć z Malagi do Madrytu i stamtąd do Waszyngtonu. Ten komitet złożony z grubych ryb będzie chciał przypuszczalnie od ciebie raport. Nie masz się czego obawiać. Zaznacz im, że Orsini zmarł nie puszczając pary z ust. Nie powiedział ani słowa. Nikt już nie dojdzie do grubasa, którego wspomniał Zack, ani do jego zauszników. Spieszę się. Pozdrawiam cię.

Przeciął strumień jej pytań, odwieszając słuchawkę.

Dryfujący po orbicie satelita Narodowej Agencji Bezpieczeństwa NSA wychwycił tę rozmowę wraz z milionem innych tego ranka i przekazał ją do komputerów w Fort Meade. Trwało trochę nim określono, co powinno być przechowane, a co wyrzucone, jednak słowo „Quinn", którego użyła Sam, sprawiło, że ta rozmowa została zakodowana. Sprawdzono ją wczesnym popołudniem czasu waszyngtońskiego i przekazano do Langley.

Pasażerowie lotu do Londynu zostali właśnie wywołani, kiedy przed halę odlotów zajechała mała ciężarówka. Czterej mężczyźni, którzy z niej wyszli, nie wyglądali na pasażerów samolotu do Londynu, ale nikt nie zwracał na nich uwagi. Nikt poza eleganckim biznesmenem. Ten podniósł wzrok, zwinął gazetę, wstał z płaszczem na ramieniu i parasolem w drugiej ręce i obserwował mężczyzn.

Przywódca tych czterech, w czarnym garniturze i koszuli z rozpiętym kołnierzykiem, grał poprzedniego wieczora w karty w barze w Castelblanc. Pozostali trzej mieli niebieskie koszule i spodnie, jak wszyscy pracujący w winnicach i gajach oliwnych. Biznesmenowi nie umknęło, że koszule mieli wypuszczone na spodnie. Rozejrzeli się wokoło, zignorowali biznesmena i wgapili w pasażerów mijających jeden za drugim bramkę kontroli paszportowej. Quinna nie było widać, bo znajdował się akurat w toalecie. Głośniki po raz ostatni wezwały pasażerów do Londynu. Wtedy Quinn się pojawił.

Obrócił się ostro w prawo, poszedł do bramki, wyciągając po drodze bilet z kieszeni koszuli. Nie widział czterech mężczyzn z Castelblanc. Ci ruszyli za Quinnem. Bagażowy pchał akurat w poprzek hali długi rząd zapełnionych złączonych wózków.

Biznesmen podszedł do bagażowego i odsunął go na bok. Odczekał odpowiedni moment i pchnął silnie wózki. Na gładkiej marmurowej posadzce nabrały szybkości i z hukiem obiły się o czterech idących mężczyzn. Jeden z nich widział, jak się zbliżają, i rzucił się jeszcze w odpowiednim czasie na bok, ale potknął się i wylądował na podłodze. Wózki trafiły drugiego w biodro, przewracając go, a potem rządek rozpadł się na trzy części, które rozpierzchły się w różnych kierunkach. *Capu* w czarnym garniturze wózki uderzyły w brzuch powalając go na ziemię. Czwarty pospieszył mu z pomocą. Wszyscy zdążyli się pozbierać akurat, by widzieć plecy Quinna znikające w przejściu dla pasażerów z biletami.

Czterech mężczyzn z wioski ruszyło w kierunku szklanych drzwi. Czekająca tam stewardesa obdarowała ich profesjonalnym uśmiechem i wyjaśniła, że na czułe pożegnanie jest za późno, lot został już dawno wywołany. Przez szklaną szybę widzieli, jak wysoki Amerykanin po odprawie paszportowej wychodzi na płytę lotniska. Czyjaś ręka przesunęła ich grzecznie na bok.

— Pozwolą panowie — odezwał się biznesmen i przeszedł tą samą drogą.

W samolocie usiadł w części dla palących, dziesięć rzędów za Quinnem, wziął pomarańczowy sok i kawę na śniadanie i zapalił dwa długie papierosy w srebrnej lufce. Podobnie jak Quinn, nie miał bagażu. Na Heathrow był czwarty za Quinnem i w odstępie dziesięciu kroków oddzieleni od siebie przeszli przez komorę celną, w czasie gdy inni czekali na bagaże. Obserwował, jak Quinn bierze taksówkę, i wtedy skinął na długi, czarny samochód stojący po drugiej stronie jezdni. Wsiadł w biegu i nim wyjechali z tunelu prowadzącego z lotniska na autostradę M4 do Londynu, limuzynę dzieliły trzy pojazdy od taksówki Quinna.

Gdy Philip Kelly mówił, że rano poprosi Brytyjczyków o kontrolę lotnisk i portów, miał na myśli ranek waszyngtoński. Z powodu różnicy czasu Brytyjczycy otrzymali prośbę o jedenastej czasu londyńskiego. Pół godziny później kolega przyniósł na Heathrow instrukcję oficerowi paszportowemu, który widział Quinna przekraczającego granicę pół godziny wcześniej. Przekazał to koledze i swoim przełożonym.

Dwóch funkcjonariuszy kontrwywiadu, którzy mieli służbę przy kontroli paszportów dla obcokrajowców, przepytało pracowników odprawy celnej. Urzędnik w „zielonym" przejściu dla pasażerów, którzy nie mieli nic do oclenia, przypomniał sobie wysokiego Amerykanina, którego nawet nie zatrzymał na chwilę, bo ten nie miał żadnego bagażu. Kiedy pokazano mu fotografię, zidentyfikował go.

Na zewnątrz przy postoju taksówek został on również zidentyfikowany przez osoby kierujące ruchem taksówek, aby nie tworzyły się korki. Nie zauważyli jednak numeru taksówki, którą odjechał.

Taksówkarze są przeważnie dobrymi źródłami informacji dla policji, a ponieważ są obywatelami szanującymi prawo, abstrahując od okazyjnych błędnych podsumowań przy deklaracjach podatkowych, co mało obchodzi Scotland Yard, układy są nader poprawne i obie strony starają się, żeby tak też pozostało. Poza tym taksówkarze objeżdżający dochodową trasę z Heathrow trzymają się ścisłej i zaborczo pilnowanej kolejności. Godzinę zajęło odszukanie tego, który wiózł Quinna, ale i on rozpoznał swojego pasażera.

— No jasne — powiedział. — Zabrałem go do hotelu Blackwooda w Marylebone.

Uściślając, wysadził Quinna o 12:40 przed stopniami wiodącymi do hotelu. Żaden nie zauważył czarnej limuzyny, jaka zatrzymała się za nimi. Quinn zapłacił i wszedł po stopniach. Londyński biznesmen w ciemnym garniturze znalazł się o krok za nim. Do obrotowych drzwi dotarli razem. Chodziło o to, kto ma wejść pierwszy. Oczy Quinna zwęziły się, kiedy zauważył mężczyznę obok siebie. Biznesmen zagadnął go.

— Niech pan powie, czy to nie pan był w samolocie, który dzisiaj rano odlatywał z Korsyki? Ja też tam byłem. Świat jest mały, co? Proszę, przyjacielu, ja za panem.

Wskazał Quinnowi wejście. Igła w szpikulcu parasola już wystawała. Quinn prawie nie poczuł ukłucia strzykawki, gdy wniknęła ona w jego lewą łydkę. Pozostała tam pół sekundy i została wyciągnięta. Potem w drzwiach obrotowych coś się zacięło; zaklinowały się w połowie drogi pomiędzy portykiem a holem. Na pięć sekund. Gdy Quinn wyszedł z nich, poczuł lekkie uczucie mdłości. To kwestia upału, na pewno.

Anglik znowu był obok niego, cały czas zalewając go potokiem słów.

— Cholerne drzwi. Nigdy ich nie lubiłem. Niech pan powie, przyjacielu, dobrze się pan czuje?

Quinnowi rozmył się znowu widok przed oczyma i zaczął się pocić. Chłopak hotelowy w mundurku podszedł z zatroskaną miną.

— Wszystko w porządku, sir?

Biznesmen już wziął sprawę w swoje ręce. Złapał Quinna zadziwiająco silnym uściskiem pod pachę, schylił się ku chłopakowi hotelowemu i wsunął mu banknot dziesięciofuntowy do ręki.

— To przez kilka martini przed lunchem. I jeszcze zmiana czasu. Tam stoi mój samochód... gdyby pan był tak uprzejmy... No, Clive, jedziemy do domu, przyjacielu...

Quinn próbował się opierać, ale nogi miał jak z waty. Chłopak hotelowy znał swoje obowiązki wobec hotelu i umiał poznać prawdziwego dżentelmena, jeśli miał go przed sobą. Prawdziwy dżentelmen wziął Quinna z jednej strony, chłopak hotelowy wspierał go z drugiej. Wyprowadzili go przez wejście bagażowe — nie obrotowe — i trzy stopnie w dół do krawężnika. Tam dwóch kolegów prawdziwego dżentelmena wysiadło już z samochodu i pomogło ułożyć Quinna na tylnym siedzeniu. Biznesmen podziękował chłopakowi hotelowemu skinięciem głowy, ten obrócił się, aby zatroszczyć się o innych właśnie przybyłych gości, a limuzyna odjechała.

W tym momencie dwa wozy patrolowe wyjechały zza rogu Blandford Street w stronę hotelu. Quinn rozparł się w miękkim tylnym siedzeniu, jeszcze świadomy, ale bez władzy nad swoim ciałem, a język czuł jak rozgotowaną kluskę. Potem oblała go fala czerni i stracił przytomność.

ROZDZIAŁ SIEDEMNASTY

Kiedy Quinn się obudził, leżał na plecach na składanym łóżku w zupełnie pustym białym pokoju. Bez jednego ruchu powiódł wzrokiem dookoła siebie. Masywne drzwi, również białe, przyćmiona żarówka osłonięta stalową kratką. Ten, kto urządzał to miejsce, nie chciał, by jego mieszkaniec rozbił żarówkę i podciął sobie żyły. Przypomniał sobie przesadnie grzecznego angielskiego biznesmena, ukłucie w łydkę z tyłu, utratę świadomości. Cholerni Angole.

W drzwiach był wizjer. Usłyszał jego stuk. Czyjeś oko obserwowało go. Nie było sensu udawać, że leży nieprzytomny czy śpiący. Odsunął koc, którym był okryty, i stanął na nogi. Dopiero wtedy spostrzegł, że poza slipami nie ma niczego na sobie.

Dwie zasuwy zgrzytnęły i drzwi się otworzyły. Mężczyzna, który wszedł, był niski, krępy, krótko przystrzyżony i nosił białą marynarkę jak steward. Nie powiedział ani słowa. Wszedł po prostu niosąc stół, który postawił przy ścianie na drugim końcu pomieszczenia. Wyszedł i po chwili przyniósł dużą blaszaną miskę i dzbanek, z którego ulatywała para. Postawił obie rzeczy na stole. Potem znowu wyszedł, ale tylko do korytarza. Quinn zastanawiał się, czy nie przyłożyć facetowi i spróbować uciec, ale szybko porzucił tę myśl. Brak okien wskazywał, że znajdował się gdzieś w podziemiach; miał na sobie tylko slipy, steward sprawiał wrażenie takiego, co umie się bić, a na zewnątrz było jeszcze pewnie paru innych osiłków.

Kiedy tamten wrócił, przyniósł puszysty ręcznik, myjkę, mydło, pastę do zębów, nową szczoteczkę do zębów, jednorazową maszynkę do golenia, piankę i lustro. Jak doskonały kamerdyner zaaranżował wszystko na stoliku, stanął przy drzwiach, wskazał ruchem ręki na stół i ukłonił się. Zasuwy ponownie zgrzytnęły.

No pięknie, pomyślał Quinn, jeśli brytyjscy tajniacy, którzy go uprowadzili, chcą, by zaprezentował się dobrze przed Jej Wysokością, on też jest gotów. A odświeżyć się także wypadało.

Nie spieszył się. Gorąca woda dobrze mu zrobiła. Obmył całe ciało. Wprawdzie brał prysznic na promie *Napoleon*, ale to było dwa dni temu. Czy tak? Jego zegarek znikł. Wiedział, że uprowadzono go w południe, ale ile czasu naprawdę minęło od tej pory? W każdym razie ostry miętowy smak pasty był miły. Dopiero gdy rozłożył piankę na podbródku, wziął do ręki maszynkę i zerknął w małe, okrągłe lusterko, spotkał go szok. Te gnojki ostrzygły go.

Nawet nie tak źle. Jego ciemne włosy były teraz przystrzyżone i ułożone inaczej niż zwykle. Pośród przyborów nie znalazł grzebienia; mógł się przeczesać, tak jak lubił, tylko palcami. Ale i tak włosy sterczały, powrócił więc do fryzury nieznanego fryzjera. Ledwie skończył, steward znowu wszedł.

— Dzięki, stary, naprawdę — powiedział Quinn.

Mężczyzna nie dał po sobie poznać, że to słyszał; sprzątnął tylko przybory do mycia, zostawiając stolik, wyszedł i wrócił z tacą. Na niej był świeży sok z pomarańczy, płatki śniadaniowe, mleko, cukier, jajka na bekonie, grzanka, masło, dżem pomarańczowy i kawa. Kawa była świeżo zaparzona i pachniała nęcąco. Steward dostawił drewniane krzesło do stołu, ukłonił się sztywno i wyszedł.

Quinnowi przypomniał się stary angielski zwyczaj: gdy prowadzono kogoś do Tower, aby ściąć mu głowę, otrzymywał przedtem obfite śniadanie. Zjadł w każdym razie wszystko, co było.

Zdążył skończyć, kiedy lokaj pokazał się znowu, tym razem ze stertą ubrań, wypranych i wyprasowanych. Nie były to tylko jego rzeczy. Biała koszula, krawat, skarpety, buty i dwuczęściowy garnitur pasowały jak szyte na miarę. Steward wskazał na te ubrania i popukał lekko swój zegarek, zaznaczając, że nie ma czasu do stracenia.

Quinn był ubrany, gdy drzwi się otworzyły. Tym razem stał w nich elegancki biznesmen i ten przynajmniej potrafił mówić.

— Przyjacielu drogi, wygląda pan o sto procent lepiej i czuje się pan równie dobrze, jak sądzę. Przepraszam jeszcze za to niekonwencjonalne zaproszenie tutaj. Uważaliśmy, że inaczej możemy spotkać się z odmową.

Wyglądał ciągle jak z żurnala i mówił jak oficer gwardii.

— Jedno trzeba wam przyznać, sukinsyny — stwierdził Quinn. — Macie styl.

— Miło to słyszeć — mruknął biznesmen. — A teraz proszę pójść za mną. Mój przełożony chciałby z panem porozmawiać.

Poprowadził Quinna korytarzem do windy. Podczas gdy sunęła ona w górę, Quinn spytał o godzinę.

— No tak — westchnął biznesmen. — Amerykańska obsesja czasu.

Hm, dochodzi północ. Przykro mi, ale szef nocnej zmiany w kuchni potrafi przygotować tylko śniadanie.

Opuścili windę i przeszli przez inny korytarz, z miękkim dywanem i wieloma masywnymi drzwiami. Jego przewodnik poprowadził Quinna do samego końca, otworzył drzwi, wpuścił Quinna, ale sam nie wszedł do środka.

Quinn znalazł się w pomieszczeniu, które mogło być i biurem, i salonem. Sofy i kanapy ustawiono wokół gazowego kominka, a w wykuszu stało ogromne biurko. Mężczyzna, który podniósł się zza niego i podszedł się przywitać, był starszy — mógł liczyć jakieś pięćdziesiąt parę lat — i miał na sobie garnitur z Savile Row. Z jego postawy i surowej skupionej twarzy emanował autorytet. Ale ton głosu był przyjazny.

— Drogi panie Quinn, miło mi pana poznać...

Quinn stawał się powoli nerwowy. Miał dosyć tego teatru.

— Już dobrze, czy możemy przejść do rzeczy? Kazał pan mnie ukłuć w hotelowym wejściu, obezwładnić i przyprowadzić tutaj. Rozumiem. Ale to nie było konieczne. Jeśli wy, brytyjscy tajniacy, chcecie ze mną mówić, wystarczyło kazać mnie przywieźć tu paru glinom, bez tych igieł i reszty środków.

Mężczyzna stojący przed nim milczał i wydawał się być prawdziwie zaskoczony.

— Och, rozumiem. Sądzi pan, że jest w rękach MI5 lub MI6? Obawiam się, że nie. Raczej odwrotnie, że tak to określę. Wobec czego przedstawię się panu. Generał Wadim Kirpiczenko, nowo mianowany szef Zarządu Pierwszego KGB. Geograficznie jest pan wprawdzie w Londynie, ale znajduje się pan na obszarze eksterytorialnym, w ambasadzie radzieckiej przy Kensington Palace Gardens. Czy zechce pan usiąść?

Po raz drugi w życiu Sam Somerville została wprowadzona do Pokoju Sytuacyjnego w podziemiu pod zachodnim skrzydłem Białego Domu. Po pięciogodzinnym locie z Madrytu opuściła właśnie samolot. Ludzie władzy, którzy chcieli ją wypytać, nie mieli czasu na zbędne czekanie.

Po obu stronach wiceprezydenta siedzieli czterej najwyżsi rangą ministrowie i Brad Johnson, doradca do spraw bezpieczeństwa narodowego. Obecni byli także dyrektor FBI i Philip Kelly. Lee Alexander z CIA siedział z boku sam. I był też Kevin Brown, ściągnięty z Londynu do Waszyngtonu, aby osobiście zdał raport, co zdążył zrobić, kiedy wprowadzano Sam. Atmosfera była jednoznacznie wroga.

— Proszę zająć miejsce, młoda damo — powiedział wiceprezydent Odell.

Usiadła na krześle przy końcu stołu, gdzie wszyscy mogli ją widzieć. Kevin Brown łypał na nią wzrokiem; wolałby sam wysłuchać jej wyjaśnień, a potem złożyć sprawozdanie komitetowi. Nie cieszyło go, że podlegających mu agentów poddawano bezpośrednim przesłuchaniom.

— Agentko Somerville — zaczął wiceprezydent. — Zezwoliwszy pani na powrót do Londynu i wypuszczając Quinna, zaufaliśmy pani z jednego tylko powodu. Stwierdziła pani, że on może przyczynić się do zidentyfikowania porywaczy Simona Cormacka, bo ich widział. Została pani także poinstruowana, aby utrzymywać kontakt i zdawać raporty. Od tego czasu... nic. Na bieżąco dostawaliśmy tylko meldunki o trupach, które odkrywano w całej Europie, a pani i Quinn byliście akurat wtedy w okolicy. Zechce nam więc teraz pani wyjaśnić, co wy oboje, u diabła, tam wyrabialiście?

Sam wyjaśniła.

Zaczęła od początku: jak to Quinn przypomniał sobie o tatuażu w formie pająka na dłoni jednego z mężczyzn w magazynie Babbidge; o tropie, jaki prowadził od zbira Kuypera z Antwerpii do Marchais, który używał fałszywego nazwiska i którego znaleźli martwego w diabelskim kole w Wavre. Opowiedziała, jak Quinn wpadł na pomysł, że Marchais ściągnął do współpracy starego kumpla, jak odkryli trupa Pretoriusa w jego knajpie w Den Bosch. Zdała raport o Zacku alias Sidneyu Fieldingu, najemniku z Konga. To, co Zack wyznał na parę minut przed śmiercią, sprawiło, że komitet zamilkł. Zakończyła relacją o torebce z pluskwami i wyjeździe Quinna na Korsykę, gdzie miał szukać czwartego mężczyzny, tajemniczego Orsiniego, i przesłuchać go, bo to on według Zacka przyniósł ten pas z wybuchowym ładunkiem.

— Potem, to było dwadzieścia cztery godziny temu, zadzwonił do mnie i powiedział, że sprawa jest skończona, ślad się urwał, Orsini nie żyje i nie podał nic o tym grubasie.

Po tych jej słowach zapadło milczenie.

— Mój Boże, to niewiarygodne — odezwał się Reed. — Mamy jakieś dowody na poparcie tego?

Lee Alexander podniósł wzrok.

— Belgowie podali, że kula, która trafiła Leforta alias Marchais, to kaliber .45, a nie .38. Chyba że Quinn miał drugą broń.

— Nie miał — wtrąciła szybko Sam. — Jedyną naszą bronią był pistolet, jaki dał mi pan Brown. A Quinn w żadnym momencie nie zniknął mi z oczu na tak długo, by dotrzeć z Antwerpii do Wavre i z powrotem, albo z Arnhem do Den Bosch i też z powrotem. A w kwestii tej kawiarni w Paryżu, Zacka zastrzelono z karabinu, prosto z samochodu na ulicy.

— To wszystko się zgadza — stwierdził Alexander. — Francuzi zabezpieczyli kule w tej kawiarni. Amunicja Armalite.

— Quinn mógł mieć wspólnika — podsunął Walters.

— Wtedy nie byłby konieczny podsłuch w mojej torebce — zauważyła Sam. — Mógłby dzwonić, gdy ja byłam w toalecie lub brałam kąpiel. Proszę mi wierzyć, panowie, Quinn nie miał z tym nic wspólnego. Był diabelnie blisko, aby ten przypadek rozwiązać. Ktoś zawsze przybywał przed nami.

— Ten gruby, o którym mówił Zack? — upewniał się Stannard. — Ten, co niby nagrał to wszystko i opłacił? Ten... Amerykanin?

— Czy wolno mi coś zaproponować? — odezwał się Kevin Brown. — Może myliłem się z moim podejrzeniem, że Quinn od początku był uwikłany w tę sprawę. Przyznaję. Ale jest inny scenariusz, który jeszcze więcej rozjaśnia... — Uwaga wszystkich skupiła się na nim. — Zack twierdził, że gruby był Amerykaninem. Dlaczego? Z powodu jego akcentu. A co wie Anglik o amerykańskich akcentach? Oni mylą Kanadyjczyków z Amerykanami. Załóżmy, że gruby był Rosjaninem. Wtedy wszystko nabiera sensu. KGB ma dziesiątki agentów władających angielskim z nienagannym amerykańskim akcentem.

Wiele głów dookoła stołu potwierdziło to skinieniem.

— Mój kolega ma rację — powiedział Kelly. — Mamy motyw. Destabilizacja i osłabienie morale Stanów Zjednoczonych od dawna jest dla Moskwy priorytetową sprawą; nikt w to nie wątpi. Okazja? Żaden problem. O tym, że Simon Cormack studiuje w Oxfordzie, głoszono we wszelkich mediach, KGB montuje więc operację „na mokro", aby nas wszystkich trafić. Finanse? To żaden problem dla nich. Użycie najemników, właściwych do tego typu zleceń, to przyjęta praktyka. Nawet CIA tak robi. A likwidacja czterech najemników, gdy sprawa jest już załatwiona, to w mafii normalne, a KGB ma wiele wspólnego z naszą mafią.

— Jeśli przyjmiemy, że gruby był Rosjaninem — dodał Brown — to wszystko pasuje. Na podstawie raportu Sam Somerville zakładam, że istnieje człowiek, który opłacał Zacka i jego wspólników, instruował ich i prowadził. Ale dla mnie to ten sam, który wrócił już do siebie, do Moskwy.

— Ale dlaczego — dociekał Jim Donaldson — Gorbaczow najpierw miałby przyjąć Traktat z Nantucket, a potem go w tak okrutny sposób pogrzebać?

Lee Alexander chrząknął znacząco.

— Panie sekretarzu, wiadomo, że w Związku Radzieckim są wpływowe siły przeciwne *głasnosti, pierestrojce*, samemu Gorbaczowowi, a szczególnie przeciw Traktatowi z Nantucket. Przypomnijmy sobie, że przewodniczący KGB, generał Kriuczkow, został niedawno zwolniony. Może to, o czym mówiliśmy, było powodem...

— Myślę, że ma pan rację — powiedział Odell. — Te gnojki z KGB uknuły tę operację, aby załatwić Amerykę i pogrzebać traktat. Może nawet Gorbaczow był tu osobiście odpowiedzialny.

— To niczego nie zmienia — zauważył Walters. — Amerykańska opinia publiczna nie da temu wiary. Podobnie jak Kongres. Jeśli to było dzieło Moskwy, Gorbaczow jest odpowiedzialny, czy wiedział o tym, czy nie. Pamiętacie Irangate?

Tak, wszyscy pamiętali Irangate. Sam podniosła wzrok.

— A moja torebka? — spytała. — Jeśli KGB wszystko zaaranżowało, dlaczego potrzebowali wtedy nas, by doprowadzić ich do najemników?

— To proste — odparł Brown. — Najemnicy nie wiedzieli, że chłopak ma umrzeć. Gdy tak się stało, wpadli w panikę i zaszyli się gdzieś. Może nie pojawili się tam, gdzie KGB na nich czekało. Podejmowano też próby, aby Quinna, amerykańskiego negocjatora, i panią, agentkę FBI, wciągnąć w dwa morderstwa. To ogólnie przyjęta praktyka: sypnąć piasku w oczy opinii światowej, podszepnąć, że amerykańscy mocodawcy uciszają zabójców, nim ci zaczną sypać.

— Ale moją torebkę podmieniono na identyczną z pluskwą — upierała się Sam. — Gdzieś w Londynie.

— Skąd pani to wie, agentko Somerville? — spytał Brown. — Mogło to być na lotnisku, na promie do Ostendy. Do diabła, mógł to być jeden z Anglików, którzy weszli do mieszkania po tym, gdy Quinn uciekł. Albo w tym domku w Surrey. Całkiem sporo ich pracowało wcześniej dla Moskwy. Przypomnijcie sobie: Burgess, Maclean, Philby, Vassall, Blunt, Blake... To byli zdrajcy. Może mają nowego.

Lee Alexander skupił się na paznokciach. Dyplomatycznie przemilczał Mitchella, Marshalla, Lee, Boyce'a, Harpera, Walkera, Lonetree, Conrada, Howarda i innych Amerykanów, którzy zdradzili dla pieniędzy Wuja Sama.

— Dobrze, panowie — orzekł Odell po godzinie — zlecimy sporządzenie raportu. Od a do zet. Wyniki śledztwa są dość oczywiste. Pas był produkcji radzieckiej. Podejrzenie może nie do końca udowodnione, ale przecież wyraźne: to była operacja KGB i zakończyła się zniknięciem agenta znanego jako „gruby", który już zapewne znajduje się za żelazną kurtyną. Wiemy „co" i „jak". Chyba wiemy „kto", a „dlaczego" jest już stosunkowo jasne. Traktat z Nantucket poleży teraz długo, a my mamy prezydenta, który odchodzi od zmysłów. Mój Boże, nigdy bym nie pomyślał, że ja, liberał, powiem coś takiego, ale marzę, byśmy tych zasranych komunistów przenieśli jednym ruchem w epokę kamienia łupanego.

Dziesięć minut później ministrowie zostali sami. Dopiero w drodze powrotnej do mieszkania w Alexandrii Sam odkryła słabe miejsce w ich cudownym rozwiązaniu. Jak KGB dałoby radę skopiować, kupioną u Harrodsa, torebkę z krokodylej skóry?

Philip Kelly i Kevin Brown jechali razem do Hoover Building.

— Ta młoda dama zbliżyła się do Quinna bardziej niż tego chciałem — powiedział Kelly.

— Przeczuwałem to już w Londynie, podczas negocjacji — zauważył Brown. — Cały czas trzymała jego stronę i dlatego musimy jeszcze porozmawiać z Quinnem, tak konkretnie. Czy Francuzi albo Anglicy już go wyśledzili?

— Nie, właśnie do tego miałem przejść. Francuzi stwierdzili, że odleciał z Ajaccio samolotem do Londynu. Samochód, podziurawiony kulami, zostawił tam na parkingu. Brytyjczycy dotarli po jego śladach do hotelu, ale tam zdążył zniknąć, nawet się nie zameldował.

— Do diabła, ten facet jest jak węgorz — fuknął Brown.

— W rzeczy samej — przyznał Kelly. — Ale jeśli ma pan rację, jest ktoś, z kim nawiąże on kontakt. Somerville, tylko ona. Nie lubię tego robić u moich ludzi, ale w jej domu muszę mieć pluskwy, nagrania rozmów telefonicznych i przechwytywaną pocztę. Od zaraz.

— Załatwione — powiedział Brown.

Gdy zostali sami, wiceprezydent i pięciu wtajemniczonych członków gabinetu zajęli się znowu kwestią Dwudziestej Piątej Poprawki do Konstytucji.

To prokurator generalny nawiązał do niej. Na spokojnie i w wyważonym tonie. Odell był w defensywie. Widział częściej od nich, jak prezydent zamyka się w sobie. Musiał przyznać, że John Cormack ciągle sprawia przygnębiające wrażenie.

— Jeszcze nie — powiedział. — Dajmy mu czas.

— Ile? — spytał Morton Stannard. — Od pogrzebu minęły trzy tygodnie.

— W przyszłym roku są wybory — zaznaczył Bill Walters. — Jeśli chcesz kandydować, Michael, od stycznia musisz mieć czyste pole.

— Wielki Boże — eksplodował Odell. — On tam na górze jest złamany bólem, a wy mówicie o wyborach!

— Myślimy tylko praktycznie, Michael — powiedział Donaldson.

— Wiemy wszyscy, że Ronald Reagan po Irangate był długi czas tak przybity, że mało brakowało, by zastosowano się do Dwudziestej Piątej Poprawki — wyjaśnił Walters. — Raport Cannona z tamtych czasów pokazuje jasno, że miał być odwołany. A obecny kryzys jest gorszy.

— Prezydent Reagan wyszedł z tego — przypomniał Hubert Reed.
— Wrócił na urząd.

— Jeszcze zdążył — zauważył Stannard.

— W tym rzecz — stwierdził Donaldson. — Ile czasu mamy?

— Niezbyt wiele — przyznał Odell. — Media były do tej pory cierpliwe. On jest diabelnie popularny. Ale dziś popularność szybko się traci.

— Ostateczny termin? — cicho zapytał Walters.

Przegłosowali. Odell się wstrzymał. Walters podniósł swój srebrny ołówek. Stannard skinął głową. Brad Johnson potrząsnął przecząco głową. Jim Donaldson po krótkim namyśle przyłączył się do Johnsona. Był remis, dwa do dwóch. Hubert Reed popatrzył z zatroskaną miną na pięciu pozostałych mężczyzn. Potem wzruszył ramionami.

— Przykro mi, ale niech będzie, co ma być.

Głosował za. Odell westchnął głośno.

— W porządku — powiedział. — Postanawiamy większością głosów. Jeśli do Bożego Narodzenia nie nastąpi zwrot, pójdę do niego i powiem, że w Nowy Rok zastosujemy Dwudziestą Piątą Poprawkę.

Ledwo podniósł się z krzesła, wszyscy już z szacunkiem stali. Odkrył, że sprawiło mu to nawet przyjemność.

— Nie wierzę panu — powiedział Quinn.

— To proszę — odparł mężczyzna w garniturze z Savile Row. Wskazał ręką na zasłonięte okna.

Quinn rozejrzał się po pokoju. Nad gzymsem kominka Lenin przemawiał do mas.

Podszedł do okna i wyjrzał. Za bezlistnymi drzewami ogrodu i murem widać było właśnie górną część londyńskiego piętrowego autobusu, który jechał wzdłuż Bayswater Road.

Quinn wrócił na miejsce.

— Cóż, jeśli ciągle pan kłamie, są to diabelnie dobre dekoracje — stwierdził.

— Żadne dekoracje — zastrzegł się generał KGB. — Te lepiej wychodzą waszym ludziom w Hollywood.

— Co więc mnie tutaj przywiodło?

— Pan nas interesuje, Quinn. Proszę się tak nie wzbraniać. Nawet jeśli zabrzmi to dziwnie, stoimy w tym momencie po tej samej stronie.

— To brzmi dziwnie — zgodził się Quinn. — Cholernie dziwnie.

— Dobrze, powiem panu więcej. Od pewnego czasu wiemy, że wybrano pana do negocjacji z porywaczami Simona Cormacka w sprawie jego uwolnienia. Wiemy też, że po jego śmierci spędził pan miesiąc w Europie, próbując ich wytropić, z pewnym powodzeniem, jak się wydaje.

— I to ma nas stawiać po tej samej stronie?

— Może, panie Quinn, może. Ochranianie młodych Amerykanów, którzy bez wystarczającej ochrony uprawiają biegi terenowe, nie jest naszym zadaniem. Ale moim zadaniem jest chronienie mojego kraju przed spiskami, które przynoszą mu ogromną szkodę. A to... ta sprawa Cormacka jest spiskiem nieznanych osób, aby zdyskredytować mój kraj w oczach całego świata. To nam się nie podoba, panie Quinn, to nam się bardzo nie podoba. Dlatego będę z panem, jak to określacie, szczery do bólu. Uprowadzenie i zamordowanie Simona Cormacka nie było spiskiem radzieckim. Ale nam przypisuje się winę. Od kiedy dokonano analizy tego paska, siedzimy dla świata na ławie oskarżonych. Stosunki z pańskim krajem, które nasz sekretarz generalny próbował polepszyć, są dziś zatrute; traktat na rzecz redukcji zbrojeń, do którego przykładaliśmy dużą wartość, legł w gruzach.

— Wygląda na to, że potępiacie dezinformację, jeśli godzi ona w Związek Radziecki, a sami ją przecież uprawiacie — zauważył Quinn.

Generał przyjął zarzut z klasą, wzruszeniem ramion.

— Dobrze, pozwalamy sobie od czasu do czasu na trochę dezinformacji. CIA też. To należy do naszego rzemiosła. I przyznaję, że oskarżenie o coś, co się *zrobiło*, nie jest przyjemne. Ale nie do przyjęcia jest, kiedy przypisuje się nam to, czego nawet nie dotknęliśmy.

— Gdybym był bardziej wielkoduszny, byłoby mi pewnie bardzo przykro — odparł Quinn. — Ale tu nic kompletnie nie poradzę. Już nie.

— Możliwe — przyznał generał. — Przyjrzyjmy się jednak temu. Wierzę, że przy swojej inteligencji wpadł pan już na to, że spisek nie jest naszym dziełem. Gdybym ja miał go przygotować, byłbym głupcem zabijając Cormacka przy pomocy urządzenia, którego pochodzenie jest oczywiste.

Quinn skinął głową.

— Zgadza się. Wpadłem już na to, że wy za tym nie stoicie.

— Dziękuję. Ma pan jakieś przypuszczenia, kto mógłby to być?

— Sądzę, że to wyszło z Ameryki. Może skrajna prawica. Jeśli celem było zapobieżenie ratyfikacji Traktatu z Nantucket przez Kongres, to udało się w pełni.

— Bez wątpienia.

Generał Kirpiczenko podszedł do biurka i wrócił z pięcioma powiększeniami zdjęć. Położył je przed Quinnem.

— Czy widział pan już kiedyś tych ludzi, Quinn?

Quinn popatrzył na paszportowe zdjęcia Cyrusa Millera, Melvina Scanlona, Lionela Moira, Petera Cobba i Bena Salkinda. Potrząsnął głową.

— Nie, nigdy.

— Szkoda. Ich nazwiska są na odwrocie. Przed kilkoma miesiącami odwiedzili mój kraj. Ten, z kim mogli rozmawiać, w moim przekonaniu, był w stanie załatwić im taki pas. Jest w końcu marszałkiem.

— Kazał pan go aresztować i przesłuchać?

Generał Kirpiczenko zaśmiał się po raz pierwszy.

— Panie Quinn, powieściopisarze i dziennikarze z zachodu chętnie twierdzą, że organizacja, dla której pracuję, dysponuje nieograniczonymi pełnomocnictwami. To nie całkiem tak. Aresztowanie radzieckiego marszałka bez śladu dowodu nawet dla nas jest niemożliwe i sprzeczne z naszym sądownictwem. Szczerość za szczerość. Czy doceni pan to i opowie mi, czego pan się dowiedział w ciągu minionych trzydziestu dni?

Quinn przemyślał to. No cóż, sprawa jest zakończona, nie ma już śladu, którym mógłby pójść. Opowiedział generałowi całą historię od momentu, gdy wybiegł z mieszkania w Kensington, aby spotkać się z Zackiem. Kirpiczenko przysłuchiwał mu się uważnie i kiwał głową, jakby pokrywało się to czasem z tym, co sam już wiedział. Quinn zakończył swoją opowieść śmiercią Orsiniego.

— A tak na marginesie — dodał — powie mi pan, jak wyśledziliście mnie na lotnisku w Ajaccio?

— Ach to... Hm, moi ludzie od początku żywo interesowali się tą sprawą. Po śmierci chłopaka i potem, gdy te detale dotyczące paska celowo podano opinii publicznej, sprężaliśmy się. A pan nie był aż tak trudny do śledzenia w czasie podróży przez Holandię i Belgię. O strzelaninie w Paryżu było we wszystkich wieczornych gazetach. Podany przez barmana opis mężczyzny, który uciekł z miejsca zdarzenia, pasował do pana. Z listy odlatujących samolotów i ich pasażerów — mamy swoich informatorów w Paryżu — wynikało, że pańska przyjaciółka z FBI jest w drodze do Hiszpanii, ale nic o panu. Przyjąłem, że ma pan broń i chce uniknąć kontroli na lotnisku, sprawdziliśmy więc promy. Mój człowiek w Marsylii miał szczęście i odkrył, że płynie pan na Korsykę. Nasz człowiek, już znany panu, przybył tam samolotem tego samego ranka, gdy pan się zjawił, ale zgubił pana. Teraz wiem, że pojechał pan w góry. Ustawił się wtedy w miejscu, gdzie drogi na lotnisko i do portu zbiegają się i widział, jak pana wóz krótko po wschodzie słońca dotarł na lotnisko. Czy wie pan w ogóle, że czterech uzbrojonych mężczyzn zjawiło się tam, gdy pan był w budce telefonicznej?

— Nie, nic nie zauważyłem.

— Hm. Nie byli wobec pana nastawieni przyjaźnie. Po tym, co mi pan właśnie opowiedział o Orsinim, rozumiem powód. Nieistotne. Mój kolega... zajął się nimi.

— Pański Anglik?

— Andriej? On nie jest Anglikiem. Ani też Rosjaninem. Jest Kozakiem. Doceniam pańskie zdolności radzenia sobie z różnymi ludźmi, panie Quinn, ale niech pan nie próbuje tego z Andriejem. Jest rzeczywiście jednym z moich najlepszych ludzi.

— Niech pan mu podziękuje w moim imieniu — powiedział Quinn.

— Miłą pogawędkę mamy więc za sobą, generale. Ale na tym koniec. Mnie nie pozostaje nic innego, jak wracać do winnicy w Hiszpanii.

— Nie podzielam pańskiego zdania, Quinn. Uważam, że powinien pan polecieć do Ameryki. Tam leży klucz, gdzieś w Ameryce. Niech pan tam wraca.

— Zwiną mnie w ciągu godziny — zauważył Quinn. — FBI mnie nie lubi, niektórzy myślą tam nawet, że byłem uwikłany w tę sprawę.

Generał Kirpiczenko podszedł znowu do biurka i skinął na Quinna. Podał mu kanadyjski paszport, nienowy, przekonująco podniszczony, z tuzinem stempli wjazdu i wyjazdu. Jego własna twarz ze zmienioną fryzurą, rogowymi okularami, mocnym zarostem, spoglądała na niego ze zdjęcia.

— Fotografia została niestety wykonana, gdy był pan oszołomiony. Paszport jest bezwzględnie prawdziwy, jedna z naszych najlepszych prac. Będzie pan potrzebował rzeczy z kanadyjskimi metkami, walizkę i resztę. Andriej wszystko ma już gotowe. A jeszcze to... — Położył na biurku trzy karty kredytowe, ważne prawo jazdy i plik dwudziestu tysięcy dolarów kanadyjskich. Paszport, prawo jazdy i karty kredytowe były wystawione na nazwisko Rogera Lefevre. Kanadyjczyk francuskojęzyczny; Amerykaninowi, który opanował francuski, akcent nie sprawi problemu.

— Andriej odwiezie pana do Birmingham na pierwszy poranny lot do Dublina. Tam złapie pan połączenie do Toronto. Z przekroczeniem granicy amerykańskiej w wypożyczonym samochodzie nie powinno być problemu. Jest pan gotów tam polecieć, Quinn?

— Generale, zdaje się, że pan mnie nie zrozumiał. Orsini nie powiedział słowa przed śmiercią. Jeśli wiedział, kim był grubas, a myślę, że wiedział, nie wydał go. Nie wiem, gdzie teraz zacząć. Ślad się urywa.

Grubas i jego zausznicy są bezpieczni, podobnie jak zdrajca, źródło informacji, według mnie wysoko postawiona osoba. Bo Orsini milczał. Nie ściskam żadnych asów, króli, dam czy nawet waletów. Nie mam nic w ręku.

— Ach, ta karciana analogia... Wy, Amerykanie, zawsze mówicie o asach. Gra pan w szachy, Quinn?

— Trochę, ale nie za dobrze — przyznał Quinn.

Generał podszedł do regału z książkami i przejechał palcem po grzbietach, jakby szukał określonego tytułu.

— Powinien pan — powiedział. — Szachy są jak zadanie, gra, która wymaga podstępu i sprytu, a nie zwyczajnej przemocy. Wszystkie figury są widoczne, a jednak... szachy są bardziej grą pozorów niż poker. Mam już. Proszę... — Podał Quinnowi książkę. Autor był Rosjaninem, tekst angielski. Przekład, edycja prywatna. *Wielcy mistrzowie. Studium.* — Pan jest w szachu, Quinn, ale jeszcze nie dostał pan mata. Niech pan leci z powrotem do Ameryki. Niech pan przeczyta tę książkę podczas lotu. Polecam szczególnie rozdział o Tigranie Petrosjanie. Ormianin, już dawno nie żyje, ale był chyba największym taktykiem szachowym, jaki kiedykolwiek żył. Życzę panu szczęścia, Quinn.

Generał Kirpiczenko wezwał swojego agenta Andrieja i udzielił mu wielu poleceń po rosyjsku. Potem ten przeprowadził Quinna do innego pomieszczenia i przekazał mu walizkę pełną różnych rzeczy z kanadyjskich sklepów, podręczny bagaż i bilety lotnicze. Potem razem pojechali do Birmingham i Quinn wsiadł do pierwszego tego dnia samolotu do Dublina. A Andriej poczekał, aż odleci, i wrócił do Londynu.

W Dublinie Quinn przeczekał na lotnisku Shannon kilka godzin i lotem Air Canada przybył do Toronto.

Jak obiecał, czytał książkę w poczekalni na lotnisku Shannon i podczas lotu przez Atlantyk. Rozdział o Petrosjanie sześć razy. Gdy opuścił samolot w Toronto, było dla niego jasne, dlaczego tak wielu pokonanych przeciwników nadało przebiegłemu ormiańskiemu arcymistrzowi przydomek Wielki Oszust.

W Toronto jego paszport wzbudził równie mało uwagi jak w Birmingham, Dublinie czy na Shannon. Czekał w hali celnej przy taśmie bagażowej na swój bagaż, który urzędnicy skontrolowali tylko pobieżnie. Nie miał powodu, by zauważyć niepozornego mężczyznę, który obserwował go podczas odprawy celnej, ruszył za nim na dworzec i pojechał tym samym pociągiem w kierunku północno-wschodnim do Montrealu.

W stolicy Quebecu Quinn kupił na giełdzie używanego dżipa renegade z oponami zimowymi, a w sklepie sportowym w pobliżu wybrał buty, spodnie i pikowane kurtki, niezbędne tu o tej porze roku. Gdy dżip był już zatankowany, ruszył na południowy wschód, przez St Jean do Bedford, a potem prosto na południe do amerykańskiej granicy.

Na przejściu granicznym przy brzegu jeziora Champlain, gdzie autostrada stanowa numer 89 prowadzi z Kanady do stanu Vermont, Quinn dotarł ponownie na obszar Stanów Zjednoczonych.

Teren przy północnym skraju Vermont tubylcy określają mianem Królestwa Północnowschodniego. Obejmuje on większą część okręgu Essex z kawałkami Orleans i Kaledonii; dzika górzysta okolica z jeziorami i rzekami, górami i wąwozami, z wyboistymi drogami łączącymi małe wioski. W zimie na Północnowschodnie Królestwo spada tak przeraźliwe zimno, że pas ziemi wydaje się stwardniały na kość. Jeziora zamarzają, drzewa sztywnieją w mrozie, śnieg trzeszczy pod stopami. Zimą nie ma tutaj, pomijając te pogrążone we śnie zimowym, żadnych żyjących stworzeń, poza przemykającym czasem pośród trzaskających gałęzi łosiem. Ludzie z południa żartują, że Północnowschodnie Królestwo zna tylko dwie pory roku: sierpień i zimę. Inni, starzy bywalcy, powiadają, że to nieprawda — w rzeczywistości jest tylko piętnasty sierpnia i zima.

Quinn prowadził dżipa na południe, przez Swanton i St Albans do miasta Burlington, by zostawić za sobą jezioro Champlain, i trasą 89 trafić do stolicy stanu, Montpelier. Tu zjechał z głównej drogi na trasę numer 2 przez wschodnie Montpelier i dolinę Winooski, minął Plainfield i Marshfield, docierając do West Danville.

Góry, zbite w gromadę przed mrozem, otaczały go teraz; czasem z naprzeciwka pojawił się jakiś pojazd, tak samo anonimowa ciepła kopuła, z włączonym ogrzewaniem, skrywająca człowieka, który tylko dzięki technice jest w stanie przeżyć to zimno, mogące pozbawić życia każde nieosłonięte ciało w ciągu minuty.

Za West Danville droga znów była węższa, z wysokimi zaspami śniegu po obu stronach. Potem, gdy miał już za sobą Danville, Quinn włączył napęd na cztery koła i pokonał ostatni kawałek drogi do St Johnsbury.

Miasteczko nad rzeką Passumpsic było oazą w tej cierpko-zimnej górzystej okolicy, pełną sklepów, lokali, świateł i ciepła. Quinn znalazł przy Głównej Ulicy agenta od nieruchomości i wyjaśnił mu, czego szuka. Ten przysłuchiwał się życzeniu Quinna ze zdumieniem.

— Chatka? No tak, wynajmujemy je w lecie. Właściciele spędzają tam najczęściej miesiąc, może sześć tygodni, a na resztę sezonu wynajmują je. Ale teraz?

— Tak, teraz — potwierdził Quinn.

— Czy myśli pan o czymś specjalnym? — spytał agent.

— Ma być w Królestwie.

— Ugrzęźnie tu pan jak nic... — Przejrzał jednak swoją listę i drapiąc się w głowę powiedział: — Jedna by się nadawała. Należy do dentysty z Barre, tam na dole w ciepłym kraju.

Ciepły kraj był dla niego ciepły, bo tam było minus dwadzieścia pięć w przeciwieństwie do minus trzydziestu tutaj. Agent zadzwonił do dentysty, który gotów był wynająć chatkę na miesiąc. Potem mężczyzna wyjrzał na dżipa Quinna.

— Ma pan łańcuchy śnieżne w tym renegade?

— Jeszcze nie.

— Będzie pan potrzebował.

Quinn kupił i założył łańcuchy, wtedy obaj pojechali. Do chatki było wprawdzie tylko dwadzieścia pięć kilometrów, ale by tam dotrzeć, potrzebowali ponad godzinę.

— To są okolice Lost Ridge — objaśniał agent. — Właściciel korzysta z niej tylko w lecie do łowienia i wędrowania. Chce pan uciec adwokatom pańskiej żony, czy co?

— Potrzebuję spokoju i ciszy, aby pisać książkę — odparł Quinn.

— Ach, pisarz — zrozumiał wszystko agent. Pisarzom, podobnie jak innym wariatom, pobłaża się często.

Pojechali najpierw w stronę Danville, potem skręcili na północ, w jeszcze węższą drogę. Przy North Danville agent poprowadził Quinna na zachód w dzikie strony. Przed nimi sięgały nieba szczyty Kittredge, przez które nie prowadziła żadna droga. Oni kierowali się na prawo w stronę Góry Niedźwiedziej.

Na stromiźnie zbocza agent pokazał zaśnieżoną drogę. Przy całej mocy silnika, napędzie na cztery koła i dzięki łańcuchom Quinnowi udało się w końcu dotrzeć do celu.

Chata była zrobiona z grubych bali, ułożonych pionowo, z niskim dachem, na którym leżał prawie metr śniegu. Była jednak zbudowana solidnie, izolowana i miała potrójne szyby. Agent zwrócił uwagę na wbudowany garaż — pojazd, który nie był umieszczony w ogrzewanym pomieszczeniu w tym klimacie następnego ranka byłby bryłą metalu i zamarzniętej benzyny. I pokazał mu piec opalany drzewem, który grzał wodę, tę w kaloryferach również.

— Biorę ją — powiedział Quinn.

— Będzie pan potrzebował nafty do lamp, butelki butanu do gotowania i siekiery do rąbania drewna do pieca — powiedział agent. — I zapasów jedzenia. I paliwa. Lepiej, żeby tu niczego nie zabrakło. Do tego ubranie. To, co pan ma na sobie, jest trochę za cienkie. Niech pan okrywa twarz, bo odmrozi pan sobie nos. I nie ma tu telefonu. Jest pan pewien, że chce wynająć tę chatę?

— Biorę ją — powtórzył Quinn.

Wrócili do St Johnsbury. Quinn podał nazwisko i obywatelstwo, i zapłacił z góry. Agent był zbyt grzeczny albo zbyt mało ciekawy, aby spytać, dlaczego mieszkaniec Quebecu szuka w Vermont schronienia, skoro tam było wiele cichych miejsc.

Quinn zapamiętał kilka budek telefonicznych, z których będzie mógł korzystać o każdej porze, i na tę noc został w hotelu. Rano załadował wszystko, czego potrzebował, do dżipa i wrócił w góry.

Raz, gdy zatrzymał się za North Danville, aby zorientować się w położeniu, wydawało mu się, że słyszy warkot silnika w dolinie, ale uznał, że musiał to być odgłos z osady albo jego własne echo.

Rozpalił ogień i chata powoli odtajała. Potężne palenisko huczało za stalowymi drzwiami, a gdy Quinn je otworzył, poczuł się jak w bliskości hutniczego pieca. Woda w zbiorniku także zagrzała się i podała ciepło na grzejniki w czterech pomieszczeniach chaty i dodatkowym zbiorniku do mycia i kąpania. W południe podwinął rękawy koszuli, tak było mu ciepło. Po obiedzie wziął siekierę i narąbał tyle drewna ze składu za chatą, że miał zapas na tydzień.

Kupił radio, ale musiał obyć się bez telefonu i telewizora. Zaopatrzony na tydzień, usiadł nad nową podróżną maszyną do pisania i zaczął stukać w klawiaturę. Następnego dnia pojechał do Montpelier, a stamtąd poleciał do Bostonu i dalej do Waszyngtonu.

Jego celem był Union Station przy Massachusetts Avenue obok Drugiej Ulicy, jeden z najelegantszych dworców kolejowych w Ameryce, wykładany białym marmurem i jeszcze błyszczący po niedawno przeprowadzonej renowacji. Trochę się tu zmieniło, jak pamiętał z wcześniejszych lat, ale tory biegły dalej pod halą główną, tam gdzie stawały pociągi.

Znalazł to, czego szukał, naprzeciw wejść H i J na perony linii Amtrak. Między drzwiami policji kolejowej a toaletą damską stało rzędem osiem budek telefonicznych. Każda miała numer, który zaczynał się od 789; zanotował wszystkie osiem, nadał swój list i wyszedł.

Jadąc taksówką na Lotnisko Krajowe po drugiej stronie rzeki Potomac, kiedy znaleźli się na Czternastej Ulicy, Quinn widział na prawo dużą kopułę Białego Domu. Pomyślał wtedy, jak czuje się mieszkający tam człowiek, który powiedział: „Niech pan go nam sprowadzi z powrotem" i którego tak bardzo zawiódł.

*

W ciągu miesiąca, jaki minął od pogrzebu syna, Cormackowie zmienili się, jak i zmienił się ich stosunek do siebie, i tylko zawodowy psychiatra mógłby to racjonalnie wyjaśnić.

Zaraz po porwaniu prezydentowi, mimo duchowego obciążenia, zmartwień, niepokoju i bezsenności, udawało się jednak zachować równowagę. Gdy raporty z Londynu zapowiadały rychłą wymianę, jego stan wydawał się wręcz poprawiać. To jego żona, o mniejszej sile intelektu, bez obowiązków rządowych, wydała się bardziej poddana bólowi i uspokajającym lekom.

Jednak od owego strasznego dnia w Nantucket, kiedy oddali ich jedynego syna zimnej ziemi, ojciec i matka zmarłego zamienili się w subtelny sposób rolami. Myra Cormack dała upust swojemu bólowi we łzach przy grobie na piersi mężczyzny z Secret Service i podczas lotu do Waszyngtonu. Jednak stopniowo wydawała się odzyskiwać siły po ciężkim ciosie. Może stało się dla niej jasne, że po stracie dziecka, które było na nią zdane, znalazł się inny podopieczny: mąż, który nigdy przedtem nie był od niej zależny.

Instynkt macierzyński i samozachowawczy wydawał się podsuwać jej wewnętrzną siłę, jakiej brakowało temu, w którego inteligencję i siłę woli nigdy nie wątpiła. Gdy taksówka Quinna przejeżdżała tego zimowego popołudnia obok kompleksu zabudowań Białego Domu, John Cormack siedział przy biurku w swoim gabinecie pomiędzy Żółtym Owalnym Pokojem a sypialnią. Myra Cormack stała obok niego. Przytulała głowę zdruzgotanego męża i kołysała powoli i delikatnie.

Wiedziała, że jej mężczyznę ugodził śmiertelny cios i nie był już w stanie nic więcej zrobić. Wiedziała, że powodem tego była nie tylko sama śmierć Simona, ale i może nawet bardziej bezgraniczna konsternacja wynikająca z faktu, że nie wiedział przez kogo i dlaczego ten czyn został popełniony. Gdyby chłopak stracił życie w wypadku drogowym czy sportowym, John Cormack pogodziłby się może z taką logiką, bez względu na irracjonalność samej śmierci. Jednak sposób, w jaki chłopak zginął, dotknął ojca równie śmiertelnie, jakby ta szatańska bomba eksplodowała w jego własnym ciele.

Sądziła, że nie poznają już nigdy odpowiedzi na to pytanie, i była przekonana, że jej małżonek nie może tak dalej żyć. Zaszło to już tak daleko, że Biały Dom i urząd jej męża, z którego była tak dumna, teraz napełniały ją nienawiścią. Miała teraz tylko jedno jedyne życzenie: aby złożył brzemię tego urzędu i wrócił z nią do New Haven, gdzie mogłaby otoczyć go opieką na stare lata.

*

List, który Quinn nadał do Sam Somerville na adres jej mieszkania w Alexandrii, został przechwycony, nim go sama zobaczyła, i triumfująco przekazany komitetowi w Białym Domu zebranemu właśnie w celu zapoznania się z jego treścią i narady odnośnie jego następstw. Philip Kelly i Kevin Brown pojawili się z nim jak z trofeum.

— Muszę przyznać, panowie — powiedział Kelly — że z największymi oporami postawiłem jedną z moich cenionych agentek pod tego rodzaju nadzorem. Ale z pewnością zgodzicie się ze mną, że się opłacało... — Położył list na stole przed sobą. — List ten, moi panowie, został nadany wczoraj, tu w Waszyngtonie. Co nie dowodzi, że Quinn jest tu w mieście czy nawet w Stanach. Ktoś inny mógł go nadać. Ale pamiętajmy, że Quinn jest samotnikiem, pracuje bez wspólników. Jak udało mu się zniknąć z Londynu i pojawić tutaj, nie wiem. Jednak moi koledzy i ja jesteśmy zdania, że sam ten list nadał.

— Niech pan go przeczyta — polecił Odell.

— On jest... hm... poniekąd dramatyczny — przyznał Kelly. Poprawił okulary i zaczął czytać: — „Sam, kochanie..." Ten nagłówek potwierdza, że mój kolega, Kevin Brown, miał rację; pomiędzy panną Somerville a Quinnem powstał układ wykraczający poza profesjonalne stosunki.

— Dobrze, a więc pański pies gończy zakochał się w wilku — skwitował Odell. — To niezłe. Bardzo cwane. Co pisze dalej?

Kelly przeczytał: — „Nareszcie jestem w Stanach Zjednoczonych. Bardzo chciałbym cię zobaczyć, ale obawiam się, że byłoby to teraz zbyt ryzykowne.

Piszę, aby Ci wyjaśnić, co wydarzyło się na Korsyce. Bo okłamałem cię, gdy dzwoniłem z lotniska w Ajaccio.

Myślałem, że jeśli ci opowiem, co tam rzeczywiście się stało, uznasz za zbyt ryzykowny powrót do domu. Jednak im więcej nad tym myślę, tym bardziej dochodzę do wniosku, że masz prawo, aby poznać prawdę. Musisz mi tylko obiecać jedno: wszystko, co znajdziesz w tym liście, zachowaj dla siebie. Nikomu nie wolno o tym mówić, przynajmniej na razie. Nim nie skończę czegoś, nad czym teraz pracuję.

Naprawdę staraliśmy się nieźle, ja i Orsini. Nie miałem wyboru, ktoś do niego zadzwonił i podał, że jestem w drodze na Korsykę, aby go zabić, podczas gdy ja chciałem tylko z nim porozmawiać. Dostał kulkę z mojego — lub raczej Twojego — rewolweru, ale nie umarł od razu. Gdy się dowiedział, że został załatwiony, stało się dla niego jasne, że nie wiąże go już przysięga milczenia. Opowiedział mi wszystko, co wiedział, i było to naprawdę ciekawe.

Po pierwsze: to nie Rosjanie stali za tym, a przynajmniej nie ich rząd.

Spisek powstał tu, w Stanach. Mocodawcy kryją się jeszcze w cieniu, ale ten, którym się posłużyli, aby zainscenizować uprowadzenie i zamordowanie Simona Cormacka, mężczyzna, którego Zack nazywał „grubasem", jest mi znany. Orsini rozpoznał go i podał mi jego nazwisko. Jak tylko zostanie aresztowany, co niechybnie nastąpi, musi podać nazwiska tych, którzy go opłacali.

W tym momencie, Sam, siedzę w ukryciu i spisuję wszystko, aż do ostatniego szczegółu: nazwiska, dane, wydarzenia. Całą historię od początku do końca. Jak tylko skończę, wyślę kopie do różnych adresatów: wiceprezydenta, FBI, CIA itd. Jeśli coś miałoby mi się przytrafić, będzie zbyt późno, aby zatrzymać młyn sprawiedliwości.

Skontaktuję się z Tobą dopiero wtedy, gdy będę gotów. Ze zrozumiałych względów, sama wiesz, nie podaję ci, gdzie jestem. Robię to tylko dla Twojego bezpieczeństwa. Całuję Cię. Quinn".

Przez chwilę wszyscy milczeli jak oszołomieni. Jednemu z obecnych pot spływał po twarzy.

— Mój Boże — jęknął Odell. — To nie do pojęcia.

— Jeśli to prawda, co on pisze — odezwał się Morton Stannard, prawnik z wykształcenia — nie powinien być w żadnym wypadku na wolności. Powinien nam powiedzieć, co wie.

— Zgadzam się — dodał prokurator generalny, Bill Walters. — Pomijając wszystko inne, sprawił, że jest świadkiem koronnym. Mamy program ochrony świadków. We własnym interesie powinien zdać się na nas.

Wniosek poparto jednomyślnie. Jeszcze wieczorem Ministerstwo Sprawiedliwości zatwierdziło nakaz ochrony świadka, umożliwiający aresztowanie i bezterminowe przetrzymywanie Quinna. FBI uruchomiła wszystkie źródła Narodowego Systemu Informacji Kryminalnej, aby go poszukiwano. Dodatkowo instrukcje otrzymały także dalekopisami wszelkie inne organy porządku publicznego — miejskie wydziały policji, biura szeryfów, komendantów i patrole drogowe. Zaopatrzono je w zdjęcie Quinna; oficjalnie szukanego w związku z dużym skokiem na jubilera.

Ten wielki alarm to było jedno, a faktem pozostawało, że Ameryka to ogromny kraj z ogromem miejsc, gdzie można się zaszyć.

Mimo zakrojonych na szeroką skalę akcji pościgowych szukani przestępcy pozostają latami na wolności. Poza tym Quinna ścigano jako obywatela amerykańskiego, ze znanym numerem paszportu i prawa jazdy, a nie francuskiego Kanadyjczyka nazwiskiem Lefevre z nieskazitelnymi papierami, zmienioną fryzurą, okularami rogowymi i lekką bródką.

Quinn ostatni raz golił się w radzieckiej ambasadzie i teraz broda pokrywała mu już dolną połowę twarzy.

Wróciwszy do górskiej chaty dał komitetowi w Białym Domu trzy dni na łamanie sobie głów nad listem do Sam i wtedy podjął próbę potajemnego skontaktowania się z nią. Uwaga, którą zrobiła w Antwerpii, naprowadziła go na sposób, w jaki mógłby to zaaranżować. „Jestem córką pastora w Rockcastle" — powiedziała wtedy.

W księgarni w St Johnsbury dostał rejestr miejscowości, z którego wynikało, że są trzy o nazwie Rockcastle w Stanach Zjednoczonych. Jedna leżała głęboko na południu, druga zupełnie na zachodzie. Akcent Sam był bliższy wschodniego wybrzeża. Trzecia miejscowość Rockcastle znajdowała się w okręgu Goochland, w stanie Wirginia. Spis telefonów rozwiał wszelką wątpliwość. Był wielebny Brian Somerville w Rockcastle, Wirginia. Nazwisko występowało tylko raz — rzadka pisownia rozróżniała go od zwykłych Summer — czy Sommerville'ów.

Quinn znowu opuścił kryjówkę, poleciał z Montpelier do Bostonu i dalej do Richmond, gdzie wylądował na Byrd Field, z godnym podziwu optymizmem przechrzczonym ostatnio na Międzynarodowy Port Lotniczy. Książka telefoniczna na lotnisku miała załącznik, z którego wynikało, że duchowny urzędował w Kościele Świętej Maryi przy Placu Trzech Dróg, ale mieszkał przy Rockcastle Road numer 290. Quinn wynajął mały samochód i przejechał pięćdziesiąt kilometrów drogą numer 6 do Rockcastle. Wielebny Somerville sam podszedł do drzwi, gdy Quinn zadzwonił.

W mieszkaniu spokojny, siwowłosy pastor ugościł Quinna herbatą i potwierdził, że Samantha jest jego córką i pracuje dla FBI. Potem przysłuchał się temu, co Quinn miał mu do powiedzenia, a jego twarz coraz bardziej poważniała.

— Dlaczego sądzi pan, że moja córka może być w niebezpieczeństwie, panie Quinn? — spytał.

Quinn wyjaśnił mu.

— I to pod nadzorem? Samego Biura? Czy zrobiła coś nieprawego?

— Nie, sir. Ale są ludzie, którzy to podejrzewają, bezpodstawnie. A ona o tym nie wie. Chciałbym przekazać jej ostrzeżenie.

Dobroduszny starzec popatrzył na list, jaki dostał do rąk, i westchnął. Świat za zasłoną, której rąbek Quinn właśnie mu uchylił, był mu nieznany. Potem przeszła mu przez głowę myśl, co uczyniłaby jego zmarła żona; zawsze była tą bardziej energiczną osobą w domu. Tak, ona z pewnością dostarczyłaby swemu krzywdzonemu dziecku ten list.

— No dobrze — powiedział. — Odwiedzę ją.

Dotrzymał obietnicy, wsiadł w swoje stare auto, pojechał do Waszyngtonu i z zaskoczenia zawitał do córki. Jak poinstruował go Quinn, ograniczył rozmowę do małej pogawędki i podał jej kartkę. Tam napisane było: *Rozmawiaj dalej całkiem naturalnie. Otwórz kopertę i przeczytaj list, jeśli masz czas. Potem spal go i trzymaj się instrukcji. Quinn.*

Prawie odjęło jej mowę, gdy czytała te słowa, i zrozumiała, że Quinn ostrzega ją przed podsłuchem. Sama instalowała pluskwy w mieszkaniach innych ludzi, nigdy jednak nie myślała, że mogłoby się zdarzyć to także jej. Spojrzała w zmartwione oczy ojca, mówiła dalej naturalnym tonem i wzięła kopertę, którą on jej podał. Gdy pożegnał się, by wrócić do Rockcastle, towarzyszyła mu przed dom i pocałowała go serdecznie.

Wiadomość w kopercie była równie krótka, jak tekst na kartce. O północy miała być obok budki telefonicznej naprzeciw peronów H i J w Union Station. Jeden z aparatów będzie dzwonił — to on, Quinn, będzie na linii.

Punktualnie o północy odebrała ten telefon, wykonany z budki telefonicznej w St Johnsbury. Opowiedział jej o Korsyce i Londynie, i o spreparowanym liście, który przesłał jej w przekonaniu, że najpierw obejrzy go komitet w Białym Domu.

— Ale Quinn — protestowała — jeśli Orsini nic nie podał, sprawa jest skończona, sam mówiłeś. Dlaczego udajesz, że coś wyznał, jeśli nic takiego nie nastąpiło?

Opowiedział jej o Petrosjanie, który nawet wtedy, gdy był już załatwiony, mógł sugerować wpatrzonemu w szachownicę przeciwnikowi, że przygotowuje znakomite posunięcie, tak że dawał się on pokierować i w końcu popełniał błąd.

— Sądzę, że ten list doprowadzi tamtych, kimkolwiek są, do wyjścia z ukrycia — dodał. — Mimo że pisałem, iż nie skontaktuję się z tobą, jesteś jedynym kontaktem ze mną do czasu, aż policja mnie nie złapie. A im więcej dni upłynie, tym bardziej gorączkowi się staną. Proszę, miej oczy i uszy otwarte. Będę dzwonił do ciebie co drugi dzień o północy pod jeden z tych numerów...

Tak upłynęło sześć dni.

— Quinn, znasz kogoś o nazwisku David Weintraub?

— Tak.

— Jest z CIA, tak?

— Tak, jest zastępcą dyrektora do spraw operacyjnych. Dlaczego pytasz?

— Prosił mnie o spotkanie. Mówił, że coś się zaczyna. I to nagle. On tego nie rozumie, ale ty podobno zrozumiesz.

— Spotkaliście się w Langley?

— Nie, on uważał, że to za bardzo na widoku. Spotkaliśmy się na tylnym siedzeniu samochodu Agencji, który czekał na chodniku w pobliżu Tidal Basin, jak uzgodniliśmy. Rozmawialiśmy w czasie jazdy.

— Powiedział ci, o co chodzi?

— Nie, mówił tylko, że nie może już nikomu ufać. Tylko tobie. Chce się z tobą spotkać, na twoich warunkach, gdzie zechcesz. Ufasz mu, Quinn?

Quinn zastanowił się. Jeśli Weintraub był nieuczciwy, to dla świata i tak nie byłoby już żadnej nadziei.

— Tak — odparł. — Ufam.

Podał jej czas i miejsce spotkania.

ROZDZIAŁ OSIEMNASTY

Sam Somerville przybyła na lotnisko Montpelier następnego dnia wieczorem. Towarzyszył jej Duncan McCrea, młody pracownik CIA, przez którego wcześniej David Weintraub prosił ją o rozmowę.

Przylecieli lotem PBA Beachcraff 1900 z Bostonu, wynajęli na lotnisku terenowego dodge'a ram i zameldowali się w motelu za miastem. Za radą Quinna oboje mieli ze sobą najcieplejsze ubrania, jakie mogli dostać w Waszyngtonie.

Zastępca dyrektora CIA, tłumacząc to koniecznością udziału w niezwykle ważnej konferencji w Langley, miał przybyć następnego ranka, punktualnie na uzgodnione z Quinnem spotkanie.

Wylądował o siódmej odrzutowcem z dziesięcioma miejscami, którego oznaczeń Sam nie rozpoznała. McCrea wyjaśnił jej, że to samolot firmy, a wymalowana nazwa spółki czarterowej to tylko przykrywka. Po opuszczeniu samolotu powitał ich krótko, ale serdecznie. Miał już na sobie ciężkie, śniegowe buty, grube spodnie i pikowaną kurtkę. W ręku niósł torbę podróżną. Potem wsiadł z tyłu do samochodu i ruszyli. McCrea prowadził, Sam pilotowała go z mapą w ręku.

Za Montpelier obrali drogę numer 2, przez wschodnie Montpelier, i skręcili do Plainfield. Zaraz za cmentarzem w Plainmont, ale przed wjazdem do Goddard College, rzeka Winooski oddalała się od droga biegnącej półkoliście na południe. W tej krainie przybierającej kształt półksiężyca, między drogą a rzeką stała grupa wysokich drzew, o tej porze roku nieruchomych i pokrytych śniegiem. Pomiędzy drzewami znajduje się tu wiele piknikowych stołów, wystawionych dla letnich urlopowiczów i ich przyczep kempingowych. Tam Quinn miał czekać o ósmej rano.

Sam zobaczyła go pierwsza. Wyszedł zza oddalonego o dwadzieścia metrów drzewa, kiedy ram hamując zatrzeszczał na śniegu. Nie czekając na resztę, wyskoczyła z auta, pobiegła i rzuciła mu się na szyję.

— Wszystko w porządku, skarbie?

— Jak najbardziej. Och, Quinn, dzięki Bogu, że jesteś bezpieczny.

Quinn spoglądał ponad jej głową. Poczuła, jak zesztywniał.

— Kogo ty tu przywiozłaś? — spytał cicho.

— Och, wygłupiłam się, co? — Odwróciła się. — Pamiętasz Duncana McCreę? On skontaktował mnie z panem Weintraubem...

McCrea wysiadł z samochodu i stał oddalony o dziesięć kroków. Uśmiechał się niepewnie, po swojemu.

— Dzień dobry, panie Quinn. — Przywitanie było nieśmiałe, pełne respektu jak zawsze. Nic nieśmiałego nie było jednak w kolcie kaliber .45 w prawej dłoni. Broń celowała bez wahania w Sam i Quinna.

Drugi mężczyzna wysiadł z samochodu. Miał w ręku karabin ze składaną kolbą, który wyjął z torby podróżnej, podobnie jak wcześniej kolta.

— Kto to jest? — spytał Quinn.

Głos Sam był zupełnie słaby ze strachu.

— David Weintraub — powiedziała. — O Boże, Quinn, co ja takiego zrobiłam?

— Zostałaś oszukana, kochanie.

Było dla niego jasne, że to on popełnił błąd. Mógł w tym momencie samemu sobie skopać tyłek. Rozmawiając z nią przez telefon, nie wpadło mu do głowy, by zapytać, czy już kiedyś widziała zastępcę dyrektora CIA do spraw operacyjnych. Dwa razy wzywano ją do Białego Domu, aby złożyła raport przed komitetem. Przyjął, że David Weintraub był tam podczas obu tych spotkań lub przynajmniej raz brał w nich udział. Faktycznie jednak skryty zastępca dyrektora bardzo niechętnie przybywał do Waszyngtonu i nie brał udziału w obu tych naradach. Opieranie się w czasie akcji na przesłankach, jak przecież dobrze już wiedział, okazuje się mocno szkodliwe dla zdrowia.

Niski, krępy mężczyzna z karabinem, który w swoim pikowanym, zimowym ubraniu wydawał się jeszcze bardziej korpulentny, podszedł bliżej i stanął obok McCrei.

— No cóż, znowu się widzimy, sierżancie Quinn. Pamiętasz mnie?

Quinn potrząsnął głową. Mężczyzna popukał palcem w swój spłaszczony nos.

— Ty mi to zrobiłeś, parszywa świnio. Teraz za to zapłacisz, Quinn.

Quinn zmrużył oczy i przypomniał sobie: polana w Wietnamie, dawno temu, wietnamski chłop, a raczej to, co z niego zostało, nadal żywy i rozciągnięty na ziemi.

— Pamiętam — potwierdził.

— To dobrze — stwierdził Moss. — Ruszajmy więc. Gdzie się zakwaterowałeś?

— W chacie w górach.

— I spisujesz swoje dzieje, co? Popatrzymy na te zapiski. I żadnych sztuczek, Quinn. Duncan może chybić, ale tę małą dostanie. A ty nie będziesz przecież szybszy od tego...

Krótki ruch broni pokazał, że Quinn nie zdążyłby dobiec nawet dziesięciu metrów do drzew.

— Wsadź sobie to gdzieś — odparł Quinn.

W odpowiedzi Moss zaśmiał się cicho, gwiżdżąc przez wklęśnięty nos.

— Twój mózg musiał zamarznąć, Quinn. Powiem ci, co zrobimy. Zaprowadzimy ciebie i tę małą do brzegu na dół. Nikt nam nie przeszkodzi, tu nie ma ludzi. Ciebie przywiążemy do drzewa i będziesz się przyglądał. Przysięgam ci, że potrwa to dwie godziny, aż wreszcie ona umrze, i w każdej sekundzie z tych dwóch godzin będzie błagała o śmierć. A teraz może poprowadzisz?

Quinn myślał o polanie w dżungli, o chłopie z przegubami rąk, łokciami i kolanami rozmiażdżonymi ołowianymi kulami, jak szeptał, że jest tylko wieśniakiem i nic nie wie. Gdy Quinn spostrzegł, że tłusty facet prowadzący „przesłuchanie", już od godziny to wie, odwrócił się i uderzył go pięścią tak, że ten kwalifikował się od razu do szpitala.

Gdyby był sam, spróbowałby wziąć się za nich obu, nawet jeśli był bez szans, umarłby wtedy z kulą w sercu, spokojnie. Ale z Sam... Skinął głową.

McCrea rozdzielił ich i skuł im ręce za plecami. Potem usiadł za kierownicą renegade'a, a Quinn obok niego. Moss jechał za nimi drugim wozem, z Sam leżącą z tyłu na podłodze.

West Danville budziło się właśnie do życia, ale nikogo nie dziwiło, kiedy oba pojazdy terenowe przejeżdżały w kierunku St Johnsbury. Ktoś podniósł nawet rękę, w geście otuchy w tym trzaskającym mrozie. McCrea odpowiedział z przyjaznym uśmiechem i skręcił na północ od Danville w kierunku gór Lost Ridge. Przy cmentarzu Pope Quinn pokazał mu na lewo, ku Górze Niedźwiedziej. Dodge za nimi nie miał łańcuchów śnieżnych i ledwo dawał sobie radę.

Kiedy dotarli do końca szutrowej drogi, Moss zatrzymał rama, pchnął Sam przed siebie i wcisnął się na tył renegade'a. Sam była blada i trzęsła się ze strachu.

— Chciałeś się naprawdę odseparować — stwierdził Moss, gdy dobili do chaty.

Na zewnątrz było prawie trzydzieści pięć stopni poniżej zera, a w chacie ciągle utrzymywało się ciepło, jak przed wyjściem Quinna. On i Sam mieli usiąść na dwóch końcach łóżka stojącego w rogu dużego salonu.

McCrea trzymał ich cały czas na muszce, kiedy Moss pospiesznie przeszukiwał pozostałe pomieszczenia, by się upewnić, że są tu sami.

— Miło tu — odezwał się w końcu z zadowoleniem w głosie. — Miło i nikt nie przeszkadza. Nie mogłeś znaleźć dla mnie nic lepszego, Quinn.

Manuskrypt Quinna znalazł się w szufladzie biurka. Moss zdjął kurtkę, usiadł wygodnie w fotelu i zaczął czytać. McCrea przysiadł na krześle i nie spuszczał oczu z więźniów, mimo że mieli kajdanki. Na jego twarzy gościł ciągle uśmiech wesołego chłopaka z sąsiedztwa. Zbyt późno Quinn spostrzegł, że była to maska, że chłopak uświadomił sobie w końcu, jak wykorzystać ten talent, i rozwinął go potem, aby ukryć swoje prawdziwe ja.

— Wygraliście na całej linii — odezwał się Quinn po chwili. — Ale ciągle interesuje mnie, jak to wszystko wyszło.

— Nie ma sprawy — odparł Moss, zaczytany. — I tak nic już to nie zmieni.

— To jak McCrea został złowiony do pracy w Londynie? — zaczął tym małym nieważnym pytaniem.

— To był przypadek — wyjaśnił Moss. — Po prostu szczęście. Nigdy bym nie pomyślał, że w tej historii będę miał wyrękę z tego chłopaka. To taka premia od pieprzonej Agencji.

— Gdzie się poznaliście?

Moss spojrzał w górę.

— W Ameryce Środkowej — powiedział. — Spędziłem tam lata. Duncan dorastał w okolicy. Poznałem go, gdy był jeszcze malutkim chłopczykiem. Wpadliśmy na to, że mamy te same skłonności. Mnie zawdzięczał, że przyjęty został do Agencji.

— Te same skłonności? — powtórzył Quinn. Znał skłonności Mossa. Chciał podtrzymać rozmowę. Psychopaci bardzo chętnie mówią o sobie, gdy czują się bezpieczni.

— No, prawie — przyznał Moss. — Duncan preferuje damy, a ja nie. Sprawia mu przyjemność najpierw przemaglować je trochę, czy nie jest tak, chłopcze?

Zaczął znowu czytać. McCrea pokazał zęby w uśmiechu.

— Jasne, panie Moss. A wie pan, że tych dwoje zabawiało się ze sobą wówczas w Londynie? Myśleli, że nic nie słyszę. Muszę to teraz nadrobić.

— Rób jak uważasz, chłopaku — powiedział Moss. — Ale Quinn należy do mnie. Długo to potrwa, Quinn. Będzie to dla mnie największa przyjemność.

Wrócił do czytania. Sam schyliła nagle głowę. Mdliło ją, ale nie zwymiotowała. Quinn przeżywał to przy rekrutach w Wietnamie. Strach powodował powstanie w żołądku kwasu, który podrażniał wrażliwą śluzówkę i wywoływał suche mdłości.

— Jak utrzymywaliście w Londynie kontakt? — zapytał znowu.

— To nie był żaden problem — odparł Moss. — Duncan wychodził ciągle coś załatwiać, po jedzenie i takie tam. Nie kojarzysz? Spotykaliśmy się w sklepach. Gdybyś był sprytniejszy, Quinn, rzuciłoby ci się w oczy, że wychodził zawsze o tej samej godzinie robić zakupy.

— A rzeczy dla Simona, pas z bombą?

— Wszystko przyniosłem do domu w Sussex, gdy ty byłeś z pozostałymi trzema w magazynie. Dałem to, jak było umówione, Orsiniemu. To porządny facet. Parę razy angażowałem go w Europie, gdy byłem jeszcze w Agencji. A i potem też. — Moss odłożył manuskrypt. Jego język rozluźnił się. — Przestraszyłeś mnie, uciekając z tego mieszkania. Chciałem cię wtedy załatwić, ale nie mogłem dogadać tego z Orsinim. Uważał, że pozostali trzej by go odwiedli od tego. Ustąpiłem, bo wiedziałem, że po śmierci chłopaka i tak będziesz podejrzany. Ale zaskoczyło mnie, kiedy te zakute łby z Biura cię wypuściły. Myślałem, że zamkną cię w pierdlu nawet bez dowodów.

— I wtedy wsadziłeś te pluskwy do torebki Sam?

— Jasne. Duncan mi to podsunął. Kupiłem drugą taką torebkę i spreparowałem ją. I dałem Duncanowi tego ranka, gdy ty opuściłeś mieszkanie w Kensington. Przypominasz sobie, że poszedł kupić jajka na śniadanie? Przyniósł ją wtedy i zamienił, gdy wy jedliście w kuchni.

— Dlaczego nie pozbyłeś się tych czterech najemników na umówionym spotkaniu? — spytał Quinn. — Zaoszczędziłoby ci to szukania nas po świecie.

— Bo trzech z nich spanikowało — odparł Moss z grymasem. — Mieli odebrać w Europie swoje premie. Orsini miał zabić wszystkich trzech. Ja sprzątnąłbym Orsiniego. Gdy usłyszeli, że chłopak nie żyje, rozdzielili się i zniknęli. Na szczęście ty byłeś pod ręką, żeby ich dla nas wyśledzić.

— Nie mógłbyś sam sobie dać z tym rady — stwierdził Quinn. — McCrea musiał ci pomagać.

— Zgadza się. Ja miałem was wyprzedzać. Duncan był cały czas w pobliżu, spał nawet w samochodzie. To nie było dla ciebie miłe, co, Duncan? Gdy usłyszał, że znaleźliście Marchais i Pretoriusa, zadzwonił do mnie z auta i podarował mi parę godzin przewagi.

Quinn miał jeszcze kilka pytań. Moss wrócił znowu do swojej lektury, a jego twarz zdradzała coraz większą zaciekłość.

— A chłopak, Simon Cormack? Kto go wysadził? To ty, McCrea, mam rację?

— Jasne. Ten nadajnik nosiłem dwa dni w kieszeni.

Quinn przywołał na myśl scenę na poboczu drogi w hrabstwie Buckingam — ludzie ze Scotland Yardu, grupa z FBI, Brown, Collins, Seymour obok samochodu, Sam po eksplozji z twarzą wtuloną w jego plecy; widział, jak McCrea klęczy nad rowem, jakby go mdliło, podczas gdy wciskał nadajnik głęboko w błoto.

— Dobrze, więc Orsini informował cię, co działo się w kryjówce, Duncan mówił o tym, co rozgrywało się w Kensington. A co z tym facetem w Waszyngtonie?

Sam spojrzała z niedowierzaniem na niego. Nawet McCrea był zdumiony. Moss podniósł oczy na Quinna i zaczął mu się przyglądać z zaciekawieniem.

Podczas podróży do chaty Quinnowi przyszło do głowy, że Moss podjął ogromne ryzyko, gdy zbliżył się do Sam i podał się za Davida Weintrauba. A może nie? Była tylko jedna możliwość, aby Moss mógł się dowiedzieć, że Sam nigdy nie widziała zastępcy dyrektora CIA do spraw operacyjnych.

Moss uniósł manuskrypt i rozrzucił go po podłodze.

— Skurwysyn z ciebie, Quinn — rzucił z nienawiścią w głosie. — Tu nie ma nic nowego. W Waszyngtonie sądzi się, że cała ta historia była operacją zorganizowaną przez KGB. Obojętnie, co mówił ten pieprzony Zack. Liczono, że masz coś nowego, co temu zaprzeczy. Nazwiska, dane, miejscowości... dowody, do diabła. A ty co masz? Nic. Orsini nie powiedział ani słowa, co? — Wstał, kipiąc ze złości, i zaczął chodzić po pokoju. Stracił mnóstwo czasu i wysiłku, spalał się. I na nic to wszystko. — Korsykanin powinien był cię zabić, jak mu mówiłem. Ale nawet żywy nie masz nic. List, który przysłałeś tej dziwce, to same kłamstwa. Kto ci to podsunął?

— Petrosjan — odparł Quinn.

— Kto?

— Tigran Petrosjan. Ormianin. Już nie żyje.

— To dobrze. Ty też niedługo umrzesz, Quinn.

— Kolejny wyreżyserowany scenariusz?

— A tak. Jako że nie będzie to dla ciebie miłe, z przyjemnością ci opowiem. Dodge'a wypożyczyła twoja przyjaciółka. Dziewczyna z tej agencji nie widziała Duncana. Policja znajdzie ją w spalonej chacie. Na podstawie auta ustalą nazwisko, a ciało zidentyfikują po uzębieniu. Renegade dotrze na lotnisko i tam zostanie porzucony. W ciągu tygodnia z ciebie zrobią mordercę, bo wszystko będzie pasowało. Ale policja nigdy cię nie znajdzie. Okolica tu jest idealna. W tych górach muszą być głębokie szczeliny, w których człowiek znika na zawsze. Do wiosny będziesz szkieletem, do lata zarośniesz na wieki. Zresztą policja nie będzie cię tu szukać; oni będą sprawdzać, kto odleciał z lotniska Montpelier... — Chwycił karabin i wycelował w Quinna. — Idziemy, gnoju, ruszaj się. Duncan, baw się dobrze. Za godzinę wrócę, może wcześniej. Masz więc trochę czasu.

Zimno na zewnątrz bolało jak uderzenie w twarz. Z rękoma skutymi na plecach Quinn brnął przez śnieg za chatą, dalej i dalej na Górę Niedźwiedzią. Słyszał za sobą Mossa posapującego, co mówiło mu, że gruby nie był w formie. Ale ze spętanymi rękoma nie miał żadnej szansy uciec przed karabinem. A Moss był wystarczająco sprytny, aby nie podchodzić zbyt blisko, unikać ryzyka otrzymania kopniaka od dawnego członka Zielonych Beretów.

Już po dziesięciu minutach Moss znalazł to, czego szukał. Na skraju polany pomiędzy jodłami i świerkami porastającymi zbocza górskie otworzyła się szczelina, tylko na trzy metry szeroka, która zacieśniała się w studnię dwadzieścia metrów niżej.

Na dole leżał miękki śnieg, w który ciało zapadłoby się jeszcze na metr czy dwa. Dalsze opady śniegu w ostatnich dwóch tygodniach grudnia, w styczniu, lutym, marcu i kwietniu wypełniłyby szczelinę. Gdy nadejdzie odwilż, zamieni się ona w lodowaty strumyk. Raki słodkowodne załatwią resztę. Quinn nie robił sobie żadnych iluzji, że umrze po czystym strzale w głowę lub w serce. Rozpoznał twarz Mossa, przypomniał już sobie jego nazwisko. Znał jego perwersyjne upodobania. Czy jest w stanie wytrzymać ból i nie dawać Mossowi zadowolenia ze swojego krzyku? Pomyślał też o Sam, o tym, co będzie musiała przejść, nim umrze.

— Klękaj — nakazał Moss. Oddech miał rzężący, sapiący.

Quinn ukląkł. Zastanawiał się, gdzie trafi pierwsza kula. Za sobą usłyszał łoskot naboju w lodowej, suchej atmosferze. Nabrał powietrza głęboko i czekał.

Huk wydawał się wysadzać całą polanę i odbijać echem o góry. Jednak śnieg stłumił go tak szybko, że nikt na dole, a tym bardziej w oddalonej o kilkanaście kilometrów osadzie, nie mógł niczego słyszeć.

Pierwsze, co poczuł Quinn, to zdumienie. Jak ktoś mógł z takiej odległości strzelić obok? Potem stwierdził, że należało to do gry Mossa. Odwrócił głowę. Moss stał z karabinem wycelowanym w niego.

— No już, ty śmieciu — powiedział Quinn.

Moss wydał z siebie lekki uśmiech i zaczął opuszczać karabin. Opadł na kolana, pochylił się do przodu i podparł rękoma w śniegu.

W retrospekcji wydaje się to dłuższe, ale Moss na kolanach i z rękoma w śniegu patrzył na Quinna tylko dwie sekundy. Potem opuścił głowę, otworzył usta, z których wypłynął długi, jasny, pieniący się strumień krwi. Wydał z siebie westchnienie i zwinął się na bok w śniegu.

Trwało wiele sekund, nim Quinn zobaczył mężczyznę, tak dobrze był zamaskowany. Stał bez ruchu po drugiej stronie polany. Teren nie nadawał się dla narciarzy, ale on miał na obu nogach narty, które wyglądały jak za duże rakiety do tenisa. Jego lokalnie nabyte ubranie ochronne przed zimnem było oblepione śniegiem. Zarówno watowane spodnie jak i kurtka miały blady, jasnoniebieski kolor, który w asortymencie sklepu najbliższy był bieli śniegu.

Szron osadził się na pasmach futra, które wystawały z kaptura kurtki, na brwiach i brodzie. Twarz była usmarowana tłuszczem i sadzą, jak u żołnierza, który tak się chronił przed temperaturami minus trzydzieści pięć stopni. Trzymał swoją broń luźno w poprzek piersi, pewny, że drugi strzał nie będzie konieczny.

Quinn zastanawiał się, jak ten mężczyzna biwakował tu na górze w jakiejś szczelinie lodowej. Ale kto przetrzymuje zimę na Syberii, nie ma problemu i w Vermont.

Wyprężył ramiona, aż jego spętane ręce znalazły się pod siedzeniem, i przecisnął najpierw jedną, a potem drugą nogę pomiędzy nimi. Gdy ręce były z przodu, poszukał w kurtce Mossa kluczyka i uwolnił się. Potem podniósł broń Mossa i wstał. Mężczyzna po drugiej stronie polany obserwował go bez ruchu.

Quinn krzyknął do niego:

— Jak to mówią w waszym kraju, *spasiba*.

Przez na wpół zesztywniałą twarz mężczyzny przebiegł uśmiech. Gdy Kozak Andriej mówił, słychać było znowu tony z londyńskiego klubu.

— Jak to mówią w waszym kraju, miłego dnia!

Potem usłyszał tylko śmignięcie nart i już go nie było. Quinn zrozumiał, że Rosjanin, wysadziwszy go w Birmingham, pojechał na Heathrow, dotarł do Toronto i jak cień podążył za nim w góry. On pamiętał o zabezpieczaniu się, KGB widocznie też. Odwrócił się i zaczął biec przez głęboki po kolana śnieg.

Stanął przed chatą i spojrzał przez małą, okrągłą dziurkę w zaszronionych szybkach okna. Nikogo. Z karabinem skierowanym przed siebie otworzył cicho zamek i delikatnie pchnął drzwi. Z sypialni dochodziły jęki. Przeszedł przez pokój i stanął w drzwiach sypialni.

Sam leżała naga na łóżku z twarzą w dół i rozłożonymi nogami. Ręce i nogi przywiązane miała mocno sznurkiem do czterech słupków łóżka. McCrea stał w samych slipach plecami do drzwi, z prawej dłoni zwieszał mu się cienki przewód elektryczny.

Ciągle się śmiał. Quinn trafił na odbicie jego twarzy w lusterku nad komodą. McCrea usłyszał kroki i odwrócił się. Kula trafiła go w brzuch pięć centymetrów nad pępkiem. Przeszła na wylot miażdżąc kręgosłup. Zginając się wpół, przestał się wreszcie uśmiechać.

Przez dwa dni Quinn opiekował się Sam jak dzieckiem. Paraliżujący strach, jaki przeżyła, spowodował, że na zmianę płakała i drżała cała, a Quinn musiał wtedy mocno ją przytulać. Przez resztę czasu spała i ten największy lekarz miał kojące działanie.

Kiedy Quinn uznał, że może ją zostawić samą, pojechał do St Johnsbury, zadzwonił do szefa kadr FBI, któremu przedstawił się jako ojciec Sam. Powiadomił nic nie podejrzewającego urzędnika, że będąc u niego w odwiedzinach ciężko się przeziębiła. I za trzy, cztery dni wróci do swojego biurka.

W nocy, gdy spała, sporządził drugie, zgodne z prawdą przedstawienie wydarzeń podczas ostatnich siedemdziesięciu dni. Opowiedział historię ze swojego własnego punktu widzenia, niczego nie opuszczając. Także popełnionych przez siebie błędów. Mógł uzupełnić ją tym, co opowiedział mu generał KGB w Londynie. Na stronach czytanych przez Mossa nie było o tym mowy. Quinn nie dotarł jeszcze do owego momentu, kiedy Sam poinformowała go, że chce się z nią spotkać zastępca dyrektora CIA do spraw operacyjnych.

Potem przedstawił wydarzenia z punktu widzenia najemników, tak jak podał je Zack przed śmiercią, i uzupełnił o to, co sam Moss mu opowiedział. Zebrał już wszystko — prawie wszystko.

Głównym pociągającym za sznurki był Moss sterowany przez pięciu zleceniodawców. Konieczne informacje otrzymywał od dwóch mężczyzn. Orsini informował go na bieżąco z kryjówki porywaczy, a McCrea z mieszkania z Kensington. Ale był jeszcze ktoś, kto wiedział wszystko to, co wiedzieli odpowiadający za tę sprawę w Anglii i w Ameryce — ktoś, kto śledził postępy Nigela Cramera dla Scotland Yardu i Kevina Browna dla FBI. Komu znane były wyniki narad komitetu COBRA w Anglii i grupy w Białym Domu. Na to jedno pytanie Moss nie odpowiedział.

Przyciągnął ciało Mossa z leśnych ostępów do chaty i położył w szopie z drewnem obok ciała McCrei, gdzie szybko zesztywniały ukryte pomiędzy polanami. Po sprawdzeniu ich kieszeni obejrzał swój łup. Nie było tam nic interesującego, poza notatnikiem z numerami telefonów w wewnętrznej kieszeni na piersi Mossa.

Moss był człowiekiem skrytym, ukształtowanym przez lata treningu i życia w ukryciu. Notatnik w sztywnych okładkach zawierał jakieś sto dwadzieścia numerów telefonów, ale każdy oznaczony był tylko inicjałami lub imionami.

Trzeciego dnia rano Sam wyszła z sypialni po nieprzerwanym dziesięciogodzinnym śnie bez koszmarów.

Przytuliła się do jego piersi i położyła głowę na jego ramionach.

— Jak się czujesz? — spytał.

— Już dobrze, Quinn, jestem znowu w formie. Dokąd teraz pojedziemy?

— Musimy wrócić do Waszyngtonu — odparł. — Tam rozegra się rozdział końcowy. Potrzebuję twojej pomocy.

— Co tylko zechcesz — powiedziała.

Tego popołudnia wygasił ogień w piecu, odłączył wszelkie urządzenia, sprzątnął i zamknął chatę. Karabin Mossa i kolta .45, którym McCrea wywijał we wszystkie strony, zostawił. Zabrał tylko notatnik.

W drodze do doliny wziął na hol dodge'a i dociągnął go do St Johnsbury. Tam w warsztacie uruchomili go i wtedy zostawił im dżipa z kanadyjskimi numerami, aby jak najkorzystniej go sprzedali.

Potem dojechali na lotnisko w Montpelier, oddali tam rama i polecieli do Bostonu, a stamtąd na lotnisko krajowe w Waszyngtonie, gdzie Sam zostawiła swój samochód.

— Nie mogę mieszkać u ciebie — zaznaczył — bo nadal masz tam podsłuch.

Znaleźli pensjonat oddalony milę od mieszkania Sam w Alexandrii. Gospodyni bardzo chętnie wynajęła frontowy pokój kanadyjskiemu turyście. Późnym wieczorem Sam wróciła do mieszkania i na użytek pluskwy zadzwoniła do Biura, aby oznajmić, że rano wraca do pracy.

Spotkali się wieczorem następnego dnia i Sam przyniosła notatnik Mossa, który zaczęli razem przeglądać. Zakreśliła markerami numery; odpowiednim kolorem do danego kraju, stanu lub miasta.

— Ten typ rzeczywiście dużo jeździł — stwierdziła. — Numery pomalowane na żółto to zagranica.

— Te możesz sobie darować — odparł Quinn. — Człowiek, którego szukam, żyje tu albo w pobliżu. Kolumbia, Wirginia lub Maryland. Musi być blisko Waszyngtonu.

— W porządku. Czerwone podkreślenia oznaczają Stany bez tych obszarów. Pozostałe czterdzieści jeden numerów jest z Kolumbii i sąsiednich dwóch stanów. Sprawdziłam je wszystkie. Z analizy atramentu wynika, że większość wpisów ma już kilka lat i pochodzi prawdopodobnie z czasów, gdy pracował dla Agencji. Dotyczą banków, osobistości, pracowników CIA pod prywatnymi numerami, firmy maklerskiej. Musiałam przypomnieć człowiekowi z laboratorium o starej przysłudze, aby uzyskać te informacje.

— I co powiedział o czasie wpisów?

— Wszystkie mają ponad siedem lat.

— Nim został wylany. Nie, ten musi być nowszy.

— Mówiłam: większość — przypomniała mu. — Cztery numery wpisane zostały w ostatnim roku. Biuro podróży, dwie kasy biletów lotniczych i numer taxi.

— A niech to.

— I numer wpisany jakieś trzy do sześciu miesięcy temu. Problem w tym, że go nie ma.

— Wyłączony? W naprawie?

— Nie, właściwie to nigdy go nie było. Numer kierunkowy 202 jest dla Waszyngtonu, ale pozostałe siedem cyfr nie daje numeru telefonu i nigdy nie dawało...

Quinn przepisał ten numer i pracował nad nim dwie doby. Jeśli był zakodowany, istniało wystarczająco dużo wariacji, że nawet komputer dostałby zawrotu, a cóż dopiero ludzki mózg. Wszystko zależało od tego, jak bardzo ostrożny był Moss. Quinn zaczął od prostych kodów i pisał wynikające z nich numery jeden pod drugim, aby Sam mogła je później sprawdzić.

Spróbował od najprostszego, dziecinnego kodu, gdzie kolejność cyfr jest odwrócona. Potem zmienił pierwszą z ostatnią, drugą z przedostatnią, trzecią z trzecią od końca i pozostawił tylko środkową z siedmiu liczb. Miał dziesięć takich wariacji. Potem przeszedł do dodawania i odejmowania. Odliczył z każdej liczby jeden, potem dwa i tak dalej. Potem jeden z pierwszej, dwa z drugiej, trzy z trzeciej, aż dotarł do siódmej. Następnie dodawał liczby.

Po pierwszej nocy spojrzał na swoje rzędy cyfr. Moss mógł dodawać lub odejmować datę urodzenia swoją lub matki, numer auta albo numer buta. Gdy miał już sto siedem możliwości, dał listę Sam. Zadzwoniła do niego późnym popołudniem następnego dnia. Głos miała zmęczony. Rachunek telefoniczny FBI musiał wzrosnąć w tym czasie.

— Słuchaj: czterdzieści jeden z tych numerów nie istnieje. Pozostałe sześćdziesiąt sześć to połączenia do pralni samoobsługowej, domu rencistów, salonu masażu, czterech restauracji, baru szybkiej obsługi, dwóch kurewek i bazy wojskowej, jak i pięćdziesięciu przypadkowych osób prywatnych. Ale jeden numer mógłby być strzałem w dziesiątkę, czterdziesty czwarty na twojej liście.

Zerknął na kopię listy. Czterdziesty czwarty. Ten powstał z odwrócenia kolejności cyfr i odjęcia po kolei 1, 2, 3, 4, 5, 6, 7.

— Do kogo on należy?

— To zastrzeżony i utajniony numer prywatny. Musiałam paru osobom przypomnieć, co mi zawdzięczają, aby go zidentyfikować. Numer w dużej posiadłości w Georgetown. Zgadnij, do kogo należy?

Powiedziała mu. Quinn westchnął głęboko. To mógł być przypadek. Bawiąc się siedmiocyfrowym numerem można odkryć prywatny numer wysoko postawionej osobistości.

— Dzięki, Sam. To wszystko, co mam. Spróbuję i dam ci znać.

Tego wieczora o wpół do dziewiątej senator Bennett Hapgood siedział w garderobie dużej nowojorskiej stacji telewizyjnej, podczas gdy młoda dziewczyna nakładała mu jeszcze trochę ochry na twarz. Podniósł wysoko podbródek i wyciągnął szyję, aby i ją mogła trochę przypudrować.

— Może jeszcze nieco lakieru, skarbie — powiedział, wskazując na ułożone siwe loki, które niesfornie zsuwały się na czoło i mogły opaść, jeśli nie zostałyby utrwalone.

Dokonała wręcz cudu. Cienkie żyłki dookoła jego nosa zniknęły, oczy zabłysły, gdy zapuściła do nich kilka kropel, a słoneczna opalenizna, zdobywana długimi godzinami pod lampą ultrafioletową świadczyła o tryskającym siłą okazie zdrowia.

Asystentka kierownika planu zajrzała przez drzwi.

— Jesteśmy gotowi, senatorze — powiedziała.

Bennett Hapgood podniósł się i stał tak, kiedy charakteryzatorka zdjęła mu peniuar i usunęła z jego perłowoszarego garnituru ostatnie pyłki pudru. Potem ruszył za asystentką do studia. Zajął miejsce na lewo od redaktora, a asystent dźwięku przypiął mu do klapy marynarki mikrofon wielkości guzika. Redaktor jednego z ogólnokrajowych programów publicystycznych o wysokiej oglądalności skupiony był na sprawdzaniu scenariusza; na ekranie leciała reklama pokarmu dla psów. Tamten zerknął znad kartki i błysnął perłowym uśmiechem do Hapgooda.

— Cieszę się, że pana widzę, senatorze.

Hapgood zareagował obligatoryjnie przesadzonym szerokim uśmiechem. — Cieszę się, że tu jestem, Tom.

— Mamy jeszcze tylko dwie reklamy. Potem wchodzimy.

— Oczywiście. Pan tu ustala porządek.

Na szczęście, pomyślał redaktor wywodzący się z liberalnych tradycji dziennikarstwa Wschodniego Wybrzeża. Jego zdaniem ten senator z Oklahomy był zagrożeniem dla społeczeństwa. Pokarm dla psów zastąpił samochód dostawczy, a po nim były płatki śniadaniowe. Gdy z ekranu zniknął obraz szczęśliwej rodziny, która na śniadanie pałaszowała coś, co przypominało, a zapewne i smakowało jak zmielone cegiełki, kierownik planu wskazał palcem na Hapgooda. Czerwona lampka na kamerze nr 1 zapaliła się i redaktor spojrzał z zatroskaną twarzą prosto w obiektyw.

— Mimo powtarzających się zaprzeczeń rzecznika prasowego Białego Domu, Craiga Liptona, do naszego programu docierają sygnały, że stan zdrowia prezydenta Cormacka ciągle budzi głębokie zaniepokojenie. I to na dwa tygodnie przed łączonym z jego nazwiskiem i jego prezydenturą Traktatem z Nantucket, który ma być ratyfikowany przez Kongres. Jednym z najbardziej konsekwentnych przeciwników tego układu jest przewodniczący ruchu „Obywatele Silnej Ameryki", senator Bennett Hapgood.

Na słowo „senator" zapaliła się lampka przy kamerze nr 2 i obraz siedzącego senatora pojawił się w trzydziestu milionach amerykańskich domów. Kamera nr 3 pokazała widzom obu mężczyzn, gdy redaktor odwracał się w stronę Hapgooda.

— Senatorze, jak ocenia pan szansę ratyfikowania traktatu w styczniu?

— Cóż można powiedzieć, Tom? Duże być nie mogą. Nie po tym, co stało się w ostatnich tygodniach. Ale nawet pomijając to, umowa nie powinna być ratyfikowana. Jak miliony amerykańskich rodaków, nie widzę w tym momencie żadnego usprawiedliwionego powodu, aby ufać Rosjanom, a do tego sprawa przecież zmierza.

— Ale jednak, senatorze, nie chodzi tu tylko o kwestię zaufania. Umowa określa procedury kontroli, które naszym wojskowym ekspertom gwarantują bezprecedensowy dostęp do radzieckiego programu niszczenia broni...

— Może tak, Tom, a może nie. Rosja to olbrzymie terytorium. Musimy zdać się na to, że oni nie zbudują wtedy nowoczesnej broni w innym zakątku kraju. Dla mnie sprawa jest prosta. Chciałbym widzieć Stany Zjednoczone silne, a to znaczy, że powinniśmy zachować stan posiadania, jaki mamy...

— I dalej produkować broń, senatorze?

— Jeśli będzie trzeba, tak.

— Ale budżet obronny zaczyna osłabiać naszą gospodarkę, deficyt wymyka się powoli spod kontroli.

— To pan powiedział, Tom. Inni mówią, że to, co naszej gospodarce wyrządza krzywdę, to zbyt wysokie koszty pomocy socjalnej, zbyt duży import, zbyt wiele programów pomocy zagranicznej. Wydaje się, że przeznaczamy więcej pieniędzy dla krytycznej zagranicy niż dla naszego wojska. Niech pan mi wierzy, Tom, nie chodzi tu tylko o przemysł zbrojeniowy, nie w tym problem.

Tom Granger zmienił temat.

— Senatorze, pomijając fakt, że jest pan przeciwny amerykańskiej pomocy dla głodujących w Trzecim Świecie i popiera protekcyjną taryfę celną, żądał pan także ustąpienia Johna Cormacka. Czy mógłby pan to uzasadnić?

Hapgood najchętniej udusiłby dziennikarza. Mówiąc o „głodujących" i „protekcyjnej taryfie" Granger pokazywał wprost, co myśli o tych kwestiach. Hapgoog zachował jednak zatroskany wyraz na twarzy i poważnie, choć ze współczuciem, pokiwał głową.

— Chciałbym powiedzieć tylko jedno, Tom. Sprzeciwiam się niektórym projektom prezydenta Cormacka. To moje prawo w wolnym kraju, ale... — Odwrócił się od redaktora do kamery i odczekał, aż zapali się na niej czerwone światełko, by pokazać go w zbliżeniu. — ...nie mniej niż inni podziwiam siłę i odwagę Johna Cormacka w ciężkich dla niego czasach. I dlatego z tego miejsca chcę powiedzieć jedno... — Jego opalona twarz tryskałaby ze wszystkich porów szczerością, gdyby te nie były zaklejone pudrem. — John, wziąłeś na siebie więcej niż człowiek może wytrzymać. Dla dobra narodu, partii, przede wszystkim jednak twojego i Myry, błagam cię, złóż już to ciążące ci brzemię urzędu.

W swoim prywatnym gabinecie w Białym Domu prezydent przycisnął guzik pilota i wyłączył ekran po drugiej stronie pokoju. Znał Hapgooda i nie lubił go, mimo że obaj należeli do partii republikańskiej; gdyby ten facet stał przed nim, nigdy by się nie odważył zwrócić do niego po imieniu. A przecież... wiedział, że Hapgood ma rację. Wiedział, że jego siły są już prawie na wyczerpaniu, że dłużej już nie jest w stanie przewodzić Ameryce. Jego nieszczęście było tak wielkie, że nie czuł już żądzy tego urzędu, tak jak i żądzy życia.

Nie wiedział, że doktor Armitage stwierdził u niego w minionych dwóch tygodniach symptomy, które go bardzo niepokoiły. Raz nawet — jakby na potwierdzenie tego, czego szukał — natknął się w podziemnym garażu na prezydenta, po jednej z jego rzadkich wycieczek, kiedy ten wysiadał akurat z samochodu. Głowa państwa spoglądała na rurę wydechową limuzyny jak na starego przyjaciela, do którego może by się zwrócił, aby złagodzić swój ból.

John Cormack sięgnął znowu po książkę, w którą zagłębiał się przed programem telewizyjnym. Był to tom poezji, o jakiej opowiadał niegdyś studentom w Yale. Pamiętał z niego wiersz napisany przez Johna Keatsa. Angielskiego poetę, który wskutek niskiego wzrostu czuł się zagubiony w świecie i który zmarł w wieku dwudziestu sześciu lat. Znał on melancholię jak mało kto i nadawał jej nieporównywalny wyraz. Prezydent znalazł fragment, którego szukał w *Odzie do słowika*:

> *...Często na pół zakochany*
> *Byłem w śmierci kojącej. Do niej słałem pienie*
> *Przyzywając ją słodko przez rytm zadumany,*
> *Iżby wzięła w przestworze ciche moje natchnienie*
> *Teraz — zda się — do śmierci najbardziej gotów,*
> *By o północy odejść — bez mąk — w pokój wieczny...* *

Odłożył otwartą książkę, oparł się w krześle i przyglądał ozdobnym ślimakowatym gzymsom w prywatnym gabinecie najpotężniejszego człowieka świata. *By o północy odejść — bez mąk.* Jakże to kuszące, myślał, jak bardzo kuszące...

Quinn postanowił zadzwonić tego wieczoru o 22:30, kiedy to większość pracujących mężczyzn była już w domu, ale nie leżała jeszcze w łóżku. Stał w budce w dobrym hotelu, gdzie kabiny miały jeszcze drzwi dające rozmówcy odrobinę prywatności. Po trzech sygnałach podniesiono słuchawkę: — Tak?

Już słyszał ten głos, ale to jedno słowo nie wystarczyło, aby go zidentyfikować. Odpowiedział mu spokojnym, niemal szepczącym głosem Mossa, oddech jego gwizdał, jakby przez uszkodzony nos.

— Tu Moss — zaczął.

Zapadła cisza.

— Nie miał pan tu dzwonić, poza nagłymi sprawami. Mówiłem przecież.

Chwyciło. Quinn wziął głęboki oddech.

— To nagła sprawa — odezwał się spokojnie. — Quinn jest załatwiony. Kobieta też. I McCrea został... usunięty.

— Nie muszę chyba nic o tym wiedzieć — odparł głos.

— Powinien pan — zaznaczył Quinn, nim mężczyzna zdążył przerwać połączenie. — Quinn zostawił manuskrypt. Ja go mam, przy sobie.

— Manuskrypt?

---

*Tłum. J. Pietrkiewicz.

— Tak. Nie wiem, skąd wziął szczegóły, jak na to wpadł, ale to wszystko tu jest. Te pięć nazwisk, rozumie pan, do tego ja, McCrea, Orsini, Zack, Marchais, Pretorius, wszystko. Nazwiska, daty, adresy, godziny. Co się wydarzyło i dlaczego... i kto.

Tym razem mężczyzna milczał długo.

— Ja też tam jestem? — spytał.

— Mówiłem przecież, że *wszystko*.

Usłyszał ciężki oddech.

— Ile egzemplarzy?

— Tylko jeden. Był w chacie w górach na północy Vermont. Tam nie ma kopiarek. Ja mam jedyny egzemplarz.

— Rozumiem. Gdzie pan jest?

— W Waszyngtonie.

— Myślę, że będzie lepiej, jak pan mi go odda.

— Jasne — zgodził się Quinn. — Bez problemu. Ja też tam jestem. Sam bym go zniszczył, ale...

— Ale co, panie Moss?

— Ale myślę, że coś mi się jeszcze należy.

Znowu długa przerwa. Mężczyzna po drugiej stronie linii przełknął kilka razy ślinę.

— O ile wiem, sowicie pana wynagrodzono — powiedział. — Jeśli powinien pan dostać coś ekstra, nie ma problemu.

— Nie o to chodzi — odparł Quinn. — Miałem całe mnóstwo gównianej roboty, która nie była przewidziana. Te trzy typy w Europie Zachodniej, Quinn, kobieta... To wszystko było ponad... ponad umowę.

— Czego pan chce, Moss?

— Myślę sobie, że powinienem dostać jeszcze raz tyle, co mi zaoferowano. Podwójnie.

Słyszał, jak tamten nabiera powietrza. Uczył się teraz boleśnie, że zadawanie się z zabójcami może prowadzić i do szantażu.

— Muszę to najpierw skonsultować — odpowiedział głos z Georgetown. —Jeśli... hm... mam przygotować papierki, trochę to potrwa. Niech pan nie robi nic nie przemyślanego. Jestem pewien, że sprawa da się załatwić.

— Dwadzieścia cztery godziny — zaznaczył Quinn. — Jutro o tej porze zadzwonię do pana. Niech pan powie tym pięciu, że sprawa jest pilna. Ja dostanę moje pieniądze, wy manuskrypt. Potem ulotnię się, a wy będziecie bezpieczni... na zawsze.

Odłożył słuchawkę i pozostawił tamtemu wybór, czy ma zorganizować pieniądze, czy sprowadzić na siebie totalną klęskę.

Dla łatwiejszego poruszania się Quinn wynajął motor, kupił ciężkie buty i grubą lotniczą kurtkę, aby chronić się przed zimnem.

Kolejnego wieczora telefon został odebrany już przy pierwszym sygnale.

— I jak? — zapytał świszcząc.

— Pańskie... warunki, choć mocno zawyżone, zostały zaakceptowane — odparł właściciel domu w Georgetown.

— Ma pan... te papierki?

— Tak. Przy sobie. A pan ma manuskrypt?

— Także przy sobie. Wymieńmy więc je i będzie z głowy.

— W porządku. Nie tutaj. W miejscu jak zwykle, o drugiej w nocy.

— Ma pan być sam. Nieuzbrojony. Próba załatwienia mnie skończy się dla pana w trumnie.

— Nie będzie żadnych numerów, ma pan moje słowo. Jesteśmy gotowi zapłacić i po sprawie. A z pana strony też proszę bez sztuczek. To zwykły interes, pieniądze za towar.

— Zgadzam się. Mnie obchodzą tylko pieniądze — dodał Quinn.

Tamten przerwał rozmowę.

Za pięć jedenasta John Cormack siedział za swoim biurkiem i czytał napisaną odręcznie przemowę do narodu amerykańskiego. Była utrzymana w podniosłym tonie. Inni odczytają ją głośno, wydrukują w gazetach i magazynach, podadzą w radio i telewizji. Po tym, gdy on opuści już Biały Dom. Do świąt Bożego Narodzenia pozostało jeszcze osiem dni. Jednak w tym roku ktoś inny będzie tu świętował. Dobry człowiek, zaufany, Michael Odell, czterdziesty pierwszy prezydent Stanów Zjednoczonych. Zadzwonił telefon. Spojrzał na aparat lekko zirytowany. To było jego prywatne połączenie, którego numer dał tylko najbliższym i cenionym przyjaciołom mogącym tu dzwonić bez zwyczajowych formalności.

— Tak?

— Pan prezydent?

— Tak.

— Moje nazwisko Quinn. Negocjator.

— A... tak, panie Quinn.

— Nie wiem, co pan o mnie myśli, panie prezydencie. Ale to teraz bez znaczenia. Nie dałem rady sprowadzić panu syna z powrotem. Odkryłem jednak, dlaczego. I kto go zabił. Proszę, niech mnie pan posłucha, nie mam wiele czasu. O piątej rano motocyklista zatrzyma się przy posterunku ochrony przy publicznym wejściu do Białego Domu na Alexander Hamilton Place. Odda paczkę, płaską teczkę. Zawiera manuskrypt. Przeznaczony tylko dla pana. Nie ma jego kopii. Proszę wydać polecenie, aby przyniesiono go panu osobiście. Kiedy pan go przeczyta, podejmie pan decyzje, które uzna pan za właściwe. I niech pan mi zaufa, panie prezydencie. Tylko ten ostatni raz. Dobranoc, sir.

John Cormack popatrzył na głuchą słuchawkę. Ciągle jeszcze zaskoczony odłożył ją na widełki, podniósł drugą i dyżurnemu oficerowi Secret Service wydał stosowne polecenie.

Quinn miał mały problem. Nie znał „miejsca jak zwykle", a przyznanie tego oznaczałoby, że nie dojdzie do spotkania. Około północy znalazł adres, który podała mu Sam. Zaparkował hondę w głębi ulicy i sam ukrył się w cieniu pomiędzy dwoma domami po drugiej stronie ulicy, oddalony o piętnaście metrów.

Budynek, jaki obserwował, był piękną, zadbaną czteropiętrową rezydencją z czerwonej cegły na zachodnim końcu Ulicy N, cichej alei, która stykała się tu z terenami uniwersytetu Georgetown. Quinn ocenił, że taki dom z pewnością kosztował ponad dwa miliony dolarów.

Obok na wysokości suteren widać było obie pary podnoszonych drzwi podwójnego garażu. W domu światła paliły się na trzech piętrach. Krótko po północy zgasły na najwyższym, w pokojach służby. O pierwszej paliły się już tylko na jednym piętrze. Ktoś jeszcze nie spał.

O 1:20 wygasły ostatnie światła wyżej, a zapaliły się te na parterze. Dziesięć minut później pojawił się za drzwiami garażu żółty promień. Ktoś wsiadał do samochodu. Światło zgasło, a drzwi przesunęły się w górę. Pojawił się długi czarny cadillac, skręcił powoli w ulicę, a drzwi opadły. Gdy limuzyna odjeżdżała w stronę uniwersytetu, Quinn widział, że siedzi w niej tylko jeden człowiek. Podszedł niezauważenie do hondy, zapalił ją i wolno ruszył za limuzyną.

Skręciła na południe w Wisconsin Avenue. Zawsze tryskające życiem Georgetown ze swoimi barami, bistrami, aż do późna w nocy otwartymi sklepami, było spokojne o tej godzinie w połowie grudnia. Quinn trzymał się tak blisko, jak tylko mógł. Widział światła cadillaca skręcającego na wschód w Ulicę M i potem w prawo w Pensylvania Avenue. Okrążył za nim Washington Circle, a potem dalej na południe, Dwudziestą Trzecią Ulicą, w lewo do Alei Konstytucji i w końcu auto zaparkowało zaraz za Henry Bacon Drive na skraju ulicy pod drzewami.

Quinn poderwał swoją maszynę w prawo, wjechał na chodnik i w kępę krzewów, gasząc jednocześnie silnik i światła. Widział, jak gasną tylne światła cadillaca i kierowca wysiada. Mężczyzna rozejrzał się wokół, przyjrzał się białej taksówce czekającej na pasażera, nie zauważył jednak nic podejrzanego i ruszył przed siebie. Zamiast pójść wzdłuż chodnika, przekroczył barierkę i prosto przez trawnik poszedł w stronę Zwierciadlanego Jeziorka.

Poza obszarem oświetlonym przez uliczne lampy ciemność otoczyła postać w czarnym płaszczu i kapeluszu. Na prawo od Quinna iluminatory oświetlające pomnik Lincolna rozjaśniły wylot Dwudziestej Trzeciej Ulicy, ale światło nie docierało do trawnika i drzew. Quinn mógł zbliżyć się na czterdzieści metrów, mając w polu widzenia poruszający się cień.

Mężczyzna obszedł zachodni kraniec pomnika Weteranów Wietnamu, a potem skręcił w lewo i pod górę w stronę grupy drzew stojących pomiędzy Ogrodami Konstytucji a Zwierciadlanym Jeziorkiem.

Dalej w lewo Quinn widział światła dwóch posterunków, gdzie weterani trzymali straż nocną za zaginionych w tej smutnej i dalekiej wojnie. Jego zwierzyna zaniechała zbliżania się do tego jedynego znaku życia w tej godzinie.

Pomnik Weteranów to długa ściana z czarnego marmuru, pośrodku opuszczona w ziemię na dobre dwa metry i kształtem przypominająca płaski szewron. Quinn przeszedł przez mur w miejscu, gdzie był on wysoki na trzydzieści centymetrów, i przykucnął szybko w jego cieniu, gdy mężczyzna przed nim odwrócił głowę, jakby słyszał skrzypnięcie buta na żwirze. Z głową przy samej ziemi Quinn widział, jak tamten sprawdza okolicę i rusza znowu przed siebie.

Zza chmur wyłonił się blady sierp księżyca. W jego świetle Quinn widział marmurowy mur z wyrytymi na całej jego długości nazwiskami pięćdziesięciu ośmiu tysięcy poległych w Wietnamie. Schylił się, by pocałować lodowaty marmur, i potem przeciął trawnik, by znaleźć się bliżej dębowego zagajnika, gdzie stały naturalnej wielkości posągi z brązu trzech weteranów wojny.

Mężczyzna w czarnym płaszczu przystanął, odwrócił się ponownie, aby zlustrować teren za nim. Nic nie zobaczył. Światło księżyca ukazywało dęby, bezlistne i nieruchome na tle odległego blasku spod pomnika Lincolna i połyskujące posągi czterech żołnierzy z brązu.

Gdyby bardziej się tym interesował, byłoby dla niego jasne, że na cokole powinni stać tylko trzej żołnierze. Gdy odwrócił się i ruszył, ten czwarty ożywił się i poszedł za nim.

Wreszcie mężczyzna dotarł do „miejsca jak zwykle". Na pagórku pomiędzy jeziorem w Ogrodach Konstytucji a Zwierciadlanym Jeziorkiem stała dyskretnie pomiędzy drzewami publiczna toaleta, oświetlona nocą pojedynczą lampką. Mężczyzna w czarnym płaszczu zajął pozycję obok lampy i czekał. Dwie minuty później Quinn wyszedł z cienia drzew.

Mężczyzna przyglądał mu się nieruchomo. Przypuszczalnie zbladł, co nie dało się jednak stwierdzić, bo światło było zbyt słabe. Widać było tylko jego wyraźnie drżące ręce. Patrzyli na siebie. Mężczyzna stojący przed Quinnem zwalczał narastającą panikę.

— Quinn — powiedział. — Przecież ty zginąłeś.

— To nie tak — odparł spokojnie Quinn. — To Moss zginął. I McCrea. I Orsini, Zack, Marchais i Pretorius. I Simon Cormack, tak, on pierwszy zginął. I ty wiesz, dlaczego.

— Moment, Quinn. Porozmawiajmy jak ludzie rozsądni. On musiał ustąpić. Wszystkich nas by zrujnował. Przecież jesteś w stanie to zrozumieć... — Wiedział, że walczy o życie.

— Simon? Student Oksfordu?

Zaskoczenie mężczyzny w ciemnym płaszczu wzrosło ponad jego strach. Należał do komitetu w Białym Domu, wiedział, do czego Quinn był zdolny. Musiał teraz walczyć o swoje życie.

— Nie chłopak. Ojciec. On musi ustąpić.

— Przez Traktat z Nantucket?

— No tak. Jego warunki zrujnują tysiące ludzi, setki firm.

— Ale dlaczego ty? O ile wiem, jesteś bogaty. Twój prywatny majątek wart jest miliony.

Mężczyzna stojący przed Quinnem zaśmiał się krótko.

— Jeszcze jest — odparł. — Gdy odziedziczyłem majątek rodzinny, spróbowałem sił jako makler w Nowym Jorku i ulokowałem wszystko w różnych pakietach akcji. I dalej wszystko tam jest. Dobre akcje z wysokimi zwyżkami kursu i wysokimi dochodami.

— W przemyśle zbrojeniowym.

— Spójrz, Quinn, przyniosłem to dla Mossa. Teraz może należeć do ciebie. Widziałeś kiedyś coś takiego?

Wyjął z kieszeni płaszcza kartkę papieru i podał ją Quinnowi. W słabym świetle latarni i księżyca Quinn obejrzał ją. Weksel bankowy, wystawiony na bank szwajcarski o nieskazitelnej reputacji, na okaziciela. Na sumę pięciu milionów dolarów amerykańskich.

— Zabierz go, Quinn. Tyle pieniędzy nie widziałeś jeszcze nigdy i nigdy już pewnie nie zobaczysz. Wyobraź sobie, co mógłbyś z nimi zrobić, na co mógłbyś sobie pozwolić. Daj mi tylko ten manuskrypt, a weź czek.

— Czyli że w tym wszystkim chodziło o pieniądze, tak? — zapytał Quinn, zamyślony. Bawił się czekiem rozmyślając nad tym.

— Naturalnie. O pieniądze i władzę. To przecież jedno.

— Ale przecież jesteś jego przyjacielem. On ci ufa...

— Proszę, Quinn, nie bądź naiwny. Całemu temu narodowi chodzi tylko o pieniądze. Tu nikt nic nie zmieni. Tak było zawsze i tak zawsze będzie. Dla nas dolar jest Bogiem, do którego się modlimy. Wszystko i każdy w tym kraju może być kupiony, kupiony i sprzedany.

Quinn skinął głową. Pomyślał o pięćdziesięciu ośmiu tysiącach nazwisk na czarnym marmurze, czterysta metrów z tyłu. Kupionych i sprzedanych. Westchnął i sięgnął do kieszeni swojej grubej kurtki lotniczej. Tamten odsunął się o krok, zaskoczony.

— Tylko nie to, Quinn. Mówiliśmy, żadnej broni.

Kiedy jednak Quinn wyjął rękę, trzymał w niej gruby plik kartek maszynowego papieru. Podał je tamtemu. Mężczyzna odprężył się, wziął ten plik.

— Nie będziesz tego żałował, Quinn. Pieniądze są twoje. Ciesz się nimi.

Quinn znowu skinął głową.

— Mam tylko jeszcze jedną prośbę.

— Możesz mnie prosić, o co chcesz.

— Odprawiłem moją taksówkę na Alei Konstytucji. Możesz mnie podrzucić do Circle?

Po raz pierwszy ten drugi się uśmiechnął. Z ulgi.

— Żaden problem — odparł.

ROZDZIAŁ DZIEWIĘTNASTY

Mężczyźni w długich skórzanych płaszczach postanowili wykonać swoje zadanie podczas weekendu. Wtedy mniej ludzi się kręci, a oni zostali poinstruowani, aby postępować bardzo dyskretnie. Mieli obserwatorów w okolicy moskiewskiego biurowca, którzy w ten piątkowy wieczór przez radio zawiadomili ich, że zwierzyna opuszcza właśnie miasto.

Grupa mająca dokonać aresztowania czekała cierpliwie na długiej wąskiej drodze, gdzie zakręcała rzeka Moskwa, niecałe dwa kilometry przed zjazdem do wioski Pieredełkino, gdzie najwyżsi członkowie Komitetu Centralnego, najbardziej szanowani członkowie Akademii Nauk i dowódcy wojskowi mieli swoje dacze.

Kiedy oczekiwany samochód był blisko, główny wóz grupy aresztującej ustawił się w poprzek drogi i kompletnie ją zablokował. Szybko zbliżająca się czajka zwolniła i zatrzymała się. Kierowca i ochroniarz, z GRU i przeszkoleni w Specnaz, nie mieli szans. Z obu stron drogi podbiegli mężczyźni z pistoletami maszynowymi i ci dwaj mogli tylko popatrzeć przez szyby samochodu na wyloty luf.

Starszy, ubrany po cywilnemu oficer podszedł do tylnych drzwi, otworzył je i zerknął do środka. Siedzący tam mężczyzna podniósł lekko znudzony wzrok znad dokumentów, które czytał, bez śladu irytacji.

— Marszałek Kozłow? — spytał agent KGB w skórzanym płaszczu.

— Tak.

— Proszę wysiąść. Spokojnie. I rozkazać to samo swoim żołnierzom. Jest pan aresztowany.

Gruby marszałek wymamrotał to polecenie kierowcy i ochroniarzowi i wysiadł. Jego oddech zamarzał w lodowatym powietrzu. Zastanawiał się, kiedy znowu będzie wdychał to świeże zimowe powietrze. Jeśli odczuwał strach, nie dał tego po sobie poznać.

— Jeśli nie macie na to pełnomocnictwa, będziecie się tłumaczyć przed Biurem Politycznym, czekisto — użył obraźliwego rosyjskiego określenia na przedstawiciela tajnej policji.

— Działamy z polecenia Biura Politycznego — zaznaczył pracownik KGB z zadowoleniem w głosie. Był pułkownikiem z Zarządu Drugiego.

W tym momencie stary marszałek odkrył, że po raz ostatni zabrakło mu amunicji.

Dwa dni później w ciemności nocy, tuż przed świtem, saudyjska policja bezpieczeństwa obstawiła skromny prywatny dom w Rijadzie. Zrobiono to po cichu, choć nie do końca. Ktoś potknął się o pustą puszkę i pies zaczął szczekać. Jemeński służący, który był już na nogach, aby przygotować poranną mocną kawę, wyjrzał przez okno i poszedł poinformować swojego pana.

Pułkownik Easterhouse nauczył się pośród amerykańskich spadochroniarzy szybkiego reagowania. A znając Arabię Saudyjską wiedział, że spiskowiec zawsze musi się liczyć z niebezpieczeństwem zdrady. I był na to przygotowany. Kiedy potężna drewniana brama podwórzowa rozpadła się z hukiem i obaj jemeńscy strażnicy padli, wybrał własną drogę, aby umknąć mękom, które z pewnością go oczekiwały. Agenci policji usłyszeli strzał, gdy wbiegali po schodach do mieszkania na piętrze.

Znaleźli go rozciągniętego z twarzą w dół we własnym gabinecie, przestronnym, urządzonym z wyszukanym arabskim smakiem. Krew z rany brukała wspaniały dywan. Pułkownik dowodzący grupą rozejrzał się po pokoju; jego spojrzenie padło na arabski napis wyszyty na jedwabnym kilimie na ścianie za biurkiem: „Inszallah". „Allah tak chce".

Następnego dnia Philip Kelly osobiście dowodził oddziałem FBI, który obstawił posiadłość pośród wzgórz Hill Country za Austin. Cyrus Miller przyjął Kelly'ego z pełną kurtuazją i słuchał spokojnie, kiedy odczytywano mu jego prawa. Gdy dowiedział się, że jest aresztowany, zaczął głośno modlić się i nawoływał swojego Przyjaciela na wysokościach do zemsty na bałwochwalcach i przeciwnikach wiary, którzy nie pojęli woli Najwyższego, jaka znalazła wyraz w czynach Jego wybrańca.

Kevin Brown dowodził grupą, która w tej samej minucie zatrzymywała Melville'a Scanlona w jego pałacowym domu pod Houston. Inne oddziały FBI odwiedziły Lionela Moira w Dallas i próbowały ująć w Palo Alto Bena Salkinda i w Pasadenie Petera Cobba. Czy to intuicyjnie, czy przez zbieg okoliczności Salkind dzień wcześniej odleciał do Mexico City. W przypadku Cobba założono, że w chwili aresztowania będzie w swoim biurze. Faktycznie jednak przeziębienie sprawiło, że został w domu. Był to jeden z tych kaprysów losu, które niszczą najdokładniej zaplanowane operacje. Policjanci i żołnierze dobrze je znają. Lojalna sekretarka zadzwoniła do niego, gdy grupa FBI na pełnym gazie pędziła do jego prywatnego domu. Podniósł się z łóżka, pocałował żonę i dzieci i wyszedł do garażu połączonego z domem. Tam ludzie z FBI znaleźli go dwadzieścia minut później.

Cztery dni poźniej prezydent John Cormack wszedł do Sali Posiedzeń Gabinetu i zajął zarezerwowane dla niego miejsce w środku. Ścisłe grono ministrów i doradców właśnie się zebrało i czekało na swoich miejscach. Wszyscy zauważyli, że trzyma się prosto, z podniesioną głową i błyskiem w oczach.

Po drugiej stronie stołu siedzieli Lee Alexander i David Weintraub z CIA, obok Don Edmonds, Philip Kelly i Kevin Brown z FBI. John Cormack skinął w ich kierunku, gdy zajmował miejsce.

— Wasze raporty, panowie. Proszę.

Na znak swojego dyrektora Kevin Brown przemówił jako pierwszy.

— Panie prezydencie, w chacie w Vermont, zgodnie z opisem, trafiliśmy na karabin Armalite i kolta kaliber 45 automatic, a także odkryliśmy ciała Irvinga Mossa i Duncana McCrea, byłych agentów CIA. Tak zostali zidentyfikowani.

David Weintraub skinął głową.

— Zbadaliśmy kolta w Quantico. Belgijska policja przesłała nam powiększone zdjęcia kul, które wyjęto z obić siedzenia na diabelskim młynie w Wavre. Kula, która zabiła najemnika Marchais alias Lefort, pochodziła z tej broni. Holenderska policja w piwnicy pod barem w Den Bosch odkryła kulę w drewnianej ścianie starej beczki, lekko zdeformowaną, ale dającą się zidentyfikować. Ten sam kolt. Wreszcie policja paryska wydobyła z tynku w barze przy Passage de Vautrin sześć idealnych kul. Stwierdzono, że pochodziły z karabinu Armalite. Obie sztuki broni kupiono pod fałszywym nazwiskiem w sklepie w Galveston. Właściciel zidentyfikował Irvinga Mossa, jako kupującego, na podstawie fotografii.

— A więc wszystko jasne.

— Tak, panie prezydencie, wszystko.

— Panie Weintraub?

— Ku mojemu żalowi muszę przyznać, że Duncan McCrea faktycznie został przyjęty do Agencji w Ameryce Środkowej z polecenia Irvinga Mossa. Działał tam dwa lata jako goniec, potem przeniesiony był do Ameryki i wysłany na szkolenie do Camp Peary. Po wylaniu Mossa wszyscy jego podopieczni powinni zostać sprawdzeni. Niestety, nie dopilnowano tego. Błąd. Przykro mi.

— Nie był pan w tym casie na swoim dzisiejszym stanowisku, panie Weintraub. Proszę kontynuować.

— Dziękuję, panie prezydencie. Mamy potwierdzenia z... naszych źródeł... tego, co rezydent KGB w Nowym Jorku nieoficjalnie nam doniósł. Marszałek Kozłow został aresztowany i przesłuchiwany jest obecnie w sprawie dostarczenia paska, który zabił pańskiego syna. Oficjalnie ustąpił ze swojego stanowiska z powodów zdrowotnych.

— Sądzi pan, że się przyzna?

— W więzieniu Lefortowo, sir, KGB ma swoje sposoby.

— Panie Kelly?

— Kilka spraw, panie prezydencie, nie zostanie nigdy udowodnionych. Nie ma żadnego śladu po ciele Orsiniego, ale korsykańska policja stwierdziła, że w pokoju nad lokalem w Castelblanc faktycznie oddano dwa strzały z dubeltówki. Smith & Wesson przydzielony naszej agentce Somerville leży na dnie Prunelli i musi zostać potraktowany jako zaginiony. Ale wszystko, co dało się sprawdzić, jest sprawdzone. Manuskrypt, sir, aż po najdrobniejsze szczegóły podaje prawdę.

— A tych pięciu panów, Piątka z Alamo?

— Trzech z nich ujęliśmy, panie prezydencie. Cyrus Miller niemal na pewno nie stanie nigdy przed sądem. Zostanie uznany za chorego psychicznie. Melville Scanlon przyznał się do wszystkiego, włącznie ze szczegółami spisku mającego obalić monarchię w Arabii Saudyjskiej. Zakładam, że Departament Stanu zajął się już tą kwestią...

— Zajął się. Saudyjski rząd został poinformowany i podjął odpowiednie działania. A pozostali z tej Piątki z Alamo?

— Salkind uciekł do Ameryki Południowej, jak przypuszczamy. Cobb został znaleziony w garażu, gdzie się powiesił. Moir potwierdza wszystko, co wyznał Scanlon.

— A czy są jakieś niejasne szczegóły, panie Kelly?

— Żadnych, o których byśmy wiedzieli, panie prezydencie. W czasie, jakim dysponowaliśmy, sprawdzono wszystko z manuskryptu Quinna. Nazwiska, daty, godziny, miejsca, wypożyczone auta, bilety lotnicze, wynajmy lokali, rezerwacje hotelowe, wykorzystane pojazdy, broń, wszystko. Policja i władze imigracyjne Irlandii, Wielkiej Brytanii, Belgii, Holandii i Francji przysłały nam wszelkie dokumenty i całość pasuje w każdym calu.

Prezydent Cormack rzucił okiem na puste krzesło po swojej stronie stołu.

— A... mój dawny kolega?

Dyrektor FBI skinął w kierunku Kelly'ego.

— Ostatnie trzy strony manuskryptu to zapis rozmowy pomiędzy tymi dwoma mężczyznami krytycznej nocy, dla której nie mamy żadnego potwierdzenia, panie prezydencie. Nie trafiliśmy też jeszcze na ślad pana Quinna. Ale sprawdziliśmy personel willi w Georgetown. Oficjalnego kierowcę odesłano do domu z informacją, że samochód nie będzie już tego wieczoru potrzebny. Dwóch pracowników służby przypomina sobie jednak, że około wpół do drugiej obudziły ich otwierające się drzwi garażu. Jeden wyjrzał i widział samochód wyjeżdżający na ulicę. Pomyślał, że może chodzić o kradzież i poszedł zawiadomić swojego pana. Nie było go, podobnie jak samochodu. Sprawdziliśmy wszystkie jego aktywa umiejscowione w różnych towarzystwach powierniczych. Są to ogromne udziały w firmach zbrojeniowych, na które Traktat z Nantucket wpłynie na pewno niekorzystnie. Potwierdza się to, co podał Quinn. Odnośnie tego, co tamten mówił, nie uzyskamy nigdy pewności. Można albo wierzyć Quinnowi, albo nie.

Prezydent Cormack podniósł się.

— Ja mu wierzę, panowie. Tak. Proszę odwołać pościg za nim. To oficjalny nakaz. Dziękuję wam za wasze starania.

Wyszedł drzwiami naprzeciw kominka, przeszedł przez biuro swojego osobistego sekretarza, zaznaczając, by mu teraz nie przeszkadzano, wszedł do Pokoju Owalnego i zamknął za sobą drzwi.

Usiadł za wielkim biurkiem pod zielono opalizującymi oknami z kilkunastocentymetrowego kuloodpornego szkła, wychodzącymi na Różany Ogród, i odchylił się wygodnie na wysokim obrotowym fotelu. Siedemdziesiąt trzy dni upłynęło od czasu, gdy tutaj tak siedział.

Na biurku stała fotografia w srebrnej ramce. Zdjęcie Simona zrobione jesienią w Yale, nim wyjechał do Anglii. Miał wtedy dwadzieścia lat, jego twarz przepełniona była radością życia i wielkimi nadziejami.

Prezydent wziął zdjęcie w obie dłonie i zapatrzył się w nie. Potem otworzył szufladę po lewej stronie.

— Żegnaj, mój synu — powiedział.

Ułożył fotografię twarzą w dół w szufladzie, zasunął ją i nacisnął guzik interkomu.

— Proszę przysłać do mnie Craiga Liptona.

Kiedy wszedł rzecznik prasowy, prezydent poinformował go o swoim życzeniu, aby następnego wieczora w czasie najwyższej oglądalności duże stacje telewizyjne wyemitowały jego godzinne przemówienie do narodu.

Właścicielka pensjonatu w Alexandrii żałowała, że traci swojego kanadyjskiego gościa, pana Rogera Lefevre. Był spokojny i dobrze wychowany, nie sprawiał żadnych kłopotów. Nie to co inni, których dobrze pamiętała.

Kiedy wieczorem zszedł na dół, aby zapłacić rachunek i pożegnać się, stwierdziła, że zgolił brodę. Podobało jej się to; wyglądał dużo młodziej. Telewizor w jej salonie był jak zawsze włączony. Wysoki mężczyzna stanął w drzwiach, by się pożegnać. Na ekranie spiker z poważną twarzą oznajmił: „Panie i panowie, prezydent Stanów Zjednoczonych".

— Czy nie może pan jeszcze troszkę zostać? — spytała gospodyni pensjonatu. — Prezydent ma przemówić. Mówią, że biedak jest zdecydowany ustąpić.

— Taksówka czeka przed drzwiami — odparł Quinn. — Muszę iść.

Na ekranie ukazała się twarz prezydenta Cormacka. Siedział nieruchomo za biurkiem w Pokoju Owalnym, pod wielką pieczęcią. Widzowie nie oglądali go od prawie osiemdziesięciu dni, uznali, że się postarzał, wyszczuplał i miał więcej zmarszczek niż przed trzema miesiącami. Jednak wyraz z fotografii, jaka ukazywała go przy grobie w Nantucket, znikł. Trzymał się prosto i patrzył w obiektyw kamery tak, że miał bezpośredni — jeśli nawet przekazywany elektronicznie — kontakt wzrokowy z ponad stu milionami Amerykanów i wieloma dalszymi milionami widzów na świecie, którzy odbierali program przez satelity. W jego postawie nie było znużenia ani zwątpienia; ton jego głosu był wyważony, poważny i zdecydowany.

— Rodacy... — zaczął.

Quinn zamknął frontowe drzwi i zszedł po schodach do taksówki.

— Lotnisko Dulles — powiedział.

Kierowca ruszył na południowy zachód do autostrady Henry Shirley Memorial, skręcił w prawo przy rzece Turnpike i potem jeszcze raz w prawo do Wielkiej Obwodnicy. Na obu chodnikach błyskały świąteczne dekoracje, a Mikołaje przed sklepami przekrzykiwali się radośnie, każdy z uchem przy odbiorniku tranzystorowym.

Po paru minutach Quinn zauważył, że coraz więcej kierowców zjeżdża na prawo i zatrzymuje się przy krawężniku, by wysłuchać przemówienia płynącego z radia. Na chodnikach tworzyły się grupy dookoła tych, którzy mieli radia. Kierowca biało-niebieskiej taksówki założył nawet słuchawki.

— Niesamowite, to nie do wiary! — krzyknął, gdy jechali autostradą. Odwrócił głowę do pasażera. — Przełączyć na głośnik?

— Wysłucham, jak będą powtarzać — odparł Quinn.

Na międzynarodowym lotnisku Dulles Quinn zapłacił taksówkarzowi i ruszył prosto do okienka odpraw British Airways. Po drugiej stronie hali większość pasażerów i połowa personelu stała przed telewizorem umieszczonym na ścianie. Za kontuarem odpraw była tylko jedna dziewczyna.

— Lot 216 do Londynu — powiedział, pokazując bilet.

Dziewczyna z trudem odwróciła wzrok od ekranu i sprawdziła jego bilet. Wystukała dane na terminalu i otrzymała potwierdzenie rezerwacji.

— W Londynie przesiada się pan do Malagi? — spytała.

— Tak, zgadza się.

Głos Johna Cormacka wypełniał niezwyczajnie cichą halę: „Chcąc zniszczyć Traktat z Nanucket, ludzie ci uznali, że najpierw muszą zniszczyć mnie..."

Dziewczyna wydała mu kartę pokładową, wpatrując się w ekran.

— Mogę przejść do hali odlotów? — spytał Quinn.

— O... tak, pewnie... i miłego dnia.

Po kontroli paszportowej znalazł się w poczekalni z barem wolnocłowym. Także za barem stał telewizor. Wszyscy pasażerowie zebrani byli przed nim, wgapieni w ekran.

„Ponieważ nie mogli zbliżyć się do mnie, posłużyli się moim synem, jedynym i ukochanym synem, i zabili go..."

W piętrowym autobusie toczącym się do oczekującego Boeinga w czerwono-biało-niebieskich barwach British Airways był mężczyzna z radiem tranzystorowym. Nikt nie rozmawiał. Przy wejściu do samolotu Quinn pokazał swoją kartę stewardowi, a ten wskazał mu wtedy ruchem ręki pierwszą klasę. Quinn pozwolił sobie na ten luksus płacąc resztą rosyjskich pieniędzy. Słyszał jeszcze głos prezydenta z autobusu za nim, pochylając głowę przy wejściu do samolotu.

„Tak to wyglądało. Ale już po wszystkim. I mogę tylko wam, rodacy, powiedzieć jedno: znowu macie swojego prezydenta..."

Quinn zapiął się pasem na siedzeniu przy oknie, odmówił kieliszka szampana i zamiast niego poprosił o czerwone wino. Wziął *Washington Post* i zaczął czytać. Fotel obok był pusty, gdy maszyna startowała.

Boeing 747 podniósł się i skierował dziób w stronę Atlantyku i Europy. Quinn otoczony był przez podekscytowane głosy pasażerów, którzy nie wierzyli jeszcze do końca w słowa przemówienia prezydenta trwającego prawie godzinę. Quinn siedział w milczeniu i czytał gazetę.

Artykuł przewodni na stronie tytułowej zapowiadał mowę, którą właśnie usłyszał świat, zapewniając czytelników, że prezydent przy tej okazji powiadomi o swoim ustąpieniu.

— Czy mogę w czymś pomóc, sir? Ma pan już wszystko?

Odwrócił się i uśmiechnął z ulgą. W przejściu stała Sam i pochylała się ku niemu.

— Teraz już tak, skarbie.

Odłożył gazetę na kolana. Na ostatniej stronie była notatka, której oboje nie zauważyli. W krzykliwym stylu amerykańskich nagłówków podawano: GOTÓWKA Z NIEBA DLA WETERANÓW WIETNAMU. A podtytuł podgrzewał jeszcze do lektury: PIĘĆ MILIONÓW ZNIKĄD NA KLINIKĘ NEUROLOGICZNĄ.

Sam usiadła w fotelu obok.

— Dostałam pański list, Quinn. Tak, polecę z panem do Hiszpanii. Tak, wyjdę za pana.

— To dobrze — powiedział. — Nie cierpię niezdecydowania.

— A to miejsce, gdzie pan mieszka... jak wygląda?

— Taka mieścina, małe białe domki, mały stary kościół, mały stary ksiądz...

— Ale pamięta chyba ceremonię ślubną...

Objęła go za szyję i przyciągnęła do siebie w długim, niekończącym się pocałunku. Gazeta spadła z jego kolan na podłogę, odwracając się po drodze. Stewardesa podniosła ją z pobłażliwym uśmiechem. Przeoczyła albo raczej był jej obojętny, największy tytuł na ostatniej stronie:

CICHY POGRZEB MINISTRA SKARBU HUBERTA REEDA.
NADAL NIE WIADOMO, DLACZEGO OSTATNIEJ NOCY
JEGO SAMOCHÓD WPADŁ DO POTOMACU.

Nakładem **C&T**

FREDERICK FORSYTH

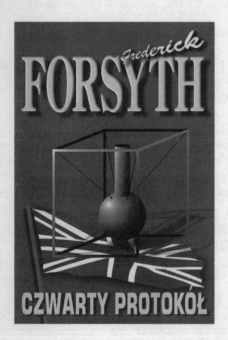

CZWARTY PROTOKÓŁ

Opracowany w zaciszu pod-moskiewskiej daczy plan „Aurora" ma wstrząsnąć posadami brytyj-skiego parlamentu. Agent radziec-kiego wywiadu zmontuje i wyko-rzysta do planowanej akcji bombę atomową. Nie bacząc przy tym na postanowienia tajnego Czwartego Protokołu. John Preston wie, że musi wykryć szaleńca, nim spowo-duje on totalną destrukcję w jego kraju.

FAŁSZERZ

Sam McCready to postać otoczona legendą w świecie brytyjskiego wywiadu. Przez siedem lat kierowania nim przeprowadził nie tylko wiele niebezpiecznych misji, ale i... narobił sobie wrogów „na górze". Teraz oni właśnie mają uznać, czy wraz z końcem zimnej wojny Sam może jeszcze się przydać, czy też odesłać go na „zasłużoną emeryturę".

CZYSTA ROBOTA. PASTERZ

Jedenaście błyskotliwych opowiadań pokazujących, że autor powieści doskonale sprawdza się i w małej formie. A puenta każdej z tych historii to dowód, że w kreowaniu intryg pisarz ten nie ma sobie równych.